LICHTE AARDSCHOKKEN

Vertaald door Titia Ram

Jennifer Weiner

Lichte aardschokken

2004 Prometheus Amsterdam

Voor Lucy Jane

Dit boek is fictie. Namen, personen, plaatsen en gebeurtenissen zijn het product van de verbeelding van de auteur of zijn fictief gebruikt. Gelijkenis met echte gebeurtenissen, plaatsen of personen, levend of dood, is volledig toevallig.

Oorspronkelijke titel *Little Earthquakes*

Omslagontwerp Mariska Cock
Foto omslag Image Store
www.uitgeverijprometheus.nl
ISBN 90 446 0466 X

'WAT IS ECHT?' VROEG HET KONIJN OP EEN DAG, TERWIJL ZE NAAST elkaar bij het haardscherm in de kinderkamer lagen, voordat Nanny kwam om de kamer op te ruimen. 'Betekent het dat je iets in je hebt dat zoemt en dat er een hendel uit je steekt?'

'"Echt" is niet hoe je bent gemaakt,' zei het Kale Paard. 'Het is iets wat je overkomt. Als een kind heel, heel lang van je houdt, niet alleen om met je te spelen, maar als het ECHT van je houdt, dan word je pas Echt.'

'Doet dat pijn?' vroeg het Konijn.

'Soms,' zei het Kale Paard, want het was altijd eerlijk. 'Als je Echt bent, vind je het niet erg om pijn te lijden.'

MARGERY WILLIAMS, *Het fluwelen konijn*

April

Lia

IK HEB HAAR DRIE DAGEN BEKEKEN, TERWIJL IK ALLEEN IN HET park onder een iep zat naast een droge fontein met een zakje niet opgegeten boterhammen op mijn schoot en mijn tasje naast me.

Tasje. Het is niet echt een tasje. Vroeger had ik tasjes: een nep-Prada-handtas, een echte Chanel-*baguette* die Sam me voor mijn verjaardag had gegeven. Ik heb nu een gigantische, roze Vera Bradley-tas met bloemmotief die groot genoeg is om er een hoofd in op te bergen. Als die tas een mens was, was hij iemands slonzige, grijze oudtante die naar mottenballen en boterbabbelaars rook en per se in je wangen wilde knijpen. Hij is gruwelijk. Maar dat valt de mensen net zo min op als ze mij opmerken.

Ooit zou ik stappen hebben genomen om er verzekerd van te zijn dat ik niet zou opvallen: een over mijn gezicht getrokken honkbalpetje of een sweater met een capuchon om me te helpen de vragen te omzeilen die altijd begonnen met: 'Hé, ben jij niet...?' en die altijd eindigden met een naam die niet de mijne was. 'Nee, wacht, niet zeggen. Heb ik je niet ergens in gezien? Ik ken je toch?'

Nu staart er niemand meer naar me, niemand stelt nog vragen en niemand gunt me ook maar een tweede blik. Ik zou net zo goed bij het straatmeubilair kunnen horen. Vorige week rende er een eekhoorn over mijn voet.

Maar dat geeft niet. Dat is prima. Ik ben hier niet om gezien te worden. Ik ben er om te kijken. Meestal verschijnt ze om een uur of drie. Dan leg ik mijn boterham naast me en dan houd ik de tas tegen me aan gedrukt als een kussen of een huisdier en staar ik. Eerst wist ik het niet zeker, maar gisteren stopte ze halverwege mijn fontein met haar handen tegen haar onderrug gedrukt. Dat heb ik ook gedaan, dacht ik en ik voelde hoe mijn keel zich samenkneep. Dat heb ik ook gedaan.

Ik was gek op dat park. Toen ik opgroeide in Noordoost-Philadelphia nam mijn vader me drie keer per jaar mee naar de stad. In de zomer gingen we naar de dierentuin, iedere lente naar de Floriade en in december gingen we kerstlampjes kijken bij Wanamaker's. Dan mocht ik iets lekkers uitzoeken – warme chocolade of een aardbeienijsje – en dan zaten we op een bankje en verzon mijn vader verhalen over de mensen die langsliepen. Een tiener met een rugzak was een rockster incognito; een dame met blauw haar en een enkellange bontjas een spionne voor de Russen. Toen ik in het vliegtuig zat, ergens boven Virginia, dacht ik aan dat park, de smaak van chocolade en aardbeien en de arm van mijn vader om me heen. Ik dacht dat ik me hier veilig zou voelen. Dat had ik mis. Iedere keer dat ik met mijn oogleden knipperde, iedere keer dat ik ademde, kon ik de grond onder me voelen schuiven en wiebelen. Ik voelde dat er dingen begonnen te breken.

Het was zo vanaf het moment dat het gebeurde. Niets kon ervoor zorgen dat ik me veilig voelde. Niet de armen van mijn man Sam om me heen, niet de therapeut die hij voor me had gevonden, die met de verdrietige ogen en de lieve stem, die tegen me had gezegd: 'Alleen tijd heelt de wonden en je zult het dag voor dag moeten nemen.'

Dat deden we ook. Het leven bij de dag leven. Eten zonder het te proeven, de piepschuimen bakjes weggooien. Onze tanden poetsen en het bed opmaken. Op een woensdagmiddag, drie weken nadat het was gebeurd, stelde Sam voor dat we naar de film zouden gaan. Hij had kleren voor me klaargelegd – de limoengroene capribroek die eigenlijk nog steeds niet dicht kon, een ivoorkleurige zijden blouse met roze borduursel en een paar roze slippers. Toen ik de luiertas bij de deur had opgepakt, had Sam me gek aangekeken, maar hij had niets gezegd. Ik had hem al eerder als handtas gebruikt en dat was ik blijven doen, als een teddybeer of een lievelingsdekentje, als iets geliefds waarvan ik maar geen afstand kon doen.

Toen ik in de auto stapte, ging het prima. Het ging prima toen we de parkeergarage in reden, toen Sam de deur voor me openhield en de rood fluwelen lobby, die naar popcorn en margarine rook, met me binnen liep. En toen stond ik daar en ik kon me niet meer verroeren.

'Lia?' vroeg Sam me. Ik schudde mijn hoofd. Ik dacht aan de laatste keer dat we naar de film waren geweest. Sam had Maltezers, Gummi Worms en een grote Coca Cola die ik wilde voor me gekocht, hoewel cafeïne streng verboden was en ik van ieder nipje moest boeren. Nadat de film was afgelopen, had hij me met twee handen uit mijn stoel moeten sleuren. Toen had ik alles, dacht ik. Mijn oogleden begonnen te branden en mijn lippen begonnen te beven en ik voelde mijn knieën en nek week worden, alsof ze vol vet en kogellagers zaten. Ik steunde met één hand tegen de muur om mezelf in balans te houden, zodat ik niet opzij zou zakken. Ik dacht aan een stukje dat ik had gelezen over een nieuwsteam dat iemand had geïnterviewd die de Northridge-aardbeving in 1994 had meegemaakt. 'Hoe lang duurde het?' had de verveelde, gebruinde verslaggever gevraagd. De vrouw die haar huis en haar man had verloren, had hem met verschrikking aangekeken en gezegd: 'Het is nog steeds niet afgelopen.'

'Lia?' vroeg Sam nog een keer. Ik keek naar hem, naar zijn blauwe ogen die nog steeds bloeddoorlopen waren, naar zijn scherpe kaaklijn en zijn gladde huid. 'Ware schoonheid zit vanbinnen,' zei mijn moeder altijd, maar Sam was altijd zo lief tegen me geweest. Vanaf het moment dat het gebeurde, was hij alleen maar lief voor me. En ik had een tragedie over hem uitgestort. Iedere keer dat hij naar me keek, zag hij wat we waren kwijtgeraakt; en iedere keer dat ik naar hem keek, zag ik hetzelfde. Ik kon niet blijven. Ik kon niet blijven en hem nog meer pijn doen.

'Ik ben zo terug,' zei ik tegen hem. 'Ik ga even naar het toilet.' Ik gooide mijn Vera Bradley-tas over mijn schouder, liep langs de toiletten en glipte door de voordeur naar buiten.

Ons appartement was zoals we het hadden achtergelaten. De bank stond in de woonkamer, het bed in de slaapkamer. De kamer achter in de gang was leeg. Helemaal leeg. Er hing nog geen stofje in de lucht. Wie had dat gedaan? vroeg ik me af terwijl ik de slaapkamer binnen liep en handenvol ondergoed en T-shirts pakte en die in de tas propte. Ik bedacht dat het me niet eens was opgevallen. Hoe kon het me niet zijn opgevallen? Ooit had die kamer vol speelgoed en meubeltjes gestaan, een wiegje en een schommelstoel, en opeens was alles weg. Was er een of andere dienst die je kon bellen, een nummer dat je kon intoetsen, een website, mannen die met vuilniszakken en stofzuigers kwamen en alles meenamen?

'Sam, het spijt me verschrikkelijk,' schreef ik. 'Ik kan hier niet blijven. Ik kan het niet aanzien dat je zo verdrietig bent en dat het mijn schuld is. Kom me alsjeblieft niet zoeken. Ik bel je als ik het aankan. Het spijt me...' Ik stopte met schrijven. Er waren niet eens woorden voor. Niets wat ook maar in de buurt kwam. 'Het spijt me allemaal,' schreef ik en ik rende toen de deur uit.

De taxi stond bij de voordeur van ons appartementencomplex te wachten en de 405 was voor de verandering eens een keer in beweging. Een halfuur later stond ik op het vliegveld met een stapeltje knisperende biljetten uit de pinautomaat in mijn hand. 'Enkele reis?' had het meisje achter de balie me gevraagd.

'Enkele reis,' zei ik tegen haar en ik betaalde voor mijn ticket naar huis. De plek waar ze je moeten binnenlaten. Mijn moeder had er niet al te blij uitgezien, maar goed, die was sinds mijn tienerjaren en het vertrek van mijn vader nooit blij als het mij betrof. Of iets anders, nu we het er toch over hebben. Maar ik had een dak boven mijn hoofd en een bed om in te slapen. Ze had me een week eerder op een koude dag zelfs een jas gegeven.

De vrouw naar wie ik kijk, liep door het park, met roodgouden krullen op haar hoofd gebonden, een canvas tas in haar hand. Ik leunde naar voren, greep de randen van het bankje vast en probeerde het tollen in mijn hoofd te laten stoppen. Ze zette haar tas op het randje van de fontein en boog voorover om een zwart-wit hondje te aaien. Nu, dacht ik, en ik reikte in mijn tas van weekendtasformaat en trok de zilveren rammelaar eruit. 'Zullen we er een monogram in laten graveren?' had Sam gevraagd. Ik had alleen maar met mijn ogen gerold en had hem verteld dat er twee soorten mensen zijn, degenen die bij Tiffany's een monogram laten graveren en degenen die dat niet deden. Wij behoorden overduidelijk tot de laatste categorie. Een zilveren rammelaar van Tiffany's, zonder monogram, nooit gebruikt. Ik liep voorzichtig naar de fontein en toen herinnerde ik me dat ik onzichtbaar was geworden en dat niemand naar me zou kijken, wat ik ook zou doen. Ik liet de rammelaar in haar tas glijden en glipte toen weg.

Becky

HAAR MOBIELTJE GING EN ZE RECHTTE HAAR RUG. DE HOND BLAF-te een keer hard en liep weg. De vrouw met het lange blonde haar in de blauwe jas liep langs haar heen, zo dicht dat hun schouders elkaar raakten. Becky Rothstein-Rabinowitz veegde haar krullen voor haar ogen weg, haalde de telefoon uit haar zak, trok een vies gezicht toen ze het nummer op het display zag en drukte, zonder op te nemen, de telefoon weer uit. 'Shit,' mompelde ze tegen niemand in het bijzonder. Dat was de afgelopen twee uur het vijfde telefoontje van haar schoonmoeder, Mimi. Toen Mimi in Texas had gewoond met de laatste uit haar reeks van vijf echtgenoten hadden zij en Mimi een vredige wapenstilstand gehad, maar dat huwelijk was ook voorbij. Mimi verhuisde nu naar Philadelphia en ze leek maar niet te begrijpen dat haar schoondochter een baan had en zwanger was en dus wel wat beters te doen had dan 'even aan te wippen' bij de winkel die Mimi's binnenhuisarchitecte had aangeraden om 'een kijkje' te nemen naar Mimi's op maat bestelde gordijnen. En Becky had ook geen 'minuutje' om een halfuur naar Merion te rijden en 'even snel te kijken' hoe het met de bouw vorderde. Haar schoonmoeder liet een minilandhuis met pilaren, gevelspitsen en veranda's neerzetten dat Becky deed denken aan het optrekje van Scarlett O'Hara. Maar dan een in de was gekrompen versie. Becky pakte haar tas op en liep met stevige tred door het park naar haar restaurant, Mas.

Het was drie uur 's middags en het was al warm in het keukentje. Er hing stoom en het rook er naar gesmoorde varkensschouder in een saus van kaneel, koriander, knoflooksalsa en naar geroosterde pepers voor de hartige vla. Becky inhaleerde gelukzalig de geur en strekte haar armen boven haar hoofd.

'Ik dacht dat je vandaag vrij had,' zei Sarah Trujillo, haar partner en beste vriendin.

'Ik kom alleen even langs,' zei Becky terwijl haar telefoon weer begon te trillen.

'Laat me raden,' zei Sarah.

Becky zuchtte, keek naar het nummer, glimlachte en deed de telefoon open. 'Hoi schat,' zei ze. Ze waren twee jaar getrouwd en daarvoor hadden ze drie jaar een relatie gehad, maar als ze Andrews stem hoorde, kreeg ze nog steeds vlinders in haar buik.

'Hoi. Gaat het?'

Ze keek naar beneden naar haar lichaam. Tas, borsten, buik, voeten, alles was er. 'Ja, prima. Hoezo?'

'Nou, mijn moeder piepte me net op en ze zei dat ze je probeert te bereiken, maar dat je niet opneemt.'

Shit, dacht Becky weer.

'Luister, ik weet dat ze veeleisend kan zijn. Ik heb bij haar moeten wonen, weet je nog?'

'Ja,' zei Becky. En dat je dat hebt overleefd zonder gek te worden is een van de wereldwonderen, voegde ze er maar niet aan toe.

'Doe haar een plezier. Vraag eens hoe het met de verhuizing gaat.'

'Dat wil ik wel doen,' antwoordde Becky, 'maar ik heb geen tijd om klusjes voor haar op te knappen.'

'Dat weet ik,' zei haar man. Becky hoorde ziekenhuisgeluiden op de achtergrond, een dokter die werd omgeroepen. 'Dat hoeft niet. Dat verwacht ik niet van je. En Mimi ook niet.'

Waarom vraagt ze me dan steeds van alles? vroeg Becky zich af.

'Maak gewoon even een praatje met haar,' zei Andrew. 'Ze is eenzaam.'

Ze is gek, dacht Becky. 'Oké,' zei ze. 'De volgende keer dat ze belt, zal ik opnemen. Maar ik moet hem zo uitzetten. Yoga.'

Sarah trok haar wenkbrauwen op. 'Yoga?' zei ze toonloos.

'Yoga,' herhaalde Becky en ze hing op. 'Niet lachen.'

'Waarom zou ik lachen?' zei Sarah en ze glimlachte zoetjes. Sarah had ogen die de kleur hadden van pure chocolade, ze had glanzend zwart haar en het lichaam van een danseres, hoewel ze haar spitzen niet meer had aangehad sinds haar knieën het op haar zeventiende hadden begeven. Zij was de reden dat Mas iedere doordeweekse dag drie rijen dik vol zat en op vrijdag vier rijen dik; dat zij tussen alle restaurants op Rittenhouse Square iedere van hun tweeëndertig stoelen konden vullen ondanks het feit dat je twee uur op een tafeltje moest wachten. Als Sarah rode lippenstift opdeed en heupwiegend door de menigte liep met een dienblad gratis empanada's in haar handen en sandaaltjes met hoge hakken aan haar voeten, dan verdwenen het gemopper en de venijnige blikken naar de volle tafeltjes als sneeuw voor de zon. 'Wat voor soep ook alweer?' vroeg Sarah.

'Knoflook met witte-bonenpuree en truffelolie,' zei Becky terwijl ze haar tas oppakte en de nog lege eetruimte in keek, waar alle twaalf tafeltjes waren gedekt met schoon linnengoed, wijnglazen en een blauw schaaltje gekruide amandelen in het midden.

'En waarom denk je dat ik ga lachen over die yoga?'

'Nou,' zei Becky, 'omdat ik al niet meer heb gesport sinds...' Becky hield even op met praten en telde de maanden. De jaren. '...een tijdje.' Haar laatste ervaring met georganiseerde sport was geweest toen ze nog studeerde, waar ze had moeten sporten om te kunnen slagen. Ze had zich ook eens door Sarah laten overhalen Interpretatieve Dans te gaan doen en ze had vier maanden met een sjaaltje gewapperd en had gedaan alsof ze een boom in de wind was, een kind van alcoholische ouders, en had het toen opgegeven. Ze had half gehoopt dat haar gynaecoloog de *kibosh* op sport zou leggen en dat hij tegen haar zou zeggen dat ze de laatste twaalf weken van haar zwangerschap lekker thuis moest gaan zitten met haar voeten omhoog, maar dokter Mendlow was bijna schunnig enthousiast geweest toen Becky had gebeld om toestemming te vragen om zich in te schrijven.

'Je vindt yoga vast iets voor watjes.'

'Nee, nee!' zei Sarah met grote ogen. 'Yoga is heel zwaar. Ik ben onder de indruk dat je dit voor jezelf doet, en natuurlijk voor dat lieve kleintje.'

Becky staarde naar haar beste vriendin en kneep haar oogleden een beetje samen. 'Je wilt iets van me, hè?'

'Kun je zaterdag met me ruilen?'

'Prima, prima,' mopperde Becky. Ze vond het niet echt erg om op zaterdagavond te werken. Andrew had dienst, wat hoogstwaarschijnlijk betekende dat ze minimaal één keer alleen voor de televisie zou worden achtergelaten zodat haar man iemand met een blindedarmontsteking of verstopte dikke darm kon gaan helpen... Of, en die kans was nog groter, dat ze nog meer telefoontjes van Mimi moest afweren.

Sarah schraapte de fijngesneden *jicama* in een schaal, veegde haar snijplank af en mikte de handdoek in een wasmand in de hoek. Becky viste hem er weer uit en gooide hem naar haar terug. 'Twee handdoeken per avond, weet je nog? De rekening van de wasserij was vorige maand belachelijk hoog.'

'Sorry hoor,' zei Sarah en ze begon maïskorrels van de kolf te halen voor de geroosterde maïssalade.

Becky liep de achtertrap op naar een kamertje achter in het pand, een omgebouwde kast in het oude rijtjeshuis waar Mas was gevestigd. Ze deed de gordijnen dicht en inhaleerde nog eens de heerlijke geur van het eten dat werd bereid: de sudderende saus, het borststuk dat met kruiden was ingewreven en langzaam stond te roosteren, het vleugje knoflook en de frisse koriander en limoen. Ze hoorde het geluid van arriverende gasten, serveersters die in de keuken stonden te lachen, de afwassers die de radio van WXPN op de salsazender zetten. Ze zette haar tas op de tafel, boven op de stapels rekeningen en bestelformulieren en reikte in het kastje waar haar yogakleding lag. 'Loszittende, comfortabele kleding,' stond er op het yogafoldertje. Wat ze gelukkig altijd droeg.

Becky trok haar zwarte broek met elastische tailleband uit, deed een blauwe aan en pakte een sportbeha die ze na drie kwartier zoeken op een site had gevonden die – God sta haar bij – Bigmamas.com heette. Ze trok een lang T-shirt en haar gympjes aan en deed haar krullen in een knotje dat ze met een van de eetstokjes die Sarah op het bureau had laten liggen, op zijn plaats prikte. 'Vriendelijk, ritmisch rekken en strekken,' stond er op de folder. 'Creatief visualiseren en mediteren voor de toekomstige moeder.' Ze dacht dat ze dat wel aankon. En zo niet, dan zou ze gewoon roepen dat ze maagzuur had en naar buiten glippen.

Toen ze haar spullen in haar tas propte, voelde ze iets kouds en onbekends. Ze groef het op en trok een zilveren babyrammelaar te voorschijn. Ze voelde nogmaals in haar tas, maar ze vond geen kaartje, geen pakpapier en geen lintje. Alleen een rammelaar.

Ze bekeek hem, schudde ermee en liep toen naar de keuken, waar Sarah nu in het gezelschap van de afwasser, de souschef en de banketbakker was. 'Is deze van jou?' vroeg ze aan Sarah.

'Nee, maar hij is wel mooi,' zei ze.

'Ik heb geen idee hoe ik eraan kom.'

'Van de ooievaar?' opperde Sarah.

Becky rolde met haar ogen en ging toen en profil voor de spiegel naast de eetzaaldeur staan voor nog een rondje van wat haar favoriete spelletje begon te worden: zwanger, of gewoon dik?

Het was zo oneerlijk, dacht ze terwijl ze zichzelf vanuit alle mogelijke hoeken bekeek en haar wangen naar binnen zoog. Ze had over een zwangerschap gedroomd als de grote gelijkmaker, datgene waar ze haar hele leven al op wachtte, het moment dat alle vrouwen dik werden waardoor niemand het negen heerlijke maanden over je gewicht had of zich er zorgen om maakte. Nou, dikke pech. Bedoeld woordgrapje. De magere meisjes bleven mager, behalve dan dat ze geweldige superstrakke basketbalbuikjes kregen. Terwijl vrouwen met de maten van Becky er gewoon uitzagen alsof ze te veel hadden gegeten tijdens de lunch.

En zwangerschapskleding voor grote maten? Vergeet het maar. Vrouwen met gewone maten mogen kleine lycradingetjes dragen die naar het publiek uitschreeuwen: 'Hé! Ik ben zwanger!' Ondertussen mag iedere zwangere vrouw die dikker is dan een speld kiezen uit het aanbod van één – ja, één – fabrikant van zwangerschapskleding, waarvan de broeken en oversized tunieken uitschreeuwen: 'Hé! Ik ben een tijdreiziger uit 1987! En ik ben nog dikker dan normaal!'

Ze bekeek zichzelf nog een keer van opzij, trok haar schouders recht en probeerde haar buik verder uit te laten steken dan haar borsten. Toen draaide ze zich om naar Sarah: 'Zie ik er...'

Sarah schudde haar hoofd terwijl ze met een schaal maïsbeignets die Becky die ochtend had klaargemaakt naar de frituurpan zeilde. 'Ik hoor je niet, ik hoor je niet,' riep ze door het geknetter van de beignets. Becky zuchtte, draaide zich een kwartslag om en keek naar Dash de afwasser, die ineens wel heel erg geconcentreerd de borden aan het stapelen was. Ze keek naar de grill en zag twee serveersters met afgewende ogen druk aan het mixen, snijden en in het geval van Suzie het lezen van het weekrooster op een manier alsof ze er een overhoring over zou krijgen.

Becky zuchtte weer, pakte haar tas en een kopie van het rooster van die week en de dagmenu's voor het weekend en liep de deur uit naar het park en toen achttien straten oostelijk in de richting van de rivier om zich aan haar afspraak met haar new-agelot te houden.

'Welkom, dames.' De docente, Theresa, droeg een loszittende zwarte broek die net boven haar heupbeenderen hing, met een bruin topje met spaghettibandjes waardoor je haar uitmuntende deltaspieren en biceps goed kon zien. Ze had een lage en rustgevende stem. Of eigenlijk een hypnotiserende. Becky onderdrukte een gaap en keek om zich heen in de studio op de derde verdieping van Theresa's stadswoning in Society Hill. Het was er warm en behaaglijk zonder dat het benauwd voelde. De verlichting was gedempt, maar er brandden wijkaarsen voor de hoge ramen die op het westen uitkeken over de schitterende skyline van de stad. Er borrelde een fonteintje in één hoek en uit een stereo in een andere kwam het geluid van windgongs. Het rook er ook lekker naar sinaasappel, kaneel en kruidnagel. Becky voelde haar telefoon in haar zak vibreren. Ze drukte hem zonder te kijken uit, voelde zich meteen schuldig en beloofde zichzelf dat ze Mimi meteen na de les zou terugbellen.

Ze liet de telefoon weer los en keek om zich heen naar de andere zeven cursisten, die allemaal in hun derde trimester leken te zitten. Rechts van Becky zat een piepklein meisje met een paardenstaart van blond haar zo fijn als maïszijde en een parmantig vooruitstekend buikje. Ze droeg een van die zwangerschapstrainingspakjes die je in de maten small en extra small kunt kopen: witgestreepte broek, zwart topje met een contrasterend streepje over haar bobbeltje. Ze had vriendelijk 'Hallo' tegen Becky gezegd voor ze met haar fles ontsmettingsmiddel haar mat had bespoten. 'Bacteriën,' had ze gefluisterd.

Links van Becky zat de mooiste vrouw die Becky ooit in het echte leven had gezien. Ze was lang en karamelkleurig, met jukbeenderen waar je boter mee zou kunnen snijden, ogen die er in het kaarslicht topaaskleurig uitzagen en een superstrak buikje dat tegen een lichtbruin kasjmiertruitje duwde. Ze had perfect gemanicuurde vingernagels en, dat kon Becky zien toen ze haar sokken had uitgetrokken, perfect gepedicuurde teennagels. Aan haar linkerhand droeg ze een diamant ter grootte van een suikerklontje. Die ken ik, dacht Becky. Ze kon niet meteen op haar naam komen, maar ze wist wat voor werk ze deed. Die vrouw – ze had een uitheemse naam, dacht Becky – was getrouwd met die man die de Sixers net hadden geruild tegen een middenvelder en een spelverdeler, een superster van San Antonio met een idioot hoog scoregemiddelde per wedstrijd die ook, dat had Andrew tijdens een wedstrijd die Becky met hem had gekeken, uitgelegd, de competitie leidde wat betreft rebounds.

Theresa ging, zonder haar handen erbij te gebruiken, op de vloer zitten. Ja hoor, jij wel, dacht Becky. 'Laten we beginnen,' zei Theresa met zo'n langzame, rustgevende stem dat Becky zin kreeg zich op te rollen en lekker lang te gaan slapen. 'Laten we de kring even rondgaan. Iedereen kan vertellen hoe ze heet, hoe ver ze is, hoe de zwangerschap is en vertel ook maar wat over jezelf.'

Yoga Barbie bleek Kelly te heten! Evenementenplanster! Dit was haar eerste zwangerschap! Ze was zesentwintig en ze was zevenentwintig weken! En ze voelde zich geweldig, hoewel het in het begin wel zwaar was geweest, want toen had ze bloedverlies! En toen moest ze in bed blijven! Ze lijkt wel een cheerleader, dacht Becky en ze onderdrukte een gaap. Toen was zij aan de beurt.

'Ik ben Rebecca Rothstein-Rabinowitz,' zei ze. 'Ik ben negenentwintigeneenhalve week zwanger. Ik krijg een meisje. Ze is mijn eerste kindje en ik voel me behoorlijk goed, behalve...' Ze keek verdrietig naar haar buik. 'Ik heb het gevoel dat je het nog niet helemaal kunt zien en daar baal ik van.' Theresa knikte medelevend. 'En verder? O, ik ben kokkin en manager in een restaurant op Rittenhouse Square, Mas.'

'Mas?' hijgde Kelly. 'O, mijn god, daar ben ik geweest!'

'Wat leuk,' zei Becky. Gaap. Haar eigen moeder was niet zo enthousiast geweest toen ze er had gegeten. Er was net in *Philadelphia Magazine* over geschreven als een van de 'zeven plaatsen die het waard zijn de buitenwijken voor uit te komen', en er had een heel leuke foto van Becky en Sarah bij gestaan. Nou ja, voornamelijk van Sarah, maar je kon de zijkant van Becky's gezicht zien. En een beetje haar, als je goed keek.

'Ik ben Ayinde,' zei de mooie vrouw aan de andere kant van Becky. 'Ik ben zesendertig weken. Voor mij is het ook de eerste keer en ik voel me prima.' Ze legde haar lange vingers in elkaar over haar buik en zei half uitdagend, half verontschuldigend. 'Ik werk op het moment niet.'

'Wat deed je vóór je zwangerschap?' vroeg Theresa. Becky durfde te wedden dat ze zou gaan zeggen dat ze badpakkenmodel was. Ze was verrast toen Ayinde hun vertelde dat ze verslaggeefster was. 'Maar dat was toen ik nog in Texas woonde. Mijn man en ik wonen hier pas een maand.'

Kelly kreeg grote ogen. 'O mijn god,' zei ze, 'jij bent...'

Ayinde trok één perfect gevormde wenkbrauw op. Kelly deed snel haar mond dicht en haar bleke wangen werden roze. Theresa knikte naar de volgende vrouw en de kring ging verder. Er waren een maatschappelijk werkster en een beleggingsbankier, een kunstgaleriemanager en een radioproducer, en een vrouw met haar haar in een staart die al een tweejarige had en zei dat ze fulltimemoeder was.

'Laten we beginnen,' zei Theresa. Ze zaten in kleermakerszit, handpalmen omhoog op hun knieën, acht zwangere vrouwen die op een krakende vloer zaten terwijl de kaarsen flikkerden. De vrouwen wiegden naar voren en naar achteren. 'Laat je adem vanaf de onderkant van je stuitje naar boven stromen. Laat hem je hart verwarmen,' zei ze. Becky wiegde van links naar rechts. Tot zover gaat het goed, dacht ze terwijl Theresa hen door een serie nekrollen en aandachtig ademhalen leidde. Dit was niet moeilijker dan Interpretatieve Dans.

'En dan verschuiven we nu ons gewicht naar onze handen, we steken onze staart in de lucht en dan gaan we laaaangzaam omhoog tot de Hond,' zei Theresa. Becky steunde op handen en voeten. Ze voelde het plakkerige yogamatje tegen haar handpalmen en duwde haar staartbotje omhoog. Ze hoorde Yoga Barbie naast zich zuchten terwijl ze in de positie ging zitten en de mooie vrouw – Ayinde – kreunde zacht.

Becky probeerde haar ellebogen op slot te zetten zodat haar armen niet zouden gaan trillen. Ze waagde een blik opzij. Ayinde kromp ineen van de pijn en ze had haar lippen strak op elkaar geklemd. 'Gaat het?' fluisterde Becky.

'Mijn rug,' fluisterde ze terug.

'Voeoeoeoel dat je in de aaaaaaaarde bent gewoooorteld,' zei Theresa. Ik ga zo voelen hoe ik op de aarde land, dacht Becky. Haar armen beefden. Maar Ayinde was de eerste die uit de positie ging en op handen en knieën naar achteren bewoog.

Theresa zat binnen de kortste keren met een hand op haar rug naast haar geknield. 'Was die houding te zwaar voor je?' vroeg ze.

Ayinde schudde haar hoofd. 'Nee, die houding is prima, ik heb al eerder yoga gedaan. Ik ben gewoon...' Ayinde haalde haar schouders een beetje op. 'Ik voel me niet zo goed vandaag.'

'Waarom ga je niet even lekker zitten?' stelde Theresa voor. 'Concentreer je op je ademhaling.'

Ayinde knikte en rolde zich op haar zij. Tien minuten later, na de Trotse Krijger, de Driehoekspositie en een onhandige, geknielde positie die Becky besloot de Stervende Duif te noemen en die waarschijnlijk een stuk makkelijker was als je geen borsten had, ging de rest van de groep ook zitten. '*Shivasana*,' zei Theresa en ze zette het geluid van de windgongs harder. 'Laten we onze buik zacht vasthouden, diep inademen, onze longen vullen met rijke zuurstof en onze baby een boodschap van vrede zenden.'

Becky's maag rommelde. Vrede, dacht ze en ze wist dat het niet zou werken. Ze had zich het eerste trimester uitgeput gevoeld, het tweede dan weer wel en dan weer niet misselijk en nu had ze gewoon aan één stuk door honger. Ze probeerde haar baby een vredesboodschap te sturen, maar kwam niet verder dan een boodschap over wat ze vanavond zou gaan eten. Krabbetjes met bloedsinaasappel *gremolata*, dacht ze en ze zuchtte tevreden terwijl Ayinde weer inademde.

Becky duwde zichzelf op één elleboog. Ayinde wreef, met haar ogen stijf dicht, over haar rug.

'Kramp of zo,' fluisterde ze voor Becky iets kon vragen.

Nadat Theresa haar handen over haar benijdenswaardig stevige boezem had gevouwen en iedereen *namaste* had gewenst, liepen de vrouwen de draaitrap af de schemering in. Kelly liep achter Becky. 'Ik vind je restaurant echt geweldig,' gutste het uit haar terwijl ze in zuidelijke richting over Third Street naar Pine liepen.

'Dank je,' zei Becky. 'Weet je nog wat je hebt gegeten?'

'Kip met guacamole,' zei Kelly trots en ze sprak het Spaanse woord zwierig uit. 'Het was heerlijk en... O mijn god!' zei Kelly voor de derde keer die avond. Becky keek waar ze naartoe wees en zag Ayinde met beide handen tegen het bijrijdersraam van een enorme SUV waarop iets wits over de voorruit flapperde, geleund staan.

'Wauw,' zei Becky, 'die reageert niet goed op een parkeerbon, of...'

'O mijn god!' herhaalde Kelly en ze racete waggelend weg.

Ayinde keek hen hulpeloos aan terwijl ze naderden. 'Volgens mij zijn mijn vliezen gebroken,' zei ze en ze wees naar de doorweekte zoom van haar broek. 'Maar het is veel te vroeg. Ik ben pas zesendertig weken. Mijn man zit in Californië...'

'Hoe lang heb je al weeën?' vroeg Becky. Ze legde haar hand tussen de schouderbladen van de vrouw.

'Ik heb helemaal geen weeën,' zei Ayinde. 'Ik heb al de hele dag pijn in mijn rug, maar dat is alles.'

'Misschien heb je rugweeën,' zei Becky. Ayinde keek haar uitdrukkingsloos aan. 'Weet je wat dat zijn?'

'We zouden in Texas in een ziekenhuis een cursus gaan doen,' zei Ayinde en ze kneep haar lippen op elkaar, 'maar toen kwam die transfer van Richard en toen zijn we verhuisd en alles...' Ze zoog, met haar voorhoofd tegen het raam geleund, sissend lucht door haar mond naar binnen. 'Dit kan toch helemaal niet? En als hij hier nou niet op tijd is?'

'Niet in paniek raken,' zei Becky. 'De eerste bevalling duurt gewoonlijk vrij lang. En dat je vliezen zijn gebroken, betekent niet dat de baby meteen komt...'

'O,' zei Ayinde. Ze kreunde en greep naar haar rug.

'Oké,' zei Becky. 'Ik denk dat we naar het ziekenhuis moeten.'

Ayinde keek op met een pijnlijke uitdrukking op haar gezicht. 'Kun je een taxi voor me aanhouden?'

'Doe niet zo gek,' zei Becky. Arme meid, dacht ze. Helemaal alleen bevallen – zonder man in de buurt of een vriendin om haar hand vast te houden – was zo'n beetje het ergste wat ze zich kon voorstellen. Nou ja, dat en als ze zichzelf zou zien in de documentaire 'Overgewicht: een nationale epidemie'. 'We zetten je niet zomaar in een taxi. We laten je niet alleen, hoor!'

'Mijn auto staat vlakbij,' zei Kelly. Ze stak haar sleutelhanger in de lucht, drukte op een knopje en aan de overkant van de straat begon een Lexus SUV te piepen. Becky hielp Ayinde op de bijrijdersstoel en ging zelf achterin zitten. 'Kunnen we iemand voor je bellen?'

'Ik ben patiënt bij dokter Mendlow,' zei Ayinde.

'O, mooi, ik ook,' zei Becky. 'Dus ik heb zijn nummer in mijn mobieltje. Nog iemand? Je moeder, of een vriendin of zo?'

Ayinde schudde haar hoofd. 'We wonen hier net,' zei ze terwijl Kelly de auto startte. Ayinde draaide zich om en greep Becky's hand. 'Alsjeblieft,' zei ze. 'Mijn man...' Er verschenen rimpels op haar voorhoofd. 'Denk je dat er een achteringang bij het ziekenhuis is? Ik wil niet dat iemand me zo ziet.'

Becky fronste haar wenkbrauwen. 'Nou ja, het is een ziekenhuis,' zei ze. 'Ze zijn daar gewend aan mensen met schotwonden en zo. Ze raken heus niet van slag van een natte broek.'

'Alsjeblieft,' zei Ayinde en ze kneep nog harder in haar hand. 'Alsjeblieft.'

'Oké.' Becky trok haar grote zwarte sweater en een honkbalpetje uit haar tas. 'Als we uitstappen, kun je deze om je middel binden en als je denkt dat je de trap op komt, kunnen we je naar de eerste hulp brengen zonder dat we op de lift hoeven te wachten.'

'Dank je,' zei Ayinde. Ze trok het honkbalpetje over haar ogen en

keek toen op. 'Het spijt me. Ik weet niet meer hoe jullie heten.'
'Becky,' zei Becky.
'Kelly,' zei Kelly. Ayinde deed haar ogen dicht en Kelly trok op.

Ayinde

'NOU, JE VLIEZEN ZIJN IN IEDER GEVAL GEBROKEN.' DE JONGE ARTS-assistente trok haar rubberen handschoenen met een knallend geluid uit en keek voor de miljoenste keer naar de deur, alsof ze verwachtte dat de grote en geweldige Richard Towne op ieder moment binnen zou komen lopen. Geen onredelijke wens, dacht Ayinde, die haar dunne blauwe ziekenhuisnachtpon over haar blote benen gladstreek. Ze had de afgelopen vijfenveertig minuten een ongelooflijk aantal berichten achtergelaten op een duizelingwekkend aantal nummers. Ze had Richards mobieltje en zijn pieper gebeld; ze had berichten bij zijn agent en zijn trainer achtergelaten, bij het kantoor van het team en de huishoudster in hun nieuwe huis in Gladwyne. Nog niets. Dat was geen verrassing, bedacht ze mistroostig. Ze zaten in de eerste ronde van de play-offs en iedereen had zijn oorlogsgezicht op en zijn telefoon uitgeschakeld. Dat had zij weer.

'Maar je hebt pas één centimeter ontsluiting. Als dit gebeurt, willen we graag dat de baby binnen vierentwintig uur wordt geboren, anders wordt het risico op infectie te groot. Dus je hebt een paar keuzes,' zei de arts-assistente.

Ayinde knikte. Kelly en Becky knikten ook. De arts-assistente – DR. SANCHEZ stond er op haar naamplaatje – keek weer naar de deur. Ayinde keek weg en wenste dat ze haar handen over haar oren kon slaan om het geklets dat van het bed naast het hare kwam, buiten te sluiten.

'Richard Towne! Van de Sixers!' Er hing een gordijn tussen Ayindes bed en dat naast haar. Ayindes buurvrouw had blijkbaar besloten dat een gordijn net zo goed was als een muur en ze fluisterde zo hard ze kon, ondanks het MOBIELE TELEFOONS UITSCHAKELEN-bordje. 'Ja. Ja! Naast me!' en begon toen even wat zachter te praten. Becky, Kelly en Ayinde konden haar nog steeds woordelijk verstaan. 'Dat weet ik niet. Misschien negroïde?' De vrouw giechelde. 'Is dat woord nog politiek correct?'

Ayinde deed haar ogen dicht. Becky legde een hand op haar schouder. 'Gaat het wel?'

'Prima,' mompelde Ayinde.

Kelly schonk een glas water voor haar in. Ayinde nam een slokje en zette het glas weg.

'Nee, nee, niet hier,' kakelde de vrouw in het andere bed. 'Ik heb hem nog niet gezien, maar hij zal wel ergens in de buurt zijn, toch?'

Dat zou je wel denken, dacht Ayinde. Ze zwiepte haar benen over de rand van het bed en trok de bloeddrukmeter los. Haar buurvrouw schrok zo van het scheurende geluid van het nylon dat losging dat ze even stil was. Het lukte de arts-assistente om even niet naar de deur te kijken.

'Mag ik naar de kraamafdeling?' vroeg Ayinde.

'Ayinde, weet je dat zeker?' zei Becky. 'Je kunt ook naar huis gaan, wat rondlopen, proberen een dutje te doen en wat te rusten in je eigen bed... Wist je dat studies aantonen dat hoe langer een vrouw thuisblijft voor de bevalling, hoe minder tijd ze in het ziekenhuis doorbrengt, des te kleiner het risico is dat er een keizersnee moet worden uitgevoerd of dat er een tang of vacuümpomp aan te pas moet komen?'

'Wat?' vroeg Kelly.

'Ik volg een cursus "Natuurlijk bevallen",' zei Becky en ze klonk een beetje verdedigend.

'Ik wil niet naar huis. Ik woon in Gladwyne,' zei Ayinde. 'Het is veel te veel gedoe daarheen te gaan en weer terug te moeten.' En, dacht ze, ze zou gewoonweg niet zoals Becky had gezegd thuis kunnen baren, zo in het volle zicht van de kok en de huishoudster en de chauffeur die daar zouden zijn.

'Kan er iemand bij je blijven?' vroeg Becky. 'We kunnen meegaan en je terugrijden naar de stad als je er klaar voor bent... of anders mag je ook best even meekomen naar mijn huis.'

'Dat is aardig van je, maar ik lig hier goed.' Ze gaf haar mobieltje aan Becky. 'Zou je buiten mijn huis even willen bellen?' vroeg ze. 'Vraag maar naar Clara. Wil je tegen haar zeggen dat ik mijn koffer nodig heb – die met de gele strik aan het handvat, hij staat in mijn kleedkamer – en laat haar dan vragen of Joe hem even komt brengen.'

'Weet je het zeker?' vroeg Becky. 'Je hoeft niet in het ziekenhuis te blijven, hoor. En het kan nog uren duren.'

De arts-assistente knikte. 'Eerste bevallingen duren vaak even.'

'Kom nou mee,' zei Becky. 'Ik woon hier een kwartiertje lopen vandaan en we kunnen je binnen een paar minuten hierheen rijden.'

'Dat kan ik niet...' zei Ayinde.

'Ik kom ook mee,' zei Kelly. 'Dat is beter dan nog een avond thuiszitten en lezen in *In verwachting: alles wat je kunt verwachten.*'

'Je bent gegarandeerd veilig bij mij thuis. Mijn man is arts,' zei Becky.

'Vind je het echt niet erg als ik kom?' vroeg Ayinde.

'Je moet hier niet helemaal alleen liggen,' zei Becky. 'Al kom je maar een paar uurtjes. Dan bellen we je man en dan kun jij proberen een beetje te ontspannen.'

'Daar ben ik het mee eens,' zei de arts-assistente. 'Als je mijn mening wilt weten. Ga maar met je vriendinnen mee.'

Ayinde deed geen moeite haar te verbeteren. 'Dank je,' mompelde ze tegen Becky. Toen pakte ze haar kleren, verdween in de badkamer en deed zachtjes de deur achter zich dicht.

Vriendinnen, dacht Ayinde terwijl ze haar broek aantrok en haar haar voor de spiegel met trillende handen goed deed. Ze had al zo'n beetje sinds de tweede klas geen echte vriendin meer gehad. Ze voelde zich haar hele leven al een buitenbeetje; half zwart, half wit, noch het een, noch het ander, nergens bij horend.

Wees dapper, zeiden haar ouders vroeger altijd tegen haar. Ze herinnerde zich dat ze toen ze klein was over haar bed heen bogen, hun gezichten serieus in de duisternis, dat van haar moeder de kleur van melkchocolade en dat van haar vader de kleur van sneeuw. 'Je bent een pionier,' zeiden ze dan met stralende ogen van goede bedoelingen. 'Je bent de toekomst. En niet iedereen zal het begrijpen, niet iedereen zal van je houden zoals wij dat doen, dus je zult dapper moeten zijn.'

Het was gemakkelijk hen 's avonds te geloven, in haar bed met baldakijnen, dat midden in haar kamer op de eerste verdieping van hun achtkamerwoning aan de Upper East Side stond. Overdag was het moeilijker. De blanke meisjes met wie ze op de lagere school en later op kostschool had gezeten, waren allemaal heel aardig geweest, met een paar opmerkelijke uitzonderingen, maar hun vriendschap had altijd een soort weeïge ondertoon gehad, alsof Ayinde een zwerfhond was die ze uit de regen hadden gered. De zwarte meisjes – het handjevol dat ze had gekend op Dalton, de beurswinnaars op de Miss Porterschool – hadden niet veel met haar te maken willen hebben zodra ze voorbij de exotische naam keken en ontdekten dat ze met haar stamboom meer bij de rijke blanke meisjes hoorde dan bij hen.

Ze deed de deur open. Becky en Kelly stonden te wachten. 'Ben je klaar?' vroeg Becky. Ayinde knikte en liep achter hen aan naar buiten.

Ze wist dat er risico's aan waren verbonden om met een man als Richard te trouwen, en als ze had getwijfeld, had haar moeder, Lolo Mbezi, supermodel in de jaren zeventig, haar maar al te graag ingelicht. 'Je hebt straks geen enkel privé-leven,' zei Lolo. 'Je bent openbaar bezit. Dat zijn atleten. En hun vrouwen ook. Ik hoop dat je er klaar voor bent.'

'Ik hou van hem,' had Ayinde tegen haar moeder gezegd. Lolo had haar hoofd scheef gehouden om de perfectie van haar profiel beter te laten uitkomen. 'Ik hoop dat dat genoeg is,' had Lolo gezegd.

Tot nu toe was dat wel zo, dacht ze somber terwijl Kelly de auto startte. Richard was meer dan genoeg geweest; zijn liefde voor haar had alles wat ze in haar jeugd had gemist, goedgemaakt.

Ze had Richard tijdens haar werk ontmoet, toen ze verslaggeefster voor CBS in Fort Worth was en op pad was gestuurd om een teamlid van Richard Towne te interviewen, een achttienjarige derde-rondekeuze, Antoine Vaughn. Ze was zo de kleedkamer binnen gelopen, alsof Gloria Steinem in eigen persoon de deur voor haar openhield. Toen er een speler langs kwam kuieren, nog nat van zijn douche, met alleen een handdoek rond zijn middel, was ze bijna pardoes een open kastje in gelopen.

'Hou je ogen boven de middellijn,' fluisterde Eric de cameraman. Ze slikte en schraapte haar keel.

'Pardon, heren. Ik ben Ayinde Walker van KTVT en ik ben op zoek naar Antoine Vaughn.'

Er viel een stilte. Toen klonk er gegrinnik. Gefluister dat ze niet helemaal kon verstaan. 'Hebben ze eindelijk een aantrekkelijke verslaggeefster ingehuurd?' riep een man die, godzijdank, zijn trainingspak aanhad.

'Vervang je die vermoeide kont van de oude Sam Robert?'

'Hé schat, trek je maar niets aan van die kleuter. Kom eens hier. Ik wil je wel een interview geven!'

'Rustig aan, jongens,' riep de wedstrijdcommissaris vanuit een hoek; een man op middelbare leeftijd in een gekreukt pak die er niet uitzag alsof hij erg geïnteresseerd was in het bewaren van de vrede of in het bewegen van ook maar één spier.

Ze slikte nog een keer en bestudeerde met half samengeknepen oogleden het bewegende veld van halfaangeklede mannenlichamen. 'Weet iemand waar Antoine Vaughn is?'

'Je mag mij wel Antoine noemen!' bood de man aan die had gevraagd of ze Sam Roberts verving, de sportverslaggever van het station. 'Je mag me noemen wat je wilt, schatje!'

Ze keek de man in de hoek wanhopig aan, die deed alsof hij dat niet zag.

'Hier ben ik.'

Ze draaide zich om... en daar lag Antoine Vaughn, op zijn rug op een van de bankjes. Ze herkende hem van de foto die het team haar had gestuurd. Op die foto stond hij natuurlijk alleen met hoofd en schouders. En had hij kleren aan..

'Kijk, het is echt waar,' zei hij terwijl hij naar het zuiden wees en begon te lachen. Deze had hij duidelijk voorbereid: 'Alles is groter in Texas!'

Ayinde trok een wenkbrauw op en drukte haar knieën tegen elkaar, zodat niemand zou zien hoe erg ze beefden. Het hele gedoe haalde nare herinneringen naar boven. Op haar zeer exclusieve privé-school in New York had een stel van de andere meiden (*wittemeiden*, had ze hen voor zichzelf genoemd, als één woord) haar in de jongensdoucheruimte geduwd. Er was niets gebeurd – en de jongens waren meer over hun toeren geraakt dan zij – maar ze was de vreselijke angst die ze had gevoeld toen ze de deur hoorde dichtslaan, nooit vergeten. In deze kleedkamer haalde ze nu diep adem, zoals ze dat had geleerd, zodat haar woorden uit haar middenrif zouden komen en goed te horen zouden zijn.

'Als dat zo is,' zei ze, 'kom jij zeker ergens anders vandaan.'

'Au!' riep een van de andere spelers.

'Zo Antoine, die kun je mooi op je buik schrijven!'

Antoine Vaughn keek Ayinde door half samengeknepen oogleden vuil aan en sloeg een handdoek om zijn middel.

'Dat was grappig, zeg,' mompelde hij en ging rechtop zitten.

'Hé.'

Ayinde draaide zich om en keek omhoog... en omhoog. 'Je maakt het hem toch niet te moeilijk, hè?' zei Richard Towne. Zijn tenue liet zijn armen en benen bloot. Zijn kastanjebruine huid glansde van het zweet en zijn tanden glansden als hij lachte. Maar ze ging nog even door... zelfs als Richard Towne – een van de beroemdste atleten van Amerika op dat moment en iemand die zich nooit liet interviewen en die in het echt nog veel aantrekkelijker was dan op de foto – tegen haar zei dat ze dat niet moest doen.

'Als je tegen hem zegt dat hij zich aankleedt, zal ik misschien aardig zijn.'

'Trek eens wat aan, man,' zei Richard tegen Antoine Vaughn, die zo snel van het bankje sprong dat het leek of God zelf tegen hem had gezegd dat hij een onderbroek moest aantrekken. Toen keek Richard Ayinde weer aan. 'Gaat het wel?' vroeg hij zo zacht dat alleen Ayinde hem kon horen.

'Prima,' zei ze, hoewel haar knieën nu zo beefden dat ze verbaasd was dat ze niet tegen elkaar sloegen. Richard legde een wereldberoemde hand tussen haar schouderbladen, duwde haar de kleedkamer uit en op een stoeltje op de tribune bij het echoënde veld.

'Ze plaagden je alleen maar,' zei hij.

'Het was niet grappig.' Ze knipperde razend de tranen weg die ineens achter haar oogleden prikten. 'Ik probeer alleen mijn werk te doen.'

'Dat weet ik. Dat weet ik. Alsjeblieft,' zei hij en hij gaf haar een bekertje water. Ze nam een slokje en blies omhoog tegen haar wimpers: als er ook maar één traan uit haar ogen zou rollen zou die haar mascara verpesten en dan zou ze er vreselijk uitzien voor de camera.

Ze haalde diep adem. 'Denk je dat hij nog met me wil praten?'

Richard Towne dacht even na. 'Als ik zeg dat het moet, wel.'

'Zeg je dat tegen hem?'

Hij glimlachte weer en het voelde alsof ze na drie maanden strenge winter het strand op liep en de tropische zon op haar huid voelde. 'Als je met me uit eten gaat, wel.'

Ayinde zei niets. Ze kon het niet geloven. Richard Towne vroeg haar mee uit.

'Ik heb je het nieuws zien doen,' zei hij. 'Je bent goed.'

'Behalve in de buurt van naakte pubers.'

'O, die strijd was je aan het winnen, hoor,' zei hij. 'Ik heb alleen het proces een beetje versneld. Ga je met me uit eten?'

Ayinde hoorde de stem van haar moeder in haar hoofd, haar moeder met het quasi-Britse accent dat ze had aangenomen nadat ze tien dagen in Londen was geweest toen Ayinde een jaar of twaalf was. 'Laat ze ervoor werken,' hoorde ze Lolo instrueren. 'Dat lijkt me niet,' zei ze automatisch. Dat zou ze ook hebben gezegd als Lolo niet dat moment had gekozen om in haar onderbewuste omhoog te komen en in haar oor te fluisteren. Richard Towne had een reputatie.

Hij begon te lachen. 'O, zit het zo? Heb je al iemand?'

'Moet jij niet basketballen?' Haar stem klonk koeltjes en ze wendde zich een beetje van hem af, maar ze kon een glimlach niet onderdrukken.

'Je speelt een spelletje met me,' zei hij tegen haar en hij liet een vinger over de rug van haar hand glijden.

'Helemaal niet,' zei ze tegen hem. 'Ik ben aan het werk.' Ze keek hem recht in zijn gezicht, een beweging waar ze alle moed die ze kon verzamelen voor nodig had. 'En ik zie mezelf eerlijk gezegd niet in een relatie met een man die in een korte broek naar zijn werk gaat.'

Hij staarde haar even alleen maar aan en Ayinde voelde haar hart in haar schoenen zinken. Ze was bang dat ze te ver was gegaan, dat niemand hem waarschijnlijk ooit plaagde, dat niemand dat zou durven... en dat ze niet 'relatie' had moeten zeggen als hij haar alleen maar uit eten had gevraagd. Maar toen gooide Richard Towne zijn hoofd in zijn nek en begon weer te lachen. 'En als ik nou beloof dat ik een lange broek aantrek?'

'Naar je werk?'

'Als we gaan eten.'

Ze keek hem schuin omhoog van onder haar wimpers aan. 'En een overhemd?' Ze wilde hem nog een keer horen lachen.

'Zelfs een jasje en stropdas.'

'Nou...' Ze liet haar stem wegebben, ze liet hem ervoor werken, liet hem wachten. 'Dan wil ik er wel over nadenken.'

Ze riep de cameraman, die de cheerleaders aan het filmen was, twaalf vrouwen die met hun heupen en haar stonden te schudden en eruitzagen alsof ze een of andere identieke vorm van epilepsie hadden. 'Eric, ben je klaar om het nog een keer bij Antoine te proberen?'

Eric scheurde zijn blik los van de danseressen en kreeg grote ogen toen hij Richard Towne zag. 'Hé man, mooie wedstrijd tegen de Lakers!'

'Dank u wel,' zei Richard en hij richtte zich weer tot Ayinde. 'Vrijdagavond?'

Een basketballer, dacht ze. Hoe noemden de jonge meisjes hen ook weer? Ballers. Ze had er nog nooit een gekend. Ze was uit geweest met artsen, advocaten en zakenlieden, en tot groot plezier van haar programmaredacteur had ze ooit wat gehad met een nieuwslezer van NBC, waardoor hun namen gedurende de drie maanden dat hun relatie had geduurd, voortdurend in de krant hadden gestaan. 'Luister,' zei ze. 'Ik wil één ding duidelijk stellen. Ik ben blij dat je me hebt geholpen, maar als je op zoek bent naar een dame in nood, ben ik dat niet.'

Richard Towne schudde met zijn hoofd. Ayinde kon zichzelf er niet van weerhouden hem aan te staren: zijn uitpuilende biceps, pezige onderarmen en die enorme handen.

'Maak je maar geen zorgen,' zei hij. 'Ik heb geen redderscomplex. Ik ben een eenvoudige man,' zei hij en hij spreidde zijn handen uit. 'Ik wil gewoon een beetje basketballen, misschien nog wat winnen. Van het leven genieten, begrijp je? Jij bent een serieuze dame. Dat waardeer ik. Maar zelfs werkende meisjes moeten eten.'

'Dat is waar,' zei ze en ze stond zichzelf een glimlach toe.

'Ik bel je wel op je werk.' En met die woorden boog hij beleefd naar haar en rende de speelvloer op. Toen ze terugkwam op haar station stond er een enorm boeket seringen en lelies op haar bureau. 'Welkom in de wereld van het basketbal,' stond er op het kaartje en Ayinde lachte hardop vóór ze de telefoon pakte en hem belde om te zeggen dat vrijdagavond prima was.

Ayinde sloot haar ogen en probeerde door de wee te komen. 'Goed,' zei Becky. 'Ademen... ademen... je doet het prima, blijven ademen...'

'Ooo,' zuchtte Ayinde toen de wee eindelijk minder hevig werd. Becky had haar op een bevalbal gezet, een opblaasbare blauwe bol die midden in het woonkamertje in haar huis in een van de straatjes bij Rittenhouse Square stond. Ayinde had naar voren en naar achteren op de bal gewiegd en deed haar best niet te gaan schreeuwen.

'Zestig seconden,' zei Kelly vanuit het hoekje op de bank waar ze onder een deken zat met een notitieboekje en een horloge.

'Moeten jullie niet eens naar het ziekenhuis?' vroeg een stem op de trap.

'Mam, je hangt rond,' zei Becky zonder haar hoofd om te draaien.

'Ik hang niet rond,' zei Edith Rothstein, die al een hele tijd alleen zichtbaar boven haar middel op de trap hing zonder ook maar een voet in de woonkamer te zetten en die haar eigen handen bijna had fijngeknepen sinds de drie vrouwen vijf uur eerder binnen waren komen lopen. 'Ik maak me gewoon zorgen.'

'Je hangt rond!' zei Becky. Haar moeder, een slanke vrouw met zorgvuldig gekapt roodblond haar en een parelketting waar ze al vijf uur niet vanaf kon blijven, perste haar lippen samen. Edith was zogenaamd naar het noorden gekomen voor de bruiloft van een nicht in Mamaroneck, maar wat ze eigenlijk kwam doen, had Becky hun toevertrouwd, was naar Becky's buik staren en constant tegen haar ongeboren kleindochter praten. 'Ik zou het niet zo erg vinden,' zei Becky, 'maar tegen mij praat ze nog amper. Het lijkt wel of haar gezichtsveld ophoudt bij mijn hals.'

Ayinde veegde haar voorhoofd af en keek om zich heen. Becky's woonkamer had ongeveer het formaat van haar kleedkamer, ze wist zeker dat er geen binnenhuisarchitecte had geholpen met het uitzoeken van de overvolle boekenplanken en Afghaanse tapijten die over de bank en stoelen lagen, maar de kamer charmeerde haar toch en voelde warm en veiliger dan het ziekenhuis.

Maar niet warm en veilig genoeg voor Becky's moeder. 'Andrew,' fluisterde ze zo hard dat de drie vrouwen het konden horen, 'weet je zeker dat het goed gaat?'

'Het gaat prima, Edith,' klonk Andrew uit de keuken in het souterrain. 'Zo te horen hebben de dames het prima onder controle.'

'Wat doen ze daarbeneden?' vroeg Ayinde terwijl ze bedacht wat Becky een geluk had met zo'n lieve man, een man die er boven alles was en geen vierduizend kilometer verderop zat. Andrew deed haar een beetje aan haar vader denken... of eigenlijk, gaf ze toe, aan de rollen die haar vader op Broadway speelde, of af en toe op televisie. Hij was bekend geworden als zorgzame, liefdevolle vader en de laatste tijd als grootvader.

'Andrew zit te internetten en Edith zal mijn blikjes wel alfabetisch in de kast aan het zetten zijn,' fluisterde Becky terug. 'Het gaat hier prima, mam,' riep ze. 'Echt.' Edith schudde haar hoofd en verdween toen, als een konijn dat in zijn hol kruipt. Ayinde trok haar mobieltje voor wat voelde als de honderdste keer sinds haar vliezen waren gebroken te voorschijn, drukte op de sneltoets voor Richards toestel en zoog toen lucht tussen haar lippen naar binnen terwijl de telefoon herhaaldelijk overging en er weer een wee door haar heen scheurde.

'Nog een,' zei ze en ze krulde haar lichaam om haar buik.

Kelly werd bleek terwijl Ayinde kreunde en naar voren en naar achteren wiegde. 'Hoe voelt het?' vroeg Kelly toen de wee voorbij was.

Ayinde wist niet wat ze tegen haar moest zeggen. Het was een helse pijn, erger dan wat ze ooit had gevoeld, erger dan de gebroken enkel die ze op haar veertiende tijdens het paardrijden had opgelopen. Het voelde alsof haar middenrif werd omklemd door ijzeren banden en alsof die steeds strakker werden aangedraaid naarmate een wee vorderde. Het voelde alsof ze schipbreuk had geleden en verdronk in een zee, zonder kust of hulp in zicht. 'Vreselijk,' hijgde ze en ze duwde haar vuisten tegen haar onderrug. 'Vreselijk.'

Becky legde haar handen op Ayindes schouders en keek haar in de ogen. 'Adem maar met me mee,' zei ze. Haar ogen stonden net zo kalm als haar stem klonk en haar handen voelden sterk en stabiel. 'Kijk eens naar me. Je doet het uitstekend. Laten we je baby wat ruimte geven. Kom Ayinde, ademen...'

'O god!' kreunde ze. 'Ik kan het niet meer... Ik wil naar mijn moeder.' De wee werd eindelijk minder hevig. Ayinde begon stilletjes wanhopige, verslagen tranen te huilen.

Op dat moment ging – eindelijk – haar mobieltje over.

'Schatje?' Richard klonk gehaast en afgeleid. Ze hoorde de herrie van een mensenmenigte op de achtergrond.

'Waar ben je?'

'Op weg naar het vliegveld. Op weg naar huis. Sorry, Ayinde. Ik heb mijn telefoon uitgezet toen we gingen trainen...'

'En niemand heeft tegen je gezegd dat ik je probeerde te bereiken?'

Ze hoorde een autoportier dichtslaan. 'Nee, net pas.'

Niet voor de wedstrijd voorbij was, dacht Ayinde verbitterd. Niet tot ze hem niet meer nodig hadden. 'Kom snel,' zei ze en ze kneep zo hard in de telefoon dat ze bang was dat die in stukken zou breken.

'Ik kom zo snel mogelijk. Je bent in het ziekenhuis, hè?'

'Nu niet,' zei ze en voelde weer een wee opkomen. Ze wist dat ze niet de tijd of adem zou hebben om uit te leggen waar ze was of hoe ze daar was gekomen. 'Maar ik zie je daar wel. Schiet alsjeblieft op,' zei ze. Ze verbrak de verbinding en boog voorover met in haar ene hand de telefoon en de andere op haar rug, die voelde alsof hij in brand stond.

'Zestig seconden,' zei Kelly en ze zette haar stopwatch stil.

'Oké,' zei Becky met zo'n kalme en geruststellende stem dat ze voor de yogadocente had kunnen invallen. 'Ik denk dat het tijd is dat we gaan.' Ze hielp Ayinde op de bank. 'Zal ik je moeder even bellen?'

Ayinde grinnikte even. 'Moeder,' herhaalde ze. 'Zo noemde ik haar nooit. Dat mocht niet van haar. Ik moest haar Lolo noemen. Mensen die ons niet kenden, dachten dat we zusjes waren. Dan vertelde ze nooit hoe het echt zat.' Ze maakte een plotseling, verstikt geluid. Het duurde even voor het tot Becky en Kelly doordrong dat ze lachte. 'Weet je wat ze zei toen ik haar vertelde dat ik zwanger was?'

Kelly en Becky schudden hun hoofd.

'Ze zei: "Ik ben te jong om oma te worden." Niet: "Gefeliciteerd." Niet: "Ik ben zo blij voor je". Maar: "Ik ben te jong om oma te worden."' Ayinde schudde haar hoofd, greep naar haar rug en boog weer voorover. 'Bel... haar... niet,' hijgde ze, 'ze zou niet eens komen.'

Becky's hand maakte kleine cirkelbewegingen op het midden van Ayindes rug. 'Oké... kom,' riep ze zachtjes, 'we gaan naar het ziekenhuis. Edith sprong de kamer binnen als een duveltje uit een doosje, zo snel dat Ayinde zich bedacht dat ze op de trap had gezeten, wachtend tot ze haar nodig zouden hebben. Het is niet eerlijk, dacht ze. Becky had haar moeder en Becky had haar man. Ayinde begon het gevoel te krijgen dat ze helemaal niemand had.

'Kun je wat kleren pakken? T-shirts en zo, voor het geval het even duurt voor we terug zijn? En wat flessen water?' Edith rende de trap af. Ayinde beet op haar onderlip om een kreunend geluid te onderdrukken terwijl Kelly vooroverboog, haar haar schoenen aantrok en haar met babystapjes de deur uit hielp, waar Andrew Rabinowitz in de auto zat te wachten. 'Kelly, ga jij maar voorin zitten,' instrueerde Becky terwijl ze Ayinde achterin hielp. Er stond een dakloze jongen aan de overkant naar hen te kijken. Hij wiegde naar voren en achteren op zijn hakken terwijl hij blèrde: 'Hé! Dames! Jullie hebben een SCHOEN-lepel nodig!'

'Heel behulpzaam,' mompelde Andrew terwijl hij het portier voor zijn vrouw openhield. Ayinde kneep haar ogen dicht. Ze deed met één hand haar veiligheidsgordel om en had in haar andere haar mobieltje. De pijn sloop als een roofdier door haar lichaam en sprong van haar benen naar haar rug naar haar buik, schudde haar tussen zijn kaken zoals een leeuw een halfdode gazelle heen en weer schudt. Ze had het gevoel dat ze uit elkaar zou scheuren als ze haar ogen zou opendoen. Becky veegde zacht haar haar van haar slapen.

'Hou vol. We zijn er zo.'

Ayinde knikte, ademde, telde terug van honderd, kwam op nul en begon weer opnieuw. Ze bedacht dat ze dit alleen hoefde vol te houden tot ze in het ziekenhuis waren en dat ze haar dan iets zouden geven, iets wat de pijn zou wegnemen, en de vernedering die nog meer pijn deed dan de weeën. Zwanger, geen man. Dat was wat iedereen die haar zag, zou denken, ring of geen ring om haar vinger, want waar was haar echtgenoot?

Andrew Rabinowitz stopte bij de ingang van de eerste hulp van Pennsylvania Hospital en de vrouwen stapten uit de auto, Ayinde in het T-shirt en de pyjamabroek die Becky haar had geleend, Becky in een legging met een sweater en haar krullen in een knotje. Kelly had Becky's kledingaanbod geweigerd en had haar chique zwangerschapssportkleding nog aan, met de opvallende strepen en het strakke lycra in ongemakkelijk contrast met de getergde blik op haar bleke gezicht.

'Balie,' zei Becky terwijl ze Ayinde en Kelly naar de lift leidde. Toen waren ze op de tweede verdieping en greep Ayinde de rand van de balie vast terwijl ze probeerde haar naam te spellen.

'A-Y-I-N...'

'Amy?' gokte de verpleegster.

'Ayinde!' snauwde Ayinde. 'Ayinde Towne! De vrouw van Richard Towne!' Het kon haar niet meer schelen wie er wist wie ze was. Ze herinnerde zich niet meer of de pr-man had gezegd of ze zich met haar meisjesnaam moest inschrijven, er was niets anders meer dan haar verlangen dat de pijn zou overgaan.

'Nou, zeg dat dan meteen, meid,' zei de verpleegster op neerbuigende toon terwijl ze naar een hokje wees en Ayinde een ziekenhuisnachtpon gaf. 'Alles uit van je middel naar beneden. Ga maar op bed liggen, de arts-assistent komt eraan.' Ze keek over Ayindes hoofd heen naar de deur. 'Is je man aan het parkeren?'

Ayinde greep de nachtpon en rende zonder iets te zeggen naar het toilet.

'Nou,' snoefde de verpleegster, 'lekkere houding!' Ze wendde zich tot Becky en Kelly. 'Is hij onderweg?'

Kelly haalde haar schouders op. 'Ja,' zei Becky. Het vermoeide gezicht van de verpleegster lichtte op.

Ze lieten de verpleegster, die meteen een nummer begon te draaien, achter en vonden Ayinde op haar knieën voor het toilet met de pyjamabroek verfrommeld op de grond en de nachtpon over haar schouders.

'Verdoving,' zei Ayinde. Ze veegde haar mond af, greep naar de doortrekker en het lukte haar het toilet door te trekken en te gaan staan. 'Haal alsjeblieft een arts. Ik wil verdoving.'

'Oké,' zei Kelly. 'Kom, dan brengen we je naar je bed.' Ze deed de deur van het toilet open. Een groepje mensen in operatiekleding – een man en twee vrouwen – deed een stap naar achteren. 'Is dat haar?'

hoorde Ayinde een van hen fluisteren. Ze sloot haar ogen en liet zich door Becky naar het bed leiden. Seconden later verscheen er een stralende dokter.

'Dag mevrouw Towne!' zei hij alsof hij haar al zijn hele leven kende. 'Ik ben dokter Cole.'

'Ik wil nu graag mijn ruggenprik,' zei Ayinde en ze gooide haar benen in de beugels. Het kon haar niet schelen of ze ondertussen de arts tegen zijn borst zou trappen, het kon haar niet schelen wie wat zag.

'Nou, dan gaan we maar eens kijken,' zei de dokter opgewekt terwijl hij zijn vingers naar binnen bracht en Ayinde een gil wegbeet en probeerde stil te liggen. 'U hebt zes centimeter ontsluiting, misschien zeven. Ik roep dokter Mendlow en dan sturen we de anesthesist naar boven.'

De verpleegster met het bleke gezicht kwam binnen terwijl de dokter wegging. 'Er mag alleen naaste familie bij de bevalling zijn, tenzij er vooraf toestemming is gevraagd.'

'We zijn haar zussen,' zei Kelly.

De verpleegster staarde hen aan en haar mond viel open: drie vrouwen, twee blank en een zwart, alledrie zwanger.

'Het is een geweldig jaar voor onze familie,' zei Kelly opgewekt. Ayinde glimlachte een beetje vanaf haar bed.

'Nou, ik denk dat we wel een uitzondering kunnen maken,' zei de verpleegster. 'Geen mobieltjes, geen piepers en geen eten,' zei ze.

Ayinde nam een slokje water uit het bekertje dat Kelly haar had gegeven. Ze kon de vrouw in de belendende kamer horen, het klonk of ze bijna zover was. 'Kom op lieverd, persen, persen, PERSEN!' moedigde haar man haar aan. Ze vroeg zich af of de vader in het weekend de pupillen coachte, of het zo'n man was die achter zes zesjarigen stond en hun liet zien hoe ze het bat moesten vasthouden.

'Gaat het?' fluisterde Kelly. Ayinde knikte en greep toen de zijkanten van het laken vast in een poging de ergste wee tot nu toe te ontvluchten. 'Hij... moet... wel.... opschieten,' perste ze uit haar keel. Becky ging op haar hurken achter het bed zitten en hield haar handen vast. Kelly masseerde haar rug en keek naar de deur.

'Goed nieuws,' zei ze. 'Daar is je ruggenprik.'

Ayinde deed haar ogen open en zag een gedrongen man met rood haar die zichzelf voorstelde als dokter Jacoby en die zei dat hij het geweldig vond haar te ontmoeten. Het lukte hem binnen dertig seconden op te houden over Richard Towne. Ayinde liet haar gewicht op de schouders van een verpleegster rusten en de dokter ontsmette haar rug met Betadine, pakte een naald die zo lang was dat zelfs de standvastige Becky wit wegtrok en de kamer verliet, onder het voorwendsel dat ze water ging halen.

'Hé,' zei de verpleegster op wie Ayinde leunde, 'denk je dat je man me een handtekening wil geven als het hier weer wat rustiger is?'

'Vast wel,' zei Ayinde, die haar uiterste best deed beleefd te zijn omdat ze zo snel mogelijk die verdoving wilde. Ze begon te knikken en de arts en verpleegster zeiden in koor: 'O nee, niet bewegen!' Dus hield ze midden in de knikkende beweging haar hoofd stil, terwijl de warmte en daarna de heerlijke gevoelloosheid van haar heupen naar beneden gleed.

Ze liet haar ogen dichtvallen en toen ze ze opendeed, was het ineens vijf uur 's nachts en vloog de deur open, die een enorme straal verblindend licht binnenliet.

'Kijk eens wie er is!' zei Becky.

Ayinde zag aan het voeteneinde van haar bed dokter Mendlow staan, met zijn slanke figuur en ontwapenende glimlach, zijn bruine krulhaar onder een haarkapje. Hij tilde de zoom van haar nachtpon op. En achter hem stond Richard, ongeschoren en moe, zijn hele twee meter vijf, nog in zijn trainingspak en haar stralend aankijkend, zijn ogen glinsterend, met een kwartet verpleegsters in zijn kielzog.

Hij pakte haar handen. 'Hé, schatje.' Hij had kraaienpootjes in zijn ooghoeken. Zijn glimlach zag er hetzelfde uit als op de televisie, waar die ontbijtgranen, frisdrank en zijn eigen sportschoenenlijn verkocht. Ayinde sloot haar ogen en leunde met haar gezicht tegen het warme leer van zijn jas. Ze ademde de geruststellende geur van zeep, aftershave en een beetje zweet in, altijd diezelfde geur, hoe lang een wedstrijd of training ook geleden was...

Ayinde gooide haar hoofd naar achteren.

Dokter Mendlow keek op van tussen haar benen vandaan. 'Heb ik je pijn gedaan? Sorry.'

'Sst, het is goed. Papa is bij je,' zei Richard terwijl hij zich over haar heen boog en om zijn eigen grapje glimlachte. Ayinde ademde diep in en ja, daar rook ze het weer, iets anders wat vermengd was met de geruststellende geur van haar man. Parfum. Ze overwoog de mogelijkheid en duwde die toen snel weg. Hij was naar een wedstrijd geweest, daarna waarschijnlijk naar een persconferentie en toen was hij op het vliegtuig naar huis gestapt. Verslaggevers... stewardessen... fans bij de wedstrijd of het hotel die hun nekken uitstrekten toen hij langsliep en die vochtige papiertjes in zijn handen duwden... misschien zelfs wel een verpleegster die hem in de gang had onderschept. Of misschien was ze gewoon zo uitgeput dat ze het zich allemaal inbeeldde en uit niets dan haar pijn en angst een beetje Chloe of Obsession had gecreeerd.

'Negen centimeter. Bijna tien. Alleen nog een randje aan de linkerkant,' zei dokter Mendlow. Hij keek weg van Ayinde naar Richard. 'Zijn jullie klaar voor je baby?'

De verpleegsters renden de kamer binnen, braken het bed af, vouwden het onderste derde weg en duwden Ayindes voeten omhoog. Richard hield haar hand vast. Becky greep haar andere. 'Wil je dat we weggaan?' fluisterde ze terwijl Richard in handschoenen en operatiekleding werd geholpen. Ayinde kneep hard in Becky's hand en schudde haar hoofd.

'Blijf alsjeblieft,' zei ze. 'En jij ook,' zei ze tegen Kelly, die vanuit een leunstoel zat toe te kijken. Kelly zag er zo moe uit. Ayinde dacht dat ze er zelf nog slechter zou uitzien. De nacht voelde oneindig en het moeilijkste moest nog komen.

'Oké, daar komt weer een wee,' zei dokter Mendlow. 'Ben je klaar om te gaan persen?' Ayinde knikte en de kamer vulde zich met geluid en mensen – verpleegsters, de anesthesist, de verpleegster die tot haar verbijstering een notitieblok en een pen in haar handen had, en de machines piepten en iemand bij Ayindes hoofd zei dat ze moest: 'PERSEN! PERSEN! Hoofd naar beneden, diep inademen en zo hard je kunt persen, en door, en door, en door, kom op, kom op Anna... Anya...'

'A-yin-de!' hijgde ze en ze liet haar hoofd op het kussen vallen. Iemand deed een zuurstofmasker over haar gezicht. 'Zoals je het spelt!'

'Dat is mijn schatje,' zei Richard. De trots in zijn stem was onmiskenbaar. Becky kneep in Ayindes hand. Ayinde opende haar ogen en tuurde in de ogen van haar man.

'Goed zo,' zei hij en boog zijn hoofd naar het hare. 'Kom op, schat, nu gaat het lukken.'

'PERSEN!' riepen de verpleegsters. Ayinde keek haar man in de ogen en perste met al haar kracht.

'Ik zie het hoofdje!' zei dokter Mendlow.

En er waren verpleegsters die benen vasthielden, Richard die haar hand vasthield, de verpleegster die weer in haar oor sprak: 'Kom op meid, naar beneden, nu, kom op, harder, PERSEN PERSEN PERSEN.'

'Je moet even voelen!' zei Becky. Dat deed Ayinde, ze reikte blind tussen haar benen, haar zuurstofmasker scheef op haar hoofd, haar oogleden samengeknepen en o, daar was het, zijn warme, zijdeachtige hoofdje, tegen haar vingertoppen, meer levend dan iets wat ze ooit had aangeraakt of waar ze ooit over had gedroomd. Ze greep naar Richards hand.

'Richard,' zei ze. 'Kijk dan. Kijk wat we hebben gemaakt.'

Hij boog voorover en duwde zijn lippen op de hare. 'Ik hou van je, schat,' fluisterde hij.

Ze duwde haar hoofd weer naar beneden, tot ze bijna rechtop in bed zat, tot de wereld begon te knipperen. 'O god, ik kan het niet meer!' schreeuwde ze.

'Jawel, je kunt het wel, je doet het al,' zei een van de stemmen in haar oor. 'Nog één keer, Ayinde, nog één keer, je bent er bijna, kom op, PERSEN!'

Parfum, fluisterde Ayindes geest met een stem die verdacht veel op die van de formidabele Lolo Mbezi leek (die was geboren als Lolo Morgan, maar haar moeder had haar dat niet verteld). Toen hij naar je terugkwam, rook hij naar de parfum van een andere vrouw. En toen sloot ze haar ogen, klemde haar kaken op elkaar, hield haar adem in en perste zo hard dat ze het gevoel had dat ze zichzelf binnenstebuiten keerde, hard genoeg om de stem in haar stil te krijgen en die geur voor altijd te vergeten. Ze perste tot ze niets meer zag en niets meer hoorde en toen liet ze zich achterover tegen haar kussen vallen, uitgeput en ademloos... en overtuigd. Parfum.

Er werd om haar heen gepraat. 'Oké, meid, nu even rustig... langzaam, langzaam, voorzichtig... daar zijn de schoudertjes.'

Ze voelde iets glijden, een enorm, ronddraaiend loslaten en een plotselinge, schokkende leegte die haar op de een of andere manier deed denken aan haar eerste orgasme, hoe dat haar volledig had overrompeld en ademloos had gemaakt.

'Ayinde, kijk!' riep dokter Mendlow stralend van onder zijn operatiekapje.

Ze keek op. En daar was haar baby, bedekt met een laag grijswit huidsmeer, met een hoofdje vol zwart haar dat glad op zijn schedel lag, met zijn volle lippen open, zijn tong bevend en zijn vuisten gebald van woede.

'Julian,' zei ze. Parfum, fluisterde haar geest. Hou je mond, zei ze ertegen en ze strekte haar armen uit naar haar zoon.

Mei

Kelly

'OKÉ, DUS WE HEBBEN MARY, BARRY, DAN IK, KELLY, DAN CHARLIE, Maureen en Doreen – dat is een tweeling – Michael en Terry. Dat is het kleintje,' zei Kelly. 'Maureen zit in San Diego en Terry studeert in Vermont. Alle anderen wonen nog in New Jersey. Iedereen behalve ik.' Zij en Becky waren sinds een halfuur in Ayindes huis, waarvan ze tien minuten hadden doorgebracht met het bewonderen van de tien dagen oude, zes pond zware baby Julian; ze hadden tien minuten doorgebracht met het vriendelijk in ontvangst nemen van Ayindes bedankjes en de Kate Spade-luiertassen die ze allebei als cadeau hadden gekregen ('O, dat had je echt niet moeten doen,' had Kelly gezegd terwijl ze vanbinnen helemaal opgewonden was en wenste dat het Kate Spade er in grotere, zichtbaardere letters op had gestaan). Toen hadden ze een rondleiding gedaan door de benedenverdieping van het huis, met woonkamer, eetkamer, keuken met granieten aanrecht, een Sub Zero-koelkast en een groot Viking-fornuis, butlerskeuken en solarium. En toen was het gesprek overgegaan op Kelly's schunnig grote familie, waarvan Kelly de leden in één adem kon opdreunen – 'MaryBaryikCharlieMaureenDoreendatiseentweelingMichaelenTerrydatishetkleintje' – en Kelly wilde graag terug naar een onderwerp dat haar meer op gelijke voet met haar nieuwe vriendinnen zou zetten.

'Mijn man is een enorme fan van de Sixers,' zei ze. 'Hij is opgegroeid in New York en hij was vroeger fan van de Knicks, maar vanaf het moment dat hij naar Wharton ging, heeft hij het alleen nog over Allen Iverson. En over Richard, natuurlijk.' Ze leunde achterover, erg met zichzelf ingenomen dat ze een onopvallende manier had gevonden om het over Wharton te hebben.

'Hoe lang zijn jullie al getrouwd?' vroeg Becky.

'Bijna drie jaar,' zei Kelly.

'Jemig, jij moet een kindbruidje zijn geweest,' zei Becky.

'Ik was tweeëntwintig,' zei Kelly. 'Dat is denk ik wel jong. Maar ik wist wat ik wilde.' De vrouwen zaten in Ayindes woonkamer van bioscoopzaalafmetingen. Ayinde wiegde Julian, een klein, slaperig bundeltje in een blauwe pyjama met voetjes eraan en een bijpassend blauw petje over zijn krullen. Kelly en Becky zaten naast elkaar op de bank thee te drinken en de koekjes te eten die een hulp in een zwart met wit uniform binnen had gebracht. Kelly kon maar niet uit over de kamer. Alles wat erin stond, van de tapijten met overdadige patronen tot de kussens met pluimpjes op de banken tot de landschappen en de spiegel met vergulde lijst die boven de marmeren open haard hing, was helemaal perfect. Kelly wilde voor altijd in deze kamer blijven, of nog beter, op een dag zelf net zo'n kamer hebben.

'Willen jullie ook een groot gezin?' vroeg Becky.

'O god, nee,' zei Kelly met een siddering die ze niet kon onderdrukken. 'Ik bedoel, zo erg was het niet. We hadden een busje dat we voor weinig geld van de kerk hadden gekocht – we zijn katholiek, ik weet het, wat een verrassing – en we hadden een enorme eettafel, en...' Ze haalde haar schouders op. 'Dat was het zo'n beetje.'

'Dat was vast leuk,' zei Ayinde, die weemoedig met haar vrije hand haar baby over zijn hoofdje streelde. 'Er was zeker altijd iemand om mee te praten?'

Kelly knikte, hoewel het niet helemaal waar was. Maureen was de enige met wie ze kon praten. De rest van haar broers en zussen vonden haar bazig, een roddeltante, brutaal als ze hun vertelde wat ze moesten eten, hoe ze zich moesten aankleden of hoe ze zich moesten gedragen. God, als ze toch iedere keer dat ze tegen haar hadden gezegd: 'Je bent mijn moeder niet!' een stuiver had gekregen! Alsof hun eigen moeder zo geweldig was. Kelly herinnerde zich hoe Paula O'Hara het plakboek had ontdekt dat ze vanaf haar achtste had. Het was een oud fotoalbum dat als babyboek voor de tweeling was bedoeld, maar daar had haar moeder genoeg van gekregen, dus er zaten maar een paar foto's van Maureen en Doreen in van toen ze uit het ziekenhuis waren gekomen. Kelly had het verder volgeplakt met haar eigen foto's, die ze uit *Ladies' Home Journal*, *Women's Day*, *Newsweek* en *Time* had geknipt, die ze had gepikt bij de tandarts aan het einde van de straat nadat de receptioniste ze in een stapeltje op de stoep had achtergelaten. Kelly was niet geïnteresseerd in foto's van mensen, ze wilde alleen foto's van dingen. Ze had grote koloniale huizen uitgeknipt waar de verf niet in lange schilferende, krullende strepen aan de luiken hing, foto's van glanzende nieuwe busjes waar niet nog steeds MARIA DE MOEDER VAN VREDE op was te lezen; foto's van blauwe vazen vol narcissen, leren tapdansschoenen en een roze Huffy-fiets met een glanzend bananenzadel. Foto's van jurken, schoenen, een jas met een kraag en manchetten van echt konijnenbont die Miss Henry afgelopen winter naar school had gedragen. Haar moeder had Kelly naar de zitkamer geroepen, waar de kinderen normaal gesproken niet mochten komen; ze had haar dochter gevraagd op de goudgroene bank met plastic hoes te gaan zitten en had het album voor haar gezicht heen en weer gezwaaid, zo hard dat een foto van het jachthuis van een edelvrouw eruit viel. 'Wat is dit?'

Het had geen zin te proberen te liegen. 'Gewoon, foto's van dingen die ik mooi vind.'

Haar moeder kneep haar oogleden samen. Kelly rook onopvallend haar eigen adem, maar nee, ze rook alleen koffie. Nu. 'Begeerte is een zonde.'

Kelly staarde naar de vloer en hoewel ze wist dat ze gewoon haar mond moest houden, kon ze zichzelf er niet van weerhouden te vragen: 'Waarom is het slecht om mooie dingen te willen hebben?'

'Je moet nadenken over je ziel, niet over je bankrekening,' zei Paula O'Hara. Haar bruine krullen waren kort geknipt in een kapsel dat geen zorg nodig had en dat ze zelfs bijna nooit kamde en ze droeg een van de oude geruite overhemden van haar man over haar spijkerbroek. 'Het is gemakkelijker voor een kameel om in het oog van een naald te passen dan het voor een rijke man is om in de hemel te komen.'

'Maar waarom dan? Waarom is het slecht om rijk te zijn? Waarom is het slecht om mooie dingen te willen?'

'Omdat God niet om mooie dingen geeft,' had haar moeder gezegd. Paula had geprobeerd vriendelijk te klinken – en onderwijzend, als een zondagsschooldocente – maar Kelly hoorde dat ze haar geduld begon te verliezen. 'God geeft om goede daden.'

'Maar waarom wil God dan niet dat mensen mooie dingen hebben?' vroeg Kelly. 'En als je nou mooie dingen hebt en goede daden doet? Wat als...'

'Zo is het genoeg,' had haar moeder gezegd. 'Ik hou dit, Kelly Marie. En nu ga je naar je kamer en ik wil dat je vader Frank hier zondag over vertelt.'

Kelly vertelde nooit iemand over haar album. Die zondag biechtte ze gewoon de gebruikelijke overtredingen op: 'Vergeef me vader, want ik heb gezondigd, ik heb een week geleden voor het laatst gebiecht. Ik heb de naam van God ijdel gebruikt en ik heb ruzie gemaakt met mijn zusje.' Wat moest ze dan zeggen? Waarom was wat ze had gedaan zo slecht? 'Vergeef me vader, want ik heb gezondigd, ik heb een foto van de zwart-witte keuken van een filmster uit een drie maanden oud exemplaar van *Life* geknipt?' Haar moeder had haar plakboek slecht verstopt. Ze had het gewoon in een kast geschoven, onder het witte kunstleren album met de woorden ONZE BRUILOFT in gouden letters op de kaft. In het album zaten een paar dozijn foto's van de bruiloft in St. Veronica en de receptie in de hal van de Ridders van Columbus achteraf. Haar vaders smoking had brede revers uit het discotijdperk; haar moeders jurk had de bult die vijf maanden later baby Mary zou worden niet kunnen verhullen. Kelly redde haar fotoboek de volgende avond en ze hield het tot ze ging studeren.

Kelly zat achterover in de suède bank van Ayinde, zette haar theekopje zorgvuldig op het schoteltje en streek haar haar glad. Ze wist dat ze er objectief prima uitzag, of in ieder geval zo goed als zevenenhalve maand zwangere vrouw eruit kon zien. Haar haar zat tenminste goed. Dokter Mendlow had waarschijnlijk gedacht dat ze gek was, aangezien de eerste vraag die ze had gesteld tijdens haar eerste bezoekje niet over haar dieet, lichaamsbeweging of de geboorte was, maar: 'Mag ik mijn haar laten highlighten?' Maar ja, dacht Kelly, dokter Mendlow wist ook niet dat haar haar exact de kleur van vuil afwaswater had als ze de kleur niet bijhield.

Ze nam nog een slokje van haar thee. Had zij maar zulk haar als Becky. Ze durfde te wedden dat die krullen echt waren. Zulk haar als Becky en een huis als dat van Ayinde en dan zou ze het helemaal voor elkaar hebben.

'Vertel eens wat over evenementplanning,' zei Becky. 'Doe je wel eens bruiloften?'

'Soms, maar dan alleen de heel dure. Bruiden zijn gek,' zei Kelly en ze trok haar neus op. 'Ik bedoel, dat recht hebben ze natuurlijk, het is natuurlijk hun grote dag en zo, maar bedrijven zijn veel gemakkelijker om mee te werken. Voor de mensen daar is het allemaal veel minder persoonlijk.'

Becky rolde met haar ogen. 'Ik zal je wel een keer over mijn bruiloft vertellen.'

'Hoezo? Wat is daar dan gebeurd?'

Becky schudde haar hoofd. 'Dat is een lang en tragisch verhaal. Ik vertel het wel een andere keer.'

Kelly hoopte dat er nog een andere keer zou komen en dat ze met zijn drieën van die vrouwen zouden worden die je in het park of op straat zag, die lekker zaten te kletsen terwijl ze hun baby's wiegden. Maureen was altijd haar beste vriendin geweest, maar die was met een investeringsbankier getrouwd en was naar het westen verhuisd, en haar studievriendinnen kregen allemaal nog geen kinderen. Kelly was een van de weinigen die al was getrouwd.

'Hebben jullie broers en zussen?' vroeg ze. Ze liet een vinger over het gouden randje van haar schoteltje glijden en vroeg zich af of het ordinair zou zijn als ze het zou omdraaien om te kijken wat voor merk het was. Ze vond tot haar spijt dat dat zo was. Steve en zij hadden Wedgwood voor hun huwelijk gekregen, met hetzelfde motief als een van haar favoriete actrices volgens *In Style* had uitgezocht. Maar Ayindes servies was mooier dan alles wat ze had gezien in de winkels waar ze was geweest. Het was vast antiek.

'Ik ben enig kind,' zei Ayinde. Ze perste haar lippen op elkaar. 'Volgens mij wilde mijn moeder na mij haar figuur niet nog meer verpesten.'

'Echt waar?' vroeg Kelly.

'Absoluut,' zei Ayinde. 'Lolo neemt haar figuur uiterst serieus. Ze was in de jaren zeventig model. Ze was de tweede gekleurde vrouw die ooit op de voorkant van *Vogue* stond. Wat ze je tien minuten nadat je haar had ontmoet zeker zelf zou vertellen.'

'En waar komen jullie vandaan?' vroeg Kelly. Oeps. Foute vraag. 'Kelly de regelteef', noemde haar broer Barry haar altijd. Als ze thuis zaten te eten, zakte haar moeder na het bidden onderuit in haar stoel en tuurde lusteloos naar haar bord terwijl haar vader naar alle gezichten aan tafel staarde en wisselend razend en verbijsterd keek, alsof hij niet begreep waar al die kinderen toch vandaan kwamen. Haar broers en zussen aten gewoon hun bord leeg en dan was Kelly degene die probeerde de zware bal van het gesprek in de lucht te houden. Daar deed ze zo haar best voor dat haar tanden er pijn van deden. 'Hoe was het vandaag op school bij jullie?' vroeg ze dan. 'Doreen, hoe ging het bij hockey?' 'Hou je mond, Pollyanna,' zei haar zus dan. 'Jij bent mijn moeder niet.' En dan zat Paula vanuit haar stoel naar haar te staren. 'Nee, je bent inderdaad hun moeder niet,' mompelde ze af en toe met een stem die zowel kwaad als verward klonk, alsof ze het hardop zei om zichzelf ervan te overtuigen. Maar iemand moest hun moeder zijn, dacht Kelly; iemand moest het tenminste proberen en na vier uur 's middags was het uitgesloten dat Paula dat kon zijn. Dus dan probeerde zij het. 'Michael, hoe ging je scheikundeproefwerk? Terry, heb je mama eraan herinnerd dat ze dat briefje moet ondertekenen?' Eén voor één liepen haar broers en zussen met hun bord naar de woonkamer om voor de televisie te eten. Ze lieten Kelly en haar ouders alleen aan tafel zitten, in een kamer die zo stil was dat je hun messen en vorken over hun bord hoorde krassen.

Becky vertelde hun dat ze in Florida was opgegroeid en dat ze naar Philadelphia was gekomen toen haar man daar zijn klinische opleiding deed. Ayinde was in New York City geboren, maar ze was naar de middelbare school van Miss Porter in Connecticut gegaan, daarna had ze aan Yale gestudeerd en haar zomers in het buitenland doorgebracht. In het buitenland. Kelly dacht niet dat ze er ooit mee zou wegkomen als ze die woorden in één zin zou gebruiken, hoewel dat op zich best kon, aangezien ze op huwelijksreis naar Parijs was geweest. Je moest mooi zijn om die woorden te kunnen gebruiken. En het hielp als je niet uit New Jersey kwam.

Ayinde legde haar baby tegen haar schouder om hem te laten boeren en Becky ging anders zitten op de bank. Ze klopte zachtjes op haar buik, alsof er een hond bij haar op schoot was gaan liggen. Kelly voelde dat er een ongemakkelijke stilte in de kamer hing. Ze wilde Ayinde een miljoen vragen stellen, waarvan: 'Hoe was het echt om te bevallen?' de belangrijkste was. Haar moeder had zo veel kinderen gekregen dat Kelly er wel een idee van dacht te hebben, maar dat was niet zo. Paula ging midden in de nacht of midden op de dag weg en kwam dan een paar dagen later terug, nog uitgeputter dan ze er normaal uitzag, met een nieuw pakketje in haar armen voor Kelly om te wassen, te verschonen en tegen te kirren. Ze had geprobeerd haar zus Mary wat vragen te stellen, de enige met kinderen, maar Mary had ze van tafel geveegd. 'Je bevalling gaat prima en je kindje wordt perfect,' had Mary gezegd terwijl haar eigen drie kinderen op de achtergrond krijsten tijdens het eerste-van-de-maand-gesprek van de zussen. 'En als dat niet zo is, ruil je het kind gewoon in.'

'Ha ha, wat grappig,' had Kelly gezegd.

'Hij moet in bad,' zei Ayinde. 'De navelstreng is er gisterenavond af gevallen.'

'O, we moeten er weer eens vandoor,' zei Becky, die moeizaam uit de fluwelen bank opstond. Kelly stond ook op.

'Ontzettend bedankt voor die tas. Dat had je echt niet hoeven doen.'

'Eerlijk gezegd,' zei Ayinde terwijl ze de baby goed in haar armen legde, 'hoopte ik dat jullie zouden blijven om toezicht te houden. De verpleegsters hebben me in het ziekenhuis laten zien hoe het moet...'

'Natuurlijk blijven we!' zei Becky.

'Ik help je wel,' zei Kelly. Ze bloosde en hoopte maar dat ze niet te gretig klonk. 'Ik heb mijn broers en zussen miljoenen keren in bad gedaan.' Ze herinnerde zich nog hoe ze boven de keukengootsteen stond, ze wist het liedje nog dat ze zong als ze met een washandje de shampoo van hun hoofdjes veegde.

'Ik ben blij dat tenminste één van ons weet wat ze doet,' zei Ayinde. Ze nam hen mee naar de badkamer boven, die vol hing met handdoeken met capuchon, washandjes en waar tot Kelly's vreugde hetzelfde blauwe plastic badje dat Kelly vier weken daarvoor had gekocht, stond. Becky deed water in het badje. Ayinde kleedde de baby uit en keek naar hem, naakt in haar armen. 'Wil jij beginnen?' vroeg ze.

'Natuurlijk,' zei Kelly. Ze nam Julian uit haar armen en liet hem voorzichtig, voetjes eerst, in het water glijden. 'Daar ga je, meneertje. Je eerste badje, is dat niet leuk? Je moet het gewoon rustig doen,' zei ze tegen Ayinde, 'zodat ze niet schrikken... zo!' Ze legde de baby in het badje. Julian maakte 'eh eh eh'-geluidjes en sloeg toen gillend met zijn handjes in het water.

'Hé, liefje,' zei Kelly en ze druppelde wat water op zijn buikje. 'Volgens mij vindt hij het lekker.' Na een paar minuten in het water en wat gefriemel met het washandje spreidde ze een handdoek over zijn borst, tilde de baby uit het water en omwikkelde hem als een burrito voor ze hem teruggaf aan zijn moeder. 'Dank je,' zei Ayinde. 'Jullie allebei, ontzettend bedankt.'

Kelly was net op tijd terug in haar appartement voor het maandelijkse telefonische zussengesprek. 'Hé, zus,' zei Doreen. 'Hoe is het met je zwangerschap?'

'Geweldig!' zei Kelly. Ze zette haar boodschappentassen in de lege hal en liep met de doos van Pottery Barn Kids door de lege woon- en eetkamer naar de babykamer die, naast hun slaapkamer, de enige gemeubileerde kamer in hun appartement was. Kelly wilde geen goedkoop spul aanschaffen dat ze zouden moeten vervangen; dus besloot ze te wachten tot ze precies konden kopen wat ze wilde, de perfect gevormde zeegroene gestoffeerde bank, de linnen gordijnen met boerderijprint van Robert Allen, de mahoniehouten tafeltjes en het dressoir, het tweezitsbankje van Mitchell Gold in paddestoelkleurig suède, allemaal opgeslagen en gecatalogiseerd in het favorietenbestand in Kelly's computer. 'Knip je nog steeds plaatjes uit?' had haar moeder de laatste keer dat ze Kelly had gezien, gevraagd (haar moeder had toen in het ziekenhuis gelegen met de kleur geel van een rijpe banaan). 'Dat hoeft niet meer,' had Kelly gezegd. Ze dacht terug aan de eerste keer dat ze dit appartement had gezien. En, belangrijker, de huursom. 'Steve, dat moeten we niet doen,' had ze tegen haar man gezegd en hij had haar hand gepakt en gezegd: 'We verdienen het. Jij verdient het.' En toen had hij ter plekke het huurcontract getekend.

'Wat kunnen we voor je meenemen?' vroeg Mary. 'Wat heb je nodig?'

'Niets, niets,' zei Kelly gehaast; ze wilde niet eens denken aan wat in het hoofd van haar zus een geschikt babycadeautje was. 'De babykamer is al een tijdje helemaal klaar.'

Haar zussen begonnen te lachen. 'Natuurlijk, Kelly,' zei Maureen.

Kelly fronste haar wenkbrauwen terwijl ze op de schommelstoel met het op maat gemaakte rood met witte kussen ging zitten. Lemon, de golden retriever die ze een jaar eerder bij een fokker hadden gekocht, ging tevreden op haar voeten liggen. 'Ik wilde gewoon geen risico lopen. Zelfs als je wat bestelt, gaat er vaak van alles mis. Stel bijvoorbeeld dat je dat geruite rode lakentje op pagina tweeëndertig uit de catalogus van Pottery Barn Kids bestelt...'

'Bijvoorbeeld,' zei Mary. Haar rollende lach sloeg om in een hoestbui. Ze probeerde weer te stoppen met roken, maar zo te horen lukte dat nog niet zo.

'Als je dat bestelt,' ging Kelly koppig verder, 'maar iemand besluit je een ander rood geruit lakentje te geven, of een rood geruit lakentje dat ergens in de uitverkoop is gekocht...'

'O, ik moet er niet aan denken,' zei Doreen.

'Nou, dan mag je het niet ruilen!' zei Kelly. 'En dan zit je eraan vast!'

'Wat gruwelijk,' zei Mary en ze begon weer te lachen. Kelly sloot haar ogen en had spijt dat ze dit aan haar zussen had verteld. Mary en haar man en drie kinderen woonden in een oud huis in Ocean City, waar alles smoezelig en kapot was en naar sigaretten stonk. Het maakte Mary niet eens uit wat voor kleur een laken had, als het maar schoon was. En het was maar de vraag of zelfs dat haar iets kon schelen.

'Laat maar zitten,' zei Maureen. 'Als de babykamer al af is, wat wil je dan? Speelgoed of een luiertas of zo?'

'Ik heb nog wel tweedehandsjes,' bood Mary aan. Kelly trok een vies gezicht en begon over Doreens vriendje, Anthony de politieagent, en wat Doreen zou moeten meenemen als ze zijn ouders zou ontmoeten. 'Bloemen doen het altijd goed,' zei Kelly.

'Geen wijn?'

'Nou, je weet niet of ze drinken en je wilt niet dat ze denken dat jij dat doet.'

'Maar dat doe ik wel.'

'Ja,' zei Kelly geduldig, 'maar dat hoeven zij niet meteen te weten. Koop een mooie bos bloemen. Geef niet meer dan vijfentwintig dollar uit, want dan denken ze dat je te hard je best doen, en koop geen anjers.'

Toen het telefoongesprek voorbij was, deed Kelly het licht aan en keek trots naar de babykamer. De wieg was van wit geschilderd hout met rood-wit gestreepte kussentjes. De commode lag al vol gewassen en gevouwen kleding: sokjes, pakjes, hoedjes en sjaaltjes die ze de afgelopen maanden en al lang voor ze zwanger was, had aangeschaft, zelfs nog voor ze Steve kende. Niet op een gestoorde Miss Havisham-manier, maar gewoon een keer een geweldig zonnehoedje en eens een perfect Oshkosh-pakje. Zodat ze er klaar voor zou zijn. Zodat het goed zou zijn.

Kelly trapte haar schoenen uit en voelde met haar tenen aan het Peter Konijn-kleed. Ze zuchtte van tevredenheid en Lemon likte haar hand.

Nieuwe vriendinnen. Kelly sloot haar ogen en genoot schommelend van het beeld van Ayindes woonkamer dat nog op haar netvlies stond. Ze had op de middelbare school vriendinnen gehad, en tijdens haar studie, maar sinds Steve had ze geen contact meer met hen. Zij deden allemaal nog het alleen-in-de-stad-ding: happy hours, gruwelverhalen over blind dates en hun hele loon uitgeven aan make-up en schoenen. Kelly had nu een ander leven. Een beter leven. Ze hoefde zich geen zorgen meer te maken of een jongen haar zou bellen of dat ze op zaterdagavond alleen thuis zou zitten. Ze schommelde naar voren en naar achteren, zuchtte tevreden, dacht aan Steve, of hij Richard Towne ooit zou leren kennen en of hij zichzelf dan voor gek zou zetten. Steve deed af en toe echt idioot, dan hield hij iemands hand zo lang vast dat die er ongemakkelijk van werd, of hij praatte te lang of te hard over het homohuwelijk of de belastingen die ongeacht inkomen voor iedereen hetzelfde zijn, alle van de vele onderwerpen waar hij een uitgesproken mening over had.

Het was niet iets waar ze graag aan dacht, maar de waarheid was dat ze haar man had ontmoet toen de vriend die ze tijdens haar tweede en derde studiejaar had gehad, het net had uitgemaakt. Hij heette Scott Schiff, ze was wanhopig verliefd op hem geweest en ze dacht dat hij dat ook op haar was. Toen was ze op een avond naar zijn flatje gegaan, had geprobeerd op zijn bed te gaan zitten en toen was hij opgesprongen zodra haar billen de quilt raakten. O jee, dacht ze terwijl haar hart in haar schoenen zonk. Dit is niet goed.

Hij ijsbeerde door de kamer, wreef zijn handen samen alsof ze koud waren en toen had ze geweten wat hij zei zonder dat hij ook maar een woord uitsprak. 'Prima!' zei ze en ze onderbrak zijn monoloog over hoeveel hij om haar gaf maar dat hij dacht dat ze samen geen toekomst hadden. Zoals hij het bracht, klonk het alsof ze een obligatie was waar hij zijn geld niet op wilde inzetten. 'Prima!'

Ze wist ook waarom hij er een eind aan maakte. Ze had zijn gezicht gezien toen ze hun auto hadden geparkeerd bij het huis van de familie O'Hara voor de begrafenis van haar moeder. Ze had gezien hoe zijn neusvleugels waren opengegaan toen hij de stokoude bus op de oprit had zien staan, toen hij het versleten tapijt op de trap had gezien, de ene badkamer op de eerste verdieping die alle acht kinderen hadden gedeeld. De muren van het huis van zijn ouders hingen vol met originele aquarellen; de muren van Casa O'Hara waren versierd met ingelijste foto's van twintig bij vijfentwintig centimeter van ieder kind dat voor zijn eindexamen was geslaagd en – wat had ze zichzelf voor haar kop geslagen dat ze niet tegen Maureen had gezegd dat ze dat had moeten weghalen – een enorm crucifix met een zeemkleurige Redder in een lendendoekje met opzichtige bloeddruppels op zijn handen geschilderd. Scott was een enorme vangst, vier jaar ouder dan Kelly, hij studeerde aan Wharton voor zijn MBA. Ze had niet gelogen, niet echt, toen ze hem had verteld dat ze aan zee was opgegroeid. Dat was technisch gezien echt waar, maar hij had zich er duidelijk iets anders bij voorgesteld, iets beters, iets wat meer op het zomerhuis met zes slaapkamers van zijn ouders in Newport leek en niet op het miezerige arbeidersstadje aan de kust van Jersey. Ze bedacht dat ze dankbaar had moeten zijn dat hij ook maar een minuut was gebleven nadat haar moeder eenmaal in de grond lag.

'Gaat het?' vroeg hij toen ze van het bed opsprong.

'Prima. Weet je, het is eigenlijk wel een opluchting,' zei ze. 'Ik dacht er ook al een tijdje aan. Ik zag ook niet echt een duidelijk toekomstplaatje voor me.' Ze dwong zichzelf hem aan te kijken en knipperde snel met haar oogleden zodat de tranen niet over haar wangen zouden rollen. 'Ik hoop dat je niet aan een... je weet wel... toekomst samen dacht. Want dat deed ik namelijk niet.' Ze liep naar waar hij in de kamer stond, met zijn benen zo ver uit elkaar dat zijn voeten recht onder zijn schouders stonden, met zijn handen ineen, helemaal de houding van een toekomstige hoofddirecteur van een groot bedrijf, en ze pakte zijn handen. 'Het spijt me als ik je een verkeerde indruk heb gegeven.' Haar toespraakje liet hem van zijn stuk en stil achter, zoals ze had gehoopt dat dat zou gebeuren. Ze pakte snel haar spullen – een borstel, een paar hardloopschoenen, haar exemplaar van *Smart Women Finish First* – omdat ze wist dat ze door de rooie zou gaan als ze hem nog eens zou moeten zien met een doos met haar spullen onder zijn arm.

'Hé,' zei hij met een stem die zo lief klonk dat ze wist dat ze hem niet zou kunnen aankijken zonder te gaan huilen en hem te smeken of ze mocht blijven. 'Dat hoef je nu niet te doen.' Hij zag er ellendig uit toen hij zijn keel schraapte. 'Ik weet dat dit een moeilijk jaar voor je is. Met je moeder...'

'O, dat zat er al een hele tijd aan te komen. We hadden vrede gesloten. Echt. Het is goed!' zei ze. Tandenborstel. Parfum van Gap die ze in het Boucheron-flesje had gedaan dat haar kamergenote had weggegooid. Ze liep naar zijn keuken voor een plastic tasje. 'Ik zie je nog wel. Pas goed op jezelf!'

Ze haalde de lift in zijn hoge flatgebouw voor ze tegen de muur moest leunen. Ademen, zei ze tegen zichzelf, zoals ze dat ook had gedaan toen vier maanden eerder de telefoon was gegaan en Mary, die tweeëndertig was maar had geklonken als zes, haar huilend bij de bijnaam uit haar jeugd Kay-Kay had genoemd en had gezegd: 'Mammie is dood.'

Kelly dwong zichzelf rechtop te gaan staan voor het geval Scott zijn hoofd uit de deur zou steken om te kijken waar ze was. Ze stak de plastic zak onder haar arm, ging met de lift naar de begane grond, liep de campus over en vond een drukke, hete en lawaaiige bar. Ze baande zich een weg door de menigte en bestelde een dubbele wodka, die ze opslokte zoals een kind hoestsiroop drinkt. Ze maakte daar geen gewoonte van. Ze had het sinds de middelbare school maar één keer gedaan, de avond voor de begrafenis van haar moeder, in een kroeg in Ocean City met haar zussen bij haar en ze had toen geen wodka gedronken maar Maker's Mark, het lievelingsdrankje van hun moeder. Paula O'Hara had dat altijd in haar Tab geschonken en ging dan voor de televisie zitten met het roze blikje in haar hand. Dan kwam er een blauwe gloed op haar wangen en keek ze naar *Dynasty*, *Dallas* en banden van *Days of Our Lives* terwijl de acht kinderen in en uit liepen.

De barman hield de fles in de lucht.

'Geef er nog maar één,' zei Kelly. Stom. God, wat was ze stom geweest dat ze had gedacht dat Scott Schiff die Ene was, dat ze andere jongens die haar mee uit hadden gevraagd had afgewezen en al haar geld op één ezel had ingezet, of paard, of wat het ook was waar je dat op deed. Ze sloeg haar tweede glas achterover en toen haar derde. Ze reikte naar haar tasje en probeerde zich te herinneren hoeveel geld ze bij zich had, toen er ineens een hand op de hare werd gelegd.

'Laat mij maar.'

Kelly keek op en zag een jongen in een marineblauw pak. Die ziet er goed uit, dacht ze – een beetje bleek en gekweld, zijn ogen iets te intens – maar wie droeg er in godsnaam, met uitzondering van de docenten, op zaterdagavond aan de hele universiteit van Pennsylvania een pak? Een pak en – ze keek naar beneden en voelde dat ze heen en weer zwaaide op haar barkruk – schoenen met kwastjes?

Ze tuurde door de sigarettenrook naar de jongen, die lichtblauwe ogen had, smalle rode lippen, zorgvuldig gekamd bruin haar dat al een beetje dunner werd en een prominente adamsappel boven zijn blauwgouden stropdas.

'Hoe zit dat met dat pak?' vroeg ze schreeuwend om zichzelf hoorbaar te maken boven de stemmen en de muziek die uit de jukebox kwam.

'Ik hou van pakken,' schreeuwde de jongen terug. 'Ik ben Steven Day.'

'Gefeliciteerd,' zei ze en ze leegde haar glas.

'Rustig aan,' zei hij. Ze keek hem met half samengeknepen oogleden aan. Ze was helemaal licht in haar hoofd.

'Vertel me niet wat ik moet doen. Je bent mijn vader niet.' Want als je dat wel was, dacht ze, zou je een baard van drie dagen hebben en gevangen zitten met een gezin dat je haatte en dan zou je postbode zijn en dan was je enige pak twintig jaar oud.

Steven Day leek zich in het geheel niet beschaamd te voelen. 'Ga je mee naar buiten, Kelly,' zei hij en hij greep haar stevig bij haar elleboog. 'Wat frisse lucht zal je goeddoen.'

Ze trok een gezicht, maar stond hem toe haar van haar kruk te helpen en naar buiten te begeleiden. 'Hoe weet je hoe ik heet?'

'Ik hou je al een tijdje in de gaten.'

Ze staarde hem aan en probeerde hem te plaatsen. 'O? Waarom?' Het drong tot haar door dat ze te hard praatte: in de bar was het lawaaiig, maar buiten was de herfstlucht scherp en droeg haar stem ver. 'Waarom?' vroeg ze nogmaals, zachter.

'Omdat ik je mooi vind,' zei hij terwijl hij haar over de stoep leidde. Ze voelde zijn adem tegen haar wang terwijl hij ieder woord uitsprak. 'We zaten samen bij economie.'

Ze herinnerde zich dat ze iemand had ontmoet bij het laatstejaarscollege economie waartoe ze haar studieadviseur had overgehaald dat ze het mocht volgen, maar dat was Scott Schiff. Hoewel er ergens een lampje ging branden, een jongen in een pak die achter in de collegezaal zat en die van iedere vraag een gepassioneerde verdediging van de vrije-markthandel maakte, een jongen die een pak naar college droeg terwijl alle anderen in een spijkerbroek met gympen en een sweater kwamen.

Het lijkt Alex Keaton wel, dacht ze. Ze zwalkte naar rechts en viel bijna tegen een bushokje. Steven Day sloeg zijn arm om haar middel. 'Gaat het wel?'

Er borrelden een half dozijn standaardantwoorden in haar omhoog. Natuurlijk! Prima! Geweldig! In plaats daarvan liet Kelly zich tegen hem aan zakken en liet ze haar ogen dichtvallen. 'Nee. Niet echt.'

'Maak je je zorgen om de tentamens?'

Ze schudde haar hoofd. 'De tentamens zijn op dit moment mijn laatste zorg.'

'Wat is er dan?'

'Nou, ten eerste mocht ik niet nog een drankje van je bestellen.' Ze veegde haar pony uit haar ogen. Ze had de hele periode dat ze in Ocean City op de middelbare school had gezeten, haar haar gepermanent. Op haar eerste dag op Penn had ze gezien dat niemand gepermanent haar had en ze kon zich niet veroorloven haar permanent er weer uit te laten halen, dus had ze na de tweede collegedag een kapper in West-Philadelphia gevonden. Ze was in de zwartleren stoel voor de verbijsterde kapper gaan zitten en had gezegd: 'Alles eraf.' De rest van haar studietijd had ze een superkort kapsel. Het werd haar handelsmerk en voor twaalf dollar per knipbeurt een dat ze zich kon veroorloven.

Ze keek naar hem op. Zijn gezicht hing als de maan in de duisternis boven haar. 'Vind je me echt mooi?'

Hij knikte met een serieuze blik in zijn ogen naar haar. 'Kom. Dan gaan we naar mijn flatje.'

Ze ging rechtop staan en verzamelde wat er over was van haar eergevoel en nuchterheid. 'Ik ga niet met je mee. Ik ken je net.' Ze likte haar lippen, haalde haar handen door haar warrige haar en staarde naar hem door haar wodkaroes. 'Je moet me eerst mee uit eten nemen.'

'Ga hier maar even zitten,' instrueerde Steven Day haar en hij parkeerde Kelly op het bankje in het bushokje. 'Niet bewegen.'

Ze sloot haar ogen en zat doodstil. Vijf minuten later stond Steven Day, compleet met schoenen met kwastjes, vóór haar met een geurige, vettige zak van McDonald's in zijn hand. 'Alsjeblieft,' zei hij en hij trok haar omhoog op haar voeten. 'Het eten.'

Kelly zwalkte langs groepjes kletsende studenten en corpsmeisjes die naast elkaar in een rij stonden. Ze propte frietjes in haar mond en vertelde Steven het korte maar tragische verhaal over Scott Schiff.

'Het was sowieso niet zo'n goede gozer,' zei ze met een mond vol aardappel. Op dat moment, na de wodka, had ze het gevoel dat ze Steven Day alles kon vertellen, dat niemand haar ooit zo goed had begrepen als Steven Day. 'Wil je weten wat ik denk?'

Steven Day hijgde en trok Kelly weg van een berg net bij elkaar geharkte bladeren waarop ze wilde gaan liggen. 'Natuurlijk.'

'Volgens mij wilde hij een rijk meisje. Iemand met een chique achternaam en een grote bruidsschat.'

'Volgens mij nemen vrouwen tegenwoordig geen bruidsschat meer mee.'

'Nou, je begrijpt wel wat ik bedoel. Ik kom uit New Jersey, dat is niet chic. Mijn vader werkt voor de regering. Mijn moeder...' Ze hield zichzelf tegen verder te praten. Ze was dronken, maar niet zo dronken dat ze over haar moeder zou beginnen. 'Laat maar zitten.'

'Volgens mij,' zei hij zorgvuldig, 'is Amerika tegenwoordig meer een meritocratie.'

Ze knipperde met haar ogen tot haar verdoofde hersenen een definitie van meritocratie ophoestten. 'Ja, nou, de meritocratie is nog niet tot de slaapkamer van Scott Schiff doorgedrongen.' Ze slikte haar frietje door en begon te huilen. En ze huilde nooit. Niet eens toen Mary haar had gebeld, niet tijdens de begrafenis, niet daarna, toen haar vader, keurig geschoren en in een pak geperst dat Kelly zich kon herinneren van de eerste communie van haar zusje, tegen haar zei dat haar moeder een testament had nagelaten. Doreen kreeg de pareloorbellen en Terry het diamanten collier dat hun vader voor hun tienjarige huwelijk had gekocht, en Maureen de gouden armband die ze van haar eigen moeder had gekregen. Mary kreeg haar trouwring. Kelly kreeg haar rozenkrans en haar bijbel. Toen haar vader de spullen aan haar gaf, viel er een Sint-Jozefbidprentje op haar schoot. Het prentje had als boekenlegger op de pagina uit Prediker gefungeerd en Paula O'Hara had met een gele markeerstift de passage aangegeven waarvan ze wilde dat haar dochter die kreeg in plaats van diamanten en parels: *Ik maakte mij grote werken, ik bouwde mij huizen... – zie, het was al ijdelheid en kwelling des geestes, en daarin was geen voordeel onder de zon.*

'Ik ben zo'n idioot,' jammerde Kelly, terwijl hij de deur van zijn flatje opende. Ze wist dat er snot uit haar neus op de revers van Steven Days pak liep, maar ze kon niet meer stoppen. 'Ik dacht dat hij van me hield.'

'Sst,' zei Steven en hij veegde haar haar uit haar gezicht. Hij trok Kelly's schoenen en trui uit en trok een van zijn T-shirts over haar gezicht. 'Laat mij maar,' fluisterde hij en ze had hem met haar ogen knipperend aangekeken. Zijn adem rook naar tandpasta en hij voelde koel tegen haar wang. Op dat moment was ze zo moe, zo verdrietig, voelde ze zich zo leeg – geen Scott, geen moeder, niets – dat ze hem alles had laten doen, zolang ze maar niet alleen hoefde te zijn.

Ze ging rechtop zitten in Stevens rommelige slaapkamer met zijn blauwe laken in haar handen. 'Je wat laten?' fluisterde ze terug.

Hij legde haar hoofd zachtjes op het kussen en kuste haar, eerst op haar voorhoofd en toen zacht op haar lippen. 'Laat mij maar voor je zorgen.'

Later die nacht was ze alleen wakker geworden in het onbekende bed en had de kamer in gekeken naar de man die haar hier had gebracht. Hij was nog helemaal aangekleed, schoenen met kwastjes en al, en lag met een deken tot aan zijn kin over zich heen getrokken. Zijn oogleden glansden in het donker. Het was vijf uur 's ochtends. Jij, dacht ze. Ze wist dat ze klonk als een huisvrouw die in de supermarkt een meloen uitzoekt. Ze wist dat ze nog steeds dronken was, nog steeds verdrietig en razend bij de gedachte aan Scott Schiff – en trouwens ook bij de gedachte aan haar moeder en dat spottende stuk uit de bijbel. Het maakte allemaal niet uit. Ze wist het zeker. En als Kelly iets besloot, gebeurde dat. Zo was ze al vanaf haar zesde. Jij, dacht ze, en dat was dat.

De volgende avond hadden ze gezoend, het weekend erna gevreeën en zes maanden later, vlak voor hun afstuderen, waren ze verloofd. Zes maanden daarna, net na Kelly's tweeëntwintigste verjaardag, waren ze man en vrouw en woonden in een driekamerwoning in een gloednieuw appartementencomplex op de zeventiende verdieping van een gebouw aan Market Street waar je de hele stad kon zien, glinsterend aan haar voeten. De huur was eigenlijk meer dan ze zich konden veroorloven – volgens de berekeningen die ze had gezien, moest je ongeveer eenderde van je inkomen aan je huis uitgeven en in hun geval was het meer de helft – maar ze had de plek niet kunnen weerstaan. Het appartement had twee volledig uitgeruste badkamers met bubbelbad en marmeren vloeren. Het kamerbrede tapijt was gloednieuw, net als de keukenapparatuur, en de muren roken niet naar tientallen jaren van de maaltijden van iemand anders, ze roken alleen naar verse verf. Het gebrek aan meubilair was inderdaad een probleem, haar zussen waren er bijna in gebleven van het lachen toen ze de lege woonkamer hadden gezien en hadden geklaagd dat ze op de vloer moesten eten, maar dat was maar een klein ongemak en een waarvan Kelly zeker wist dat het niet lang zou duren. Als Steve zoveel bleef verdienen als hij nu deed, zou ze over een jaar of twee precies kunnen kopen wat ze wilde. En Oliver zou van alles het beste krijgen, geen tweedehandsjes of speelgoed dat een ander kind had kapotgemaakt. Als hij iets wilde, hoefde hij het alleen maar te vragen.

Ze hoorde Steves sleutel in het sleutelgat en stond op. Oliver James, fluisterde ze. Ze kuste haar vingertoppen en tikte ermee op het matrasje van de wieg voor ze het licht in liep. Perfect. Het zou allemaal perfect worden.

Lia

TIJDENS MIJN EERSTE VLUCHT NAAR LOS ANGELES, TOEN IK ACHT-tien was, zat ik in het midden van de rij. De man die naast me zat, was een jaar of dertig, met krullend blond haar, een trouwring en een aktetas vol snoep. Hij vertelde dat zijn dochter voor zijn vertrek zijn koffertje had gevuld. Ik praatte de hele vijf uur durende vlucht met hem, gooide mijn net geblondeerde haar over mijn schouders en vertelde hem over de rollen die ik in schooltoneelstukken had gespeeld, over de rollen waarover ik had gedroomd, de acteerlessen die ik zou gaan nemen en de naam van mijn agent. De man had vijf uur naar me geglimlacht, me aangemoedigd, me Hershey's Kisses en fruitsnoepjes gevoerd, lachend en knikkend en hij was... wat? Verbijsterd, nam ik aan. Met mijn slecht geverfde haar en mijn waanideeën over het leven in Los Angeles moet ik een verbijsterend aanzicht zijn geweest. Toen we aan de afdaling begonnen, was hij zelfs met me van plaats verwisseld zodat ik aan het raam zat en Californië kon zien. 'Het beloofde land,' noemde hij het.

Mijn vlucht terug naar Philadelphia elf jaar later was anders. Ik strompelde als een zombie over het vliegveld en betaalde voor twee stoelen zodat er geen kind naast me zou komen te zitten. De week daarvoor had ik door het Beverly Center gelopen om maar iets te doen te hebben. Er was een baby gaan huilen en toen waren mijn borsten gaan lekken en toen wilde ik alleen nog maar dood, daar op dat moment en die plek. Ik betaalde de huurauto in Philadelphia contant en legde de biljetten op de balie terwijl de medewerker van Budget me maar bleef vragen of ik echt niet liever met een creditcard betaalde. Maar als ik mijn creditcard zou gebruiken, zou Sam me kunnen vinden en ik was er niet aan toe om te worden gevonden. Nog niet.

Ik was bang dat ik de weg naar huis niet zou vinden, maar dat was niet het geval. Ik had het gevoel dat de gehuurde Kia zichzelf reed, via de I-95 langs Franklin Mills Mall, waar de parkeerplaats zoals gewoonlijk propvol stond, langs de reeks ketenrestaurants en goedkope appartementencomplexen met de HUUR ME NU-reclames moeizaam boven de van vuil uitpuilende goten flapperend. Links op Byberry, over de Boulevard, links, rechts en weer links, de wielen van de gehuurde auto over straten rijdend die smaller voelden, donkerder dan toen ik er had gewoond. De aluminium gevelplaten op de kleine huisjes, zelfs het asfalt in mijn straat was vervaagd en de huizen zelf leken te zijn gekrompen in de schaduw van de bomen, die groter waren geworden. Maar sommige dingen waren niet veranderd. Mijn oude sleutel, die ik al die tijd aan mijn sleutelbos had laten hangen, paste nog in het slot. Ik zette mijn tas onder aan de trap, ging zonder het licht aan te doen in de woonkamer zitten en keek hoe de minuten op de klok van de videorecorder voorbijtikten.

Mijn moeder kwam om kwart over vier thuis, wat exact een halfuur nadat de laatste bel op haar school ging, was. Ze was altijd precies om die tijd thuis. In de zomer veranderde ze haar routine een klein beetje, dan ging ze niet om kwart over zeven naar basisschool Shawcross, maar naar een eettentje om te ontbijten, dan naar de Y om te zwemmen en daarna naar de bibliotheek, waar ze arriveerde zodra om negen uur de deuren opengingen en waar ze precies om vier uur vertrok, met rond twaalf uur een pauze om op het bordes voor de bibliotheek te zitten en de boterham te eten (tonijn op roggebrood of roomkaas met olijven op witbrood) die ze in haar tas had gedaan. 'Wat doe je daar de hele dag?' had ik een keer gevraagd toen ik een jaar of veertien was en we nog met elkaar praatten. Ze had haar schouders opgehaald. 'Ik lees,' had ze gezegd. Misschien had ze het niet als kritiek bedoeld; misschien had ik het onontkoombare *en het zou je geen kwaad doen als je af en toe ook eens een boek pakte in plaats van in je bikini in de achtertuin te liggen en citroensap in je haar te kammen*, niet hoeven horen, maar dat was wat ik hoorde.

Ze liep de woonkamer in met haar zwarte nylon boekentas in één hand en haar tasje in de andere. Ze knipperde twee keer met haar ogen naar me. Verder veranderde er niets in haar gezichtsuitdrukking. Het was alsof ik iedere week kwam om met de gordijnen dicht en de lichten uit in haar woonkamer te zitten.

'Zo,' zei ze. 'Ik kan nog een kippenborst ontdooien voor het avondeten. Eet je nog kip?' De eerste woorden die ze tegen me sprak. De eerste woorden in elf jaar. Ik schoot bijna in de lach. Alles wat ik had doorgemaakt, de afstand die ik had gereisd, alleen om terug te komen waar ik was begonnen, zittend op die oude blauwe bank, en mijn moeder vroeg me of ik nog kip at.

'Ja,' zei ik. 'Ja.'

'Dat vraag ik,' zei ze, 'omdat ik dacht dat je misschien vegetariër was geworden.'

'Waarom denk je dat? Omdat ik naar Californië ben verhuisd?'

'Volgens mij heb ik dat ergens gelezen,' mompelde ze. Ik vroeg me af wat ze verder nog over me had gelezen, hoeveel van het verhaal ze kende. Niet veel, besloot ik. Ze had nooit veel van films gehouden, of filmbladen gelezen. 'Rotzooi,' had ze gezegd. 'Daar sterven je hersencellen van af.' Mijn vader was degene die met me naar de film ging, die popcorn met boter voor me kocht en rammelende doosjes Good & Plenty's, en die voor we weer naar huis reden mijn gezicht zorgvuldig schoonveegde.

Ze raakte mijn schouder aan toen ze de trap op liep, trok haar schoenen uit en liep op haar kousenvoeten door de keuken. Ze had een zwarte broek aan – 'pantalon' noemde ze die – en een witte blouse met een strik waarvan ik dacht dat ik hem me nog herinnerde van voor ik het huis uit was gegaan.

Ik liep achter haar aan de trap op en keek toe hoe ze de kip bereidde, toen de doos paneermeel, een ei uit de koelkast en de gebarsten witte schaal pakte. Ze dompelde de kipstukken al sinds mensenheugenis in die schaal voor ze ze op bakpapier legde. Ze was in mijn afwezigheid gekrompen, net zoals de rest van de buurt. Haar zandblonde haar zag er vervaagd uit, haar schouders hingen onder haar polyester blouse en ze had bruine vlekken op haar handen. Ik zag dat ze oud werd en daar schrok ik van. Dat de tijd in het abstracte voorbijgaat is één ding, maar haar zo te zien was iets heel anders. Ik deed mijn mond open, ik moest toch ergens beginnen, met iemand; ik moest bedenken hoe ik mijn verhaal zou vertellen. *Ik ben naar Californië gegaan en verliefd geworden...* Mijn strottenhoofd voelde alsof het dichtzat. Ik stelde me Sam in de lobby van de bioscoop voor, met een emmer popcorn in zijn hand, misschien, terwijl hij zich afvroeg waar ik was. Ik knipperde snel met mijn ogen, likte over mijn lippen, vond een krop ijsbergsla in de koelkast en begon die in stukken te scheuren. Mijn moeder keek naar mijn Vera Bradley-monster dat aan de voet van de trap lag. 'Leuke tas,' zei ze en ze gaf me een fles vetvrije sladressing.

'Nou,' ging ze verder toen de kip eenmaal in de oven stond en er een paar aardappels in de magnetron ronddraaiden. 'Wat brengt je terug naar de stad?'

Haar toon was zorgvuldig neutraal. Ze keek naar haar voeten. Het antwoord lag op het puntje van mijn tong, maar ik kon mezelf niet zover krijgen de woorden uit te spreken. En ik kan het mis hebben, maar het leek of zij hetzelfde probleem had: ze deed haar mond open en toen weer dicht. Ze zei één keer mijn naam, maar toen ik mijn hoofd omdraaide, haalde ze alleen haar schouders op, schraapte haar keel en staarde weer naar de vloer.

Ze trok twee plastic placemats uit de la waar de plastic placemats altijd hadden gelegen. 'Je grootmoeder is overleden,' zei ze. 'Toen je weg was. Ik had je willen bellen, maar...' Ze haalde haar schouders op. Ze had mijn telefoonnummer niet en ze wist mijn nieuwe naam niet.

'Hebben ze een staak door haar hart geslagen om het zeker te weten?'

Ze perste haar lippen op elkaar. 'Californië heeft die rappe tong van je in ieder geval niet veranderd.'

Ik zei niets. De moeder van mijn moeder woonde in Harrisburg, om de hoek van haar andere dochter en mijn drie neefjes en nichtjes. Ze had nooit veel tijd voor me gehad. Ik zag haar één keer per jaar, op de dag na Thanksgiving. Ze droeg altijd een trui met drie geverfde handafdrukken, een van ieder van mijn neefjes en nichtjes. Toen ik acht was, vroeg ik waarom mijn handafdruk er niet op stond. Daar dacht ze even over na, wees toen naar de kleinste handafdruk en zei tegen me dat ik mocht doen alsof dat de mijne was. Jemig, dank je.

'Mam,' begon ik voordat ik me realiseerde dat ik geen idee had hoe ik dit verhaal moest beginnen, geen idee wat ik had te zeggen. Ik keek naar mijn bord en porde wat in de kip.

'Je mag hier blijven zolang je wilt,' zei ze zacht en ze vermeed oogcontact.

'Mam,' zei ik nog een keer. *Ik heb een man ontmoet en we zijn getrouwd en er is iets verschrikkelijks gebeurd...*

'Je bent mijn dochter,' ging ze verder, 'en er is hier altijd een kamer voor je.' Ik wachtte tot ze me zou aanraken en wist dat ze dat niet zou doen. Toen ik bij haar woonde, raakte ze me ook al niet aan. Mijn vader knuffelde me. 'Je weet waar je slaapkamer is,' zei ze tegen me en ze duwde haar stoel van de tafel. Ze schraapte het grootste deel van haar maaltijd in de afvalemmer, ik weet zeker dezelfde afvalemmer die ze had toen we hier twintig jaar eerder naartoe verhuisden. 'Er ligt schoon beddengoed op je bed.' En daarmee was ze weg.

Mijn slaapkamer was nog precies zoals ik die had achtergelaten: pluizig roze tapijt, Tom Cruise-posters aan de muur, een piepklein eenpersoonsbed dat kraakte en aan de linkerkant naar beneden helde als ik erop ging liggen. Er lag een Strawberry Shortcake-dekbed op het bed, het dekbed waar ik mijn ouders om had gesmeekt toen ik acht was. Mijn moeder had gezegd dat ik een prima dekbed had en dat ik binnen een jaar op die Strawberry zou zijn uitgekeken. 'Nee,' smeekte ik. 'Alsjeblieft! Ik wil het echt, echt, echt en ik zal nooit meer om iets anders vragen.' Uiteindelijk was het mijn vader die toegaf en het dekbed voor me op mijn verjaardag kocht. Nadat hij eenmaal weg was, moest ik dat dekbed de hele middelbare school op mijn bed laten liggen. 'Dekbedden groeien niet aan bomen,' zei ze. Maar ze had genoeg geld om aan haar eigen kleren uit te geven, en de mijne, en, viel me op, aan een nieuw dekbed voor zichzelf: beige op beige, gevuld met een of ander polyester dat kraakte als je het aanraakte. Het ging niet om het geld. Het dekbed was mijn straf, een herinnering aan wat kinderen kregen als ze zeurden en jammerden: een vader die hem smeerde, een vieze quilt met sinaasappelsapvlekken en het gezicht van een stripfiguur erop dat niemand zich kon herinneren. Aan het einde van de derde klas middelbare school vroeg ik niet meer om een nieuw dekbed en nam geen vriendinnen meer mee naar mijn kamer. In plaats daarvan hingen we in de woonkamer als mijn moeder naar haar werk was, we keken naar MTV en dronken Bailey's Irish Cream uit de stoffige flessen in het drankenkastje.

Ik ging op mijn rug op het bed liggen en legde mijn handen over mijn ogen. Het was zeven uur 's avonds, vier uur 's middags in Californië. Ik dacht aan mijn man in ons appartement, waar minirozen in potten op het smalle balkon stonden, waar goudkleurige gordijnen in de slaapkamer hingen en waar helemaal niets beige was. 'We kunnen een huis nemen,' had Sam tegen me gezegd nadat hij het contract voor de comedy had getekend. 'Misschien in de bergen. Niet te groot, maar leuk.' We maakten plannen om te gaan kijken, we belden makelaars, gingen naar wat open dagen, reden over de kronkelende weggetjes met de veiligheidsgordel strak over mijn buik. We hadden harder moeten zoeken. Ik dacht terug aan Sams glimlach van onder zijn honkbalpetje, de manier waarop hij me aan het lachen maakte door de afkortingen precies zo te proberen uit te spreken zoals ze waren gespeld. DRIE SLAAPK! HARDH VL! SPEC GEB! UITZ OP RAV!

Ik stelde me voor dat hij alleen aan onze eettafel zat met de krant, of met zo'n diepvriespizza die hij at als ik er niet was, of buiten bij het zwembad, met een oude cowboyhoed achter op zijn hoofd ieder dood blad en insect uit het water vissend met zijn net aan een lange steel. Er kwam om de dag iemand naar het appartementencomplex, maar Sam had de zwembaddienst overgenomen. 'Het is meditatief voor me,' zei hij tegen me. 'En dit is een stuk goedkoper dan yoga, toch?'

Hij zou me hier niet kunnen vinden, net zoals mijn moeder me aan de westkust niet zou hebben kunnen vinden. Zoals duizenden vrouwen vóór me had ik een verhuizing naar Los Angeles gebruikt om mezelf opnieuw uit te vinden. Ik had een nieuwe naam verzonnen, die mijn afgeslankte lichaam, de opgespoten lippen, de kleinere neus en het haar waarvan ik de kleur minstens drie keer per jaar veranderde, vergezelde. Lia Frederick noemde ik mezelf op mijn creditcards en rijbewijs. Frederick was de voornaam van mijn vader en Lia was mijn eigen naam, maar dan zonder S. Ik gaf vriendinnen en vriendjes – inclusief Sam – de biografie van het meisje dat tijdens een twee weken durend padvindsterskamp in de Pocono's mijn kamergenote was geweest. Voorzover mijn man het wist, kwam ik uit Pittsburgh, waar mijn vader bankmanager was en mijn moeder lesgaf aan groep zeven. Ik had één broertje en mijn ouders waren gelukkig getrouwd. 'Waren,' was wat ik altijd zei. Ik realiseerde me dat Sam, natuurlijk, wilde kennismaken met het intieme, liefhebbende clubje dat ik beschreef, dus doodde ik hen in een auto-ongeluk tijdens de voorjaarsvakantie in mijn eindexamenjaar. 'Arme schat,' had Sam gezegd.

Maar ik had hem wel een deel van de waarheid verteld. Mijn moeder gaf inderdaad les aan groep zeven en ze had lesgegeven aan dezelfde klas in hetzelfde gammele, rood bakstenen gebouw waar ik zelf had gezeten. Ondanks de bezuinigingen, ontslagen en iets van zes verschillende hoofdmeesters was mijn moeder Helen gebleven en had maatschappijleer, Engels en spelling gegeven aan te grote groepen tien- en elfjarigen. Er hingen klassenfoto's van al haar klassen langs de trap, een treurige reis door de tijd. Bij iedere stap naar boven werd mijn moeder ouder en de klassen gingen van achttien blanke kinderen naar achtentwintig van alle rassen. Op iedere foto droeg mijn moeder dezelfde lippenstift, dezelfde kleding en had ze dezelfde glimlach op haar gezicht. Mijn klassenfoto hing er ook, ingelijst boven aan de trap. Ik was geen mooi meisje. Dat kwam later. In groep zeven had ik nog vooruitstekende boventanden, een beugel en bruin haar tot op mijn taille. Ik was in het klaslokaal van mijn moeder, maar ik deed moeite zo ver mogelijk van haar vandaan te staan. Ik draag op de foto een rood-groene kilt met een witte blouse en een maillot en zij draagt een zwarte broek met een witte blouse. Ze lacht haar standaardglimlach, houdt een bordje omhoog met de woorden: MEVROUW URICK, GROEP ZEVEN en ik kijk opzij, glimlach helemaal niet, wil duidelijk wanhopig graag ergens anders zijn, hier weg, bij haar weg.

In bed legde ik mijn handen op de huid van mijn buik, die los en gekreukeld voelde. Beneden werd de televisie aangezet. Eerst het *Rad van fortuin* en dan *Jeopardy*. Mijn moeder riep de antwoorden terwijl ze door de studeerkamer liep in haar zwarte pantalon, haar witte blouse en haar pantykousjes. Ik zag de stapel papieren op het bijzettafeltje voor me, de mok met de woorden 'S WERELDS BESTE JUF op de leuning van de bank terwijl ze tot na het nieuws van elf uur luisterde naar alles wat ABC aanbood. In dit huis stond altijd hetzelfde kanaal op. Ik had de afstandsbediening jaren geleden kapotgemaakt (tijdens een ongelukje dat waarschijnlijk te maken had met die slokken Bailey's) en ze had nooit de moeite genomen die te vervangen.

Ik ging anders liggen zodat mijn wang tegen het kussen duwde. Het rook hier nog hetzelfde, naar wasverzachter en gebakken eieren. Dezelfde schraapplekken op de muur van die keer dat ik mijn bed had proberen te verplaatsen, dezelfde ingetrapte hoek in de kastdeur die ik erin had getrapt tijdens een woedeaanval op mijn zeventiende. 'Je luistert niet naar me!' schreeuwde ik. 'Je luistert nooit naar me!'

Ze stond naar me te kijken in de deuropening, met haar armen over elkaar. 'Wat een voorstelling,' zei ze als ik even stil was om adem te halen. 'Ben je klaar, of komt er nog een toegift?'

'Rot op!' had ik gegild. Ze staarde me ongeëmotioneerd aan. 'Fuck you!' zei ik. Haar gezicht vertrok even, alsof ze haar teen had gestoten. 'Ik HAAT je!' Niets. 'En weet je wat? Jij haat mij!' Dat maakte dat er uiteindelijk echt iets met haar gezicht gebeurde. Ze zag er heel even geschokt en wanhopig verdrietig uit. Toen veranderde haar gelaatsuitdrukking in verveelde verwachting, als die van een theaterbezoeker die wacht tot het doek echt dichtgaat zodat ze haar jas kan halen en naar huis kan gaan. 'Ik ga bij papa wonen!'

'Prima,' had ze gezegd. 'Als je denkt dat hij je wil.' Dat was het moment dat ik de kastdeur intrapte. Drie weken later ging ik naar een lommerd aan South Street en verkocht de goud-met-diamanten verlovingsring die mijn vaders moeder me had nagelaten. Twee dagen later was ik op weg naar Californië, nam ik snoep van een vreemde aan en praatte oeverloos, rennend naar mijn nieuwe gezicht en de toekomst die me, onverbiddelijk, naar Sam zou leiden. En uiteindelijk terug hiernaartoe. Terug naar huis.

Beneden riep mijn moeder vragen naar de televisie. 'Wie is Tab Hunter? Wat is kwik? Wie is Madame Bovary? Wat is Sydney, Australië?' Ik sloot mijn ogen. *Bye and bye, bye and bye, the moon is half a lemon-pie...* Het bed helde scherp naar beneden en ik schrok wakker.

Mijn moeder zat op het hoekje het verst van mijn lichaam, op het kleinste stukje roze quilt waar ze op kon zitten zonder op de vloer te glijden. In het licht van de gang zag ik dat haar haar dunner was geworden. 'Lisa,' zei ze. 'Kun je me vertellen wat er aan de hand is?'

Ik sloot mijn ogen, hield mijn ademhaling gelijkmatig en toen ze haar hand naar me uitreikte – om mijn haar aan te raken, mijn wang, ik weet het niet – rolde ik weg. Toen ik mijn ogen weer opende, was het ochtend en de zon scheen op Strawberry Shortcake en op mij. Ik stapte uit bed, trok mijn geweldige LA-kleren aan, gleed achter het stuur van de huurauto zonder een bestemming in mijn hoofd en ik reed maar wat. Twee uur later was ik terug in het park waar ik met mijn vader had gezeten, bibberend in de late winterkou met een onaangeroerde boterham op mijn schoot. Ik sloot mijn ogen en liet de ijle zonneschijn op mijn gezicht schijnen. Waarom, dacht ik. Waarom, waarom, waarom? Ik wachtte, maar er kwamen geen antwoorden. Alleen die vrouw, die met een hand op haar buik en met haar krullen op haar hoofd huppend, verder liep.

Becky

'ER ZIT STEEDS EEN VROUW IN HET PARK NAAR ME TE STAREN,' ZEI Becky.

'Hè?' vroeg Andrew, die in slaap was gevallen met een arm over zijn gezicht. Zonder zijn ogen open te doen reikte hij naar het nachtkastje, pakte het flesje Rolaids en gaf een pil aan zijn vrouw.

'Ik heb geen maagzuur,' zei Becky. Het was twee uur 's nachts, de tweeëndertigste week van haar zwangerschap en ze was al drie uur wakker. Andrew zuchtte en deed de tablet terug in het flesje. 'Nee, wacht. Ik heb wel maagzuur.' Andrew zuchtte weer en gooide het flesje naar haar toe. 'Ik kan niet slapen. Ik maak me zorgen,' zei Becky. Ze kauwde haar pil en rolde van haar linker- op haar rechterzij.

'Waar maak je je zorgen om?' vroeg Andrew, die nu enigszins wakker klonk. 'Die vrouw in het park?'

'Nee, nee, niet om haar. Ik maak me zorgen...' Becky beet in de duisternis op haar onderlip. 'Denk je dat het allemaal goed komt met Mimi? Ik bedoel, denk je dat ze wat rustiger wordt als ze er eenmaal woont?'

'Hoe bedoel je?' vroeg Andrew. Hij klonk nu helemaal wakker en het viel Becky op dat hij niet blij klonk.

'Nou, je weet wel. Die telefoontjes. De mailtjes. Ik heb het gevoel dat ze ontzettend eenzaam is,' zei Becky zorgvuldig terwijl ze dacht dat 'behoeftig' een beter woord was. Dat, en 'gek'.

'Het is moeilijk om een huis te verlaten en naar de andere kant van het land te verhuizen.'

'Ja, maar dat heeft ze toch al veel vaker gedaan.' Vijf keer. Haar schoonmoeder was met meer mannen getrouwd geweest dan Becky een serieuze relatie had gehad. Na haar vijfde huwelijk, met een makelaar in Dallas, had ze haar spullen gepakt, haar alimentatie geïnd en toen had ze gekocht wat ze haar 'paradijsje' in Merion noemde. 'Jij bent de enige man die me nooit in de steek zal laten,' had ze gezegd en ze had haar armen dramatisch om Andrews nek gegooid nadat ze hem over de verhuizing had verteld. Maar ik ben met hem getrouwd, had Becky gedacht terwijl Andrew zijn moeder op de rug klopte. Jij niet.

'Ze is gewoon gespannen,' zei Andrew. 'Ze wordt wel weer rustig. We moeten gewoon een beetje geduld met haar hebben.'

'Echt?'

Hij draaide zich om, kuste haar op haar wang en legde zijn arm over haar buik. 'Echt,' zei hij. Toen draaide hij zich om en viel meteen weer in slaap, terwijl Becky in een ongemakkelijke houding met haar ogen wijdopen lag.

De baby schopte. 'O, begin jij nou niet ook nog, zeg,' fluisterde Becky en ze draaide zich weer om. Ze legde haar hand op Andrews schouder en duwde ertegen tot hij haar hand vastpakte.

Ze had Andrew acht jaar geleden leren kennen. Ze was toen vijfentwintig en ze woonde in Hartwick, New Hampshire, waar ze studeerde. Een slechte keuze, maar ze had geluk gehad, dacht ze nu ze erop terugkeek. Ze had Hartwick gekozen nadat ze was betoverd door de prachtige foto's van New England in de herfst die in het informatiepakket zaten en ze had gedacht dat een ander klimaat dan de eindeloze zomer in Florida haar goed zou doen. Hartwick, waarvan het officieuze motto was: 'Geen topuniversiteit, maar we komen tenminste in de buurt', had niet zo perfect bij haar gepast als ze had gedacht. Op de o-zo-mooie campus bleken o-zo-mooie blonde meisjes te wonen, van wie velen een BMW van hun pappie hadden gekregen voor hun eindexamen. Becky had zich er nooit helemaal op haar plaats gevoeld. 'O, Florida,' zeiden de broodmagere meisjes als Becky, gekleed in afkledend zwart, zich niet gigantisch of ontoereikend probeerde te voelen, 'daar gaan we ieder jaar op vakantie!' En ze dronk ook al niet veel, wat zo'n beetje het enige was wat de studenten in Hartwick in het weekend deden... En de weekenden begonnen op donderdag en eindigden pas in de vroege uurtjes op maandag.

Ze was al minstens tien keer langs Poire gelopen, het enige leuke restaurantje in de buurt, voordat ze genoeg moed had verzameld om naar binnen te gaan en te beginnen over het bordje aan het raam met HULP GEZOCHT. Vanaf de dag dat ze op proef was aangenomen als hulpkelner hadden de gepolijste hardhouten vloeren van het restaurant en de gesteven witte tafelkleden en de overvolle keuken en glanzende bar van donkergetint eikenhout voor haar meer als een thuis gevoeld dan welke plek op de campus dan ook. En Sarah, die deeltijdstudente was en de barkeeper van Poire, werd haar eerste vriendin in New Hampshire.

Becky klom op van hulpkelner tot gastvrouw en serveerster. Toen ze afstudeerde, had manager Darren haar fulltime aangenomen. Toen ze Andrew ontmoette, stond ze er een jaar in de keuken. Dat was het voorjaar van de afslankpillen, die Becky's eerste, laatste en georganiseerde poging tot afvallen markeerden. 'Ze zijn een wonder!' had Edith Rothstein gezegd toen ze met haar gewichtsverlies van acht kilo pronkte toen Becky naar huis ging voor Chanoeka. 'Dus ik heb een afspraak voor je gemaakt bij dokter Janklow...'

Becky rolde met haar ogen. Haar moeder ook.

'Als je er niet heen wilt, zeg ik wel af, hoor. Dat maakt me niets uit.'

Becky had uiteindelijk met tegenzin toegestaan dat haar moeder haar de volgende ochtend naar de praktijk van dokter Janklow reed, waar deze een receptje voor haar had geschreven en haar succes had gewenst. Een jaar later was dokter Janklow ineens vervroegd met pensioen gegaan nadat er een proces wegens nalatigheid tegen hem zou zijn aangespannen door de familie van een vrouw die voor haar bruiloft nog snel tien kilo had willen afvallen en die uiteindelijk tijdens haar oefendiner dood neer was gevallen. 'Vóór het toetje of erna?' had Becky zich afgevraagd en haar moeder had haar aangestaard en gesnauwd: 'Dat vraag je toch niet?'

Ze had een vreselijk snelle hartslag van die pillen gekregen. Haar mond werd er kurkdroog van. Ze kreeg er vijf keer zo veel energie als normaal van, waardoor ze zich opgejaagd en geïrriteerd voelde. Ze was in twaalf weken tien kilo afgevallen. Ze kon voor het eerst sinds de middelbare school kleding kopen bij Gap. Ze paste er met heel veel moeite in de grootste maat die ze verkochten, maar toch! Ze kocht een spijkerrokje dat ze naar haar werk bij Poire aantrok en na haar werk liet ze het thuis binnenstebuiten op de vloer liggen zodat ze er voorbij kon lopen en het label kon zien.

Op de avonden dat ze niet kookte, droeg ze een laag uitgesneden wijnrode blouse met grote zilveren oorbellen en zwarte laarzen met hoge hakken. Ze droeg roze lippenstift, heel veel mascara en ze liet haar krullen los om haar hoofd vallen. Jongens probeerden haar te versieren. En niet alleen dronken jongens. Maar vanaf het eerste moment dat ze Andrew had gezien, was hij de enige voor wie ze aandacht had.

Hij kwam op een drukke donderdag naar Poire met het verplichte magere meisje aan zijn arm, op een avond dat er twee serveersters hadden afgebeld omdat ze ziek waren, omdat, zo had Sarah later besloten, je niet kon komen als je 'aan de haak bent geslagen, een kater hebt en je diep schaamt'. De serveersters hadden het die avond niet aangekund en Becky, die die avond gastvrouw was, had maar al te graag tafel zeven overgenomen.

'Goedenavond, welkom bij Poire,' zei Becky terwijl ze het stel een menukaart gaf. 'Wilt u weten wat vandaag de specialiteit is?'

'Graag,' zei de jongen. O, dacht ze en keek hem aan. O, lekker. Hij was aantrekkelijk, met kortgeknipte krullen, grote ogen en brede schouders, maar het was meer dan dat. Hij had iets, het was de manier waarop hij zijn hoofd glimlachend wat introk terwijl ze de *osso bucco* en *polenta* beschreef, de manier waarop hij naar haar keek terwijl ze sprak, waardoor Becky zich afvroeg hoe zijn handen zouden voelen en hoe zijn stem 's ochtends vroeg zou klinken. Of misschien kwam het gewoon doordat ze constant zo'n gruwelijke honger had en het denken aan de seks die ze waarschijnlijk toch niet zou krijgen een vervanging was geworden voor het dagdromen over het eten dat ze probeerde te laten staan.

'O god!' jammerde het meisje. 'Osso bucco. Vijf miljoen calorieën!'

'Zes miljoen,' zei Becky glimlachend. 'Maar hij is het wel waard.'

'Ik wil hem wel eens proberen,' zei hij. 'Wat raad je als voorafje aan?'

Mezelf, dacht Becky.

Tijdens de maaltijd voelde ze hoe hij naar haar keek terwijl ze serveerde en afruimde, de wijn ontkurkte, nieuw bestek haalde, meer brood aanbood, meer boter en een nieuw servet toen hij het zijne liet vallen. Tegen de tijd dat ze aan het dessert toe waren (espresso voor het afspraakje, een bevend vierkant chocoladewalnootpudding dat in *crème anglaise* dreef voor Becky's grote liefde, die een lepel had geproefd, gelukzalig had gezucht en die had gezegd dat ze in de cafetaria in het ziekenhuis niets hadden wat ook maar in de buurt kwam) waren ze getrouwd, had ze het servies uitgezocht en hun baby'tjes Ava en Jake genoemd. Toen ze klaar waren met eten, deed ze iets wat ze nog nooit had gedaan: ze schreef haar naam en telefoonnummer op de rekening voor ze die midden op de tafel legde en wegliep met haar hart veel zwaarder slaand dan gewoonlijk, hopend dat Juffrouw doe-mij-maar-een espresso'tje-toe niet zou proberen te betalen.

Gelukkig pakte Andrew de rekening. Hij keek ernaar, glimlachte en legde zijn creditcard erop... Toen hij wegging, had Becky een briefje in haar hand waarop stond: 'Ik bel je... Andrew Rabinowitz', en een fooi van dertig procent.

Andrew Rabinowitz! Andrew. Andy. Drew. Meneer en mevrouw... – nee, dokter en mevrouw! – Andrew Rabinowitz. 'Rebecca Rothstein-Rabinowitz,' zei ze hardop om te horen hoe het klonk. Sarah trok een wenkbrauw op en zei: 'Maar hoe weet iemand dan dat je joods bent?' Becky glimlachte dronken naar haar, zweefde naar de parkeerplaats en ging op weg naar haar appartementje, waar natuurlijk een berichtje van Andrew Rabinowitz op haar antwoordapparaat zou staan.

Ze maakten zes weken afspraakjes – koffie, lunch en uit eten, naar de bioscoop waar ze elkaars hand vasthielden, dan zoenden en elkaar grepen; de verplichte lange wandelingen langs de rivier die al snel uitdraaiden op lange vrijscènes op het picknickkleed dat Becky had meegenomen, naast de in kruiden geroosterde kip en het knapperige Franse stokbrood. Maar ze waren zelfs op Sarahs vijfentwintigste verjaardag nog niet met elkaar naar bed geweest.

Het feest was begonnen na sluitingstijd van Poire. Er was wodka met Budweiser. En tequila, gevolgd door tequila. Uiteindelijk, toen er nog maar zes mensen waren, trok Darren, de eigenaar van Poire, een vijfentwintig jaar oude single-maltwhisky open en toostten ze op Sarah. Becky en Andrew strompelden de avondlucht in en kwamen in het enige wegrestaurantje van Hartwick terecht. Het was een ongebruikelijk warme aprilnacht. Alle ramen en de voordeur van het restaurant stonden open. Becky voelde het lentebriesje op haar verhitte wangen. 'Ik vind je leuk,' had ze tegen hem gezegd en ze had toen een grote, dromerige hap van een broodje met glazuur genomen. 'Ik vind je echt heel erg leuk.'

Andrew zat over het tafeltje heen gebogen en had een van haar krullen om zijn vinger gewikkeld. 'Ik vind jou ook leuk,' zei hij.

'Dat weet ik,' zei ze, hem stralend aankijkend. 'Gaan we naar jouw huis of naar het mijne?'

Ze waren allebei niet in staat om te rijden, maar na nog een halfuur en drie koppen zwarte koffie gingen ze naar het appartement van

Andrew. Becky had het gevoel dat ze de weg onder hen voelde stromen terwijl hij reed, bewegend als een warme, langzame rivier. Ze liep door zijn appartement, nam zijn afgrijselijke bruinoranje hoogpolige tapijt in zich op, de verplichte multiplex met B-2-blokken boekenkast vol met medische werken en tijdschriften en een gloednieuwe computer op een bureau in de hoek.

En de slaapbank, zijn enige meubelstuk. Ze liep er langzaam omheen, alsof het een hond was die zou kunnen bijten. 'Ik hou niet van bedbanken,' zei ze. 'Die kunnen niet kiezen. Ik ben een bed! Ik ben een bank! Ik ben een bed! Ik ben een bank!'

'Ik ben een noodlijdende geneeskundestudent,' zei Andrew terwijl hij haar een fles koude witte wijn en zijn sleutelhanger aanreikte, waar een kurkentrekker aan hing. Acht negenennegentig gaf het stickertje op de fles aan. Zo, die geeft er geld aan uit, dacht Becky. Ze maakte de fles open, schonk twee glazen vol en sloeg de helft van het hare in één teug achterover.

Hij nam haar hand en leidde haar naar de bedbank, die nog in de bankstand was. Ze leunden naar elkaar toe tot haar fluwelen schouder tegen het katoen van zijn overhemd duwde. Van dichtbij zag de huid van zijn hals er geschaafd uit, alsof hij zich met een bot scheermes had geschoren, en ze zag dat zijn voortanden een heel klein beetje over elkaar stonden. Die schoonheidsfoutjes maakten alleen maar dat ze zich nog meer vertederd en tot hem aangetrokken voelde.

Ze ademde in zijn oor en voelde dat hij sidderde. Dat maakte dat ze zich brutaler voelde en ze kuste zijn oor. Toen likte ze eraan. Toen zoog ze aan zijn oorlel, eerst zacht en toen harder. Hij zuchtte.

'O god...'

Ze zoemde in zijn oor en dacht aan de dingen die ze niet meer had gegeten sinds het pillendieet was begonnen. Chocoladepudding, chocolademousse, kokosijs met echte slagroom. Mandarijnen.

'Mandarijnen,' fluisterde ze. 'Ik wil je mandarijnen voeren en je het sap van mijn vingers laten likken.'

'O wauw,' fluisterde hij. Ze glimlachte lief naar hem, greep zijn rechterhand en likte de handpalm zo zacht als een kat die slagroom drinkt.

'Becky,' zei hij met zijn schouders tegen de bank geduwd. Nu, dacht ze en ze rechtte haar rug zo dat haar borsten op hun best uitkwamen. Ze voelde zijn erectie tegen haar dij en ze was niet meer bang dat ze hem afstootte in plaats van opwond. 'Becky,' zei hij nog een keer en hij klonk meer als een leerkracht dan als een man van wie ze net de handpalm had gelikt. Hij zuchtte. Het was geen gepassioneerde zucht. Het klonk meer als het geluid dat haar vader had gemaakt toen hij had ontdekt dat Becky's broer op de motorkap van zijn sportauto stond te vingerverven.

'Becky,' zei Andrew, 'ik denk niet dat we dit moeten doen.'

Ze ging rechtop zitten en haar borsten schoten bijna uit haar topje. 'Waarom niet?'

'Nou,' zei hij en hij schraapte zijn keel en leunde achterover met zijn handen ineengeknepen. 'Eh. Nou, eh.' Nog een stilte. 'Ik heb nog nooit echt een vriendin gehad.'

'O,' zei ze. Wat? dacht ze. Hij was achtentwintig. Wie had er op die leeftijd nog nooit een vriendin gehad? 'Wil je wachten tot je bent getrouwd?'

Hij sloot zijn ogen. 'Niet echt. Het is gewoon...'

Ze begon een naar gevoel te krijgen in haar enigszins gekrompen buik. In haar ervaring leidden zinnen die begonnen met: 'Het is gewoon' zelden tot iets goeds. Vooral als ze werden uitgesproken door een man wiens handpalm je net had gelikt.

Ik wil dit niet horen, dacht ze. Maar ze kon zichzelf er niet van weerhouden te vragen: 'Het is gewoon wat?'

Andrew zuchtte en staarde naar zijn schoot. Zijn gezicht stond gespannen en hij zag er ongelukkig uit. 'Ik wil een vriendin. Maar. Eh.' Hij beet op zijn onderlip. 'Ik denk dat je niet helemaal bent wat ik in gedachten had.'

'Omdat ik dik ben,' zei ze.

Hij zei geen ja. Maar hij zei ook geen nee.

'Nou,' perste ze uit haar keel terwijl ze haar topje rechttrok, 'veel plezier met Cindy Crawford.' Haar benen voelden als pudding terwijl ze haar tasje vond, maar op de een of andere manier lukte het Becky de deur te halen en die heel bevredigend dicht te slaan voor het tot haar doordrong dat ze zevenenhalve kilometer van haar appartement was verwijderd. Toen herinnerde ze zich dat ze zijn autosleutels nog in haar zak had. Waardoor hij dezelfde zevenenhalve kilometer van de campus zou zijn verwijderd en dan zonder auto. Toen ze achter het stuur van zijn auto gleed, besloot ze dat dat haar niets kon schelen.

Die maandagochtend liet ze zijn autosleutels met een blikje Slimfast erop in zijn postvakje op de campus achter, voor het geval hij het niet had begrepen, en de twee daaropvolgende weken voelde ze zich als een emmer popcorn die door een vrachtwagen is overreden: plat, leeg en vreselijk ellendig.

'Hij kan de pot op,' zei Sarah terwijl ze een Irish coffee over de bar naar haar toeschoof. 'Ten eerste is hij nou niet bepaald Cary Grant. En jij bent beeldschoon.'

'Ja, ja,' zei Becky.

'En nou niet gaan pruilen,' zei Sarah sidderend. 'Ik haat gepruil. Wat je moet doen, is een andere vent vinden. Liever vandaag dan morgen.'

Becky nam het advies van haar vriendin serieus en ging verder met haar leven. Toen ze op een avond bij de bioscoop in de rij stond, ontmoette ze een andere jongen, een student techniek die lang en slank en grotendeels kaal was; niet echt knap, absoluut niet van de kwaliteit die Andrew had, maar hij was lief. Hij was ook een ietsepietsie saai, maar dat gaf niet, want in de nasleep van dokter Andrews goedkope-wijn, slapen-op-een-slaapbank, armoedig-appartementje, je-bent-niet-helemaal-wat-ik-in-mijn-hoofd-had Rabinowitz, leek saai haar helemaal niet zo erg.

Het probleem was dat ze minder goed ging koken. Ze liet op een drukke vrijdagavond een pan vol gevulde korhoen aanbranden, ze gaf iemand een bijna ongekookte tong die nog zo rauw was dat hij slijmerig was, en ze vergat suiker aan de chocoladehazelnootmousse toe te voegen. Haar kip met citroen, die een gelukkig huwelijk tussen zoet en zuur had moeten worden, smaakte zo bitter als Becky's gedachten waren geworden en haar soufflés zakten zuchtend in elkaar op het moment dat ze ze uit de oven haalde.

'Een vrouw met een gebroken hart hoort niet in een keuken thuis,' zei Eduardo de chef-kok terwijl hij het zwarte vel van een van Becky's korhoenders schraapte. Hij wees met zijn mes naar Becky. 'Doe er iets tegen.'

Becky probeerde het. Ze concentreerde zich op haar nieuwe vriendje. En net toen ze begon te geloven dat ze niet de afmetingen van Pluto had, of minstens van een van zijn manen, kwam Andrew terug naar Poire.

Het was juni, twee weken voor Becky's verjaardag. De lucht was zacht, rook naar seringen en er heerste een uitbundig, bedwelmend gevoel op de campus, een einde-van-het-jaarverwachting, alsof iedereen op ieder moment zijn boeken kon neergooien, zijn kleren kon uittrekken en in het net gemaaide gras zou gaan rollen.

Het was die avond regenachtig, het miezerde een beetje. Sarah kwam terug naar de keuken en zei dat Andrew alleen aan de bar zat. 'Zal ik in zijn glas spugen?'

'Dat is een aantrekkelijk aanbod, maar bedankt.' Ik heb hem niet nodig, zei ze tegen zichzelf. Maar ze kon zichzelf er niet van weerhouden naar hem te kijken. Andrew droeg een bruin suède jasje en hij zag er afgerost uit; hij had paarse kringen onder zijn ogen. Ik heb al een vriendje, dacht Becky. En ze zou naar huis gaan om nog een late maaltijd voor hem te maken, waarna ze bevredigende, hoewel een beetje flauwe, seks zouden hebben, dus rot maar op, Andrew Rabinowitz. Maar nadat ze haar tafeltjes had schoongemaakt, haar messen had ingepakt en de buitendeur uit liep, stond Andrew op haar te wachten. Hij stond met zijn armen om zichzelf heen geslagen naast zijn auto in de miezerregen.

'Nou, nou,' zei ze, 'kijk eens wie we daar hebben.'

'Becky,' zei hij. 'Ik wil met je praten.'

'Ik heb het druk.'

'Alsjeblieft.' Hij klonk wanhopig. Het enige wat ze kon doen om sterk te blijven, was terug te denken aan hoe hij haar had gekwetst, wat hij tegen haar had gezegd.

'Ik moet weg.' Ze pauzeerde even om haar volgende woorden extra indruk te laten maken, om ervoor te zorgen dat hij ieder woord zou horen. 'Mijn vriend zit op me te wachten.'

'Heel even maar.' Zijn stem klonk zacht en ze kon hem nauwelijks horen. 'Het probleem is...' Hij mompelde iets wat ze niet kon verstaan.

'Pardon?'

Hij hief zijn hoofd op. 'Ik zei dat ik denk dat ik verliefd op je ben.'

'O, blabla, ja hoor.' Ze kreeg het voor elkaar prachtig met haar ogen te rollen, ondanks het feit dat haar hart zo hard bonsde dat ze zeker wist dat hij het zou horen. 'Weet je?' Ze hield haar tas omhoog. 'Je kunt iemand met messen in zijn tas beter niet tegen je in het harnas jagen.'

'Dat weet ik. Becky, je bent geestig en slim...'

'...en dik,' maakte ze af. Ze leunde voorover, maakte haar auto open en gooide de messen op de achterbank. Andrew liep om de auto heen en legde zijn hand op het passagiersportier.

'O nee,' zei ze tegen hem. 'Ga weg.'

'Dat is niet wat ik heb gezegd,' zei hij. 'En dat vind ik ook niet. Ik vind je prachtig, maar ik duwde je weg omdat...'

Ze staarde hem door de mist aan.

'Ik moet je iets vertellen,' zei hij en hij schraapte zijn keel. 'Het is nogal intiem.'

'Ga je gang.' Ze keek om zich heen over de lege parkeerplaats. 'Volgens mij luistert er niemand mee.'

'Mag ik...' zei hij en hij reikte naar het handvat.

'Nee.'

'Dan niet.' Andrew haalde diep adem en legde zijn handen op het autodak. 'Ten eerste spijt het me dat ik je heb gekwetst.'

'Excuus aanvaard. Geen probleem. Ik heb wel ergere dingen naar mijn hoofd gekregen.'

'Becky,' zei hij op smekende toon. 'Alsjeblieft. Luister. Laat me uitpraten.'

Ze was even stil, ze kon er niets aan doen, maar ze was toch wel nieuwsgierig.

'Luister. Eh.' Hij veegde met zijn schoenzolen over straat. 'Het probleem is dat ik... verlegen ben.'

Ze lachte ongelovig. 'Is dat je grote geheim? Is dat het beste wat je kunt verzinnen? Doe me een lol.' Ze sloeg het portier dicht.

'Nee. Wacht! Dat is het niet. Het is...' Zijn stem klonk ver weg door het dichte raam.

'Wat?'

Andrew sloot zijn ogen en zei iets wat Becky niet kon horen. Ze leunde opzij en draaide het passagiersraam naar beneden. 'Wat?'

'Het gaat om seks!' snauwde hij en hij keek toen om zich heen alsof hij verwachtte dat er een heel publiek stond dat al zijn woorden had gehoord.

'O.' Seks. O god. Hij is travestiet. Hij is impotent. Hij is een impotente travestiet en hij heeft een kleinere kledingmaat dan ik.

Andrew leunde door het raampje naar binnen en tilde zijn hoofd niet op om haar aan te kijken terwijl hij sprak. 'Ken je dat, dat je bent gewend dingen op een bepaalde manier te doen en dat dat dan de enige manier wordt waarop je het doet? Zoals je bijvoorbeeld iedere dag dezelfde weg naar je werk neemt en dat het dan voelt alsof je er op een andere manier niet kunt komen?'

Nee. Dacht ze. 'Ja,' zei ze.

'Nou, zo zit ik in elkaar. Zo doe ik dingen. Zo is het ook met...' Hij gebaarde naar zijn kruis.

'Seks?'

Hij knikte wanhopig.

'Dus je kunt het alleen, eh, in de missionarishouding?'

Hij zuchtte. 'Was dat maar waar. Ik heb nog nooit...'

Het duurde even voor het tot haar doordrong wat hij zei. 'Nog nooit?'

'Ik kan het alleen zelf. Ik heb een bepaalde methode en...'

'Hoe dan?' vroeg ze op eisende toon. Ze verplaatste haar gewicht en haar dijen wreven tegen elkaar. Ze was nieuwsgierig. En ontzettend opgewonden. 'Vertel dan! Tenzij het met je moeders riem te maken heeft of zo. In dat geval mag je liegen.'

Hij knalde met zijn hoofd tegen het dak van de auto. 'Dat kan ik niet.'

Becky kneep haar oogleden een beetje samen. 'Kun je het me niet vertellen of kun je het niet doen?'

'Het slaat nergens op,' zei hij. 'Het is zo idioot, en ik heb het er nog nooit met iemand over gehad.'

'Wat?' Ze streepte in haar hoofd de mogelijkheden af, iedere nog afschuwelijker dan de vorige. Leer. Zweepjes. Plastic zakken. O jee.

Hij huiverde. 'Dit is onvoorstelbaar,' zei hij alsof hij tegen zichzelf sprak. 'Ik kan er niet meer over praten.'

'Jawel hoor,' zei ze, roekeloos in de warme juniregen, zichzelf dwingend nu even te vergeten dat haar oprechte techniekstudentenvriendje waarschijnlijk in zijn bed op haar zat te wachten op zijn beige lakens. 'Ik ga wel met je mee naar huis, dan kun je het vertellen.' Ze keek hem in zijn ogen en deed het passagiersportier open. 'Ik beloof je dat ik niet zal gaan lachen.'

Een halfuur later zaten Andrew en Becky weer op zijn slaapbank. Zijn kamer werd verlicht door twee kaarsen die op de televisie stonden te branden. Andrew had een sapglas vol whisky in zijn hand en hij had zijn oogleden dichtgeknepen, alsof hij het niet aankon naar haar te kijken. 'Mijn moeder...'

O hemel, dacht Becky. Laat dit alsjeblieft niet over iets ongepasts met zijn moeder gaan.

'Ze is erg. Eh. Aanwezig. Ik mocht vroeger geen slot op mijn deur. De enige plek waar ik wat privacy had, was in de badkamer. Dus heb ik geleerd me te...'

'Bevredigen,' vulde Becky in.

Hij glimlachte een beetje met zijn ogen nog dicht. 'Precies. Eh. Op mijn buik op de badmat. Door, eh, erover op en neer te wrijven.'

Ze liet adem los waarvan ze zich niet had gerealiseerd dat ze die inhield. Gezien de mogelijkheden – klysmaspuiten, verpleegsterspakjes, de mannen over wie ze had gehoord dat ze een fetisj hadden voor vrouwen met amputaties of vrouwen die zo dik waren dat ze niet konden lopen – wist ze vrij zeker dat ze een badmat wel aankon. 'Dat is niet zo erg, hoor.' Ze keek terloops naar de badkamerdeur en probeerde zich te herinneren of ze zijn badmat had gezien en of het gepast was jaloers te zijn.

'Het is allemaal niet zo erg tot je probeert het op een andere manier te doen.' Zijn stem werd zachter. 'Zoals met een meisje.'

'Dus je hebt nog nooit...'

Hij slikte een mondvol whisky door en schudde met gefronste wenkbrauwen zijn hoofd. 'Nee. Nooit. Niet één keer.'

God. Ze had met hem te doen... dat en ze was opgewonden. Een maagd. Ze was nog nooit met een maagd naar bed geweest. Ze kon zich nauwelijks herinneren dat ze dat zelf was.

'Weet je wat?' zei ze. 'Ik denk dat we een experimentje moeten doen.'

'Dat werkt niet,' zei hij. 'Dat heb ik al geprobeerd.'

Haar geest kriebelde van de mogelijkheden en vragen. Ze vroeg zich af wat hij deed tijdens die experimenten. Kwam hij tot een bepaald punt met een vriendin en rende hij dan naar de plee om zich op de badmat te storten voor de finale? Fingeerde hij zijn orgasme? Konden mannen dat?

'Wat is het ergste wat er zou kunnen gebeuren?' vroeg ze.

Hij glimlachte enigszins naar haar. 'Dat weet ik niet. Dat ik als maagd sterf?'

'Oké, dat is inderdaad het ergste wat er zou kunnen gebeuren. Maar ik denk dat we hier wel uit komen.'

Hij deed zijn ogen open. 'Dat waardeer ik. Echt waar. Wat er ook gebeurt, ik zal nooit vergeten dat je hier zo...' zijn stem brak, 'sportief over was.'

'Graag gedaan,' zei ze. Er begon zich een plan te vormen in haar hoofd. 'Dus wat denk je ervan? Zullen we het proberen?'

Hij stond op van de bedbank en reikte naar zijn riem.

'Hé, cowboy! Rustig aan!'

Hij liet zijn handen langs zijn lijf vallen en zag er verward uit. 'Ik dacht dat we...'

'Dat is ook zo. Maar niet vanavond. Vanavond,' zei ze, 'gaan we gewoon een beetje foezelen.'

Hij grinnikte en zag er voor het eerst sinds hij naar Poire was gekomen oprecht gelukkig uit. 'Dat,' zei hij, 'kan ik wel.'

Drie uur later had Becky dikke lippen en ruwe wangen van zijn stoppelbaard. 'Alsjeblieft,' kreunde Andrew die met zijn hele lichaam tegen haar aan lag geduwd terwijl zij op haar rug op de bank lag. 'Alsjeblieft Becky, ik weet dat het gaat lukken, alsjeblieft...'

Met een kracht waarvan ze niet wist dat ze die had, maakte Becky zich van hem los. Ze wist dat als ze bleven kussen, als hij haar bleef aanraken, als zijn vingers nog een keer haar kruis zochten, dat ze zich niet meer zou kunnen inhouden.

'Vrijdag,' hijgde ze, 'na mijn werk.' Ze zou een excuus moeten verzinnen voor haar vriendje. 'Kom je me ophalen?'

Dat kon wel, zei hij. Ze kuste hem, kuste hem, kuste hem en plande ondertussen het menu.

Ondanks Becky's carrière bij Poire – en ondanks wat men zou kunnen hebben afleiden uit haar figuur – was goed koken geen karaktertrek van de familie Rothstein. Toen Becky een tiener was, waren de meeste van haar moeders maaltijden poedermixen waar ze ijsblokjes door gooide en als ze een heel goede bui had, bananen. Ronald Rothstein at alles wat je hem voorschotelde, zonder dat hij het echt leek te proeven of er ook maar echt naar keek. 'Heerlijk,' zei hij dan, of dat nou zo was of niet.

Oma Malkie was de kokkin van de familie. Met haar enorme boezem en brede, wiegende heupen, was ze ook de ergste nachtmerrie van Edith Rothstein. 'Ess, ess,' neuriede ze tegen de kleine Becky en stak stukjes *rugelach* en met de hand gerolde *hamantaschen* in haar mondje als haar moeder niet keek. Becky vond het heerlijk de avond door te brengen in haar huis, waar ze laat op mocht blijven, uitgestrekt op haar oma's perzikkleurige satijnen dekbedhoes terwijl ze kaartte en gezouten cashewnoten at. Oma Malkie was degene naar wie Becky in tranen toe was gerend nadat Ross Farber 'vet, vet varken' tegen haar had geroepen tijdens een schoolreisje op haar Hebreeuwse school. 'Trek je niets van hem aan,' had oma Malkie tegen haar gezegd terwijl ze Becky een schone zakdoek gaf. 'Je ziet er precies zo uit als je eruit zou moeten zien. En zoals je moeder eruit zou zien als ze zichzelf af en toe een maaltijd toestond.'

'Jongens zullen me nooit zien staan,' zei Becky snotterend terwijl ze haar tranen wegveegde.

'Je bent veel te jong om je druk te maken om jongens,' zei oma Malkie. 'Maar ik zal je een geheim vertellen. Weet je waar jongens van houden? Van een vrouw die tevreden is over zichzelf. Die zichzelf niet ongelukkig maakt met Jane Fonda-videobanden en die niet steeds zeurt dat dit of dat aan haar te dik is. En weet je waar ze nog meer van houden?' Ze leunde naar Becky toe en fluisterde in haar kleindochters oor: 'Lekker eten.'

Becky was gaan koken op haar veertiende, uit zelfbescherming, grapte ze later, maar de echte reden was om haar grootmoeder te eren. Met de hulp van Julia Child en een exemplaar van *The Joy of Cooking* dat haar moeder als trouwcadeau had gekregen en dat ze nooit had opengeslagen, ontdekte ze slagroom, uitjes en sjalotjes, gegrilde lamskoteletten die ze klaarmaakte op de grill die ze zelf met het geld van haar Bar Mitswa had gekocht, maakte ze quiche, soufflé napoleon en éclairs, stoofpotten, gemarineerde rundvleesstoofschotel en ragout en bakte ze verse vis uit Florida in folie met niets anders dan citroensap en olijfolie.

Ze had al eerder voor mannen gekookt. Tijdens haar tweede studiejaar had ze een vriendje dat steeds zalm wilde eten, nadat hij had gelezen dat die prostaatkanker voorkwam, maar hij kon zich alleen de ingeblikte veroorloven, die hij met tassen vol voor haar meenam uit de supermarkt. 'Prostaatpasteitjes,' kondigde Becky dan aan... en één keer, toen ze zich overmoedig voelde en een half blik paneermeel en drie eieren kwijt wilde: 'Prostaatbrood.'

Maar dit moest haar beste poging worden: eten voor een koning. Of in ieder geval voor een man die al minstens tien jaar de liefde bedreef met de badmat.

Vijgen, dacht ze. Vijgen als voorafje. Maar waren hele vijgen te nadrukkelijk? Ze herinnerde zich een vijgenjampizza die ze in een restaurant in Boston had gegeten, op knapperige sla met *prosciutto* en *asiago*-kaas. Dat kreeg ze wel voor elkaar. En vlees als hoofdgerecht, lekker knapperig van buiten en sappig en roze-zacht van binnen. Aardappelpuree met crème fraîche. Asperges, want die zouden een afrodisiacum zijn en dan iets vreselijk decadents toe. Misschien een kaasplankje met biologische lavendelhoning. Baklava! Chocoladetruffels! Verse frambozen met slagroom!

Haar hoofd sloeg op hol. Het water liep haar in de mond. Haar bankrekening zou de aanval die ze voorbereidde, niet aankunnen: alleen de wijn zou al in de drie cijfers lopen. Becky haalde blijmoedig haar Alleen-voor-Noodgevallen-creditcard te voorschijn zonder zich ook maar druk te maken over wat ze moest doen als ze de afschrijving kreeg.

Vrijdagavond wachtte Andrew op haar aan de bar; hij zag er aanzienlijk minder afgetobd uit dan de vorige keer.

'Zijn jullie weer vrienden?' vroeg Sarah.

'Zoiets,' zei Becky, maar haar toon moest haar hebben verraden, want Eduardo en Dash de afwasser begonnen meteen in koor in een combinatie van Engels en Spaans te zingen over hoe Becky, zelfs met haar verminderde *culo*, weer verliefd was en hoe de kans groot zou zijn dat ze nu, als God het wilde, de maaltijden van de klanten niet meer zou verpesten. Ze trok haar tas boodschappen uit de kast waar ze die had neergezet, pakte een brood en twee flessen wijn en haastte zich naar Andrew aan de bar.

'Wat is dat allemaal?' vroeg hij met zijn blik op de tassen gericht.

'Eten.'

'Ga je koken?' vroeg hij. Wat hij zich ook had voorgesteld, aan een dineetje had hij duidelijk niet gedacht.

'Ik ga koken,' zei ze. Ik ga je verbijsteren, dacht ze. Ik ga zorgen dat je ieder meisje dat je ooit hebt gekust, vergeet. Ik ga zorgen dat je de rest van je leven van me houdt.

Terug in zijn appartement stak Andrew kaarsen aan terwijl Becky vijgenjam op het brood smeerde en er kaas en dunne plakjes prosciutto op deed. Die legde ze onder de grill.

'Wat maak je klaar?' vroeg hij terwijl hij iedere beweging die ze in zijn piepkleine keuken maakte, volgde. Ze hoopte maar dat hij blij was met wat hij zag. Ze droeg Oude Trouwe, haar Gap-spijkerrok, en hopelijk niet te veel parfum.

'Een voorafje,' zei ze tegen hem. Hij sloeg zijn armen om haar middel, duwde haar tegen het aanrecht en zoende haar in haar nek. 'Wat ruik je lekker.'

Mooi, niet te veel parfum dus.

'Ik heb iets voor ons gekocht,' zei hij terwijl hij over haar hoofd in een kastje reikte. Ze glimlachte toen hij haar een blikje mandarijntjes gaf. Hij wist het nog. Dat was een goed teken.

Ze trok de pizza uit de oven, zette water op voor de asperges en haalde de dunne lapjes kalfsvlees door de bloem terwijl hij zijn eerste hap pizza nam. 'Wauw,' zei hij, 'dit is echt geweldig.'

'Ja hè?' Dit was geen avond, besloot ze, voor valse bescheidenheid. En de pizza was inderdaad fantastisch, de pittige kaas ging perfect samen met de zoete vijgenjam.

'Kom eens hier,' zei hij. Ze sloeg een schort om haar middel, liet het kalfsvlees sudderen in olijfolie met boter en gaf toe. 'Je voelt zo lekker,' fluisterde hij. 'En alles ruikt heerlijk.'

'Geduld,' zei ze en ze glimlachte naar zijn hals. 'We beginnen net.'

Ze schonk de wijn in, maakte de asperges schoon, kruimelde blauwe kaas over het vlees en zette dat in de voorverwarmde oven. De aardappels stonden te koken en de kaas kwam op het aanrecht op kamertemperatuur. Ze gaf hem de borden, de glazen, de wijn, de twee linnen servetten en de vorken waarvan ze al wist dat ze ze niet lang zouden gebruiken en leidde hem naar de woonkamer.

'Ontspan je maar,' zei ze tegen hem. Met zijn gespannen schouders en dat trekje van zijn mondhoek zag Andrew er meer uit als een man die naar de tandarts moest dan als iemand die zich voorbereidde op een avond smakelijke en seksuele extase. 'Ik beloof je dat wat er ook gebeurt, het geen pijn zal doen.'

Twintig minuten later was het eten klaar. Andrew ging in kleermakerszit op het tafellaken zitten en zat op de grond met één knie op en neer te wiebelen.

'O,' zei hij. 'O, wauw.'

Ze aten een paar minuten in stilte, keken elkaar verlegen aan en proefden alles.

'Het is echt heerlijk,' zei hij en hij duwde zijn bord weg. 'Ik heb gewoon niet zo'n honger.' Hij probeerde te glimlachen. 'Ik denk dat ik een beetje nerveus ben.'

'Doe je ogen eens dicht,' zei Becky. Hij zag er bezorgd uit – misschien stelde hij zich voor dat ze boeien te voorschijn haalde, of een camera – maar hij deed wat ze vroeg.

Ze bracht het glas wijn naar zijn lippen. 'Neem maar een slokje,' zei ze tegen hem. 'En houd je ogen dicht.'

Hij dronk. Zijn mondhoeken krulden omhoog in een glimlach. 'Open,' zei ze en ze voerde hem een stukje kalfsvlees. Hij kauwde langzaam. 'Mmm.'

'Wil jij eens?'

Hij gaf haar een asperge en liet die langzaam in haar mond glijden. Ze hoorde dat hij zwaarder begon te ademen toen ze met haar vingertoppen zijn lippen streelde. Toen nam hij wat rijst. Ze likte de korrels van zijn vingers, zoog er toen aan en ze hoorde hem zuchten. 'Kan ik...' fluisterde hij. Ze deed haar ogen een stukje open. Hij had zijn vingers in de wijn gestoken en stak die naar haar uit om eraan te zuigen.

Hij kreunde hard terwijl ze zijn wijsvinger tussen haar lippen naar binnen zoog. Becky nam een mondvol wijn, hield die in haar mond, leunde naar voren en kuste hem. Ze liet de wijn op zijn tong lopen. Ze kusten en kusten, duwden de borden weg en toen lag Andrew boven op haar, duwde zich tegen haar aan in het flikkerende kaarslicht en haar hoofd was vol van alle heerlijke geuren: wijn, kaas, versgebakken brood en de geur van zijn huid. 'Becky,' fluisterde hij.

Ze trok zichzelf op de bank. Andrew gooide zichzelf boven op haar.

'Betekent dit,' hijgde ze, 'dat we het kaasplankje overslaan?'

'Nu,' hijgde hij, 'kan ik echt niet meer wachten.'

'Nog één ding.' Ze haastte zich naar de keuken, rende langs de kaas, de honing en de champagne die ze had meegenomen, vond zijn blikje mandarijnen, trok het open en gooide het fruit en de siroop in een schaaltje. Terug in de woonkamer lag Andrew op de bank. Hij had zijn overhemd uitgetrokken en hij staarde haar zo tevreden aan dat ze er duizelig van werd.

'Het toetje,' zei ze en ze pakte een partje mandarijn, dat ze langzaam in zijn mond liet glijden.

Hij zuchtte. 'Becky,' mompelde hij.

'Wacht even,' fluisterde ze. Ze deed een schietgebedje dat hij niet in schaterlachen zou uitbarsten over wat ze nu van plan was en bedacht toen dat een man die zijn intiemste momenten met een badmat met rubberen onderkant doorbracht nergens om zou lachen. Wat maakte het ook uit, dacht ze, daar gaan we. Ze trok haar shirt uit en had alleen nog een zwart kanten beugelbeha aan. Ze deed de cups naar beneden en liet een dun stroompje siroop van haar hals over haar borsten druipen.

'Kom hier,' zei ze en ze trok hem naar zich toe. Zijn tong werkte hard in haar hals. Ze liet een partje tussen haar borsten glijden en hij dook er snuivend op af. Ze dacht aan varkens die truffels zochten, pioniers die emmers in bronnen laten zakken en op zoet, helder water hopen. De kaarsen flikkerden en wierpen schaduwen over zijn gezicht. Ze voelde zijn erectie tegen haar bovenbeen toen ze een glibberig partje tussen haar tanden nam en hem kuste. Ze duwde met haar tong het partje tussen zijn lippen. Toen reikte ze naar zijn rits, schoof zijn broek over zijn heupen en... O, mijn god. 'Is dit een grapje?' vroeg ze en ze staarde naar beneden.

'Geen grapje,' zei hij met een verstikt klinkende stem terwijl hij zijn broek over zijn schoenen probeerde te trekken.

'Is hij echt?'

'Echt,' bevestigde hij.

'Jezus Christus,' zei ze. 'Heb je wel eens aan een pornofilm meegedaan?'

'Alleen een medische opleiding,' zei hij en hij greep haar hand.

'Hoe groot is hij?'

'Dat weet ik niet.'

'Ach, kom op, natuurlijk wel.'

'Ik heb hem nooit opgemeten.'

'Jemig,' zei ze en ze probeerde er niet naar te staren. Ze liet hem haar hand erheen trekken en deed haar vingers er, zover dat lukte, omheen. Ze dacht aan Frans stokbrood, nog warm in het papier. Ze dacht aan pruimen, loempia's in rijstpapier, pannenkoekjes met abrikozenjam, pannenkoekjes met kaviaar en crème fraîche, alle heerlijkheden die ze ooit had geproefd. Ze wilde dat hij nog nooit zo lekker zou zijn gepijpt, maar het werd al snel duidelijk dat het waarschijnlijker was dat het überhaupt de eerste keer was dat hij werd gepijpt. Hij stak zijn vingers in haar haar en pompte zo hard met zijn heupen dat ze bijna begon te kokhalzen.

'Rustig aan,' zei ze.

'Sorry,' zei hij en hij ging zitten.

'Dat geeft niks,' zei ze tegen hem. 'Wacht even, ik heb een idee.'

Ze liep naar zijn keuken, opende wat kastjes en de koelkast tot ze vond waar ze naar zocht: de olijfolie die ze had gebruikt om mee te koken. Die had hij in de koelkast gezet, wat vreselijk fout was, maar ze bedacht dat hij snel genoeg zou opwarmen en dat ze hem er later wel een standje over zou geven. Terug in de woonkamer ging ze op de bank liggen. 'Kom eens hier,' fluisterde ze. Toen hij over haar heen leunde, met zijn overhemd en schoenen nog aan, maakte ze haar beha los, pakte de olijfolie en goot er wat van in haar hand.

Hij ging over haar heen zitten, met zijn benen naast haar dijen, wreef zichzelf in met zijn beoliede handen, pakte haar borsten vast en wreef zichzelf ertussen.

'Ah,' zei hij terwijl hij naar voren en naar achteren gleed en het al snel onder de knie kreeg.

'Fijn?' fluisterde ze terwijl hij naar voren en naar achteren bewoog.
'Ik denk...' hijgde hij... 'dat ik...'

Ze schonk nog wat olie in haar handpalm en duwde haar hand onder hem. Ze wreef met haar handpalm tegen zijn gezwollen vlees, dat op en neer over haar heen bewoog, zij ademloos onder zijn gewicht.

'Ah...' kreunde hij en hij duwde zichzelf omhoog op zijn handen. Even later stortte hij naast haar op de bank en kreunde haar naam in haar haar.

Tien minuten later lagen ze lepeltje-lepeltje op de bank. 'Wauw,' zei hij. De overblijfselen van het diner lagen op de vloer: borden met korsten gesmolten Gorgonzola en aardappels stonden op de vloer, halfgevulde wijnglazen met vette vingerafdrukken balanceerden naast de digitale klok.

'Nou.'

'Kan ik iets voor je doen?' fluisterde hij. Ze schudde haar hoofd. Ze voelde zich schuldig over haar vriendje, dat waarschijnlijk op haar zat te wachten met twee zwaardvisfilets, wit en onschuldig in de koelkast. Ze bedacht dat als ze niet echt met elkaar naar bed waren gegaan, het minder overspelig zou zijn, meer als een humanitaire missie, zoiets waar ex-presidenten de Nobelprijs voor de vrede voor krijgen.

'Becky,' fluisterde Andrew. 'Mijn heldin.'

'Ga maar slapen,' fluisterde ze. Een minuut later was hij met een glimlach op zijn gezicht ingedut.

Ze gingen twee jaar met elkaar uit, terwijl Andrew zijn vierde en vijfde studiejaar afrondde, en toen Andrew in Pennsylvania Hospital assistent kon worden, verhuisden ze naar Philadelphia. Becky kreeg Sarah zover dat ze het uitmaakte met de marxistische student met wie ze wat had en dat ze met hen mee verhuisde. Ze schraapten hun spaargeld bij elkaar, plus het geld dat Becky van haar vader had geërfd en huurden de ruimte die Mas zou worden. Het leven was heerlijk. En Becky wist zeker wat er ging gebeuren op de avond dat Andrew haar naar de bank leidde en ging zitten, haar handen vasthield en haar in haar ogen keek.

'We moeten iets bespreken,' begon hij.

'Oké,' zei Becky in de hoop dat ze goed had geraden wat er nu zou komen.

Andrew glimlachte en trok haar naar zich toe. Ze sloot haar ogen.

Nu komt het, dacht ze en ze vroeg zich af of hij al een ring had gekocht of dat ze die samen zouden gaan uitzoeken.

Hij bracht zijn mond dicht naar haar oor. 'Ik wil graag dat je...'

Mijn vrouw wordt, vulde Becky's geest in.

'...mijn moeder ontmoet,' zei Andrew.

Becky's ogen vlogen open. 'Wat?'

'Nou, ik vind dat je haar moet leren kennen voor we gaan trouwen.'

Ze kneep haar oogleden een beetje samen. 'Andrew Rabinowitz, dat sloeg nergens op.'

Haar toekomstige echtgenoot zag er gekweld uit. 'Echt niet?'

'Ik sta erop dat je het opnieuw doet.'

Andrew haalde zijn schouders op en ging geknield voor haar zitten. 'Rebecca Mara Rothstein, ik zal altijd van je houden en ik wil de rest van mijn leven iedere dag bij je zijn.'

'Dat is beter,' mompelde ze terwijl hij een met fluweel bekleed doosje uit zijn zak haalde.

'Betekent dat ja?'

Ze keek naar de ring en slaakte een gilletje van genot. 'Dat betekent ja,' zei ze. Ze deed de ring om en probeerde er niet aan te denken dat zelfs nu hij haar een aanzoek deed, het eerst over zijn moeder ging.

'Ben je wakker?' vroeg Andrew en hij stak zijn neus in haar krullen.

'Mmm,' kreunde Becky. Ze gluurde over de schouder van haar echtgenoot naar de klok. Nou alweer zeven uur? 'Ik moet slapen,' zei ze en ze trok haar kussen over haar hoofd.

'Zal ik Sarah bellen en zeggen dat je ziek bent? Dan kun je de hele dag in bed blijven liggen.'

Becky schudde haar hoofd, zuchtte nogmaals en trok zichzelf omhoog en uit bed. Ze was van plan door te werken tot de bevalling. Sarah, die ermee had ingestemd Becky's *doulah* te worden en die dus bij de bevalling aanwezig zou zijn, had haar wenkbrauwen gefronst. 'Jij weet het het beste,' zei ze. Ze liep de laatste tijd met het Piso Mojada-bord achter Becky aan in het keukentje en stond erop dat de koks een grote pot water aan de kook hielden op de achterste pit, 'voor het geval dat'.

Becky slikte haar prenatale vitaminen en strekte haar armen uit. 'Snel,' zei ze. 'Nu we nog met zijn tweetjes zijn.' Andrew duwde haar kin omhoog en ze kusten en kusten. Becky's ogen vielen dicht.

De telefoon ging. Andrew schrok schuldbewust op. 'Ik neem hem wel,' zei hij.

Becky zuchtte en schudde haar hoofd. Ze wist wie er belde zonder dat ze ook maar naar de nummerherkenner hoefde te kijken. E-mail was Mimi's eerste manier van communiceren, en als ze binnen een uur geen antwoord had gekregen, begon ze te bellen. En als Andrew haar niet meteen terugbelde, liet ze hem oppiepen. 'Wat gebeurt er als je niet reageert als je wordt opgepiept?' had Becky een keer gevraagd. Andrew had zijn voorhoofd gefronst. 'Ik neem aan dat ze dan ziekenhuizen gaat bellen. En mortuaria.'

Becky krulde zich op op de bank. 'Hoi mam,' zei Andrew en hij haalde ongelukkig zijn schouders naar haar op. Andrew wist dat ze niet al te dol was op zijn moeder, maar ze nam aan dat hij niet wist dat Becky tijdens nachten dat ze niet kon slapen lange, levensechte fantasieën had over haar schoonmoeder die aan een zeldzame ziekte stierf waardoor ze prettig genoeg eerst niet meer kon praten alvorens ze naar het land ging vanwaaruit je niet ieder kwartier je zoon kon oppiepen, e-mailen, bellen of faxen. Ze probeerde niet te klagen over haar schoonmoeder omdat als ze dat wel deed Andrew vreselijk serieus keek en haar een speech gaf die altijd begon met de woorden: Becky, het is mijn moeder en ze doet zo omdat ze van me houdt.

Het zou hebben geholpen als zij en Mimi naast Andrew iets anders gemeen hadden gehad. Dat hadden ze niet. Om te beginnen zag Mimi het nut van eten niet in. Ze was een kampioen in het niet eten, een wereldklasse onderbestelster. Als jij om twee gepocheerde eieren met volkorentoast vroeg, nam zij één gepocheerd ei met plakjes tomaat. Als jij alleen koffie nam, nam zij alleen water en als jij alleen water wilde, nam zij een glas zonder ijs.

En Mimi haatte het huisje dat ze een jaar eerder hadden gekocht. 'Je keuken is in de kelder!' had Mimi vol afschuw gegild toen ze uit Texas was komen vliegen om hen te bezoeken. Becky beet op haar onderlip toen ze Mimi zag, die altijd ergens een probleem van maakte en nu helemaal doordraaide over de plaats van de keuken. Becky wees erop dat er door de ramen heel wat licht zou binnenvallen en dat de ingebouwde boekenkasten groot genoeg waren voor al haar kookboeken. Andrew, gekleed in een oude operatiebroek, schilderde iedere vloer in het huisje een andere kleur: diep wijnrood in de keuken, goudgeel voor de woonkamer, roodborstjeseiblauw op de eerste verdieping, waar hij muren had gemaakt en van één grote slaapkamer een gemiddelde slaapkamer, een halletje, een kast en een zonnig hoekje voor de baby. Hij was die avond met verf in zijn haar in bed gekomen en ze had tegen hem gezegd dat het allemaal precies was wat ze wilde. En dat was ook zo, dacht Becky terwijl Andrew aan de telefoon afscheid nam van Mimi en haar van de bank trok om haar te omhelzen.

'Weet je zeker dat je geen dagje vrij wilt?' vroeg hij.

Ze schudde haar hoofd. 'Voel je dat?' vroeg ze en ze duwde zijn hand tegen haar buik.

Andrew knikte. Becky sloot haar ogen en leunde tegen haar mans schouder terwijl de baby in haar buik rondzwom.

Juni

Lia

'VERTEL EENS,' ZEI MIJN MOEDER TIJDENS MIJN NEGENDE WEEK ONder hetzelfde-dak-als-altijd, 'blijf je hier wonen?' Ze ontblootte voor de spiegel in de badkamer op de begane grond haar tanden en controleerde of er geen lippenstift op zat. Een andere dag, een ander duo van witte blouse/zwarte pantalon hier in het Huis Waar de Tijd Stilstond.

Ik zat op de bank met mijn hoofd over de mand met het wasgoed dat ik aan het vouwen was, gebogen, en voelde me nog meer uit balans dan anders. Ik was wakker geworden en mijn eerste gedachte was niet aan de baby, maar aan Sam. In Los Angeles was er een dakloze vrouw die rondhing op de hoek bij het hek naar het appartementencomplex in Hancock Park waar ik woonde. Ochtend na ochtend droeg ze drie jassen in de eeuwige temperatuur van eenentwintig graden en stond ze daar met haar vinger in de lucht gestoken tegen zichzelf te praten. Nadat we op een avond thuiskwamen van een Koreaanse barbecue en ze wild naar onze auto stond te gebaren toen we langsreden, had Sam er een project van gemaakt haar voor zich te winnen. Dat was voor mijn eigen bestwil, zei hij tegen me. 'Ik weet dat er overal gekke mensen rondlopen,' legde hij uit, 'maar als er eentje in de buurt van mijn baby is, wil ik graag dat het een goedaardige gek is.' Op een ochtend vroeg liep hij naar buiten in een T-shirt met een spijkerbroek en een honkbalpetje op, zijn kin gehavend van het scheren, met zijn helderblauwe ogen en een appel in zijn hand. Tien minuten later was hij teruggekomen, *sans* appel en met een bult op zijn voorhoofd.

'Ze heeft hem tegen mijn hoofd gegooid,' rapporteerde hij. Hij klonk zowel verontwaardigd als geamuseerd en ik plaagde hem door te zeggen dat ze de eerste vrouw in lange tijd was die zich niet had laten meeslepen door zijn knappe uiterlijk en Texaanse charme. Ik dacht dat hiermee het daklozencontactproject wel zou zijn afgelopen, maar hij liep twee weken lang iedere ochtend met iets naar buiten: een bakje yoghurt, een bagel, een verpakte Zone-maaltijd (daar hadden we ruzie over gehad; ik zei dat dakloze, hongerige mensen geen producten met weinig calorieën moesten eten en Sam zei dat het niet eerlijk was om onze dame anders te behandelen dan de andere bewoners van LA die een dieet volgen). Ik geloof dat ze nooit iets tegen Sam heeft gezegd, maar ik weet wel dat ze er na een week mee ophield eten naar Sam te gooien... en dat toen de baby er eenmaal was, toen ik met mijn wandelwagen langs haar liep, ze respectvol een stapje achteruit deed en naar ons keek met hongerig verlangen, alsof ze een parade gadesloeg.

Mijn moeder staarde naar me en keek met opgetrokken neus naar mijn grijze trainingsbroek en verwassen Pat Benatar-T-shirt van de middelbare school. Ik dacht terug aan wat ze had gezegd toen ik nog op school zat en om elf uur 's ochtends aan de ontbijttafel hing, gekleed in deze kleren, in wat zij 'het internationale uniform van de luien' noemde. 'Heb je plannen?'

Ik vouwde een washandje op en legde het in de wasmand. 'Ik weet het niet precies.'

'Wat doe je de hele dag?' Ik zocht in haar stem naar kritiek, naar haar typerende dun versluierde woede, maar kon die niet vinden. Haar blik concentreerde zich op het sjaaltje dat ze om haar hals knoopte en ze klonk gewoon nieuwsgierig.

'Slapen, voornamelijk,' zei ik. Dat was voor een deel waar. Ik sliep inderdaad zo vaak ik kon; lange, verwarde uren op het Strawberry Shortcake-dekbed met de stoffige luxaflex dicht. Dan werd ik met een bonkend hart wakker uit een dutje, met een zure smaak in mijn mond en mijn lichaam helemaal bezweet en dan voelde ik me nog vermoeider dan ik was toen ik was gaan liggen en dan stapte ik in de huurauto en reed naar de stad, naar het park, en naar de vrouw die ik aan het... wat? Stalken was het schandelijke woord dat in mijn hoofd opkwam. De week daarvoor had ik een fopspeen op de vensterbank in het restaurant waar ze werkte, achtergelaten, maar dat deed toch niemand kwaad?

En wat deed ik verder de hele dag? Tussen dutjes van vier uur en ritjes naar het park probeerde ik een brief aan mijn man te schrijven. Ik wist niet wat ik moest zeggen. Het enige wat ik wist, was dat er geen voorgedrukte Hallmark-kaart voor bestond. 'Lieve Sam,' was ik begonnen. 'Het spijt me.' Zover was ik nu.

'Waarom vertel je me niet wat er is?' vroeg mijn moeder.

Ik schudde mijn hoofd. 'Er is iets gebeurd,' zei ik tegen haar terwijl de wereld begon te draaien. Ik greep de wasmand en sloot mijn ogen.

'Nou Lisa, dat had ik zelf ook al bedacht, hoor,' zei ze tegen me. Ik wachtte tot haar stem hoger zou worden tot de kwellende zangerigheid waarmee ze toen ik een tiener was zo veel schade had aangericht, maar ik wist niet zeker of ik hem hoorde. 'Misschien lucht het op als je er iets over vertelt,' zei ze en ik keek met knipperende ogen naar haar om mezelf ervan te verzekeren dat het mijn moeder was: verstandige schoenen en een gemakkelijk kapsel, dezelfde lange, scherpe neus die ik had en lippenstift die zich gegarandeerd in de loop van de dag naar haar tanden zou verplaatsen.

'Dat kan ik niet,' zei ik. 'Nog niet.'

'Prima,' zei ze. 'Ik hoor het wel als je er klaar voor bent.'

'Ik begrijp niet waarom je ernaar vraagt,' zei ik terwijl ik de was verzamelde. 'Alsof het jou iets kan schelen.'

'Hè, Lisa, begin nou niet weer met die puberale onzin. Ik ben je moeder. Natuurlijk kan het me wat schelen.'

Ik dacht aan wat ik haar kon vertellen en aan wat voor effect dat zou hebben. Ik zag voor me hoe haar gezicht zou verschrompelen, de manier waarop ze haar armen naar me zou uitstrekken – 'O, Lisa! O, lieverd!' – of misschien ook niet. Misschien zou ze gewoon met haar vinger haar tanden afvegen en me aankijken alsof ik een grapje maakte of het ter plekke verzon ('Jongedame, ik wil de waarheid, niet een van je verhaaltjes!'). Zo had ze heel vaak naar me gekeken voor ik was vertrokken. Ze had ook zo naar mijn vader gekeken en die was ook vertrokken.

Ik stond op met de stapel was voor mijn borst. 'Ik moet weg.'

'Lisa,' zei ze. 'Het maakt me wel uit.' Als ze me had aangeraakt – als ze haar hand op mijn arm had gelegd, als ze me maar had aangekeken, gewoon had gekeken – had ik haar misschien het hele verhaal verteld. Maar dat deed ze niet. Ze keek op haar horloge en pakte haar autosleutels van het tafeltje bij de deur. 'Hier,' zei ze. Ze reikte in de kast, zocht tussen mijn spijkerjack dat ik op de middelbare school had gedragen en de achtergelaten regenjassen van mijn vader en gaf me iets: een met dons gevoerde jas, lang en dik, metallic blauw, met drukknoopjes. 'Het is koud vandaag.'

Toen ze eenmaal weg was, bekeek ik mezelf in de spiegel. Ik zag de kringen onder mijn ogen, mijn ingevallen wangen, mijn vette haar in twee tinten. Ik zag eruit zoals die appels gooiende dame. Ik trok de jas aan, ging op mijn scheve bed liggen en trok mijn mobieltje te voorschijn. 'U hebt zevenentwintig nieuwe berichten,' zei de stem van de voicemail. 'Lia, met mij. Lia, waar ben je? Lia, wil je alsjeblieft...' En toen alleen maar: 'Alsjeblieft.' Ik drukte zevenentwintig keer op 'delete' en lag daar toen in het halfduister aan mijn man te denken. Het voelde raar om zo aan Sam te denken. Toen we trouwden, kenden we elkaar pas een halfjaar en we waren pas tien maanden getrouwd toen ik wegging.

Sam en ik hadden elkaar ontmoet in de club waar we allebei werkten. Sam stond achter de bar. Ik moest autoportieren openen van de auto's die kwamen aanrijden, dan moest ik laag genoeg bukken om de passagiers goed zicht op mijn decolleté te geven en dan zeggen: 'Welkom bij Dane!' met een glimlach die de mogelijkheid, zo niet de waarschijnlijkheid, suggereerde van hete, anonieme seks op het damestoilet.

'Niet Dane's!' had de eigenaar geschreeuwd tegen de zes modellen/actrices die hij had ingehuurd, toen het vijf uur werd. 'Het is niet Dane's, maar gewoon Dane! Welkom bij Dane! Ik wil het jullie horen zeggen!'

'Welkom bij Dane!' hadden we gezamenlijk gezongen.

'We zijn 's werelds knapste hare krishna's,' zei ik een uur later terwijl ik behendig op één schoen tegen de bar leunde en ik een opkomende blaar op mijn blote voet masseerde.

Sam had gelachen toen ik dat zei... en later had hij me een gratis wodka-gimlet gegeven. 'Welkom bij Sam,' zei hij. Hij had een licht Texaans accent, zelfs nog na zes jaar ploeteren om in Los Angeles als acteur aan de bak te komen. Hij was aantrekkelijk, maar dat waren de meeste mannen in die stad. Sam was beter dan knap. Hij was vriendelijk.

'Weet je het zeker?' had ik hem gevraagd toen hij een papieren sigarenbandje om mijn ringvinger had geschoven, de dag nadat drie zwangerschapstests positief, positief en – je raadt het al – positief waren. Ik had het papiertje rond en rond om mijn vinger gedraaid en allerlei verschillende emoties gevoeld: blijdschap, opwinding, angst en schrik.

'Ik weet het zeker,' had hij gezegd. Hij had een envelop met twee kaartjes naar Las Vegas uit zijn zak gehaald. 'Ik weet zeker dat ik jou wil.'

Las Vegas was perfect. Het elimineerde het mogelijke ongemak van een grote bruiloft, met zijn familie en zonder de mijne: afwezig en dood, voorzover Sam wist, gestorven tijdens dat auto-ongeluk lang geleden. 'Ga je maar lekker laten masseren,' had Sam gezegd nadat we hadden ingecheckt. 'Ze doen zwangerschapsmassage. Dat heb ik gezien.' Toen ik terugkwam in de kamer lag er een groene kledingtas op het bed. De inhoud was crèmekleurig, tussen ivoor en goud, met een wijde rok, gemaakt van zijde die zo zacht voelde als bloemblaadjes. 'Laat mij je familie zijn,' had hij gezegd.

Er waren vogels in de lobby van het hotel, herinnerde ik me, papegaaien, macao's en lori's met heldergele en smaragdgroene veren. Hun ogen leken me te volgen uit hun bamboekooien terwijl ik erlangs liep met mijn man, mijn wijde rok vasthield en mijn hakken op de vloer hoorde tikken. Als ik het verhaal opnieuw zou kunnen schrijven in de sfeer van de gebroeders Grimm, zouden de vogels waarschuwingen hebben geroepen: 'Ga terug, ga terug, gij schone bruid!' Dan zou ik hebben uitgegumd wat ik had geschreven en terug zijn gegaan naar de avond dat we elkaar hadden ontmoet. Als hij niet om mijn grapje had gelachen; als hij me dat drankje niet had gegeven; als ik zijn gezicht en handen niet zo mooi had gevonden toen hij me zijn jasje aanbood en tegen me zei dat ik er koud uitzag in mijn hotpants.

Ik sloeg mijn moeders jas om me heen en ging staan. De luiertas lag onder aan de trap waar ik hem had achtergelaten. Ik sloeg hem over mijn schouder, deed mijn verlovingsring af en stopte die in mijn zak. Ik had de deur achter me op slot gedaan toen ik me herinnerde dat de brief voor Sam nog op mijn oude bed lag. Ik besloot hem daar te laten liggen. Laat haar het maar uitzoeken. Laat haar maar proberen te begrijpen wie Sam was en wat ik had gedaan dat me speet.

Vijfenveertig minuten later was ik weer in de lommerd waar ik elf jaar eerder had gestaan met een andere diamanten ring in mijn hand. De man achter de toonbank tuurde wat als een eeuwigheid voelde door de loep, van de diamanten naar mijn gezicht en weer naar de diamanten.

'Hij komt van Tiffany's,' zei ik om de stilte te vullen.

'Zevenduizend,' zei de man. Het waren zijn eerste woorden. 'En als hij is gestolen, wil ik het niet weten.'

Ik wilde tegen hem ingaan, met hem onderhandelen, tegen hem zeggen dat de ring minstens drie keer zoveel waard was, maar ik had er niet de energie voor. Ik hield gewoon mijn hand op voor het geld, en hij gaf het, een dikke stapel honderd-dollarbiljetten die ik opvouwde en in een van de vele zakken van mijn tas propte, een van plastic met een rits, bedoeld voor vieze kleertjes of doekjes.

Toen liep ik een koffiebar op South Street in, pakte een gratis krant en begon woningadvertenties te omcirkelen. Ik hield mijn hoofd naar beneden en probeerde Sams stem in mijn hoofd te negeren, de manier waarop hij me aan het lachen maakte als hij probeerde STDIO HRHS en RD BKSTN MR uit te spreken en me vroeg waarom de adverteerders niet gewoon wat meer betaalden om de klinkers ook afgedrukt te krijgen.

'HUURWONING, RITTENHOUSE SQUARE,' omcirkelde ik. 'EEN SLAAPKAMER, HARDHOUTEN VLOEREN, UITZICHT OP HET PARK, BESCHIKBAAR PER HEDEN.' Dat klonk perfect en de huur zou geen al te groot gat in mijn geldstapel maken. Ik belde op en was verrast dat ik met een echt persoon praatte in plaats van een antwoordapparaat. Ik maakte een afspraak en ging in westelijke richting, eerst naar Pine Street, toen Walnut op, waar mijn voeten zonder dat ik daar invloed op had stopten bij een internetcafé.

Mijn vingers klungelden op het toetsenbord. Mijn login was hetzelfde als dat ik mezelf jaren geleden had gegeven: LALia. Het paswoord was de naam van onze baby. Er waren honderddrieënnegentig nieuwe berichten, waaronder iedere dag dat ik weg was één van Sam. ALSJEBLIEFT, stond er in de onderwerpsregel van de laatste paar. Niet LEES DIT ALSJEBLIEFT. Alleen ALSJEBLIEFT. Ik hield mijn adem in en klikte er een aan.

Lieve Lia. Ik doe wat je wilt en probeer je niet te vinden, maar ik zou er alles voor over hebben om te weten dat het goed met je gaat.

Ik denk constant aan je. Ik vraag me af waar je bent. Kon ik maar bij je zijn. Was er maar een manier waarop ik je kon laten geloven dat het niet jouw schuld was, dat het gewoon iets gruwelijks is wat er is gebeurd. Kon ik je dat maar persoonlijk vertellen. Kon ik je maar helpen.

Kan dat?

Hij had de mail niet ondertekend.

Ik drukte op 'beantwoorden' voor ik tijd had om van gedachten te veranderen. 'Ik ben thuis,' typte mijn hand. 'Ik ben veilig. Ik schrijf je als ik dat aankan.'

Ik wachtte even, mijn vingers lagen bevend op het toetsenbord. 'Ik denk ook aan jou,' schreef ik. Maar ik kon het niet. Nog niet. Ik drukte op 'delete', deed vijf dollar in het fooienbakje op de balie en duwde de zware glazen deur open.

Vijfenveertig minuten later klopte ik op een deur op de vijftiende verdieping van het Dorchester.

'Het is een contract voor zes maanden,' zei de conciërge, een man van middelbare leeftijd in een nette broek en met een stropdas om waar hij maar aan bleef sjorren. Hij deed de deur van een leeg appartementje met één slaapkamer open. Er lag een parketvloer, er waren twee grote kasten, een kombuisachtig keukentje en uitzicht op het park. 'Afwasmachine, afvalafvoer en wasmachine met munten in de kelder.'

Ik liep door het appartementje en hoorde Sams stem in mijn hoofd. AFWSMCHN! AFVLFVR! UITZ PRK! De conciërge bestudeerde me nauwkeurig, dacht ik. Ik trok mijn moeders jas om me heen, keek naar de vloer en zag dat mijn roze slippers, zo perfect voor de meter stoep tussen de parkeerjongen en welke bestemming in Los Angeles dan ook, er na een paar weken Philly nogal afgetrapt uitzagen.

'En dit is je uitzicht,' zei hij terwijl hij theatraal de luxaflex omhoogdeed.

Ik raakte met mijn vingertoppen het glas aan en keek naar het park waar ik de afgelopen weken had gezeten, wachtend en kijkend. Vijftien verdiepingen onder me liepen een man en een jongetje hand in hand. De man droeg een spijkerbroek met een blauw overhemd en het jongetje, dat een jaar of zes was, duwde een zilverkleurige step.

'O god,' fluisterde ik en ik duwde mijn handpalmen tegen het glas.

'Gaat het wel?' vroeg de conciërge.

'Duizelig,' perste ik eruit.

Hij kwam snel naast me staan, dichtbij genoeg om me op te vangen als ik zou vallen. Toen bleef hij als bevroren staan, onzeker of hij me moest aanraken. 'Wil je even zitten?' Hij had een Philly-accent. Ik was vergeten hoe dat klonk.

'Het gaat wel. Echt. Ik werd gewoon even duizelig. Ik heb te veel koffie gedronken. Of te weinig.' Ik probeerde me te herinneren hoe mensen tegen elkaar praten. Ik had geen oefening gehad sinds ik terug was. 'Er liep iemand over mijn graf,' zei ik en beet op mijn onderlip. Dat was een van mijn moeders favoriete uitspraken en die had ik zomaar gebezigd, zo plotseling alsof er een duif uit een tovenaarshoed vloog.

'Weet je zeker dat het wel gaat?'

'Natuurlijk,' zei ik. 'Ja hoor, het gaat prima.' Ik greep de luiertas steviger vast en probeerde te denken aan wat ik nu moest zeggen; aan hoe gesprekken tussen normale mensen gingen. Ik had het gevoel dat het een eeuwigheid geleden was dat ik een van hen was.

'Dus wat denk je ervan?' vroeg de conciërge en trok weer aan zijn stropdas.

Oké, Lia, je kunt dit wel, dacht ik. 'Leuk. Heel leuk.'

'Waarom ben je in de stad?'

Mijn graf, dacht ik. Er liep iemand over mijn graf en die stuurde me naar huis. Zoals de ooievaar nieuw leven komt brengen, maar dan omgekeerd. 'Heimwee, denk ik. Ik kom hiervandaan. Nou ja, niet híervandaan, maar Somerton. Vlakbij. Hier vlakbij.' God, Lia, hou je kop, zei ik tegen mezelf.

'Ga je in het centrum werken?'

Ik keek naar mijn vieze schoenen en bad dat er direct een antwoord uit mijn mond zou komen. 'Ja,' zei ik. 'Uiteindelijk. Binnenkort. Ik bedoel, ik heb nu geen geldzorgen,' voegde ik snel toe, want ik wilde niet dat hij zou denken dat ik een nietsnut was. Ik wilde dit appartement. Er hing een goede sfeer, of Feng Shui, of wat dan ook. Het voelde veilig. 'Ik wil het appartement graag nemen.'

'Mooi,' zei hij op een toon alsof ik een eersteklasser was die een proefwerk inleverde. 'Mooi zo.' Ik vulde een formulier in en zag hoe de zware wenkbrauwen van de conciërge omhooggingen toen hij de stapel biljetten in mijn tas zag toen ik een aanbetaling deed.

'Kun je geen cheque uitschrijven? Nou ja, wacht, dan schrijf ik een rekening,' zei hij en hij voelde een beetje ongemakkelijk aan de biljetten.

'Maak je geen zorgen, ik ben geen drugdealer of zoiets,' zei ik en ik kon mezelf wel voor mijn hoofd slaan; ik realiseerde me hoe schuldig ik nu klonk. 'Echt niet,' zei ik met een klein stemmetje. 'Alsjeblieft,' zei ik. 'Dat is het telefoonnummer van mijn moeder. Als je iets over me wilt weten, kun je haar bellen...' En toen had ik mezelf weer voor mijn hoofd kunnen slaan en vroeg me af wat mijn moeder zou zeggen als hij haar inderdaad zou bellen. 'Sorry,' zei ik hulpeloos.

'Dat geeft niets,' zei hij vriendelijk en hij schreef het nummer van mijn mobiele telefoon op. 'Ik kom morgenochtend wel even langs. Je mag zo lang blijven als je wilt. De deur valt achter je in het slot.'

Ik liep naar de slaapkamer, toen naar de kast, waar ik de geur van Murphy's zeep en de geesten van kleren die er eerder hadden gehangen, inademde. Er hingen lege kleerhangers, wat plumeaus en er stonden metalen schoenrekken.

Moe. O, ik was zo moe. Ik had uren niet geslapen. Ik controleerde of de deur echt dicht was. Toen legde ik de jas op de slaapkamervloer, trok de luxaflex dicht en krulde me midden op de slaapkamervloer op, doodstil in dezelfde houding tot de wereld stopte met draaien en ik in slaap viel.

Ik droomde de droom die ik al had sinds de avond dat ik was aangekomen. Die begon altijd hetzelfde: ik stond in de deuropening van Calebs kamer. Ik zag het crèmekleurige tapijt, de muren die Sam net bleekgeel had geschilderd, de boekenplanken vol babyboekjes en de poster van Babar die yoga doet aan de muur.

Het wiegje stond waar het hoorde, midden in de kamer wachtend. Ik liep erheen, keek naar mijn gevlekte roze schoenen, de schoenen die me van Los Angeles naar huis hadden gedragen. Ik hield mijn adem in; ik wist wat ik zou zien als ik in het wiegje zou kijken, want de droom eindigde altijd hetzelfde. Ik keek in de wieg en trok het dekentje weg om een bergje bladeren te vinden op de plek waar mijn baby moest liggen. Toen ik ze met mijn vingertoppen aanraakte, waaiden ze allemaal weg.

Ayinde

'KON JE MAAR BLIJVEN,' ZEI AYINDE EN ZE STAARDE MET JULIAN IN haar armen naar het silhouet van Richards schouders in het licht van de inloopkast. De baby was vier weken oud en woog eindelijk acht pond, maar hij voelde nog steeds zo licht als een zak veren in haar armen en vreselijk kwetsbaar nu ze daar zo in de enorme leunstoel zat.

'Hoefde ik maar niet weg,' antwoordde hij en hij pakte een koffer uit de rij die naast de deur stond. 'Maar ik heb de sportschoenenfabrikant meer dan een jaar geleden al toegezegd dat ik dit zou doen en ik kan nu niet meer afzeggen.' Hij opende de koffer en keek erin; voor hij hem had opengeritst, wist hij al wat hij erin zou zien liggen: een pak, nog in het plastic van de stomerij, een sportshirt en twee broeken, drie overhemden, iets wat op een pyjama leek, sokken en ondergoed. Hij hoefde er alleen maar schoenen en zijn toilettas bij te doen. Hij had zes van zulke koffers, ieder ingepakt met zijn op maat gemaakte kleding, de inhoud variërend voor een reisje van twee dagen tot een week. Eigenlijk, dacht Ayinde, waren er twee tassen voor een weekje weg: eentje volgepropt met badkleding en strandslippers en de andere met een ski-jack, kasjmieren sjaals en truien en een paar met bont afgezette laarzen in maat 50. Als Richard thuiskwam, zette hij de koffer gewoon bij de deur en dan pakte iemand – de huishoudster, de butler, iemand – die uit, waste de kleren, bracht de pakken naar de stomerij, verving vast ook de mesjes in zijn scheermes, pakte alles weer in en zette de koffer terug in de kast, waar die dan klaarstond voor de volgende reis.

Hij liep de kast uit en zag er vrolijk uit. Ze wist dat hij in zijn hoofd al op reis was, handen schuddend en zijn wedstrijdglimlach glimlachend. Misschien dacht hij aan het vliegtuig, die grote stoel in de business class, met een drankje op de armleuning en een hoofdtelefoon om de geluiden buiten te sluiten. Geen huilende baby's, geen uitgeputte, verfomfaaide vrouw die verkrampte als hij haar aanraakte. Hij liep met lichte tred door de kamer, pakte een paar manchetknopen uit de dressoirlade en trok een paar instappers uit een van de honderd speciaal ontworpen nisjes waar alles van chique pumps tot golfclubs in was opgeborgen. Toen keek hij naar zijn vrouw en kind, die samen in de leunstoel zaten die de binnenhuisarchitecte die ochtend had gebracht. 'Wil je echt dat ik blijf?'

Ja, dacht ze. 'Nee,' zei ze. 'Nee, ga maar. Ik weet dat dit belangrijk voor je is.'

'Het is belangrijk voor ons allebei,' zei hij en hij deed de laatste edities van *Sports Illustrated* en *ESPN: The Magazine* in zijn lederen rugzak.

Ze knikte met tegenzin. Ze begreep dat Richards bereidheid alles te doen wat zijn sponsors van hem vroegen – naar evenementen komen, golfen en dineren met directeuren, eindeloze reeksen foto's voor hun kinderen signeren – onderdeel was van wat hem zo waardevol maakte. Het was grappig, bedacht ze terwijl ze anders ging zitten. Het deed nog steeds pijn tussen haar benen, ondanks het feit dat dokter Mendlow haar had verzekerd dat de hechtingen prachtig waren genezen. Ze dachten dat ze Richard vakantie gaven – een week op een golfbaan in Paradise Island; een lang weekend op de hellingen van Vail – maar Richard behandelde de uitjes als werk en hij nam ze serieus, deed onderzoek naar de namen en achtergrond van de mannen die hij zou ontmoeten zodat hij kon zien hoe ze grote ogen kregen – en hun portemonnee openmaakten – als hij een naam of plaats in een gesprek noemde. 'Hoe is het met Nancy en de jongens? Die worden zeker al groot, hè? Acht en tien?' Of: 'Wat naar dat uw moeder is overleden. Hoe gaat het nu met u?' Ongelooflijk, stond er op het verrukte gezicht van de mannen te lezen. Richard Towne weet hoe mijn vrouw heet! Hij weet hoe oud mijn jongens zijn!

Toen ze nog met zijn tweetjes in Texas woonden, had Ayinde die reisjes helemaal niet vervelend gevonden. Soms bleef ze in hun grote, moderne herenhuis en draaide ze weekenddiensten bij haar station om de wedstrijdweekenden dat ze er niet was geweest goed te maken. Of als Richard naar het oosten moest, ging ze met hem mee en dan ging ze bij haar ouders in New York op bezoek. Dan ging ze met haar vader naar het theater en dan sleepte haar moeder haar mee naar Bergdorf of Barney nadat ze Ayindes koffer op het bed had gegooid, een rokje of jasje tussen twee vingers had gehouden en had gezegd: 'Is dit wat ze in de rimboe mode noemen?'

Ze keek hoe haar man zijn spullen pakte en vroeg zich af wanneer al het reizen, de weekenden weg, het eindeloze charmeren van de zakenmannen die frisdrank, schoenen en ontbijtgranen verkochten, zou ophouden, wanneer Richard eindelijk zou ontspannen met een welverdiend pensioen. Achter geld aan gaan was op zich al een voltijdbaan en een die Richard niet echt nodig had. Maar het ging om meer dan het geld, bedacht ze. Het ging erom Julian de veiligheid geven die hij zelf nooit had gehad toen hij opgroeide, de rotsvaste zekerheid dat er altijd genoeg geld zou zijn voor eten, kleding en een studie.

'Je weet dat ik jullie niet graag alleen achterlaat,' zei hij. Ayinde knikte en bedacht hoe gek dat was, aangezien 'alleen' in haar leven betekende: alleen met de huishoudster, de chauffeur, de tuinman, de Pilates-instructeur op vrijdagochtend en de binnenhuisarchitecte, die haar eigen sleutel had en niet bang was die te gebruiken: Ayinde was al twee keer vóór acht uur 's ochtends tegen Cora Schuyler van Main Line Interiors aan gelopen, een keer toen ze zichzelf had binnengelaten om een bord af te leveren waarvan ze wilde dat het in de keuken werd gehangen en nog een keer toen ze handgemaakte zeepjes voor in het gastentoilet kwam brengen.

Er was een zakenmanager die in het kantoor van vierhonderd vierkante meter boven de garage voor zes auto's werkte; de parttime publiciteitsagent die in de ruimte naast de zijne werkte, en de bodyguard, die wat Ayinde een exorbitant bedrag vond, verdiende voor het heen en weer rijden in hun straat in een angstaanjagend uitziende Hummer, en die de nummerborden noteerde van iedereen die hun doodlopende straat binnen reed. Er was de eerste week ook een kraamverzorgster geweest die Richard had ingehuurd om drie weken te blijven. Maar die had Ayinde na vijf dagen weggestuurd. De kraamverzorgster, een heel vriendelijke dame van een jaar of vijftig die mevrouw Ziff heette, had laten vallen dat haar volgende opdracht bij een werkende vrouw was die maar twaalf weken zwangerschapsverlof had en die ook nog eens een zoontje van tweeënhalf had. Ayinde voelde zich schuldig – Julian was haar enige kind, haar enige verantwoordelijkheid; en het was niet aan haar om de tijd van die vrouw in beslag te nemen, ondanks het feit dat ze – nou ja, Richard – haar al had betaald.

'Bel je yogavriendinnen dan,' zei hij terwijl hij zijn tassen dichtritste en ze bij de deur zette. De chauffeur zou die 's avonds komen halen en ze in de achterbak van de stadsauto zetten die hem morgenochtend vroeg naar hun privé-vliegtuig zou brengen. 'Maak er een vrouwenfeestje van.'

'Vriendinnen,' herhaalde ze. Richard keek haar scherp aan.

'Het zijn toch je vriendinnen?'

Ze knikte en voelde zich er nog steeds een beetje door verrast.

'Ga lekker naar een kuuroord of zo,' zei Richard. 'Ontspan.'

'Blijf alsjeblieft,' zei ze tot hun beider verrassing. Ze stond moeizaam met Julian in haar armen op uit de fauteuil en haastte zich door de perfecte kamer met hun bed met de kussens die Clara minstens twee keer per dag opschudde, de marmeren open haard en de mahoniehouten schoorsteenmantel met de net ingelijste foto's van Julian erop.

'Ach, schatje toch,' zei Richard. Ayinde duwde haar gezicht tegen zijn bovenarm en voelde de warmte van zijn huid door zijn kasjmieren trui.

'Blijf,' herhaalde ze met een iel stemmetje. 'Blijf alsjeblieft.'

Richard reikte naar beneden om haar te omhelzen en Ayinde zag de verwarde blik in zijn ogen. Zo was ze helemaal niet. Ze was niet behoeftig, of claimend, of jankerig, of een van die dingen die de meeste vrouwen in Richard Townes kring – in ieder geval degenen die niet voor hem werkten – normaal gesproken waren. Ik ben geen dame in nood, had ze hem gezegd... En dat was op dat moment waar geweest.

'Het spijt me,' zei ze en ze deed haar best er normaal uit te zien. 'Kin omhoog, schouders recht, wees trots, meid!' hoorde ze Lolo fluisteren. Ze streek met haar vrije hand haar haar glad en wenste dat ze niet nog steeds de badjas en pyjama aanhad die ze al de hele dag – of eerlijk gezegd het grootste deel van de week – aanhad. 'Het komt wel goed.' En dat was waar. Ze had het in haar eentje altijd prima gedaan. Ze dacht terug aan Kerstmis toen ze acht was. Haar ouders waren de avond ervoor naar een of ander Grieks eiland vertrokken, maar Ayinde had haar schooltoneelstuk niet willen missen, waarin ze een rol van twee regels had als een van de drie wijzen. Ze had geregeld dat ze bij een vriendin kon logeren en haar ouders hadden een auto gehuurd om haar op te halen en naar het vliegveld te brengen. Ze hadden helaas per ongeluk haar paspoort meegenomen.

'We komen zo snel mogelijk terug,' had haar moeder gezegd. Ze had razend geklonken via de krakende internationale telefoonverbinding, alsof het allemaal Ayindes fout was en niet die van haar. 'Uiterlijk maandag.'

Ayinde droeg een huissleutel aan een lint om haar hals. 'Ben je nu al terug?' had de portier gevraagd toen ze hem een gelukkig Kerstmis had gewenst en op weg ging naar de lift. Ze wist dat als ze hem de waarheid zou vertellen, hij zich zorgen om haar zou maken en misschien zelfs zijn eigen kerstfeest zou missen. Ze wist dat hij kinderen had: er stond een foto van hen op zijn bureau. Dus zei Ayinde dat het prima met haar ging, liet zichzelf binnen en bracht twee heel gelukkige dagen in het lege appartement door, met haar eigen dekbed om zich heen geslagen. Ze at roomboterkoekjes uit een blik dat de huishoudster als kerstcadeau had achtergelaten, maakte warme chocolademelk en noedelsoep met water uit de kraan omdat ze het fornuis niet mocht gebruiken en ze las Nancy Drew-boeken tot haar ouders (Lolo chagrijnig, Stuart verontschuldigend en met genoeg cadeautjes voor tien achtjarige meisjes) weer thuiskwamen.

Meer dan vijfentwintig jaar na die Kerstmis sloeg Ayinde haar ogen neer. Toen ze trouwde, had ze geweten waar ze aan begon en het was nu te laat om andere voorwaarden te bepalen. Ze was de ultieme moderne vrouw geweest: sterk, slim, zelfstandig en zelfs niet uit het veld geslagen door een kleedkamer vol vijandige, naakte mannen. En als Richard eenmaal beloofde dat hij iets zou doen, deed hij het, wat het ook was. Dat had ze ook geweten. 'Maak je geen zorgen om ons,' zei ze en ze vroeg zich af of het überhaupt in hem zou opkomen om zich zorgen over hen te maken.

'Veel plezier,' zei hij en hij glimlachte, kuste haar en boog toen zorgvuldig voorover, met krakende knieën, om de baby aan te spreken. 'En jij, kleine man, moet goed voor je moeder zorgen.'

Zorg voor me, dacht Ayinde. Ze keek neer op de kruin van het hoofd van haar echtgenoot en zag tot haar grote schrik dat hij een beetje kaal begon te worden. Zorg voor me, dacht ze nog een keer en ze drukte Julian tegen haar hart.

Becky

'SORRY DAT IK TE LAAT BEN,' FLUISTERDE BECKY TEGEN KELLY TOEN ze vijf minuten nadat de lezing over borstvoeding in het ziekenhuis was begonnen, binnenkwam, 'crisis in het restaurant. Onze leverancier heeft pijnboompitten gestuurd in plaats van avocado's.' Op het podium stond de instructrice, een verpleegster in donkerblauwe operatiekleding over een T-shirt met lange mouwen. In haar rechterhand had ze een laserpen; in haar linker- een enorm model van een borst, compleet met uitschuifbare tepel.

'Goedenavond dames,' zei de verpleegster. 'Heren,' voegde ze toe en ze zwaaide met de borst naar het stel toekomstige vaders dat naar de zaal had durven komen. 'En gefeliciteerd dat jullie hier zijn. Jullie hebben een heel belangrijke stap genomen om te zorgen dat jullie baby straks de best mogelijke start krijgt. Wie van jullie hebben zelf borstvoeding gekregen?' Becky was geschokt toen ze zag dat Kelly haar hand opstak.

'Echt waar?' fluisterde ze.

'Zo indrukwekkend is het niet, hoor,' fluisterde Kelly terug. 'Mijn moeder was heus niet progressief of zo. Volgens mij kon ze gewoon geen poedermelk voor acht kinderen betalen.'

'We gebruiken vandaag wat hulpmiddelen,' zei de verpleegster, die naar achter het podium liep en terugkwam met een kartonnen doos met levensechte plastic babypoppen. 'Pak er maar een pop uit en geef de doos dan door.' Becky kreeg een Aziatisch uitziende baby in een wegwerpluier en met een T-shirt van Pennsylvania Hospital aan. Kelly reikte in de doos. 'O, kijk nou eens, ik heb een zwarte!' zei ze zo hard dat de mensen twee rijen voor haar zich omdraaiden om haar aan te staren.

'Dat vindt Steve vast geweldig,' fluisterde Becky. Kelly's lichte huid werd rood.

'Zo!' zei de instructrice toen iedereen een nepbaby had. 'Is iemand ooit geopereerd aan haar borsten? Implantaten?' Er werden wat handen omhooggestoken. Kelly rekte haar nek uit.

'Niet staren,' zei Becky en ze mepte Kelly op haar schouder met haar Veel-Gestelde-Vragen-over-Borstvoeding-folder.

'Borstverkleiningen?' Er gingen nog wat handen de lucht in. Kelly staarde geconcentreerd naar het aantekeningenblok dat ze had meegenomen. 'Van wie heeft de arts gevraagd of je borstvoeding gaat geven?'

Iedereen stak haar hand op.

'Wier arts heeft naar je tepels gekeken?'

Niemand behalve één vrouw op de voorste rij stak haar hand op.

'Oké, wie van jullie weet hoe een ingetrokken tepel eruitziet?' vroeg de verpleegster. Er was doodse stilte. Ze stak de borst de lucht in en duwde de tepel er toen hard in. 'Au,' fluisterde Becky.

'Dat is een platte tepel,' zei de lerares, 'en dit' – ze duwde de tepel nog verder naar binnen – 'is een ingetrokken tepel. Met beide is het ingewikkeld borstvoeding te geven, maar er zijn dingen die we kunnen doen om het eenvoudiger te maken.'

'We kunnen je opnieuw in elkaar zetten,' mompelde Becky. 'We kunnen je beter maken.'

'Tijdens de pauze zullen er verpleegsters in de toiletruimten zijn voor diegenen die willen dat er even naar hun borsten wordt gekeken,' zei de lerares.

'Ga jij dat doen?' vroeg Kelly.

Becky schudde haar hoofd. 'Met mijn borsten is niets mis,' zei ze. 'En eerlijk gezegd ben ik het zat om steeds bekeken te worden.' Ze perste haar lippen op elkaar en dacht terug aan de ellende van haar echo met vijf maanden, toen ze daar op die tafel lag terwijl een sadiste in operatiekleding koude kledderzooi op haar buik smeerde en toen zo hard met de ontvanger tegen Becky's buik begon te duwen dat ze ervan naar adem snakte.

'Kunt u dat iets minder hard doen?' vroeg ze.

De verpleegster had haar schouders opgehaald en zei zonder van het scherm weg te kijken: 'Omdat je overgewicht hebt, is het moeilijker voor me om de baby te vinden.'

Overgewicht. Becky had ter plekke door de grond kunnen zakken. Ze kneep haar ogen dicht en voelde de trots en de opwinding uit haar hart wegebben en worden vervangen door schaamte. Ze was maar blij dat Andrew stond te opereren en er niet bij was toen ze die woorden hoorde, rechtop ging zitten, het laken over haar romp trok en tegen de verpleegster zei dat ze haar leidinggevende wilde spreken.

De instructrice stond op het podium met een pop en de enorme borst en demonstreerde verschillende houdingen: overdwars over de buik en de 'footballhouding', 'die het beste werkt bij vrouwen met grote borsten'.

'En dan heb ik hier wat folders die handig kunnen zijn,' zei ze. Becky pakte er een van de stapel en trok een vies gezicht.

'Fopspenen: duivelstepels,' las ze.

'Echt?' vroeg Kelly.

'Ik zal je een samenvatting geven,' zei Becky. Ze keek op haar horloge en stond op. 'Kom. We gaan.'

Tien minuten later zaten ze met Ayinde in een koffiebar aan South Street, waar ze drankjes zonder cafeïne hadden besteld, over Julian heen hingen en vertelden hoe ze zwanger waren geraakt.

'Het leek wel een slechte grap,' zei Kelly en ze keek gedeprimeerd naar de muntthee die ze had besteld in plaats van de espresso waar ze echt zin in had. 'Mijn moeder werd al zwanger als ze naar mijn vader keek, mijn zus Mary is vreselijk vruchtbaar en wij hebben het zes maanden moeten proberen, met Clomid.'

'Zes maanden is heel gemiddeld,' zei Becky. De bellen aan de deur klingelden even toen er iemand binnenkwam en een vrouw in een metallic blauwe jas verlegen naar de toonbank liep.

'Nou, het voelde alsof het een eeuwigheid duurde. En toen bleek dat ik geen regelmatige ovulatie had, dus toen heb ik Clomid gekregen en dat werkte. Maar toen was wel mijn hele schema in de war.'

'Je schema?' vroeg Becky.

'Nou ja, ik had op mijn vijfentwintigste zwanger willen worden, niet op mijn zesentwintigste. Dan had ik mijn eerste baby op mijn zesentwintigste gehad en de tweede op mijn achtentwintigste...'

'Wacht even. Je tweede?' vroeg Ayinde.

'Precies. Steve en ik willen er twee.'

'Ik probeer voorlopig eerst deze te overleven,' zei Ayinde en ze staarde verliefd naar Julian. 'Ongelooflijk dat je het al over een tweede hebt.'

Kelly mikte zakjes suiker en zoetstof op de tafel en begon ze op kleur te sorteren. 'Ik vind het fijn om te plannen,' zei ze. 'Eerlijk gezegd hoopte ik op een tweeling.'

'Je bent gek,' zei Becky. 'Heb je enig idee hoeveel werk dat is? Ayinde, licht haar even in!'

'Het is zwaar,' zei Ayinde met een meewarige glimlach op haar gezicht. 'Jullie zouden hier helemaal niet moeten zijn. Jullie zouden thuis moeten zijn om te slapen nu het nog kan.'

'Nou, ik weet heus wel dat het de eerste maanden heel zwaar zou zijn, maar dan zou je wel twee kinderen hebben en dan hoef je niet nog eens te proberen zwanger te raken en dan hoef je niet nog een keer zwanger te zijn... en je kunt ook aan twee baby's borstvoeding geven, weet je nog?' zei Kelly.

'Dat die lerares het met twee plastic poppen kan, betekent niet dat het in het echte leven ook werkt,' zei Becky.

'En jij?' vroeg Kelly. 'Is het Andrew en jou meteen gelukt?'

'O, laat Ayinde maar eerst,' zei Becky. 'Mijn verhaal is zo verteld.'

'Ik geloof dat wij gemiddeld zijn,' zei Ayinde. 'We hebben er een maand of zes over gedaan. Misschien iets langer.' Ze liet haar bontjas van haar schouders op de stoel rond haar heupen glijden. 'Hoewel ik geloof dat Richard dacht dat het na de eerste poging raak was...' Ze haalde haar schouders op. 'Het is zo vanzelfsprekend voor hem dat hij krijgt wat hij wil.' Ze nam een slokje melk. 'En ik weet dat we geluk hebben. Veel van de spelers hebben overal kinderen en krijgen om de haverklap een proces aan hun broek over het ouderschap...'

'Net als bij artsen,' zei Becky. 'Iedere keer dat Andrew het ziekenhuis uit loopt, staan de groupies bij de deur te wachten, schreeuwend om een handtekening.' Ze draaide een krul om haar vinger. 'Andrew had trouwens geen haast. Hij zei altijd dat we het zo fijn hadden met zijn tweetjes en dat een baby de zaak alleen maar zou compliceren. Wat natuurlijk waar is. Maar op een goede manier. Dat hoop ik tenminste.'

'Ben jij meteen zwanger geraakt?' vroeg Kelly.

'Het was eigenlijk wel grappig,' zei Becky. 'We wilden wachten tot Andrew klaar was met zijn assistentschap zodat hij wat vaker thuis zou zijn, maar we raakten de eerste maand dat ik met de pil was gestopt, zwanger. We waren het officieel nog niet eens aan het proberen, maar ik had mezelf er al van overtuigd dat ik nooit zwanger zou raken.'

'Hoezo?' vroeg Kelly.

'Nou, ik had op internet van alles gelezen over, eh, zwaardere vrouwen en zwangerschap. Ik had een heel lange cyclus...' Becky nam een slokje water en was even stil terwijl ze bedacht hoe raar het was dat ze het over haar cyclus had met vriendinnen die ze nog maar net kende, maar toen besloot ze dat het haar niet kon schelen. 'Maar goed. Ik dacht dat ik polycysteus-ovariumsyndroom had. Dan word je wel ongesteld, maar je ovuleert niet, dus dan raak je niet zwanger. Veel, eh, zwaardere vrouwen hebben dat. Ik heb voor ik met de pil stopte zelfs een vruchtbaarheidsspecialist gebeld om me te laten controleren. Dat kon pas zes weken later en tegen de tijd dat ik daar kwam...' Ze haalde haar schouders op en kon zichzelf er niet van weerhouden te glimlachen bij de gedachte aan hoe gelukkig ze was geweest toen de dokter haar de hand had geschud en had gezegd dat ze naar huis moest gaan en vooral gezond moest blijven. Het was voor het eerst sinds haar twaalfde dat ze iets anders dan schaamte had gevoeld bij een arts in de spreekkamer, waar de bezoekjes altijd op de weegschaal begonnen en altijd een variatie betroffen op een preek over het thema: 'Wat gaan we aan je gewicht doen?' 'En dat was zevenendertig heerlijke weken geleden.'

'Heerlijk?' vroeg Kelly, die haar neus optrok.

'Nou ja, betrekkelijk. Ik was in het begin en in het tweede trimester een beetje misselijk en behoorlijk moe. O, en ik heb een week alleen muffins gegeten. Maar verder is het een normale, saaie zwangerschap.' Ze glimlachte weer en dacht terug aan het moment dat ze haar dochter in de negentiende week voor het eerst had voelen schoppen. 'Lucht in je darmen,' had Andrew gezegd. 'Lucht,' had haar schoonmoeder Mimi met een magistrale hoofdknik uitgesproken, alsof ze tientallen kinderen had gebaard en niet alleen Andrew. Maar Becky had geweten dat wat ze ook zeiden, het geen lucht was. Het was haar baby.

Kelly nam nog een slokje thee en trok een vies gezicht. 'Mijn zwangerschap is vreselijk. Er is zoveel misgegaan dat ik mijn geld terug had willen hebben voor die baarmoeder als dat had gekund. De hele eerste drie maanden heb ik bloedingen gehad, dus moest ik een tijdje in bed blijven en toen waren er twijfels over een echo en toen moest ik een punctie en daarna moest ik weer naar bed. En ik voel me zo ongemakkelijk!' Ze keek naar haar buik en legde haar handen op de bult. 'Ik ben nog nooit zo dik geweest!'

'Je bent nog steeds dunner dan ik was vóór mijn zwangerschap,' zei Becky. 'Dat moet toch goed voelen.'

'Ik heb tot in de zesde maand iedere ochtend overgegeven,' ging Kelly verder, 'en ik word gek van het maagzuur.'

'O, maagzuur. Dat heb ik ook,' zei Becky. Dat was ze even vergeten. Misschien was een zwangerschap toch niet zo geweldig als ze zichzelf had voorgehouden.

'Ik moest medicijnen op voorschrift gebruiken,' zei Kelly. 'Dat spul van de drogist hielp geen barst.' Ze keek naar Ayinde. 'En jij?'

'Mijn zwangerschap was prima,' zei Ayinde met een hand op het autostoeltje. Ze trok Julians dekentje recht en de enorme diamant aan haar vinger glinsterde. 'Tot het verrassende einde.'

'Kom op,' smeekte Kelly. 'Je kunt het ons wel vertellen.'

Ayinde zei niets.

'Heb je vreselijk maagzuur gehad?' vroeg Kelly. 'Misselijkheid? Moest je plassen als je lachte?'

Er verscheen een vage glimlach op Ayindes gezicht. 'Mijn voeten,' zei ze en ze haalde in overgave haar schouders op. 'Mijn voeten zijn dikker geworden. En mijn kuiten ook. Ik heb van die ritslaarzen...'

'O, ritsen,' zei Kelly. 'Begin niet over ritsen.'

'En mijn handen zijn dik,' zei Ayinde en ze keek spijtig naar haar handen. 'Nog steeds. Ik moet eigenlijk mijn ringen afdoen.'

'Zeep en warm water helpt,' zei Becky.

'O, ik denk dat ik ze er nog wel af krijg,' zei Ayinde. 'Maar dat wil ik niet.'

'Waarom niet?' vroeg Becky.

'Omdat ik dan gewoon een jonge moeder zonder man ben,' zei Ayinde met een perfect lijzig accent. 'En ik wil niet dat mensen zo naar me kijken.'

Kelly en Becky waren even stil van haar bekentenis. 'Denk je echt dat mensen...' begon Kelly.

'O ja,' zei Ayinde met een brede nepgrijns. 'Zeker weten. Zwarte meid zonder ring, dat is een voor de hand liggende conclusie.'

'Zelfs hoewel je...' Kelly's stem ebde weg.

Ayinde fronste haar wenkbrauwen. 'Hoewel ik een halfbloed ben? Een lichte huid heb?'

'Ik wilde "rijk" zeggen.' Kelly's wangen werden zo donkerroze dat ze bijna leken te gloeien. 'Ik wist niet dat je een halfbloed bent.'

Ayinde legde een hand op Kelly's onderarm. 'Sorry,' zei ze. 'Ik moet niet invullen. Mijn vader is blank en mijn moeder zwart. Nou ja, zwart en een kwart Cherokee, volgens haar. Maar dat is niet wat de meeste mensen zien als ze naar me kijken.'

'Jongens?' Becky's stem klonk zacht terwijl ze over Kelly's schouder keek. 'Niet kijken, maar die vrouw in de hoek zit constant naar ons te staren.'

Kelly's hoofd draaide zo abrupt dat Becky haar nek hoorde kraken. 'Niet kijken!' fluisterde Becky met een scherpe stem. Ze vond dat de vrouw er zo labiel uitzag dat één verkeerde beweging zou zorgen dat ze zou wegrennen. Ayinde keek discreet vanuit haar ooghoeken naar rechts, waar een vrouw zat in een blauwe donsparka met steil haar dat over haar schouders viel en met haar handen om een mok geklemd met een krant voor zich op tafel.

'Ken je haar?' fluisterde Ayinde.

'Ik zie haar steeds,' fluisterde Becky terug. 'Ik weet niet wie ze is, maar ik kom haar steeds tegen.'

'Is ze zwanger?' vroeg Kelly.

'Ik denk het niet. Hoezo?' vroeg Becky.

'Nou, sinds ik zwanger ben, zie ik overal zwangere vrouwen. Hebben jullie dat ook?'

Becky knikte. 'Maar volgens mij is zij niet in verwachting. Ze is gewoon overal waar ik ben. Ik heb haar in het park gezien... en op straat...'

Kelly keek weer naar de vrouw. 'Niet staren!' zei Becky. 'Anders sla ik je weer met die borstenfolder!'

'Ze ziet er...' Kelly trok haar neus op, 'verdwaald uit.'

'Verdwaald als in ik-kan-Independence-Hall-niet-vinden, of...'

'Nee,' zei Kelly. Ze probeerde iets beters te bedenken, maar het eerste woord leek het enige juiste. 'Verdwaald verdwaald.'

De vrouw keek op en keek hen aan. Verdwaald, dacht Becky. Kelly had gelijk. De vrouw zag er verdwaald uit, en verdrietig, en opgejaagd. Toen ze sprak, klonk haar stem hees en alsof ze heel weinig sprak. 'Is het een jongetje?'

De drie vrouwen keken elkaar steels bezorgd aan.

'Sorry,' zei de vrouw. Door de aarzeling waarmee ze sprak, vroeg Becky zich af of Engels haar eerste taal was, of dat ze in haar hoofd haar eerste taal in die van hen vertaalde. 'Is je baby een jongetje?'

'Ja,' zei Ayinde bedenkelijk. 'Ja, inderdaad.'

De vrouw knikte. Ze leek nog iets te gaan zeggen, of op te staan en naar hen toe te komen, maar toen ze opstond, veranderde ze van gedachten, keek hen nog even wanhopig aan en rende naar de deur.

Kelly

KELLY DAY ZAT AAN HET BUREAU IN HET HOOGGELEGEN APPARTEment en keek door het kamerhoge raam naar de bomen vol bladeren die langs haar straat stonden. Ze had een headset op haar hoofd en het licht van het beeldscherm van de desktop straalde de kamer in. Ze had haar palmtop en notebook bij de hand en Lemon lag tevreden in een hoekje opgekruld, lui aan zijn geslachtsdelen likkend. Ze had zich nog nooit efficiënter, stabieler of gelukkiger gevoeld dan op dit moment, met een hand op haar buik en Dana Evans, hoofd van Speciale Programma's van de dierentuin in Philadelphia, vragen in haar oor ratelend.

'Oké,' zei Kelly, die begon te herhalen. 'Dus geen uien, geen knoflook, geen curry, geen geel eten...'

'Geen gele groente,' zei Dana Evans. 'Ik denk dat saffraanrijst nog wel kan, maar geen gele pepers.'

'Geen gele groente,' zei Kelly. Ze maakte een aantekening en bedacht dat prins Andres-Philippe, hoofd van een of ander klein Europees land dat bekend stond om de chocolade en de progressieve scheidingswetgeving, klonk als een enorm gestoord geval. 'Geen koffie, geen chocolade, geen alcohol, geen alcoholaroma in een dessert...'

'Jammer hè,' zei Dana. 'Die Grand-Marniermousse die jullie laatst hadden, was geweldig.'

'Ik ben blij dat je die lekker vond,' zei Kelly en ze maakte een aantekening van het complimentje in haar Dana Evans-dossier voor de volgende die iets voor de dierentuin zou organiseren. 'Dus wat betreft de volgorde: de studenten van *Creative and Performing Arts* zingen het volkslied en daarna dat van hem...'

'En de band?'

'Trompetten als hij binnenkomt,' zei Kelly. 'En tijdens het eten een strijkkwartet. Om zes uur brengen de butlers, terwijl de gasten arriveren en de bars aan beide kanten van de tent open zijn, de hors d'oeuvres, tot kwart voor zeven. Om vijf over halfzeven arriveert de prins via de achteringang. Ik zorg dat de beveiliging naast de deur een parkeerplaats vrijhoudt en hem de tent binnen brengt. Om tien over halfzeven vragen we of de mensen gaan zitten. Om zeven uur introduceert het hoofd van Speciale Donaties de prins. Hij maakt wat korte opmerkingen – hij heeft vier minuten – en bedankt de aanwezigen voor hun vrijgevigheid en dergelijke. Het diner begint om tien over zeven – Franse bediening, zoals we hebben besproken – en er komt een dessertbuffet met petit fours voor bij de koffie. Het bal begint om kwart over acht en de prins vertrekt om halfnegen.'

'Nog één ding,' zei Dana. 'De prins wil mannelijke bediening.'

Kelly schudde haar hoofd en maakte nog een aantekening. 'Heeft hij problemen met direct oogcontact?'

'Niet dat ik weet,' zei Dana. 'En het hotel weet dat zijn smoking moet worden gestoomd en geperst?'

'Die kan hij bij aankomst bij de balie afgeven of hij kan de balie bellen dat ze hem komen ophalen als hij in zijn kamer is.'

'Je bent een engel,' zei Dana. 'Dan zie ik je daar?'

'Mij niet,' zei Kelly grijnzend. 'Mijn zwangerschapsverlof begint vanavond. Een jaar!'

'Dan houd ik je niet langer op! Veel succes!'

'Dank je,' zei Kelly. Ze verbrak de verbinding en legde haar blote voeten op Lemons warme zijkant terwijl ze een memo aan haar baas typte waar de laatste details over het bezoek van de prins in stonden. Toen deed ze haar laptop dicht een opende haar Palm Pilot. Morgen om tien uur kwam de stoffeerder hun ramen opmeten. Ze konden nog steeds de lederen bank met nagels waar ze haar oog op had laten vallen niet betalen – om het nog maar niet over de plasmatelevisie te hebben die ze al wilde hebben sinds die bestond – maar gordijnen waren een begin en...

'Hoi,' zei een holle stem. Ze snakte naar adem, sprong op uit haar stoel, gooide een kop koffie om (cafeïnevrije en gelukkig voor haar was hij lauw) over haar bureau (van Ikea en dringend aan vervanging toe; ze had een antieke goudgroene secretaire met cabrioolpoten gezien in een winkel op Pine Street) en over haar hond. Lemon piepte en rende met zijn staart tussen zijn poten haar kantoortje uit.

'Steve! Je laat me schrikken!' Ze tilde haar laptop op en begon met haar mouw de geknoeide koffie te deppen. 'Wat doe jij thuis?'

Haar man stond bewegingloos midden in hun lege woonkamer. Het pak dat hem die ochtend prima had gepast toen hij naar zijn werk vertrok, leek nu groter. Het jasje hing in losse plooien rond zijn armen, de broek hing op zijn heupen gezakt en de omslagen van de broekspijpen hingen over zijn schoenen. Hij keek naar het beige tapijt en mompelde iets wat Kelly niet verstond.

'Wat?' vroeg ze. Ze hoorde de stem van haar moeder in die van haar, haar moeder die de kinderen een standje gaf of haar echtgenoot ondervroeg – 'Waar was je?' 'Wie heeft dit kapotgemaakt?' 'Wat heb je vannacht tot twee uur gedaan?' – en ze klemde haar kaken ervan op elkaar. Ze maakte haar stem lager. 'Sorry Steve, ik verstond je niet.'

Steves krulhaar hing slap over zijn kraagje. Kapper, dacht Kelly en ze reikte automatisch naar haar palmtop voor ze zichzelf dwong weer naar Steve te kijken.

'Wat is er?' vroeg ze nogmaals. Ze voelde de angst over haar ruggengraat kruipen en zich in haar buik nestelen. Steve zag er nooit zo uit. Hij zag er altijd... niet precies brutaal, zoals Scott Schiff, die er waarschijnlijk al vanaf zijn geboorte uitzag als een succesvolle investeringsbankier, maar stil zelfverzekerd uit, ervan overtuigd dat zijn intelligentie en motivatie uiteindelijk tot succes zouden leiden. Maar nu, met zijn hoofd hangend en zijn handen slap naast zijn lichaam, zag Steve Day er niet uit als het hoofd van e-business van één van 's lands grootste farmaceutische bedrijven. Hij zag eruit als een bang jongetje.

'Wegbezuinigd,' herhaalde Steve. Zijn adamsappel schoot bij ieder woord op en neer. 'Ik heb iets verprutst en ze...' Hij was even stil. 'Ze hebben besloten de e-business in te krimpen.'

Ze staarde hem aan; het duurde even voor ze begreep wat hij zei. 'Ben je ontslagen?' flapte ze eruit.

'Wegbezuinigd.'

De woorden voelden als een schot in haar hart. 'Maak je een grapje?'

'Nee,' zei Steve, die zijn hoofd tussen zijn schouders trok. 'Ik, Philip, de helft van de programmeurs, drie receptionistes...'

Kelly duwde haar handen hard tegen haar laptop en merkte dat ze niet was geïnteresseerd in het lot van de programmeurs, de receptionistes of Steves vriend Philip. Ze voelde een woede die zo zwart en absoluut was dat hij haar angst aanjoeg. Die klootzakken, dacht ze en ze haalde bevend adem. Ik krijg een kind! Hoe kunnen ze ons dat aandoen?

'Weten ze dat ik in verwachting ben?' vroeg ze. Ze haatte het schrille geluid van haar stem.

'Ja,' zei Steve. 'Daarom word ik drie maanden doorbetaald in plaats van twee.'

Drie maanden. Kelly's geest begon te rekenen. Drie maanden loon, min de huur, min de creditcardbetalingen, autoaflossing, ziektekostenverzekering...

'Hebben we nog ziektekostenverzekering?' vroeg ze op eisende toon.

'Dat kan ik wel betalen,' zei Steve. 'Dankzij de COBRA-wet zijn we nog verzekerd. Het komt wel goed. Maak je geen zorgen, Kelly.'

Ze haalde diep adem. 'Wat is er gebeurd?' Bijna zonder erbij na te denken raakte ze haar mobieltje aan, haar palmtop, het keurige stapeltje bankbiljetten waar ze vanavond Quicken mee ging betalen. En nu, dacht ze en ze voelde hoe haar hoofd tolde. 'Waarom doen ze je dit aan?'

'Ik heb het gewoon verpest, oké?' schreeuwde hij. 'Ik heb het heus niet bewust gedaan, hoor. Het is gewoon gebeurd.' Hij haalde zijn handen door zijn haar. 'Wat ben ik toch een idioot,' mompelde hij. Kelly liep naar de woonkamer en begon op te ruimen: het meetlint dat ze op de vloer had laten liggen, exemplaren van *Forbes*, *Money*, *Power* en *In verwachting: alles wat je kunt verwachten* die op een stapeltje op de plek waar de salontafel zou komen, lagen. Ze had een foto uit *Traditional Homes Magazine* gescheurd met daarop de raambehandelingen die ze wilde. Ze vouwde de foto klein op en schoof hem in de zak van haar zwangerschapsspijkerbroek.

'Wat moeten we nu?' vroeg ze en ze dacht aan de afspraak die ze hadden gemaakt: zij zou een jaar thuisblijven bij de baby en hij zou werken om hen te onderhouden.

Steve duwde zich van de tafel weg en liep langs haar heen zonder oogcontact te maken. 'Ik ga even rennen,' zei hij.

'Je gaat even rennen,' herhaalde ze. Het voelde alsof dit een bizarre grap van hem was en ze wachtte tot hij zou zeggen dat hij aan het dollen was. Even rennen. En ontslagen worden.

Ze liep naar de keuken met een hand op haar buik, die zwaarder dan ooit voelde. Ze trok van alles uit de koelkast: kippenborst, broccoli, kippenbouillon om de rijst in te koken. Vijf minuten later banjerde Steve uit de slaapkamer in een korte broek, T-shirt en hardloopschoenen. 'Ik ben zo terug.' En toen was hij weg.

Kelly stond even in de stille keuken, wachtend tot Steve zou terugkomen en zou zeggen dat hij een grapje maakte, dat alles goed zou komen en dat hij zich aan de belofte zou houden die hij hun eerste avond had gemaakt: dat hij voor haar zou zorgen. Toen hij niet terugkwam, zette ze de kip in de oven en zette water op voor de broccoli. Toen waggelde ze naar de slaapkamer, waar haar mans pak, schoenen en stropdas op een bergje op het bed lagen. Ze liet haar voorhoofd tegen haar mouw rusten, die nog vochtig was van de koffie. Hij had het verpest en wat kon zij ertegen doen? Ze had in haar hoofd hun hele geweldige toekomst al uitgestippeld: de grote bruiloft, het prachtige appartement, de kinderen, alles gebaseerd op de carrière die haar man zou hebben, op het salaris dat het allemaal mogelijk zou maken. Je zit er weer naast, dombo, fluisterde een stemmetje in haar hoofd. En wat zou er nu gebeuren? Er was geen wet dat je een defecte echtgenoot kon terugbrengen. Ze kon hem geen grote beurt laten krijgen of de klok terugdraaien naar de tijd vóór hij die fout die hem zijn baan had gekost, had gemaakt.

Toen ze een uur later de deur hoorde opengaan, trok Kelly haar kleren uit, deed een badjas aan en liep naar de woonkamer. Steve lag op de vloer op de plek waar de bank had moeten staan. Hij had zijn gympen uitgetrapt. Zijn T-shirt kleefde aan zijn borst, die op en neer ging.

Kelly keek op hem neer en deed haar best de juiste toon – die van een echtgenote – te vinden. Sympathiek. Meelevend. Aardig. 'Luister,' lukte het haar uiteindelijk te zeggen. 'Dit soort dingen gebeurt. Er worden fouten gemaakt...'

'Leuk gebruik van de passieve vorm,' zei Steve.

'Wat wil je dan dat ik zeg?' vroeg Kelly. Steve kromp ineen alsof ze hem had geslagen. Daar schrok ze niet van terug. 'Wil je dat ik zeg dat het allemaal prima is? Dat ik een kind krijg en dat mijn man geen werk heeft, maar dat het prima is?'

Steve deed zijn hoofd omhoog. 'Er staat iets aan te branden.' Het rookalarm begon te gillen. Lemon begon hard te blaffen.

'Shit,' zei Kelly. Ze liep de keuken in, zag dat de pan met water was droog gekookt en dat de bodem van de pan zwart was geblakerd. Ze zette het fornuis uit, zette de pan in de gootsteen en liet er koud water in lopen. Rond haar hoofd klonk een sissend geluid van de stoom. Het rookalarm leek nog harder te gaan gillen.

Kelly rende de badkamer in en trok een stuk of zes geurkaarsen onder de wastafel vandaan: kaneel, vanille, voorjaarsregen en suikerkoekjes. Ze liep ermee naar de keuken en stak ze allemaal aan. Ze hoorde Steve aan de telefoon tegen de conciërge zeggen dat alles in orde was. 'Gewoon een kookongelukje.' En een beetje werkeloosheid, dacht Kelly. Ze zette de kaarsen op het fornuis, rende naar de tweede badkamer voor een bus luchtverfrisser en begon te spuiten. Lemon jankte en deinsde terug voor de spuitbus.

Steve greep haar bij haar pols. 'Wat ben jij aan het doen?'

Ze deed haar mond open om te proberen uit te leggen hoe haar moeders keuken in Ocean City was geweest: een eeuwige stapel borden in de gootsteen, de afwasmachine eeuwig half uitgeruimd, en de geur, het belangrijkst van alles, die geur, alsof de muren de overblijfselen hadden ingeademd van iedere maaltijd die er ooit was gekookt, iedere koekenpan met spek en iedere pan spruitjes, iedere sigaret die ooit was gerookt, ieder biertje dat ooit was opengemaakt (en ieder blikje Tab en alle whisky). 'Ik wil gewoon niet dat het hier naar rook stinkt,' was alles wat ze tegen hem zei. Ze reikte naar de luchtverfrisser en zag dat haar hand beefde. Steve pakte de bus uit haar hand en zette hem neer.

'Ik ga naar bed,' zei ze. Het was zeven uur 's avonds en ze had nog niet gegeten, maar Steve knikte alleen maar en zei: 'Oké.' Kelly balde haar vuisten en vocht tegen de drang de luchtverfrisser te pakken. 'Luister,' zei ze. 'Het spijt me dat dit is gebeurd. Het komt wel goed.' De woorden hingen samen met de rook in de keuken. Steve keek haar niet aan.

'Tot morgen,' zei ze en ze liep langs hem heen, door de lege woonkamer, door de gang, langs haar kantoortje en de babykamer hun slaapkamer binnen. Ze dacht terug aan de eerste keer dat ze dit appartement had gezien, hoe het alles was geweest wat ze ooit had willen hebben. Hoge plafonds en ramen van de vloer tot het plafond, een badkamer met bubbelbad en aparte douchecabine, marmeren wastafels en handgeschilderd porselein. Een badkuip die nog nooit door iemand was gebruikt, twee hele badkamers voor hun tweetjes, twee computers en twee nieuwe auto's. 'We verdienen het. Jij verdient het,' zei Steve als hij een etentje reserveerde in het duurste restaurant in de stad, als hij haar verraste met een gouden armband, met een iPod, een reisje naar Jamaica. Waarom ook niet? dacht ze dan. Ze verdiende goed en Steves salaris, met alle bonussen, was zo hoog dat het hen allebei verraste. Het zou alleen maar beter worden, dus waarom ook niet?

'Waarom ook niet,' fluisterde ze en ze begroef haar gezicht in haar handen.

Juli

Ayinde

HET BOEK DAT HET LEVEN VAN HAAR BABY ZOU VERANDEREN, KWAM in de eerste week van juli toen Julian elf weken oud was. Het titelblad stond half volgeschreven met het overdreven grote handschrift van Lolo. 'Ik dacht dat dit wel nuttig zou zijn,' had haar moeder geschreven. 'Nuttig' was met één T geschreven. Nou ja. Spelling was nooit de sterkste kant van haar moeder geweest. Ayinde wilde het aan Richard laten zien zodat ze er samen om zouden lachen, maar Richard was weer weg. Eerst golfen en dan lunch in de stad met de directeuren van het videospelletjesbedrijf, dat momenteel bezig was een spel te ontwikkelen dat was gebaseerd op Richards bewegingen. 'Het spijt me,' had hij gezegd terwijl hij aan het voeteneinde van hun bed stond met zijn bruin suède jack over zijn brede schouders en zijn golfschoenen in zijn hand. 'Ik ben op tijd voor het eten thuis.'

Ayinde sloeg haar ogen neer. Iedere keer dat hij vertrok, dacht ze aan de parfum die ze had geroken toen hij zo laat naar het ziekenhuis was gekomen en iedere keer dat ze op het punt stond hem erover te vragen, weerhield iets haar ervan de woorden uit te spreken, haar moeder misschien. Ze wilde niet zielig doen, de man controleren die al met haar was getrouwd, kijken of er lippenstift op zijn kraagjes zat en wat voor bonnetjes er in zijn portemonnee zaten. Dus hield ze Julians dikke armpje omhoog. 'Zwaai maar dag tegen papa,' zei ze. Richard had hun beiden een kus gegeven en Ayinde was weer in bed gaan liggen met Julian tegen zich aan. Toen ze haar ogen weer opendeed, was haar man weg en op onverklaarbare wijze was er ook twee uur van haar ochtend verdwenen.

PRISCILLA PREWITTS SUCCES MET BABY'S stond er op de kaft van het boek dat Lolo had gestuurd. Onder de titel stond een foto van een vrouw met warm bruine ogen en zilverkleurig haar in een praktisch kapsel. Ze hield een stralende baby in haar armen. GEEF JE BABY DE BESTE START stond er op de achterkant. BABY-EXPERT PRISCILLA PREWITT LAAT NIEUWE MOEDERS ZIEN HOE HET MOET!

Julian stak zijn armpjes in de lucht. Ayinde gaf hem haar wijsvinger om vast te houden en sloeg met haar vrije hand de pagina's om. 'Priscilla Prewitt,' las ze, 'is al meer dan dertig jaar professioneel kinderverzorgster, in eerste instantie thuis in Alabama en later in Los Angeles, waar ze haar gemakkelijk te volgen vijfstappenplan voor succes met baby's ontwikkelde! In haar "huiselijke" proza, ondersteund door de recentste wetenschappelijke studies, leert Priscilla Prewitt iedere moeder hoe ze haar baby een succesvolle start kan geven, succes op de peuterspeelzaal kan verzekeren en hoe ze voor rust en harmonie voor het hele gezin kan zorgen!'

Vijfstappenplan, overwoog Ayinde. Ze bladerde door naar de inhoudsopgave, waar hoofdstukken werden genoemd die 'Slaap kindje slaap!', 'Beginnen met een schema' en 'Ga vooral zo door' waren getiteld. Het was elf uur 's ochtends en het was haar nog niet eens gelukt om op te staan. De vorige dag had ze zich pas om drie uur aangekleed en had ze niets gegeten tot het avondeten. De kokkin had een heerlijke salade niçoise als lunch voor haar gemaakt, die Ayinde op het aanrecht had laten staan. De tonijn was bruin geworden en de randjes van de sla waren gaan krullen omdat Ayinde tijdens Julians dutje in bed was blijven liggen, zich had verwonderd over zijn lange vingers, de vorm van zijn lippen had bestudeerd en door de slaapkamer had gelopen in een soort melkachtige waas die was ontstaan, dacht ze, door het feit dat ze de afgelopen nacht om één uur, om vier uur en om halfzes was wakker geworden omdat Julian honger had, of omdat Julian een vieze luier had, of gewoon omdat Julian net was geboren en haar in de buurt nodig had. Had ze haar tanden eigenlijk wel gepoetst? Ze voelde met haar tong aan haar boventanden en besloot dat het antwoord nee was. Een schema maken leek nog helemaal niet zo'n slecht idee.

Julian sloeg op de vlechtjes die ze een week daarvoor had ingedaan met de gedachte dat dit het kapsel was dat het minste onderhoud nodig had en dat ze zich voorlopig toch geen zorgen hoefde te maken conservatieve televisiekijkers uit Philadelphia voor het hoofd te stoten. Ze neuriede naar Julian, een woordloos slaapliedje dat haar nanny altijd voor haar had gezongen, sloeg zomaar een pagina van het boek open en begon te lezen. 'Een baby met een schema – een baby met een terugkerende dagelijkse routine – is een gelukkige baby. Denk maar aan je eigen leven, lieverd. Hoe zou jij je 's ochtends voelen als je niet wist of het zes uur of tien uur was? Als je niet zou weten of je volgende maaltijd over een kwartier of over twee uur zou komen? Als je niet zou weten hoe je dag eruit zou zien? Dan zou je chagrijnig worden, en met recht! Baby's verlangen naar routine en regelmaat. Ze willen weten wat er komt, of het tijd is om een dutje te doen, te drinken of naar bed te gaan... en hoe eerder je begint met een aangename, voorspelbare, goed vol te houden routine, hoe gelukkiger jij en je Ukkie zullen zijn.'

'Ukkie,' zei Ayinde bij wijze van experiment hardop. Julian greep een vlechtje en gaf een gil. Ze bladerde door het boek en vond het babysuccesplan er buitensporig tijdrovend uitzien... maar wat had ze behalve tijd? Ze had geen werk. Ze kon niet met Richard mee naar uitwedstrijden of zakenreisjes, al zou ze dat willen. Ze zwierf rond in dat gigantische huis dat ze per se had willen hebben met niets om zich bezig te houden behalve de baby.

Ayinde staarde in de warmbruine ogen van Priscilla Prewitt en vroeg zich af wat haar moeder van de laat-je-baby-nooit-een-seconde-alleen-filosofie zou vinden. Tot dusverre ontwikkelde Lolo zich als net zo'n effectieve en betrokken oma als ze moeder was geweest. Stuart en zij hadden een keer een chauffeur ingehuurd om hen vanuit New York te komen brengen. Haar ouders hadden sinds de geboorte van Julian in totaal drie uur met hem doorgebracht en twee daarvan had de baby geslapen. Ze hadden stijfjes naast elkaar op de bank gezeten, veel te mooi gekleed, alsof ze naar de auditie voor de rol van aanbiddende en extreem rijke grootouders kwamen. Haar vader had Julian op zijn knie op en neer gehupt (een tikje te wild voor zo'n klein baby'tje, maar Ayinde had haar mond gehouden). Toen had hij met zijn welluidende baritonstem 'Danny Boy' voor hem gezongen. Dat was klaarblijkelijk zijn hele repertoire wat betreft het vermaken van baby's. Toen was hij in het gastenverblijf verdwenen, waar ze hem een uur later had gevonden, poolend met de publicist.

Lolo was niet veel beter. Ze had Julian even voorzichtig vastgehouden en had gedaan alsof ze het niet erg vond dat hij op haar Jill Sanders-pak kwijlde, maar Ayinde had gezien hoe ze stiekem de vlek op haar crèmekleurige mouw depte. Ze hadden een teddybeer meegenomen die minstens vijf keer zo groot was als de baby, en een complete uitzet babykleertjes van Petite Bateau die ze belastingvrij hadden aangeschaft tijdens hun laatste reisje naar St. Barth. Dat was tot dusverre de bemoeienis van de familie Mbezi-Walker met de kleine Julian.

Hoofdstuk zes heette: 'De hele nacht'. Julian deed zijn ogen open en begon te huilen. Ayinde zuchtte en bedacht dat ze al blij zou zijn als haar baby DE HELE DRIE UUR zou slapen. Ze liep met Julian naar de schommelstoel en gaf hem de borst, zijn lichaam met haar rechterhand ondersteunend terwijl ze met haar linkerhand de bladzijden omsloeg.

De volgende ochtend had Ayinde al haar gereedschap klaarstaan: een elektronische stopwatch zodat ze kon zien hoe lang ze Julian precies aan de borst had, de merken draagdoeken, wandelwagens, babybadjes, babyzeep en babyshampoo waarvan Priscilla Prewitt zei dat het de beste waren. ('En ik wil dat jullie weten dat ik geen rode cent van de fabrikanten krijg. Dit zijn gewoon de producten die mij door de jaren heen het best zijn bevallen.')

Toen ze tien minuten bezig was met haar babysuccesprogramma liep ze tegen het eerste probleem aan. 'Pasgeborenen mogen maximaal dertig minuten aan de borst,' schreef Priscilla Prewitt. 'Als ze er langer over doen, gebruiken ze je gewoon als fopspeen.' Maar na een halfuur was Julian nog druk aan het drinken. Ayinde tuurde op zoek naar verdere instructies in het boek. 'Als Ukkie de borst niet wil loslaten, zeg dan vriendelijk maar ferm tegen hem dat etenstijd voorbij is en dat hij later meer krijgt. Maak hem dan rustig van de borst los en geef hem een fopspeen – of als je het helemaal natuurlijk doet – je vinger om op te zuigen.'

'Julian!' zei Ayinde in haar beste benadering van een vriendelijke doch strenge stem. 'Etenstijd is voorbij!' Hij negeerde haar met gesloten ogen en een hardwerkende mond. Ayinde liet hem nog een minuut zuigen, wat er twee werden en bijna vijf, tot ze een visioen kreeg van haar zoon over vijf jaar, terwijl hij naar huis rende van school en zelf haar blouse openmaakte.

'Oké!' zei ze op ferme-maar-vrolijke toon en ze probeerde hem zachtjes los te trekken. Het hoofdje van de baby gleed naar achteren. Jammer genoeg met haar tepel nog tussen zijn kaken.

'Au!' kreunde ze. Julian deed zijn ogen geschrokken open en begon te krijsen. Toen ging de telefoon. Kelly, dacht Ayinde, die naar de hoorn greep zonder op het display te kijken wie er belde. Misschien was het Kelly, of Becky en kon die tegen haar zeggen wat ze moest doen...

Helaas was het Lolo. 'Ik hoor die lieve jongen!' kondigde ze aan. Ayinde stelde zich haar moeder voor in die helemaal witte keuken waar nooit iets anders dan thee werd gemaakt, terwijl ze haar orchideeën besproeide; zoals altijd in couture gekleed: een kokerrok of een omslagjurk, hoge hakken en een van die dramatische hoeden die haar handelsmerk waren geworden.

'Dag moeder.'

'Dag lieverd. Hoe is het?'

'Prima,' zei Ayinde terwijl Julian doorblèrde.

Lolo klonk twijfelachtig. 'Dat klinkt niet als een gelukkige baby.'

'Hij is gewoon een beetje humeurig,' zei Ayinde terwijl Julian nog harder begon te schreeuwen. Ze zette hem in het door Priscilla Prewitt goedgekeurde wipstoeltje, duwde de telefoon onder haar kin en probeerde haar beha vast te maken. 'Het is zijn huiluurtje.'

'Gebruik je dat boek dat ik je heb opgestuurd? Het wordt zeer aanbevolen. Mijn masseuse zweert erbij!'

'Geweldig,' mompelde Ayinde.

Lolo ging steeds harder praten, tot ze boven het geschreeuw van Julian uit klonk. 'Nou Ayinde, waar het om gaat, is dat als je baby eenmaal is gewend aan een bepaalde routine, hij geen huiluurtjes heeft.'

'Dat begrijp ik,' zei Ayinde terwijl ze een zoogcompres in haar beha frommelde. 'We zijn ermee bezig.'

'Weet je,' zei Lolo, 'jij huilde nooit zo toen je de leeftijd van Julian had.'

'Weet je dat zeker?'

Ze lachte scherp. 'Ik denk dat ik nog wel weet hoe mijn eigen dochter was.'

Met alle drugs die Lolo volgens de geruchten in de jaren zeventig had gebruikt, was Ayinde daar niet zo zeker van. 'Ik moet ophangen.'

'Natuurlijk, lieverd. Zorg goed voor die kleine schat!'

Ayinde verbrak de verbinding, deed haar beha dicht en pakte Julian op, die van schreeuwen was overgegaan op jammeren. 'Hé, lieverd,' fluisterde ze. Zijn oogjes begonnen dicht te vallen. O hemel. Ze pakte het boek op. 'Laat Ukkie ONDER GEEN BEDING na het voeden in slaap vallen!' Priscilla Prewitt vermaande in dik gedrukte hoofdletters. 'Wil jij slapen na een overvloedige maaltijd?' Ja, dacht Ayinde. 'Nee!' schreef Priscilla Prewitt. 'De ideale volgorde voor de ontwikkeling van de baby is eerst eten, dan een activiteit en dan een bezoekje aan dromenland.'

'Julian. Ukkie.' Ze kuste hem op zijn wang en friemelde aan zijn tenen. Hij deed zijn mond open en begon weer te huilen. 'Speeltijd!' Ze bungelde de pluizige vlinder voor zijn gezicht heen en weer. Richard had een hekel aan de pluizige vlinder, en ook aan de blauwe teddybeer en de insecten met gekreukte vleugels. 'Dat is meisjesspeelgoed,' had hij gezegd.

'Wat ontwikkeld van je,' had ze geantwoord en toen had ze hem uitgelegd dat er voor pasgeborenen maar heel weinig keuze is op het gebied van trucks en bulldozers, zelfs als ze die had willen hebben, wat niet zo was. 'Waar speelde jij mee toen je klein was?' vroeg ze.

Zijn gezicht betrok. Ayinde had meteen spijt dat ze het had gevraagd. Richard was in een handvol verschillende huizen in Atlanta opgegroeid: dat van zijn oma, een tante, een vriendje, vieze straten en overvolle ruimtes die Ayinde alleen van televisie kende en van zijn profiel dat een paar jaar geleden in *Sports Illustrated* had gestaan. Geen speelgoed. En wat erger was: geen moeder. Dat was onderdeel van wat hen in elkaar aantrok. Hoewel Ayinde was achtergelaten in een chic appartement en op haar veertiende naar kostschool was gestuurd, en Richard in een flatje in een achterbuurt was gedumpt, betekende het hetzelfde: ouders die andere prioriteiten hadden. Maar Ayinde had tenminste steeds dezelfde volwassenen om zich heen gehad: haar nanny Serena, die voor haar had gezorgd vanaf haar zesde week tot haar achtste verjaardag. Ze had speelgoed gehad, en kleding en grootse verjaarspartijtjes, een dak boven haar hoofd en de zekerheid van drie maaltijden per dag. Richards leven was heel anders geweest.

'Wil je weten waarmee ik heb gespeeld?' vroeg hij kortaf. Toen glimlachte hij om zijn hard uitgesproken woorden te verzachten. 'Met basketballen, schat.' Julian had er natuurlijk ook een: een wedstrijdbal met de handtekeningen van alle Sixers erop, en een minibal die Richard in een hoekje in Julians wiegje had gelegd.

'Laten we eens wat gaan doen,' zei ze tegen haar zoon, die door half samengeknepen oogleden naar haar tuurde terwijl ze zijn gezicht met een doekje afveegde, zijn vieze T-shirt voor een schoon verving, een blauw-wit slabbetje om zijn hals knoopte en hem meenam in de vochtige buitenlucht.

'Je moet gewoon geduld hebben,' zei Becky vanaf haar bankje in Rittenhouse Square Park waar zij en Kelly met hun buiken naast elkaar zaten in een T-shirt met korte mouwen en gymschoenen, kletsend over de goede manier van bevallen. Alsof ze daar iets over te zeggen hebben, bedacht Ayinde met een glimlach op haar gezicht.

'Ik ben ook geduldig,' antwoordde Kelly. Ze sprong overeind en rekte haar armen boven haar hoofd, greep toen haar linkerelleboog met haar rechterhand en duwde ertegenaan. 'Ik ben wel geduldig. Maar ik ben nu achtendertig weken, wat voldragen is, dus waarom kunnen ze me nou niet gewoon inleiden?' Ze blies gefrustreerd haar adem uit en wisselde van elleboog, waarna ze verderging met het rekken van haar hamstrings.

Ayinde trok Julian in zijn wagen naar het bankje toe en bedacht dat Kelly er met haar blonde paardenstaartje en bijna doorzichtige huid een stuk minder fit uitzag dan tijdens die eerste yogales. Ze had velletjes op haar lippen, haar blauwe ogen lagen diep in hun kassen en haar lichaam, gekleed in een zwart-wit zwangerschapstrainingspak, leek één grote buik. Haar armen en benen waren van slank broodmager geworden en ze had zwarte kringen onder haar ogen.

'Baby's weten precies wanneer ze geboren willen worden,' zei Becky. 'Waarom heb je zo'n haast?' Becky was er de afgelopen weken ook anders gaan uitzien. Ze had nog dezelfde volle wangen en overvloedige krullen, dezelfde gympjes, legging en wijde T-shirts. Het verschil was dat je nu eindelijk zag dat ze zwanger was. Wat goed nieuws was, zei Becky, aangezien ze er nu eindelijk zwanger uitzag, maar ook slecht nieuws omdat mensen haar maar bleven vragen of ze een tweeling kreeg. Of een drieling. En of ze hormonen had geslikt om zwanger te raken.

'Je moet je gewoon ontspannen,' zei Becky, die de dop van haar waterfles losdraaide en een grote slok water nam. Kelly maakte een niet overtuigd geluid en begon haar bovenlichaam te draaien. Wat betreft geboorteplannen waren de twee totaal tegenovergesteld aan elkaar. Becky wilde het helemaal natuurlijk doen: geen verdoving, geen medische ingrepen, zo lang mogelijk thuis de weeën opvangen met Andrew, haar moeder en Sarah erbij om haar bij te staan. Ze had een cursus gevolgd die de Bradley Methode heette en ze vond het heerlijk woorden van haar instructeur na te praten, zoals: 'Baby's weten precies wanneer ze geboren willen worden', en: 'Vrouwen kregen al heel lang voor er dokters bestonden, baby's', en: 'Je moet de bevalling in haar eigen tijd laten plaatsvinden'.

Kelly, aan de andere kant, had al lang geleden aangekondigd dat ze van plan was zo snel mogelijk een ruggenprik te vragen – op de parkeerplaats van het ziekenhuis, als dat even kon – en geen feit, cijfer of videofilm van Becky waarin vrouwen in Belize waren te zien die zonder verdoving op hun hurken in hangmatten die ze zelf hadden geweven bevielen, had haar op andere gedachten kunnen brengen. Kelly's eigen moeder, legde Kelly uit, was gewoon vijf keer midden in de nacht verdwenen en was dan een dag of twee later weer teruggekomen met een platte buik en een gloednieuw bundeltje geluk. Kelly had geen enkele chaos, geen gedoe en geen pijn gezien en dat was precies wat ze voor zichzelf wilde.

'Laten we het dan maar doen,' zei Becky en ze stond langzaam op. Ze begonnen aan hun rondjes om het park. Kelly pompte fanatiek met haar armen en tilde haar knieën hoog op. Becky had de neiging te kuieren en iedere paar minuten te stoppen om haar staart goed te doen. Ayinde keek naar Julian, die in zijn wandelwagen lag te slapen, en was daarom al twee keer bijna gevallen.

'Ik kan er niet meer tegen,' jammerde Kelly. 'Weet je dat ik me zo ellendig voel dat ik zelfs overweeg om seks te hebben om de boel een beetje te stimuleren?'

'O nee,' zei Becky. 'Toch geen seks!'

Kelly keek haar aan. 'Heb jij seks?'

'Nou ja, soms,' zei Becky. 'Je weet wel. Als er niets op de buis is.'

'Ik begrijp gewoon niet waarom ze me niet inleiden. Of me een keizersnee geven. Dat zou perfect zijn,' zei Kelly en ze pompte nog harder met haar armen terwijl ze de hoek op Nineteenth Street om renden en een trio kunstacademiestudenten met ieder een portfolio onder hun arm passeerden. Ze wapperde de sigarettenrook weg. 'Ik haat wachten.'

'Wist je dat de eerste zwangerschap statistisch zeven tot tien dagen later is dan de arbitraire grens van veertig weken die de medici hebben bedacht?' zei Becky. 'Ik ben ruim eenenveertig weken zwanger, maar je hoort mij niet klagen. En een keizersnede is een enorme ingreep. En er zijn risico's aan verbonden, hoor.' Ze knikte en keek tevreden nu het haar weer was gelukt een stukje natuurlijk-bevallenmateriaal in het gesprek te brengen. Ze staarde naar een stel joggers dat iets te dicht langs haar schouder liep terwijl ze nog een rondje afrondden. 'Zijn we al klaar?'

Kelly schudde haar hoofd. 'Nog één rondje,' zei ze. 'Hoe is het met Julian?'

'Geweldig,' zei Ayinde bedenkelijk. Ze rolde met haar schouders, pakte de handgrepen van de wandelwagen anders vast en bedacht dat 'geweldig!' het enige antwoord was dat iemand van een nieuwe moeder wilde horen. De waarheid was dat de zorg voor een pasgeborene oneindig veel zwaarder was dan ze zich had voorgesteld. De baby eiste al haar tijd op en iedere keer dat ze ergens aan begon – haar e-mail lezen, douchen, een tijdschrift lezen, een dutje doen – riep zijn geschreeuw haar terug en moest zijn luier worden verschoond, of moest hij worden gevoed, wat ze voor haar gevoel ieder halfuur deed.

Richard had het allemaal met groeiend scepticisme aangekeken. 'Je hoeft niet zo hard te werken, hoor,' had hij de avond ervoor tegen haar gezegd toen ze na drie happen eten van de eettafel was opgestaan om de baby op de bank in de woonkamer te voeden. 'We kunnen ook die babyverzorgster laten terugkomen.'

Ayinde had nee gezegd. Ze vond dat alleen vrouwen die werkten het recht hadden om iemand anders te betalen om voor hun baby te zorgen. Ze had behalve de baby geen werk en ze was altijd goed geweest in iedere baan die ze had. Het deed haar pijn te denken aan toegeven dat ze de baby niet alleen aankon. 'Het gaat prima,' had ze tegen Richard gezegd. 'Het gaat prima,' zei ze tegen haar vriendinnen terwijl ze hun rondje afmaakten. Ze reikte in de wandelwagen om Julians polsteddybeertje vast te maken. 'Hebben jullie wel eens gehoord van *Succes met baby's*?'

'Zeker weten!' zei Kelly.

'Dat is toch dat boek dat zegt dat je je baby een schema moet laten volgen?' vroeg Becky. Ze huiverde en stopte om zijwaartse bewegingen te doen. 'Kramp,' zei ze terwijl Kelly op haar plaats met hoog opgetrokken knieën op en neer hupte.

'Dat ja. Mijn moeder heeft het opgestuurd,' zei Ayinde.

'Ik heb er in de boekwinkel naar gekeken, het zag er allemaal nogal dwangmatig uit,' zei Becky. 'Ik bedoel, ik ben het in principe wel eens met een schema, maar een ochtenddutje en een middagdutje lijken me prettiger dan een dutje om kwart over negen en één om twee minuten over halfvier. En heb je dat hoofdstuk over werkende moeders gelezen?'

Dat had Ayinde gedaan. 'Weer aan het werk?' was de titel van het hoofdstuk, met het vraagteken al voorgedrukt. Priscilla Prewitt, niet verrassend, was er geen voorstandster van. 'Bedenk voor je teruggaat naar de zoutmijnen goed wat de consequenties van je keuze zijn,' had ze geschreven. 'Baby's horen van hun moeder te houden en ze horen door hun moeder te worden verzorgd. Dat is een basisprincipe in de biologie, dames, en geen feminisme of goedbedoelende pappie kan daar iets tegen doen. Ga maar werken als het per se moet, maar houd jezelf niet voor de gek. Onthoud dat de jonge vrouw die je in je huis haalt om van je Ukkie te houden een deel van de knuffels, van de glimlachen, van het lieve gegiechel – in het kort, een deel van de liefde – krijgt die het kind liever aan mama geeft.'

'Het klinkt alsof je een vreselijke moeder bent als je je baby een middagje naar de oppas brengt en of je zo'n beetje een psychopathische moordenaar bent als je een nanny inhuurt. Maar sommige vrouwen moeten werken,' zei Becky terwijl ze weer begonnen te lopen. 'Zoals ik.'

'Moet dat echt?' vroeg Kelly.

'Nou, ik denk niet dat we zouden verhongeren als ik het niet deed. Maar ik ben gek op mijn werk. Ik weet niet hoe ik me voel als de baby er eenmaal is, maar op dit moment lijkt drie dagen per week werken me een heel mooie balans.'

'Waar gaat je baby dan heen?'

'Naar een kinderdagverblijf,' zei Becky. Ze stopte en leunde tegen een smeedijzeren hek om haar hamstrings te rekken. 'In Andrews ziekenhuis is een crèche waar een stel dokters gebruik van maakt. Dan heb ik haar 's ochtends, dan breng ik haar om twaalf uur weg en dan neemt Andrew haar mee terug als hij eerder klaar is dan ik. Ha, ha, alsof dat ooit gebeurt. Het zal er wel op uitdraaien dat ik haar ophaal na mijn werk. Maar hij is in ieder geval in de buurt. Dat geeft een goed gevoel.' Ze keek naar Ayinde en Kelly. 'Jullie blijven thuis, hè?'

Ayinde knikte. Kelly niet. 'Dat was wel het plan,' zei ze.

'Hoe bedoel je?'

'Nou.' Ze keek naar haar gympen, veters perfect gestrikt, terwijl ze de hoek weer om gingen. 'Steve gaat een carrièreoverstap maken. Zodra de baby er is, neemt hij ouderschapsverlof en dan ga ik waarschijnlijk weer aan het werk tot hij iets anders heeft gevonden. Maar dat duurt vast niet lang,' zei Kelly. Ze schudde met haar paardenstaart en veegde wat zweet van haar wang.

'Gaat het wel?' vroeg Becky.

'O, ja hoor! Het gaat prima!' zei Kelly.

Ayinde haalde diep adem. Ze wilde hen niet ontmoedigen of tegen hen zeggen hoe het echt was, thuis met een pasgeboren baby, maar ze kon er niets tegen doen dat ze zich iets herinnerde wat Lolo tegen haar over haar eigen jeugd had gezegd, een anekdote die ze graag op feestjes oplepelde. 'Dat kind huilde en huilde maar, ik zweer je dat als er iemand had aangeklopt – iemand die er normaal uitzag, natuurlijk – en had beloofd dat hij een goed huis voor haar zou vinden, dat ik haar meteen had meegegeven!' De gasten lachten dan, alsof Lolo een grapje maakte. Dat wist Ayinde niet zo zeker. Na bijna drie maanden met Julian, haar lieve jongetje dat niet in staat leek te zijn langer dan twee uur aan één stuk te slapen en niet langer dan een uur zonder huilen kon, begon ze te begrijpen wat Lolo had bedoeld en waarom Lolo in staat was geweest haar dochter over te dragen aan Serena, de nanny, toen Ayinde zes weken was. Serena was degene die slaapliedjes voor Ayinde had gezongen, die de korstjes van haar brood had gesneden, die haar in bad had gedaan en die haar had getroost op die dag dat die rotmeiden haar in de jongenskleedkamer hadden geduwd. Dat was het soort moeder dat ze wilde zijn (behalve dan dat stuk waarin ze iedere avond met de trein terugreed naar Queens om bij haar eigen kinderen te zijn, zoals Serena dat had gedaan). 'Jullie worden allebei een geweldige moeder.'

'Dat hoop ik maar,' mompelde Kelly en ze legde haar handen op haar buik. 'Kom eruit, wie je ook bent!' zei ze en ze keek weer naar haar horloge en toen weer naar Becky, die haar voorhoofd afveegde en zei dat het tijd was voor een ijsje.

Becky

BECKY TUURDE OVER HAAR BUIK NAAR DOKTER MENDLOW TOEN HIJ haar de volgende ochtend onderzocht. 'Gebeurt er al iets?' Ze was eenenveertig weken en vier dagen zwanger en ondanks het feit dat ze tegen iedereen zei dat haar baby zou komen als ze er klaar voor was en dat geduld een deugd was, was de waarheid dat ze een beetje wanhopig begon te worden. Er had ondertussen iets moeten gebeuren, dacht ze. Mensen blijven niet hun hele leven zwanger.

Dokter Mendlow trok zijn handschoenen uit en schudde zijn hoofd. 'Het spijt me Becky, maar het hoofdje is nog niet ingedaald en je hebt nog helemaal geen ontsluiting.'

Ze kneep haar ogen dicht en dwong zichzelf niet te gaan huilen voor ze haar voeten uit de beugels had gehaald.

'Dat is het slechte nieuws,' zei de dokter. 'Het goede nieuws is dat we vanochtend een stresstest hebben gedaan en dat het hartje rustig klopt en het vruchtwater er goed uitziet.'

'Dus ik mag nog wachten?'

Hij trok een stoel op wielen naar zich toe en ging erop zitten terwijl zij rechtop ging zitten met de ziekenhuisjurk over haar borsten dichtgetrokken. 'Je hebt vast wel gelezen dat na tweeënveertig weken de risico's dat er bij de geboorte iets misgaat, of met de baby, toenemen.'

Ze knikte. Zelfs haar holistische, natuurlijke, krijg-je-baby-thuis-of-in-een-veld-in-de-buurt-boeken gaven dat toe. Ze had er alleen toen geen aandacht aan geschonken. Ze had gewoon aangenomen dat ze dat probleem niet zou krijgen, dat als gevolg van haar goede bedoelingen en alle boeken die ze had gelezen de baby niet alleen op tijd zou worden geboren, maar dat de bevalling ook precies zou zijn waar ze over had gedroomd en zoals ze had gepland. 'Wat gaan we dan nu doen?'

Dokter Mendlow sloeg een paar bladzijden in zijn agenda om. 'Gezien de duur van je zwangerschap en het feit dat we tijdens de laatste echo het hoofdje hebben gemeten, raad ik een keizersnede aan.'

Becky begroef haar gezicht in haar handen. Dokter Mendlow raakte zacht haar schouder aan.

'Ik weet dat je het je anders had voorgesteld,' zei hij. Hij had Becky vanaf de dag dat ze binnen was komen wandelen over natuurlijk bevallen horen praten en daar stond hij helemaal achter. 'Maar een zwangerschap is een balans tussen de wensen van de ouders – of eigenlijk de moeder – en wat het veiligst is voor de baby.' Hij reed de stoel naar de muur, keek op een kalendertje en tikte ertegen. 'Hoe klinkt morgen als verjaardag?'

'Mag ik erover nadenken?'

'Natuurlijk. Doe dat maar,' zei dokter Mendlow terwijl hij opstond. 'Maar niet te lang. Ik zet je vast op het rooster. Laat het me uiterlijk om vijf uur weten.'

'Oké,' zei Becky en ze veegde wat tranen van haar wangen. 'Oké.'

Ze belde Andrew op zijn mobieltje en ontmoette hem in de kantine om met hem te lunchen. 'Ik begrijp dat het een teleurstelling is,' zei hij terwijl hij haar een handvol servetjes toeschoof zodat ze haar ogen kon afvegen. 'Maar dokter Mendlow weet wat je wilt en hij zou dit niet adviseren als hij er niet heel goede redenen voor had.'

'Ik voel me zo'n mislukkeling,' huilde Becky.

'Dat is niet nodig,' zei Andrew. 'De wetenschap is gewoon verder dan de evolutie. We weten meer over goede voeding en niet roken en drinken dan de vorige generaties. Dus worden de baby's groter en de moeders niet.'

'Oké,' snotterde Becky. Ze wist dat hij begreep hoe ze over de bevalling had gedroomd, dat ze een boek had gelezen over hoe vrouwen dapper en sterk moeten zijn, dat ze een strijdster moeten zijn voor hun baby; hoe ze een strijdster voor haar dochter wilde zijn, wilde bevallen in het water, op haar handen en knieën, op haar hurken, rekkend, doen wat er maar nodig was, hoe ze in harmonie met haar baby wilde werken tot haar dochter ter wereld was gekomen. En nu stond ze hier aan de vooravond van precies de geboorte die ze niet wilde: een koude, steriele operatiekamer, fel licht en operatiepakken, met niets zachts, vredigs of betekenisvols om zich heen.

Ze liep langzaam naar huis over de door de hitte kleverig geworden stoep. Ze belde haar moeder, die zei dat ze meteen naar het vliegveld vertrok en dat ze er eind van de volgende ochtend zou zijn. Ze belde Kelly, die haar best deed en er maar deels in slaagde jaloers te klinken, en Ayinde, die twee keer de telefoon liet vallen tijdens hun gesprek van vijf minuten omdat ze Julian niet even wilde neerleggen. 'In Guatemala dragen de vrouwen hun baby constant met zich mee,' zei Ayinde. 'Het heeft heel veel voordelen. Voor het scheppen van een band en zo.'

'Wat je maar zegt,' zei Becky en Ayinde was gaan lachen.

'Nee, niet wat ik maar zeg, wat *Succes met baby's* maar zegt. Bel je me zodra je kunt?'

Becky zei dat ze dat zou doen. Toen belde ze Sarah om te zeggen dat haar doulahdiensten niet nodig waren en reserveerde bij haar favoriete sushirestaurant voor een vroeg dineetje. Ze had haar hele zwangerschap geen sushi gegeten, maar wat maakte dat nu nog uit? Het kind was zo ongeveer klaar voor de peuterspeelzaal en een paar stukjes rauwe tonijn zouden geen kwaad meer kunnen doen.

Au. Ze draaide zich om, haar gezicht vertrok en ze keek op de klok. Het was drie uur 's nachts en ze had vreselijke pijn in haar buik. Ze sloot haar ogen. Over negen uur kwam haar moeder; ze kreeg een keizersnede... nee, dacht ze, en ze formuleerde de gedachte opnieuw zoals haar boeken dat haar hadden geleerd, ze kreeg haar baby, over minder dan twaalf uur. Ze probeerde diep in te ademen, luisterde naar Andrews raspige uitademen en concentreerde zich op haar baby... Au!

Oké, dacht ze en ze schudde een kussen onder haar hoofd op. Het was tien over drie en die sushi was duidelijk een vergissing geweest. 'Andrew?' fluisterde ze.

Zonder zijn ogen te openen of überhaupt wakker te worden, reikte haar man naar het nachtkastje, pakte in één greep het flesje maagzuurtabletten en gooide dat over de quilt. Becky nam er twee en sloot haar ogen weer. Tijdens de echo van de dag ervoor hadden ze gezegd dat de baby zo te zien negenenhalf tot tien pond woog, wat betekende dat de babykleertjes die ze had gekocht en die in Sarahs huis lagen te wachten waarschijnlijk niet zouden passen. Ze vroeg zich af of ze konden worden teruggebracht. Dat zou Kelly wel weten. Misschien zou Becky ze zelf wel willen terugbrengen. Dan had ze tenminste iets te doen terwijl ze wachtte en... Au!

Ze keek weer op de klok. Twintig over drie. 'Andrew?' fluisterde ze nog een keer. De hand van haar man kwam onder de deken vandaan en greep weer naar het nachtkastje. 'Nee, nee, word eens wakker,' zei ze. 'Volgens mij heb ik weeën!'

Hij knipperde met zijn ogen en zette zijn bril op. 'Echt?'

'Ik heb net drie weeën op rij met tien minuten ertussen gehad.'

'Huh,' zei hij en gaapte.

'Huh? Is dat alles wat je hebt te zeggen?' Ze trok zichzelf overeind, reikte over hem heen en belde de dienst van dokter Mendlow. 'Toets één als u een afspraak wilt maken, twee voor een doorverwijzing of recept, drie als u weeën hebt...' 'En ik mag op drie drukken!' kondigde ze aan.

'Wat?'

Ze schudde haar hoofd en sprak haar naam en telefoonnummer in. Toen stond ze voorzichtig op en tilde haar koffer op het matras. 'Nachtponnen, pyjama, boek,' zei ze hardop.

'Ik vraag me af of je veel kunt lezen,' zei Andrew.

De telefoon ging. Andrew gaf hem aan Becky. 'Dokter Mendlow?' zei Becky. Maar het was dokter Mendlow niet, het was dokter Fisher, zijn oudere, chagrijnigere collega. Becky had dokter Fisher één keer gezien, bij haar bezoekje met drie maanden, toen dokter Mendlow was weggeroepen voor een bevalling. Dokter Fisher had haar hele dag compleet verziekt door vol walging te kijken terwijl hij haar buik voelde. 'Hebt u de Weight Watchers wel eens geprobeerd?' vroeg hij terwijl ze met haar benen in de beugels lag. En hij had niet eens geglimlacht toen Becky met knipperende ogen buiten adem aan hem had gevraagd: 'Wat is dat?'

'Ik heb regelmatige weeën,' zei Becky.

'Dokter Mendlow heeft opgeschreven dat we tot een keizersnede hebben besloten,' zei dokter Fisher.

'Dat was ook mijn beslissing,' zei Becky met de nadruk op 'was' en 'mijn'. 'Maar nu heb ik weeën en ik wil toch graag natuurlijk bevallen.'

'Als u dat wilt proberen, is dat prima,' zei hij op een het-is-jouw-begrafenis-toon. 'U moet komen als er vier minuten tussen de weeën zit...'

'Als ze één minuut duren en als dat een uur zo is.'

'Precies,' zei hij en verbrak de verbinding.

Becky's moeder, gekleed in een lichtblauw fluwelen trainingspak met hagelwitte gymschoenen, knipperde met haar ogen toen ze haar dochter en schoonzoon bij de bagageband zag staan. 'Wat doe jij hier?' vroeg ze aan Becky terwijl ze haar koffer neerzette en haar al gladde haar met beide handen gladstreek. 'Waarom ben je niet in het ziekenhuis?'

'Ik heb weeën,' zei Becky.

De ogen van haar moeder gingen wild heen en weer en namen de menigte reizigers met koffers en de limousinechauffeurs in uniform met naambordjes in zich op. 'Heb je nu weeën?' Ze keek Andrew aan. 'Is dit wel veilig?'

'Het is net begonnen. Het kan geen kwaad,' zei Becky en ze leidde haar moeder naar de auto, waar haar aromatherapieolie al in lag, en haar ontspanningsbandjes, een stukgelezen exemplaar van *Birthing from Within* en Naomi Wolfs *Valse verwachting* ter inspiratie. 'Ik hoef helemaal nog niet in het ziekenhuis te zijn.'

'Maar... maar...' Haar moeder keek langs haar heen naar Andrew. 'En hoe zit het dan met die keizersnede?'

'We gaan een vaginale bevalling proberen,' zei Andrew. Edith Rothstein huiverde; Becky begreep niet of dat kwam doordat haar dochter weeën had, doordat ze met weeën over straat liep of doordat haar schoonzoon het woord 'vaginaal' gebruikte.

'Het gaat prima,' zei Becky tegen haar toen Andrew de auto startte. 'Echt. Ik heb gisteren de hartslag van de baby nog gehoord en alles gaat prima. Oo, oo, een wee.' Ze sloot haar ogen en wiegde zachtjes van voren naar achteren, ademde diep en stelde zich het warme zand van een strand voor, met het geluid van de rollende golven. Ze probeerde niet te luisteren naar haar moeder die iets mompelde wat klonk als: 'Dit is gekkenwerk.'

'Dus je blijft gewoon hier?' vroeg Edith ongelovig toen de auto was geparkeerd en Becky zichzelf had geïnstalleerd op haar opblaasbare bevalbal. Haar lichtblauwe ogen werden groter. 'Je krijgt dat kind toch niet hier, hè?'

'Nee, mam,' zei Becky geduldig. 'Maar ik ga nog niet naar het ziekenhuis.'

Haar moeder schudde haar hoofd en liep naar de trap naar de keuken, waar ze vast Becky's kruidenrek ging opruimen.

Andrew zette Ediths koffer in de kast. Toen knielde hij neer en masseerde Becky's schouders. 'Ik ben trots op je dat je het op deze manier wilt doen,' zei hij. 'Je bent geweldig. Gaat het?'

'Ik voel me uitstekend,' zei Becky en ze leunde met haar hoofd tegen zijn borstkas. 'Maar ik weet dat het nog maar net is begonnen.' Ze kneep in zijn hand. 'Blijf je bij me?'

'Ik zou je nooit in de steek laten,' zei hij.

Twee lange baden, één cd met walvissengezang en twaalf uur van regelmatige en onregelmatige weeën later belde dokter Mendlow eindelijk. 'Als je nou eens langskomt zodat we even naar je kunnen kijken?' zei hij zo nonchalant dat hij net zo goed had kunnen vragen of ze een kop koffie kwam drinken.

Een kwartier later, net voor tien uur 's avonds, stonden ze bij de opnamebalie.

'Hmm,' zei de verpleegster die van Becky naar het smalle bed op de eerstehulppost keek en weer naar Becky.

'Koop dan bedden voor GROTE MEISJES!' zei Becky en ze klom op een bedje. Vandaag zou ze zich absoluut niet gaan schamen over haar gewicht.

De verpleegster krabde aan haar kin en liep weg. Becky sloot haar ogen en blies gefrustreerd haar adem uit.

'Je doet het geweldig,' zei Andrew.

'Ik ben moe,' zei Becky toen de verpleegster terugkwam en probeerde een te klein bloeddrukmanchet om Becky's arm te wringen.

Er kwam een arts-assistente binnen om haar te onderzoeken. 'Drie centimeter,' kondigde ze aan.

Becky keek Andrew aan. 'Drie? DRIE? Dat kan niet kloppen,' zei ze en ze keek over de berg die haar buik was naar de verveelde assistente. 'Kunt u nog eens kijken? Ik heb al weeën sinds drie uur vannacht.'

De assistente perste haar lippen op elkaar en voelde nog eens. 'Drie,' zei ze.

Shit, dacht Becky. Na al die tijd had ze stiekem gehoopt dat ze acht of negen centimeter had en zou mogen gaan persen.

'Wil je terug naar huis?' vroeg Andrew.

Becky schudde haar hoofd. 'Dat kan niet,' zei ze. 'Mijn moeder staat op instorten. Laten we maar een kamer nemen.'

'Zal ik Sarah bellen?'

'Alleen als ze met een bus vol morfine komt,' zei Becky en ze probeerde te glimlachen. 'Ja. Doe maar.' Ze riep de verpleegster. 'Zeg, ik en mijn lullige drie centimeter ontsloten cervix willen graag worden opgenomen.'

'Ik zal de media even inschakelen,' riep de verpleegster terug.

Een uur later – wat vijfenveertig minuten langer was dan het met Ayinde had geduurd – waren Becky en Andrew in hun kamer.

'Heb je er wel eens over gedacht professioneel te gaan basketballen? Het valt me op dat de service hier dan beduidend beter is,' zei Becky terwijl ze in een schommelstoel ging zitten en probeerde niet op te merken hoe haar heupen tussen de spijlen zaten geklemd. Ze schommelde naar voren en naar achteren in afwachting van de volgende wee.

Andrew schudde zijn hoofd. 'Zal ik je moeder bellen?'

'Zeg maar dat ik ben opgenomen, maar dat ze nog niet moet komen,' zei Becky. 'Ik wil niet dat ze de hele nacht in de wachtkamer moet zitten. Dan zou ze echt instorten. Bij ons thuis kan ze tenminste opruimen.'

Hij knikte en schraapte zijn keel. 'Mag ik mijn moeder bellen?'

'Die weet toch dat ik weeën heb?'

Andrew knikte. Uit zijn stilte kon ze precies opmaken wat Mimi ervan vond dat Becky voor een natuurlijke bevalling koos in plaats van de geplande keizersnede. 'Zullen we haar meteen bellen als de baby er is?'

Andrew keek haar met gefronste wenkbrauwen aan.

'Trek niet zo'n gezicht, zeg,' zei Becky. 'Dat hadden we toch afgesproken?'

'Het is gewoon zo'n geweldige gebeurtenis,' zei Andrew. 'Ik voel me rot dat mijn moeder er geen deel van uitmaakt.'

'Als ze in staat was zich als normaal mens te gedragen,' begon Becky voor ze werd onderbroken door een wee. Gelukkig maar. Andrew zag er iedere keer dat Becky over zijn moeder klaagde doodongelukkig uit, wat, moest ze toegeven, vaker gebeurde dan ze wilde wanneer het over Mimi ging. 'Luister,' zei ze toen de wee weer weg was. 'Ze is een beetje gespannen, zoals je weet, en ik denk dat het beter voor mij zou zijn – en beter voor de bevalling en beter voor de baby – als ik me geen zorgen hoefde te maken over haar aanwezigheid. Zodra de baby er is, ga je je gang maar... maar nu wil ik even samen met jou zijn. Met jou en Sarah. En de baby.' Ze staarde treurig naar haar buik. 'En ik hoop dat dat snel is.'

Andrew knikte en liep naar de gang om Edith te bellen. Toen hij terugkwam, wreef hij in zijn ogen.

'Ga even liggen,' zei Becky half in de hoop dat hij dat niet zou doen. Helaas. Andrew stortte zich op het bed. 'Ik doe heel even mijn ogen dicht,' zei hij. Een seconde of tien later was hij diep in slaap en lag Becky alleen in het donker. 'Shit,' fluisterde ze. Ze was even vergeten dat Andrews twaalf jaar van veertienurige dagen in het ziekenhuis hem het enge vermogen hadden gegeven acuut in slaap te vallen op alles wat ook maar enigszins op een bed leek.

Ze kreeg weer een wee. 'Weet je,' hijgde ze, 'dit doet veel meer pijn dan Naomi Wolf me wilde laten geloven.' Andrew snurkte in zijn slaap. Becky greep haar buik, kreunend, en probeerde te ademen zoals ze dat had geoefend. Ze schaamde zich. Toen ze met Ayinde in dat andere kamertje in deze gang had gezeten, had een deel van haar geloofd dat zij sterker zou zijn dan haar vriendin, dat hoe erg de pijn ook zou zijn, zij niet zou gillen, kronkelen of om Jezus zou schreeuwen. Nou, daar zat ze mooi naast. Hier was ze, schreeuwend en kronkelend als de beste en de enige reden dat ze het nog niet over Jezus had gehad, was dat ze joods was. En Becky wist zeker dat het haar over een uurtje of zo, gezien de hevigheid van haar weeën, allemaal niets meer zou kunnen schelen en dat ze dan iedere goddelijke hulp die ze maar zou kunnen krijgen, zou aanroepen.

Een verpleegster stak haar hoofd de kamer in en pakte het klembord van het bed, waar Becky's geboorteplan prominent lag uitgestald. 'Oké, dus we gaan dit op de natuurlijke wijze doen,' zei ze met een glimlach op haar gezicht.

Nee, wilde Becky schreeuwen. Nee, nee! Ik was stoned toen ik dat schreef! Ik wist niet waar ik het over had! Schiet op met die verdoving! Maar ze hield haar mond en probeerde stil te liggen terwijl de verpleegster met een Doppler naar de hartslag van de baby zocht.

'Au, au, au,' kreunde Becky en ze verplaatste haar gewicht van haar ene naar haar andere voet terwijl een wee haar verscheurde en Andrews mobieltje begon te rinkelen.

'O, je maakt een grapje,' kreunde Becky, die meteen wist wie er belde. 'Je mag je mobieltje hier niet eens hebben aanstaan!'

'Ik kom eraan,' zei hij terwijl hij zijn lichaam van haar afwendde en de telefoon tegen zijn oor drukte. Becky kon woordelijk horen wat Mimi zei.

'An-DREW? Wat gebeurt er allemaal? Ik heb al uren niets van je gehoord! Ik heb je huis gebeld, maar iemand...' Becky trok een gezicht. Om redenen die ze nooit had begrepen, had Mimi meteen een hekel aan Becky's moeder gehad en weigerde ze ook maar haar naam uit te spreken '...zei dat je er niet was. Waar ben je?'

'Andrew,' fluisterde Becky, 'het is midden in de nacht en ik lig te bevallen. Waar denkt ze dat we zijn? In Key West?'

'Eh, mam, we hebben het momenteel erg druk.'

Nee, gebaarde Becky wild met haar mond. Nee!

'Sst,' fluisterde Andrew en hij draaide zich om naar het raam, Becky achterlatend, die wild op de geruite mouw van zijn overhemd sloeg.

'O mijn god!' gilde Mimi. 'Komt de baby eraan? Gebeurt het nu? O ANDREW! Ik word GROOTmoeder!' Ze hoorden een klik en toen was het stil. Andrew sloot zijn ogen en sloeg met zijn voorhoofd tegen de muur.

'Als je maar zorgt dat ze in de wachtkamer blijft,' zei Becky. 'Alsjeblieft. Serieus. Als je ook maar een beetje van me houdt, zorg je dat ze in de wachtkamer blijft.'

Hij boog voorover en kneep in haar handen. 'Dat beloof ik,' zei hij.

'Dat zou ik maar doen,' zei ze. 'Want ik kan er nu echt niets meer bij hebben.'

Er werd op de deur geklopt en Sarah kwam binnen in een sweater met een spijkerbroek, haar haar in een staartje. Ze grijnsde naar hen met een overvolle tas om haar schouder. 'Hoi,' zei ze. Becky voelde zich alleen al beter door naar haar te kijken. Ze liet zich door Sarah naar de schommelstoel leiden en zei tegen Andrew dat hij weer moest gaan slapen. 'Doe maar een dutje,' spoorde Sarah hem aan. 'We hebben je straks nog nodig.'

Tien minuten later lag Andrew weer te snurken, met uitgestrekte armen en zijn bril scheef op zijn gezicht. Becky zat op de bevalbal met Sarah op haar hurken achter zich, die haar knokkels tegen Becky's onderrug had aangeduwd. 'Is dat beter?'

'Ja. Nee. Het is nog steeds afgrijselijk,' zei Becky. Ze voelde zich zo slap als een nat washandje en ze was haar hele leven nog niet zo moe geweest. 'Het doet pijn, het doet pijn, het doet pijijijn,' kreunde ze. Ze schudde met haar hoofd en haar bezwete haar kleefde tegen haar wangen. 'Het moet stoppen, het moet stoppen.'

Sarah sloeg haar armen om haar schouders en wiegde met haar mee. 'Je doet het fantastisch,' zei ze. Becky wist dat niet zo zeker. Misschien was dit de grote gelijkmaker waar ze op had gehoopt: niet de zwangerschap zelf, maar de bevalling, als alle vrouwen, groot en klein, zwart en blank, rijk en arm en alles daartussen, op hetzelfde speelveld, murw geslagen door angst, smekend om verdovende middelen, maar één wens hadden: dat de pijn ophoudt en dat de baby komt.

'Sst,' zei Sarah op geruststellende toon terwijl de weeën erger werden en weer afzwakten, erger werden en weer afzwakten. Ze sloeg een pagina uit *Birthing from Within* open die Becky had gemarkeerd. 'Visualiseer je cervix. Zie die opengaan als een bloem.' Sarah legde het boek neer. 'Ongelooflijk, dat ik dat net hardop heb gezegd.'

'Mijn cervix kan de POT op!' huilde Becky en ze leunde tegen Sarahs schouder. 'Hoe krijgen vrouwen dit voor elkaar?'

'Geen idee,' zei haar vriendin. 'Zal ik een verpleegster roepen?'

Becky schudde haar hoofd. Ze voelde kleverige tentakels haar aan haar wangen kleven toen Sarah haar overeind hielp en tegen de muur liet leunen. 'Dit kan niet erger worden.'

De deur van haar kamer ging open en een driehoek licht spreidde zich uit in de duisternis, gevolgd door een bekende stem. 'Hay-aah.' Wat Mimi's benadering van 'Hoi' was.

'O shit,' fluisterde Becky tegen Sarahs schouder. 'Weer mis.'

Mimi kneep haar oogleden half dicht en keek langs Sarah naar de verpleegster die net was binnengekomen. 'Wat doet ZIJ hier?' vroeg ze op eisende toon. Haar stem was zoals gewoonlijk twee of drie decibellen te hoog voor de ruimte waarin ze zich bevond. 'Er is tegen me gezegd dat er niemand bij mocht!'

Becky beet op haar onderlip. Misschien had ze niet moeten liegen.

De verpleegster keek op de kaart en toen naar Sarah. 'Dit is Becky's doulah,' zei ze.

'Nou, dat is mijn zoon, die hier in het ziekenhuis chirurg is en dat,' zei ze naar Becky's buik gebarend, 'is mijn kleinkind.'

En wat ben ik? dacht Becky. Tupperware?

Mimi stak een bevende vinger naar Sarah uit. 'Als ZIJ mag blijven, mag ik dat ook!'

Andrew ging rechtop op het bed zitten. 'Mam?'

'Mimi,' fluisterde Becky, 'Andrew en ik willen echt onze privacy voor deze gebeurtenis.'

'O, maak je geen zorgen, je merkt niet eens dat ik er ben!' Ze trapte de bevalbal in een hoek, ging op de schommelstoel zitten en trok een videocamera uit haar tas. Ongelooflijk, dacht Becky. 'Even lachen,' zei Mimi terwijl ze het lampje aandeed en de lens op haar schoondochter richtte. 'O hemel. Je zou wel wat lippenstift kunnen gebruiken.'

'Mimi, ik wil geen lippenstift! Doe alsjeblieft dat licht uit en... O god,' kreunde Becky terwijl er weer een wee begon.

'Nou zeg, je hoeft niet zo dramatisch te doen hoor,' kondigde Mimi aan terwijl ze dichterbij kwam met de camera en commentaar begon te geven. 'Hallo daar, dit ben ik, Mimi, je grootmoeder en we zijn in het ziekenhuis op zaterdagmorgen...'

'Mimiiii!'

'Goed, mam,' zei Andrew. Hij greep met één hand een elleboog van zijn moeder, met zijn andere haar tas en begon haar naar de deur te duwen. 'We gaan even naar de wachtkamer.'

'Wat?' gilde Mimi. 'Waarom? Ik heb het recht hier te zijn, Andrew. Dit is MIJN kleinkind en ik begrijp niet wat een of andere... een of andere doe-doe of hoe zoiets ook heet hier bij jullie is terwijl je eigen moeder in de kou staat...'

De deur zwaaide godzijdank achter hen dicht. Sarah trok haar wenkbrauwen op. 'Vraag het maar niet,' hijgde Becky. De weeën gingen uren zo door. Andrew en Sarah zaten om beurten bij haar, masseerden haar voeten en rug tot de zon opkwam en toen begon er meer tijd tussen de weeën te zitten, één per vijf minuten... toen iedere zeven... toen iedere tien.

Dokter Mendlows gewoonlijk opgewekte gezicht stond somber en hij rondde met een gefronst voorhoofd zijn onderzoek af.

'Nog steeds drie centimeter,' zei hij. Andrew hield haar ene hand vast en Sarah de andere. Becky begon te huilen.

'Dat is het slechte nieuws,' ging de dokter verder. 'Het goede nieuws is dat de hartslag nog steeds sterk is. Maar om de een of andere reden – misschien de grootte van het kindje, die we zoals je weet hebben bijgehouden – daalt het hoofdje niet genoeg in om de cervix echt te openen.' Hij ging op het randje van Becky's bed zitten. 'We kunnen met pitocin proberen de weeën weer op te wekken.'

'Of?' vroeg Becky.

'Of we kunnen een keizersnede doen. Wat, gezien het feit dat we op tweeënveertig weken zitten en wat we vermoeden over de maat van het hoofdje, is wat ik aanraad.'

'Doe maar,' zei Becky direct. Andrew keek geschokt.

'Becky, weet je dat zeker?'

'Ik wil geen pitocin,' zei ze. Ze veegde de vochtige krullen uit haar gezicht. 'Want dan ga ik dood van de weeën en dan moet ik alsnog een ruggenprik en dan krijg ik uiteindelijk toch nog een keizersnede, dus dan kunnen we het beter nu maar meteen doen. Doe het nu maar.'

'Waarom denk je er niet even over na,' zei dokter Mendlow.

'Ik wil er niet over nadenken,' zei Becky. 'Ik wil een keizersnede. Hup, hup, hup!'

Het duurde uiteindelijk nog twee uur. Omdat Becky eerder die avond een infuus had geweigerd, legden ze er nu een aan om haar vocht toe te dienen. De aankomst van de anesthesist maakte het er niet beter op. Hij stelde zichzelf voor als dokter Bergeron en zag eruit als een losbandige Franse dichter, mager en bleek, met lang haar en een sik, het soort man dat in het weekend zijn eigen absint maakt en een lijk of twee in de kelder heeft liggen. Er zat een bloedvlek op de manchet van zijn operatiekleding. 'Denk je dat hij aan de heroïne is?' fluisterde Becky tegen Andrew, die lang naar de dokter keek en toen zijn hoofd schudde.

Toen was ze in de operatiekamer, omringd door een half dozijn nieuwe gezichten die zichzelf voorstelden: dokter Marcus, een van de arts-assistenten... Carrie de verpleegster-anesthesiste... Ik ben Janet en ik assisteer dokter Mendlow. Waarom hadden artsen achternamen en de verpleegsters alleen voornamen? vroeg Becky zich af. Een van de verpleegsters hielp haar overeind en ze hing over Carries schouders terwijl de moorddadig uitziende anesthesist haar rug insmeerde met iets kouds. 'Het steekt een beetje en daarna krijg je een branderig gevoel,' zei hij. Ze rook schoonmaakalcohol en de kamer leek ineens te fel verlicht en te koud en haar hele lichaam rilde.

'Ik ben nog nooit geopereerd,' probeerde ze tegen Carrie te zeggen. 'Nog geen gebroken bot!' Carrie duwde haar zacht terug op de tafel.

'Hoi, Becky.' Daar was Andrew eindelijk, in een operatiepak met een mutsje en zijn masker binnenstebuiten. Becky schoot ervan in de lach terwijl ze een laken bij haar middel optilden. Hij moest vreselijk zenuwachtig zijn, dacht ze, dat hij zijn masker verkeerd had opgezet.

'Hoi meid,' zei dokter Mendlow. Becky kon zijn gezicht niet zien, maar zijn ogen stonden warm en bevestigend boven zijn masker.

'Gaat het?' fluisterde Andrew en ze knikte; ze voelde de tranen over haar wangen lopen en in haar oren glijden.

'Ik ben alleen een beetje bang,' fluisterde ze. 'Zeg, als ik ze voel snijden, zorg jij dat ze stoppen, hè?'

'Tijd van eerste incisie: twaalf voor elf.'

Incisie? 'Zijn ze al begonnen?' vroeg Becky.

Andrew knikte. Ze zag wat er gebeurde gereflecteerd in zijn brillenglazen. Er was veel rood. Ze deed haar ogen dicht. 'Is de baby er al uit?'

Gelach. 'Nog niet,' zei dokter Mendlow. 'Je voelt zo stevige druk.'

Ze kneep haar ogen dicht. Kindje, dacht ze, hou vol, kindje. 'Afzuigen,' riep dokter Mendlow. 'Oei, ze zit er strak in...'

En toen hoorde ze iemand zeggen: 'Kijk, daar is ze!' en er werd geschreeuwd; het was geen kleine-baby-schreeuw, maar een razende wat-doen-jullie-me-aan-schreeuw.

'Kijk eens,' zei dokter Mendlow. 'Hier is je kindje!'

En daar was ze, haar huid zo roze als de binnenkant van een schelp, in een laagje bloed en wit huidsmeer, oogjes dichtgeknepen, een perfect kaal hoofdje, haar tong vibrerend terwijl ze lag te schreeuwen.

'Hoe heet ze, mama?' vroeg een van de verpleegsters.

Mama, dacht Becky verwonderd. 'Ava,' zei ze. 'Ava Rae.'

'Papa, wil je even hier komen?'

Andrew liep van haar zijde weg. Ze keek hoe hij naar de weegschaal liep en toen naar de tafel waar ze Ava's flappende armpjes en beentjes schoonmaakten, haar wogen, haar in een dekentje wikkelden en een gestreept mutsje over haar hoofdje trokken. 'Ze is volmaakt, Becky,' zei hij en hij huilde ook. 'Ze is volmaakt.'

De daaropvolgende uren waren één grote waas. Becky herinnerde zich dat dokter Mendlow aan Andrew vroeg of hij haar baarmoeder en eierstokken wilde zien – 'Kijk, daar, heel gezond!' – en dat ze vond dat hij klonk als een autoverkoper die probeerde een klant over te halen een aankoop te doen. Ze herinnerde zich dat Andrew haar vertelde dat hun moeders op de gang stonden en dat een verpleegster Ava aan hen had laten zien. Ze herinnerde zich dat ze naar de uitslaapkamer werd gereden, die niets meer was dan een door een gordijn afgescheiden ruimte op de kraamafdeling. Ze herinnerde zich dat ze op de te smalle brancard lag en dat haar hele lichaam beefde. Iedere paar minuten voelde ze met haar handen aan haar buik, reikte naar de bult bij haar maag, maar voelde dan alleen iets wat voelde als een warme, leeggelopen binnenband. En haar tenen... die kon ze voor het eerst in weken zien. 'Hoi, jongens,' zei ze en probeerde ze te bewegen. Dat lukte niet. Becky vroeg zich af of ze zich daar zorgen om moest maken.

Er kwam een andere verpleegster het hokje binnen, met een in een blauw met roze gestreept dekentje gewikkeld pakketje. 'Hier is je baby!' kondigde ze aan. En daar was Ava, met een perfect rond roze gezichtje. Een van haar oren stak in een rare hoek onder haar mutsje vandaan.

'Hoi,' zei Becky en streelde met een vinger over haar wang. 'Hoi, baby!'

Ze lieten haar de baby even vasthouden. Becky duwde haar tegen haar borst. 'Ik ben zo blij dat je er bent,' zei ze. Ze bood het kindje haar borst aan, maar Ava was er niet in geïnteresseerd... Ze knipperde alleen met haar ogen en keek om zich heen. Ze zag er een beetje bedachtzaam, maar ook chagrijnig uit, zoals iemand die in slaap is gevallen terwijl ze een vreselijk goed boek zat te lezen en nog steeds niet begrijpt in welke wereld ze is, de echte of degene die ze zich voorstelde terwijl ze zat te lezen. 'Lieverdje,' fluisterde Becky voor de verpleegster de baby weer meenam.

Andrew zat op een stoel op wielen en reed ermee naar Becky's hoofd. 'Je bent verbijsterend,' zei hij en kuste haar op haar voorhoofd.

'Dat weet ik!' zei Becky. 'Maar ik kan maar niet ophouden met beven!'

'Dat is de verdoving. Dat gaat wel over. Zal ik een deken voor je halen?'

'Nee. Nee. Ik wil dat je bij me blijft.' Becky sloot haar ogen en dacht dat ze ergens niet al te ver weg Mimi hoorde die haar ellebogen gebruikte om Becky's moeder aan de kant te schuiven en riep: 'Geef haar aan mij! Ik wil haar vasthouden! Het is mijn kleindochter! Van mij! VAN MIJ!' Ze zuchtte en bedacht dat haar vader een einde zou hebben gemaakt aan Mimi's onzin, als hij er was geweest. Hij zou zo gelukkig zijn geweest...

Ze veegde haar ogen af. 'Gaat het?' vroeg Andrew.

Becky knikte. 'Je moet bij de baby zijn,' zei ze.

'Weet je het zeker? Onze moeders zijn er allebei en Sarah ligt te slapen in de wachtkamer.'

'Dan moet je absoluut gaan,' zei Becky, die het beeld van Mimi die het in een dekentje ingepakte pakketje uit het wiegje griste en ermee vandoor ging, maar niet uit haar hoofd kon krijgen.

Andrew gaf haar nog een kus en liep het hokje uit. En toen was Becky alleen, zelfs zonder het geluid van een machine om haar gezelschap te houden. 'Ik ben moeder,' fluisterde ze. Op de een of andere manier voelde het niet echt. Ze wachtte op het gevoel dat ze zich had voorgesteld, op die golf van pure gelukzaligheid en ongebreidelde, onvoorwaardelijke liefde voor iedereen in de hele wereld. Die leek er nog niet te zijn. Waarom had Ava zo geschreeuwd toen ze haar eruit hadden getrokken? Waarom wilde ze niet aan de borst? Waarom woog ze maar achtenhalve pond terwijl de doktoren hadden gedacht dat ze er tien zou wegen? Was er iets mis met Ava? Vertelden ze haar iets niet?

Er kwam een verpleegster binnen met een zak met heldere vloeistof aan een paal op wieltjes. 'Je morfinepompje!' kondigde ze aan.

'Wauw!' zei Becky. Niet dat er al iets pijn deed, maar ze wilde niet denken aan de mogelijkheid dat dat op een bepaald moment na de operatie wel het geval zou zijn. De verpleegster gaf Becky een knop en legde uit dat ze er iedere tien minuten op mocht drukken voor een extra dosis. 'Heb je een stopwatch?' vroeg Becky. De verpleegster begon te lachen, gaf haar wat ijs en trok haar gordijn dicht.

'Ik ben moeder,' fluisterde ze nog een keer. Ze wachtte tot ze zich anders zou voelen, getransformeerd, binnenstebuiten en helemaal anders. Tot nog toe voelde ze niets. Ze zag haar gemene tante Joan voor zich, die op het partijtje voor haar tiende verjaardag was gekomen en haar net voor de taart en de cadeautjes apart had genomen om te snauwen dat Becky niet zo'n groot stuk taart hoefde te eten en of ze niet liever een appel wilde en ze wachtte weer tot de magie van het moederschap haar mentale bord zou leegmaken. Nee. Er gebeurde niets. Het viel haar op dat ze nog steeds een gruwelijke hekel aan tante Joan had... Wat betekende dat het moederschap haar niet zou veranderen. Ze zou gewoon zichzelf blijven, maar dan met minder slaap en een nieuw litteken. O jee. Becky drukte hoopvol op het morfinepompje en bedacht dat als ze geen emotionele rust kon krijgen, ze tenminste narcotica had.

Alsof Becky's zuchten haar had geroepen, verscheen de verpleegster.

'Je kamer is bijna klaar,' zei ze. 'Wil je nog een beetje morfine? Dokter Mendlow zegt dat dat mag.'

'Ja hoor,' zei ze en dacht: waarom ook niet? Dat kon geen kwaad. Ze drukte weer op haar knop en de verpleegster injecteerde iets in haar infuuszak. Ze beefde niet meer. Ze had nu een aangenaam warm gevoel in haar hele lichaam, alsof ze op een strand lag. En ze kon eindelijk haar tenen weer bewegen! 'Kijk nou eens,' zei ze tegen de verpleegster en ze wees naar haar tenen. 'Ik ben moeder!'

'Inderdaad,' zei de verpleegster en ze gaf haar een klopje op haar schouder. Becky sloot haar ogen en toen ze die weer opendeed, zweefde ze giechelend door de gangen en hing Andrew bezorgd kijkend boven haar.

'Hoeveel morfine hebben ze je gegeven?' vroeg hij.

'Druk maar op het knopje, druk maar op het knopje!' zei Becky.

Dat deed hij niet, maar hij keek over haar hoofd heen naar de verpleegster. 'Hoeveel morfine heeft ze gehad?'

Becky begon nog harder te lachen, hoewel ze een vaag maar verontrustend, trekkend gevoel onder aan haar buik voelde. Waar ze de baby eruit hadden getrokken. 'Hé, ik heb een baby gekregen!'

'Inderdaad,' zei Andrew met een brede, bezorgd uitziende grijns op zijn gezicht.

'Ava,' zei Becky tegen de verpleegster terwijl ze haar in haar kamer reden en haar voorzichtig op het bed legden. Ze giechelde nog steeds. 'Ze heet Ava. Is dat geen prachtige naam?'

'En daar is ze dan!' zei de verpleegster en ze kwam door de deuropening met een tafel op wieltjes met een rechthoekig plastic bakje erop. En in het bakje, in schone dekentjes, met een blauw-roze gestreept mutsje en een elektronisch enkelbandje, lag Ava. Ze schreeuwde niet meer, maar knipperde met haar ogen en tuurde om zich heen.

Becky strekte haar armen uit, waar de infuuszak nog aan hing. 'Baby,' instrueerde ze. Andrew viste het kindje uit haar nestje en gaf haar aan Becky. 'Baby,' fluisterde Becky tegen Ava.

'Baby,' fluisterde Andrew tegen zijn vrouw.

'Druk op mijn knopje,' fluisterde Becky terug.

'Volgens mij heb je genoeg morfine gehad.'

'Ik probeer de pijn de baas te blijven,' legde Becky uit. 'Druk nou, druk nou, druk nou!'

'Oké dan,' zei hij terwijl Edith met tranen in haar ogen de kamer binnen kwam lopen.

'O... O, Becky!' zei Edith, die in tranen uitbarstte toen ze Becky met het kindje in haar armen zag. 'O, Becky, ze is zo mooi... Was je vader nou maar...'

'Ja,' zei Becky, die tranen achter haar eigen oogleden voelde prikken. 'Ik mis hem ook.'

Edith snoot haar neus en Ava deed haar mond open om te gaan huilen. Andrew en Becky keken elkaar aan.

'O shit,' zei Becky. 'Pak de baby, pak de baby!'

'Jij hebt haar al,' zei hij op een toon waarvan ze maar aannam dat die opbouwend moest klinken.

'Ik ben high!' protesteerde Becky. 'Ik kan de baby niet vasthouden! Jij moet haar nemen! O god, ze huilt. Haal een verpleegster!'

'Het is goed hoor,' zei hij en begon een beetje te lachen. 'Het is goed.' Hij legde het kindje weer tegen haar borst. 'Ssh, ssh,' zei hij. Ava stopte met huilen en keek naar hen op, haar ogen geen kleur en alle kleuren tegelijk.

'Hoi, lekker ding,' fluisterde Becky. Ava knipperde met haar grote wimpers en begon te gapen. Becky staarde naar haar tot ze uiteindelijk allebei in slaap vielen.

'Hay-aah.'

Becky deed één oog open. De ziekenhuiskamer was wazig – dat kwam door de morfine, nam ze aan – en het was er stil, op Andrews gesnurk en het vreselijke geluid van haar schoonmoeder na.

'Hay-aah.'

Daar was haar schoonmoeder, Mimi Breslow-Levy-Rabinowitz-Anderson-Klein, geflankeerd door twee van haar vriendinnen, piepkleine vrouwen in kasjmieren twinsetjes en lage spijkerbroeken die hun zestig-plusheupbeenderen blootlegden. Schapen die eruit willen zien als lammetjes, dacht Becky en ze staarde naar de gerimpelde navel van haar schoonmoeder. Ze stonden met zijn drieën boven Ava's wiegje. Mimi's hoofd bungelde centimeters boven dat van het kindje, zo dichtbij dat hun neuzen elkaar praktisch raakten.

'Anna Panna,' zei Mimi en ze bracht haar gezicht nog verder naar voren.

O, dacht Becky. O nee. Anna was de naam van Mimi's moeder. Becky wist dat Andrew tegen zijn moeder had gezegd dat ze overwogen de baby naar haar te vernoemen. Maar Andrew had toch zeker wel tegen haar gezegd dat ze Ava heette en geen Anna. En zelfs als hij dat niet had gedaan, stond Ava's naam in superopvallende letters op het roze kaartje dat aan haar wiegje was geplakt.

'Lieve kleine Anna,' neuriede Mimi tegen haar vriendinnen. 'En kijk eens wat ik voor haar heb gekocht!' Ze reikte met haar vrije hand in haar tas en trok er een roze minitopje uit met het woord STUK in lovertjes erop genaaid. 'Schattig, hè?' vroeg ze en haar vriendinnen kirden hun goedkeuring. Becky vroeg zich af of er een bijpassende string bij het topje hoorde. En een pooier. 'Laat eens zien hoe het haar staat!' zei een van haar vriendinnen.

Mimi pakte de baby uit het wiegje. Het leek haar niet op te vallen dat Ava's hoofdje naar voren viel en ze begon het topje over haar hoofdje te sjorren. 'Hé,' probeerde Becky te zeggen, maar haar keel was zo droog dat ze alleen kon fluisteren. Ze staarde naar Andrew en wenste vurig dat hij nu wakker zou worden om hier een einde aan te maken, terwijl Mimi stiekem een van de flessen melk die de nachtverpleegster had achtergelaten, onder het wiegje vandaan haalde. Becky wachtte tot Mimi de speen bijna in het mondje van de baby had geduwd. Toen duwde ze zichzelf omhoog tot ze rechtop zat. Ze klemde haar kaken op elkaar van de pijn en het viel haar niet eens op dat het laken dat een verpleegster over haar heen had gelegd van haar borst gleed.

'Wat doe je?' vroeg ze.

Mimi schrok op van het geluid van de rasperige stem van haar schoondochter. De fles vloog uit haar hand. Een van haar vriendinnen staarde Becky aan. 'O hemel, ze is helemaal naakt onder die ziekenhuisjurk,' zei ze.

'Wat doe je?' vroeg Becky nog een keer en ze wees met de hand waar geen infuusnaald in zat naar het wiegje.

'Ik... ze...'

Andrew draaide zich om in bed.

'Sorry hoor! Ze had honger!' zei Mimi met een schrille stem. 'Ik ging gewoon...'

'Ik geef borstvoeding,' zei Becky en ze wees naar het kaartje waarop voor de hele wereld werd aangekondigd dat AVA ROTHSTEIN-RABINOWITZ een MEISJE is dat BORSTVOEDING krijgt! 'Als ze honger heeft, mag je haar aan mij geven.'

Mimi greep de baby minder voorzichtig dan ze dat met een zak aardappels zou hebben gedaan onder haar oksels en gaf haar aan Becky.

'En ze heet Ava,' zei Becky.

Mimi's wenkbrauwen zakten naar beneden en haar net opgemaakte mond vouwde naar binnen. Ze wendde zich tot haar zoon, die nog op bed leg. 'Wat? WAAROM? Ze zou naar mijn moeder worden vernoemd! Dit zou in mijn eer gebeuren!'

'Ze is naar je moeder vernoemd,' zei Andrew rustig. 'Ze heet Ava.'

'Mijn moeder heette geen AVA! Mijn moeders naam...'

'Begon met de letter A. En die van Ava ook,' zei Becky en ze keek naar Mimi, haar half uitdagend een ruzie uit te lokken. Ze wist wat ze zou zeggen als haar schoonmoeder erop zou ingaan: 'Jij mocht zelf weten hoe je je zoon wilde noemen; dat recht hebben wij ook.'

Mimi's mond ging open en weer dicht, weer open en weer dicht. Becky trok haar ziekenhuisjurk open. Mimi huiverde.

'We kunnen het hier later nog wel eens over hebben,' zei ze terwijl ze zo snel achteruit de kamer uit liep dat ze bijna over haar hoge hakken struikelde. Haar vriendinnen renden achter haar aan. Becky legde Ava tegen zich aan en keek naar Andrew, die naar de baby staarde, in haar STUK-topje.

Hij wreef nog een keer in zijn ogen. 'Krijgen baby'tjes tegenwoordig zulke T-shirts van het ziekenhuis?'

'Nee, dat is wat je moeder tegenwoordig aan baby'tjes geeft. En waarom probeerde ze de baby te voeden zonder het eerst aan ons te vragen?'

'Dat weet ik niet,' mompelde hij en hij pakte de flessen melk en verstopte die in zijn koffer. 'Maar het zal niet meer gebeuren. Ik zal even met haar praten.'

Alsof dat zin heeft, dacht Becky. 'En STUK?' vroeg ze naar het aanstootgevende T-shirt wijzend. 'Ik weet dat we het er niet over hebben gehad, maar ik vind dat we even moeten wachten voor we de baby dingen laten dragen waar STUK op staat. Ten minste zes maanden.' Toen begon ze te giechelen. 'Heb je gezien hoe snel Mimi de kamer uit rende? Mijn tepels zijn haar kryptoniet!'

Andrew beet op zijn onderlip. Becky zag dat hij zijn best deed niet te gaan lachen. 'Becky, ze is mijn moeder,' zei hij, maar hij zei het te snel en zonder overtuiging. Ava stopte met zuigen en deed haar ogen open. 'Maak je geen zorgen,' fluisterde Becky tegen haar dochter. 'We zorgen wel dat ze je niet lastigvalt.'

Kelly

'OKÉ,' RIEP KELLY TERWIJL ZE MET BABY OLIVER IN HAAR ARMEN EN op de voet gevolgd door haar man, haar hond en haar drie zusters uit New Jersey haar appartement binnen liep. 'Terry, er staat lasagne in de vriezer. De oven voorverwarmen op 175 graden en dan een uur. Mary, zou jij mijn laptop naar de slaapkamer willen brengen? Ik wil een aankondiging versturen... o, en kun je de digitale camera meteen meenemen? Dan kan ik de foto's downloaden. Steve, in "Mijn documenten" op de desktop staat een spreadsheet dat "Oliver, eerste week" heet. Kun je even invoeren dat hij om kwart voor vier een natte luier had? En Doreen, laat jij Lemon even uit?'

Haar zussen en man verspreidden zich en lieten Kelly alleen achter met de baby, die met zijn ogen stijf dicht en zijn mond open in haar armen lag te slapen. Hij had de oren en kin van haar man, maar zijn ogen en mond waren exact zo gevormd als de hare. 'Hallo, Oliver,' fluisterde ze. 'Welkom thuis.' Ze legde hem zachtjes in zijn wieg en knielde naast de boekenkast. Haar hechtingen deden pijn – eerlijk gezegd deed alles pijn – maar het lukte haar *In verwachting: alles wat je kunt verwachten* van de plank te pakken en te vervangen voor *Alles over baby's eerste jaar*. Toen ze opkeek, stond Steve in de deuropening te dralen.

'De natte luier is ingevoerd en de fopspeen is schoon.'

'Zou je je schoenen willen uitdoen?' vroeg Kelly. Ze wilde hem vragen te douchen en schone kleren aan te trekken, ze wist zeker dat hij vol ziekenhuisbacteriën zat, maar ze wist niet zeker hoe hij op zo'n vraag zou reageren.

Steve zette zijn gympen bij de deur. 'Hé, het spijt me van de foto's,' zei hij.

Kelly stond op en liep langzaam terug naar de schommelstoel. Ze luisterde naar wat klonk als haar zussen die door haar kast gingen. 'Staat deze kleur me?' hoorde ze Terry vragen.

'Terry, niets aanraken!' riep ze naar de slaapkamer. 'Dat geeft niet,' zei ze tegen Steve terwijl ze behoedzaam in de schommelstoel ging zitten. 'De verpleegsters hebben ook leuke foto's gemaakt. Nadat ze jou weer hadden bijgebracht.'

'Ik weet niet wat er is gebeurd,' zei Steve. 'Het was gewoon...' Hij slikte moeizaam. 'Er was zo veel bloed.'

Alsof het jouw bloed was, dacht Kelly. Haar bevalling was gruwelijk geweest. Ze was ingescheurd voordat ze haar hadden ingeknipt en ze had zo veel bloed verloren dat ze een transfusie had gekregen. En Oliver had koorts, dus die had de eerste twee nachten van zijn leven op de kinder intensive care gelegen en Steve was, in plaats van liefhebbend, behulpzaam en ondersteunend te zijn, flauwgevallen zodra hij een druppel bloed zag en was met zijn voorhoofd tegen de rand van de tafel geknald. Ze waren allebei met hechtingen uit het ziekenhuis gekomen.

Terry en Doreen stonden in de deuropening van de kinderkamer. Terry hield een lichtblauwe blouse in haar handen; Doreen een gouden ketting. 'Mag ik deze alsjeblieft een avondje lenen?' vroeg Terry, die van de vraag één lang woord maakte. 'En deze?' vroeg Doreen, die met de ketting in haar handen stond, 'Anthony en ik gaan uit eten.'

'Ja hoor, doe maar,' zei Kelly vermoeid. Ze wist dat het onwaarschijnlijk was dat ze de ketting en de blouse ooit nog zou terugzien en dat die als dat wel zo zou zijn, gevlekt, gescheurd of kapot zouden zijn. Oliver gaapte katachtig in zijn wiegje. 'Rustig maar,' zei Kelly. 'Steve? Kun jij de foto's even downloaden, de beste uitkiezen en dan naar de website gaan die in "Mijn favorieten" staat, dan kunnen we de geboortekaartjes bestellen.'

'Hé, ben je hier on line?' vroeg Mary, die binnen kwam lopen terwijl Terry en Doreen vertrokken met de blouse en de ketting. 'Mag ik mijn e-mail even snel bekijken?'

'Ja hoor,' zei Kelly. Mary ging weg. Steve zuchtte en leunde tegen de muur. De pleister op zijn voorhoofd begon vies te worden rond de randjes. Kelly vroeg zich af of er een nieuwe op mocht. 'Ik ben kapot,' zei hij.

Kelly probeerde medelevend te zijn. Zij was ook uitgeput. Ze had nauwelijks geslapen met het lawaai in het ziekenhuis en de verpleegsters die haar en de baby iedere vier uur hadden wakker gemaakt om te kijken of alles goed was. 'Wil je koffie?' vroeg ze en ze stak haar hoofd de deur uit. 'Hé, Terry, wil jij even koffiezetten?'

'Je moet geen koffie drinken,' zei Terry, die de slaapkamer weer kwam binnen lopen. Kelly's jongste zusje droeg een strakke, flets geworden spijkerbroek, een blauwpaarse sweater waarvan de mouwen te lang waren, handgemaakte moccasins en oorbellen met veren. 'Dat doet vreselijke dingen met je ingewanden. Ik heb mijn darmen laten uitspoelen in Vermont en je gelooft niet wat er allemaal uit kwam.'

'Terry, niemand wil weten wat er allemaal uit je is gekomen,' zei Doreen. Doreen had ook een spijkerbroek aan, maar die van haar zag er stijf en nieuw uit en ze had hem gecombineerd met een roze sweater en verstandige gympjes... en, zag Kelly, haar gouden ketting.

'Echt,' zei Mary. Mary droeg een Wing Bowl-T-shirt met een kaki korte broek met volgepropte zakken. Kelly vroeg zich af wat erin zat. Misschien make-up. Mary's laatste bezoekje was iets te opvallend samengevallen met de verdwijning van Kelly's favoriete eyeliner.

'Hé, jongens!' zei Kelly. Haar zussen draaiden zich naar haar om. 'Mary, ga even koffie halen voor Steve. Doreen, wil jij mijn koffer naar de slaapkamer brengen? De vieze kleren zitten in de plastic zak en alles wat is opgevouwen, mag je op het bed leggen. Terry...' Haar stem ebde weg. Haar jongste zusje, het mooiste en helaas ledigste lid van het gezin, staarde haar aan, aardbeienrode lippen uit elkaar en blond haar dat over haar rug stroomde. 'Wat doe je met het sterilisatieapparaat?'

'O, is het dat?' vroeg Terry en ze trok haar duim uit het apparaat. 'Dan hoef ik zeker mijn handen een tijdje niet te wassen.' Het drietal drentelde de deur uit.

Een minuut later begon Oliver te huilen. Kelly keek op haar horloge. Het was vier uur, een uur na haar ontslag uit het ziekenhuis en Oliver had voor het laatst gedronken om... Ze haalde haar palmtop te voorschijn. Natte luier om negen uur, een kwartier gevoed om tien uur, toen weer om halftwaalf, poepluier om twaalf uur, drie kwartier geslapen... 'Volgens mij heeft hij honger,' zei ze. Ze liep naar de wieg om Oliver te pakken. Steve was er eerder.

'Hé, knul,' zei hij en tilde de baby de lucht in. Olivers hoofdje wiebelde heen en weer. Kelly onderdrukte een gil.

'Steve, voorzichtig!'

'Wat?' vroeg Steve. Hij droeg een van zijn oude T-shirts van Penn op een spijkerbroek en hij had zich drie dagen niet geschoren. Sinds hij niet meer werkte, deed hij dat niet meer regelmatig en Kelly had geprobeerd, met wat succes, er niet over te zeuren, noch over de kleren, schoenen en tijdschriften die hij op de vloer liet liggen.

'Zijn nek! Voorzichtig!'

Steve keek haar aan alsof ze gek was geworden, haalde zijn schouders op en gaf de baby aan haar. Kelly legde Oliver in de holte van haar arm en ging in de schommelstoel zitten, waar ze haar shirt omhoogtrok en een poging deed haar behacup los te maken.

'Zal ik even helpen?' vroeg Steve.

Ze schudde haar hoofd en leidde Olivers gezicht naar haar borst. Waar niets gebeurde.

'Kom op nou,' fluisterde Kelly terwijl ze Oliver op haar knie heen en weer wiegde, 'kom op nou, kom op nou, kom op nou!' Ze probeerde zich alles te herinneren wat ze tijdens de borstvoedingslessen had geleerd en had geoefend in het ziekenhuis. Ondersteun het hoofdje. Knijp in de tepel en breng die naar het mondje van de baby. Wacht tot het mondje van de baby wijd openstaat en duw het gezichtje dan naar je borst... Ze bracht haar tepel naar zijn mond. Ze wachtte. Ze duwde. Niets. Oliver draaide zijn gezicht weg en begon te schreeuwen.

'Gaat het wel?' vroeg Steve, die de kamer was uit gelopen.

'Prima!' riep Kelly en ze hoopte maar dat hij snel zou gaan joggen. Ze wilde dat hij het huis uit ging, haar niet lastigviel en uit de buurt was van haar zussen, die te veel vragen over zijn werk begonnen te stellen. Zelfs Terry, die een ontzettende sufferd was, zou kunnen bedenken dat Steve niets over zijn werk zei omdat hij niet meer werkte. En haar vriendinnen? Becky's man was arts en Ayindes man was Richard Towne. Hoe lang kon ze de smoes van 'ouderschapsverlof' en 'nieuwe carrière' gebruiken voor het duidelijk zou worden dat haar man helemaal niets deed?

'Kom op, schat,' fluisterde ze tegen Oliver, die jammerend zijn gezicht afwendde. In het ziekenhuis had hij geweldig goed gedronken, maar in het ziekenhuis had je verpleegsters en lactatiespecialisten in de buurt. Thuis had ze alleen Steve, die in het ziekenhuis dutjes had gedaan terwijl Kelly aan het voeden was. En Doreen en Terry hadden geen kinderen en Kelly wist niet meer hoe Mary haar kinderen had gevoed. Kelly zat nog op school toen die werden geboren; ze was zelf toen nog een kind. Maar ze kon in ieder geval niet om hulp vragen. Zij was degene die hen hielp, die hun kleding en geld leende als dat kon, die hen adviseerde over hun vriendjes en kapsel, autoaanschaf en sollicitatiegesprekken. Als ze zou zeggen dat ze hulp nodig had, zouden ze haar waarschijnlijk aankijken alsof ze wartaal uitsloeg. Ze moest dit zelf oplossen.

'Kom op,' fluisterde ze weer. Borstvoeding was in theorie eenvoudig genoeg geweest – doe lusje A in gleuf B, wacht tot de natuur en honger het overnemen – maar wat moest je doen als lusje A friemelde en schreeuwde en je tenminste één vrije hand nodig had om gleuf B op zijn plaats te krijgen?

'De wielen van de bus gaan rond en rond, rond en rond, rond en rond. De wielen van de bus gaan rond en rond...' De baby bleef huilen. 'De deuren van de bus gaan rond en rond...' Nee. Wacht. De deuren gingen niet rond en rond, die deden iets anders. Maar wat?

Steve stak zijn hoofd weer naar binnen. 'Ssh, ssh, ssh.' Dank u, meneer Rogers, dacht Kelly.

'Zal ik hem even nemen?' vroeg Steve. 'Ze hebben ons een paar flesjes meegegeven in het ziekenhuis...'

'Nee, we kunnen hem geen fles geven,' zei Kelly. Ze schudde haar pony uit haar ogen en haalde diep adem. 'Dit moet gewoon lukken.'

'Zal ik een van je zussen halen?'

Kelly sloot haar ogen en verlangde naar Maureen, haar lievelingszus die helemaal in Californië zat. Ze verlangde godbetert naar haar moeder. Ondanks het feit dat die haar laatste jaren tegen zichzelf mompelend of half in slaap op de bank voor haar soaps had doorgebracht, had Paula O'Hara wel geweten hoe ze borstvoeding moest geven. Ze hoorde haar zussen in de woonkamer. Zo te horen probeerden ze Lemon op Kelly's tredmolen te laten lopen. 'Ze heeft een sterilisatieapparaat!' hijgde Terry buiten adem.

'Zo ken ik haar weer,' zei Mary, die haar rollende lach lachte terwijl ze de keuken in liep. De ovendeur ging open en dicht.

'Lasagne,' mopperde Doreen. 'Net waar we zin in hebben als het buiten tweeëndertig graden is.'

Kelly ging anders in de schommelstoel zitten; ze haatte de manier waarop haar slappe buik tegen de elastische tailleband van de zwangerschapsspijkerbroek duwde en ze haatte de manier waarop haar borsten als twee voetballen voelden die door een arts met een gestoord gevoel voor humor tegen haar borstkas waren geplakt. 'Zeg even tegen hen dat ze ergens koffie gaan drinken of zo. En wil je mijn tasje even brengen?' Ze pakte haar portemonnee en haalde het kaartje met het nummer van het lactatiecentrum eruit. 'Wil jij even bellen en een boodschap achterlaten?'

Steve hield het kaartje tussen twee vingers vast. 'Wat moet ik zeggen?'

'Dat ik hem niet aangekoppeld krijg!'

Steve rende naar de telefoon. Kelly bleef het proberen terwijl ze haar zussen de deur uit hoorde gaan. Oliver bleef het ook proberen, maar hij schudde zijn hoofdje heen en weer alsof hij opzettelijk probeerde haar tepel te vermijden.

'Kan ik iets doen?' vroeg Steve, die over haar schouder naar de rood aangelopen, kronkelende baby keek alsof hij een granaat was.

'Bel Becky,' zei ze. 'Haar telefoonnummer staat in het boekje dat rechts van de koelkast ligt.'

Twee minuten later kwam Steve terug. 'Ze was niet thuis, maar ik heb wat ingesproken.'

Kelly legde Oliver tegen haar schouder, tegen het spuugdoekje dat ze er had neergelegd in de hoop dat het in de nabije toekomst nodig zou zijn. Ze wiegde hem en duwde haar neus tegen zijn zachte hoofdje met blauwe aderen, biddend dat hij zou stoppen met huilen. 'Wil je Ayinde even bellen?'

Zijn ogen begonnen te stralen. 'Heb je het privé-nummer van Richard Towne?'

'Bel nou maar gewoon, oké? En ga Richard niet lastigvallen als hij opneemt!'

Steve knikte en kwam een minuut later met de telefoon terug. 'Ayinde,' fluisterde hij.

'Ayinde? Met Kelly. Eh, kun je...' Haar stem brak. Twintig minuten ervaring met moederschap in haar eigen huis en ze had nu al het gevoel dat ze het niet aankon. Ze balde haar vuisten. 'Ik krijg Oliver niet aan de borst en hij heeft al uren niets gedronken.' Kelly knikte. 'O, nee, je hoeft niet... weet je het zeker? Uh-huh. Uh-huh. Dank je. Echt. Hartstikke bedankt.' Ze gaf haar adres, verbrak de verbinding en gaf de telefoon aan Steve. 'Ze komt er aan.'

De telefoon ging weer. Steve gaf hem aan Kelly. 'Becky.'

'Becky? Luister. Oliver wil niet aan de borst. Ik krijg hem er niet aan en ik zit het al een eeuwigheid te proberen en...' Ze keek koortsachtig op haar horloge. 'Hij heeft al uren niets gedronken...'

'Oké, oké, ssh, ssh, hij verhongert heus niet in één middagje,' zei Becky.

'Zit je babygeluidjes tegen me te maken?' vroeg Kelly op eisende toon.

'Ja. Sorry,' zei Becky. 'Dat gebeurt gewoon. Wacht maar af. Andrew probeerde me laatst te omhelzen en toen sloeg ik mijn armen om hem heen en wilde hem laten boeren. Ava is net wakker. Ik verschoon haar even en dan komen we er aan.'

'Dank je,' zei Kelly. Ze veegde haar neus af aan het spuugdoekje en keek naar Oliver, die met gebalde vuistjes in slaap was gevallen.

Een halfuur later waren Becky en Ayinde er met hun baby's. Julian zat in zijn autostoeltje, zo strak ingepakt dat alleen een paar van zijn donzige krullen en zijn grote bruine ogen te zien waren en Ava, tien dagen oud, hing in een draagdoek tegen Becky's borstkas. 'Ze is beeldschoon,' zei Kelly.

'Ze is kaal,' corrigeerde Becky. 'Wauw. Spuugdoekjes met monogram!' verwonderde Becky zich. Ze nam Olivers Peter Konijn-kleed, het konijnvormige nachtlampje en de stootkussens met konijnenprint in de wieg in zich op, zijn educatieve zwart-witte mobile en de stapels Baby Einstein-dvd's op de boekenplank. 'Je kinderkamer heeft een thema. Weet je wat het thema van Ava's kamertje is? Wasgoed.' Ze legde Ava, die grijze ogen en roze wangen had en kaal was, in Olivers wiegje. 'Oké. Laat maar eens zien wat er gebeurt.'

Kelly pakte de baby, hield haar adem in en hoopte tevergeefs dat hij voor publiek zou gaan drinken alsof hij dat al zijn hele leven deed. Niet dus. Gezichtje goed leggen, mond open, tepel erin, mis, nog een keer proberen en je schrap zetten tegen Olivers geschreeuw.

Becky keek naar Ayinde en toen weer naar Kelly. 'Hmmm. Zo te zien mist hij je tepel.' Ze trok haar krullen op haar hoofd en rolde haar mouwen op. 'Ik ga even mijn handen wassen. Mag ik je aanraken?'

'Natuurlijk! Raak me aan! Maak foto's! Zet ze op internet! Als je maar zorgt dat hij gaat drinken!'

'Rustig maar. We komen er wel uit. Kelly, hou jij zijn hoofdje vast.' Kelly legde Olivers bezwete schedel tegen haar handpalm en keek naar zijn verwrongen gezicht. Becky legde een hand onder Kelly's borst en duwde de tepel vanuit een andere hoek in Olivers mond. 'Wacht... wacht...'

Toen Oliver zijn mond opendeed, duwde ze hem naar voren, maar hij miste weer zijn doel.

'Bijna,' zei Ayinde.

'Ja, nou ja, van bijna krijgt hij geen drinken,' zei Kelly, die haar ogen aan haar schouders afveegde.

'Heb je babyvoeding in huis?' vroeg Becky.

'Ik wil hem geen babyvoeding geven!'

'Nee, niet om hem te laten eten, alleen voor de smaak. Ik dacht dat we een paar druppels op je tepel kunnen doen, zodat hij weet dat er eten in zit.'

Steve, die op de gang bij de deur stond te wachten, gaf Ayinde een fles.

'Oké, Ayinde, spuit...'

Kelly keek naar beneden en schoot in de lach om hoe haar torso eruitzag als een idiote Rube Goldberg-voedermachine met drie handen.

'Oké, nu!'

Becky duwde. Ayinde spoot. Kelly bracht de baby naar haar borst. Ze sloot haar ogen en bad, hoewel ze strikt genomen niet meer in God geloofde sinds haar moeder haar plakboek had gevonden en het had afgepakt, samen met Kelly's zakgeld voor een maand toen ze net bijna genoeg had om een Calvin Klein-spijkerbroek te kopen. En toen, wonder boven wonder, voelde ze een scherp trekkend mondje; Oliver begon te zuigen.

'Het werkt,' zei ze en Steve begon zacht te klappen in de deuropening. 'O, godzijdank.'

Ze brachten het daaropvolgende uur oefenend door: Oliver aanleggen, hem van de borst halen, hem weer aanleggen, eerst met hulp van Becky en Ayinde ('Er is een heel dorp nodig om mijn kind te voeden,' grapte Kelly), toen alleen Kelly en Becky en toen Kelly helemaal alleen. Oliver was drinkend in slaap gevallen tegen de tijd dat haar zussen, die naar Mary's sigarettenrook stonken, de kinderkamer weer in kwamen lopen.

'Terry wil haar hand nog een keer steriliseren,' zei Doreen giechelend.

'Ga je gang,' zei Kelly. Ze durfde hen niet aan te kijken. Ze was vreselijk bang dat ze naar Ayinde zouden staren alsof ze een gazelle was die het huis in was gelopen of, nog erger, dat ze om een handtekening van haar man zouden vragen.

Nadat haar zussen waren teruggegaan naar New Jersey en Steve in de slaapkamer een dutje lag te doen, zaten Kelly, Ayinde en Becky met hun baby's op de woonkamervloer.

'Als ik jullie iets vraag,' flapte Becky eruit, 'beloven jullie dan dat je niet gaat lachen?'

Kelly en Ayinde beloofden het. Becky tilde haar dochter op, maakte haar pakje los en trok dat omhoog, samen met Ava's rompertje. 'Oké,' zei ze. Ze haalde diep adem en wees op een vlekje onder Ava's oksel. 'Is dat een derde tepel?'

Ayinde fronste haar wenkbrauwen. Kelly staarde naar de baby. 'Meen je dat?'

'Je zou niet lachen!'

Ayinde pakte Ava en bestudeerde haar nauwkeurig. 'Volgens mij is het een sproet of een moedervlek. Heeft de dokter er iets over gezegd toen je er was voor haar controle?'

Becky schudde triest haar hoofd. 'Nee. Maar ja, wat vertellen die je nou helemaal? "Sorry mevrouw, maar uw dochter is een freak?"' Ze zuchtte. 'Misschien hoopten ze gewoon dat ik die derde tepel niet zou zien.'

'Het is geen derde tepel!' zei Kelly.

'Arme Ava,' zei Becky en maakte Ava's kleertjes weer vast. 'Misschien kunnen we door het land reizen en haar tentoonstellen. Komt dat zien: meisje met drie tepels.'

'Ik denk niet dat mensen zullen betalen voor maar één show,' zei Ayinde.

'Het Meisje met de Drie Tepels en de Ongelooflijke Krijsende Schoonmoeder dan,' zei Becky. 'En ik kan ook meedoen. Ik kon vroeger vrij aardig jongleren. En willen jullie nog iets idioots zien?'

'Een tweede hoofd?' vroeg Ayinde.

Becky schudde haar hoofd, reikte in haar luiertas en haalde er een blauw-wit slabbetje uit. 'Dit heb ik twee dagen geleden in mijn luiertas gevonden.'

'Mooi,' zei Kelly, die aan het zijden randje van het slabbetje voelde en het toen omdraaide om te kijken welk merk het was. 'O, Neiman-Marcus. Erg mooi.'

'Ja,' zei Becky, 'ik heb alleen geen idee hoe ik eraan kom. En vanochtend heeft iemand een zilveren lepel door mijn brievenbus geduwd.'

'Nou ja,' zei Ayinde, 'je hebt ook net een baby gekregen.' Julian, die onder zijn dekentje had liggen slapen, opende zijn oogjes en gaapte met zijn handen tot vuistjes geknepen.

'Dat weet ik wel, maar hij was niet ingepakt en er zat geen kaartje bij.' Becky haalde haar schouders op. 'Misschien heeft een van de assistenten uit het ziekenhuis hem gegeven. Andrew werkt met zes assistenten en ze moeten het samen met één set sociale vaardigheden doen. En degene met wie ik op feestjes praat, is nooit degene die ze op dat moment heeft.' Ze stond op en deed Ava terug in de draagdoek. 'Hebben jullie morgen zin om te gaan lopen?'

Ze spraken af dat als er niet werd gedut of plotseling moest worden gevoed, ze elkaar om tien uur zouden ontmoeten bij het geitenbeeld in Rittenhouse Square Park. Toen ze waren vertrokken, legde Kelly de slapende Oliver terug in zijn wiegje en ging toen op de vloer van de kinderkamer liggen, met haar handen naast zich zodat ze haar blubberige buik niet zou voelen. Ze sloot haar ogen en stelde zich voor hoe het eruit zou zien; de dingen die ze zou kopen en waar ze die zou neerzetten; de bank en de lakhouten kledingkast, de ingelegde salontafel, de plasmatelevisie. Alles schoon, alles nieuw, alles perfect, zoals haar zoontje dat verdiende. Ze deed haar ogen niet open toen ze Steve de kamer binnen hoorde komen lopen.

'Hoi,' zei haar man. 'Als jij even wilt rusten, zorg ik wel voor Oliver.' Kelly hield haar ogen dicht en concentreerde zich op het beeld van haar woonkamer dat zo dichtbij leek dat ze het bijna kon aanraken: de Vladimir Kagan-fauteuiltjes, het oosterse tapijt dat ze bij Material Culture had gezien, het antieke esdoornhouten dressoir, de door een fotograaf genomen foto's van hun zoon ingelijst en achter matglas aan de muur...

'Kelly?'

Ze maakte een slaperig geluid en draaide zich op haar zij. Na een minuutje liep Steve op zijn tenen de kinderkamer uit en waren zij en haar zoon alleen om te dromen.

Ayinde

'SCHATJE?'

Ayinde deed haar linkeroog open. Ze lag op haar zij met haar lichaam om dat van Julian gekruld en Richards lichaam lag tegen dat van haar. Julian was veertien weken oud en had nog geen minuut in zijn geweldig mooie wiegje doorgebracht. Overdag lag hij als hij sliep in zijn wandelwagen en vaker dan dat in de armen van zijn moeder. En 's nachts sliep hij naast haar, tegen haar borst aan genesteld terwijl ze naast hem lag, zijn geur inademde, met haar vingernagel de contouren van zijn gezichtje, de bocht in zijn wang of de vorm van zijn oor volgde.

'Ayinde?' fluisterde Richard iets harder.

'Sst,' fluisterde ze terug. Het was kwart over twee 's nachts. Julian sliep nog geen uur. Ze haalde Richards hand van haar heup. 'Wat is er?' fluisterde ze.

'Kun je alsjeblieft...' zijn stem klonk verontschuldigend, '...een stukje opschuiven?'

Ayinde schudde haar hoofd en realiseerde zich toen dat haar man dat in het donker niet zou zien. 'Daar is geen ruimte voor,' fluisterde Ayinde. 'Ik wil niet dat Julian van het bed rolt.'

Ze hoorde dat Richard een zucht onderdrukte. 'Leg nog eens uit waarom hij niet in zijn wiegje kan slapen.'

Ayinde voelde het schuldgevoel door haar lichaam gieren. Er was geen objectieve reden waarom de baby niet in zijn wiegje kon liggen, behalve dan dat ze dacht dat ze er niet tegen zou kunnen als hij zo ver weg was. 'Hij is hier gelukkig,' fluisterde ze.

'Ja,' zei Richard op redelijke toon, 'maar ik ben hier ongelukkig. Ik val bijna uit mijn eigen bed.'

'Nou, kun je het niet nog even volhouden?' vroeg Ayinde. 'Hij is maar een baby'tje!' Ze leunde voorover om naar haar lieve jongetje te kijken, zo lief in zijn blauwe pyjama met voetjes. Ze raakte met haar vinger zijn lippen aan en kuste hem verderlicht op zijn wang. 'Hij is nog helemaal nieuw.'

'Hoe lang wil je hem bij ons in bed houden?' vroeg Richard.

'Dat weet ik niet,' zei Ayinde. Voor altijd, dacht ze dromerig en nam Julian in haar armen. Ze duwde haar neus achter zijn oor en nam het geluid van zijn ademhaling gretig in zich op. Gelukkig voor haar was Priscilla Prewitt het wat slapen betreft met haar eens. 'Het gezinsbed is duizenden jaren de normaalste zaak van de wereld geweest,' schreef ze. 'En als je er even over nadenkt, is dat ook heel logisch. Waar voelt je baby zich het veiligst en warmst? Wat is het handigst voor de borstvoedende moeder?' (In de wereld van Priscilla Prewitt, leerde Ayinde al snel, gaf iedere moeder borstvoeding. Babyvoeding was alleen acceptabel 'als er een noodgeval is en met noodgeval bedoel ik niet dat je het saai vindt, of dat je geen tijd hebt of gewoon geen zin; ik bedoel dat jij in het ziekenhuis bent opgenomen of dat er iemand op sterven ligt'.)

Richard zuchtte.

'Misschien kunnen we een groter bed nemen,' stelde Ayinde voor.

'Ik heb dit bed speciaal laten maken,' zei Richard. En ze beeldde het zich niet in. Hij klonk ongeduldig. 'Luister Ayinde, baby's slapen in wiegjes. Zo hoort dat! Jij en ik hebben allebei in een wieg geslapen en we zijn prima terechtgekomen.'

'Ja, wij sliepen in een wieg,' fluisterde ze terug. 'En mijn moeder dronk en slikte afslankpillen en ze snoof god-mag-weten-wat-allemaal toen ze zwanger van me was en jouw moeder...' Ayinde deed haar mond dicht; ze wist dat dit gevaarlijk terrein was. Richard had het bijna nooit over zijn moeder, die hem op haar zestiende had gekregen, zonder echtgenoot of ook maar een vaste vriend in zicht en alleen God wist wat zij allemaal had gedaan toen ze in verwachting was. Volgens de familieverhalen had Doris Towne niet eens geweten dat ze zwanger was, had ze de weeën aangezien voor indigestie door slecht gefrituurde schelpdieren en was ze uiteindelijk van Richard bevallen op de achterbank van de auto van een van haar vriendinnen, op de parkeerplaats van het ziekenhuis. Ayinde schraapte haar keel en pakte de hand van haar man. 'Wij weten beter. Dat is alles. En er zijn een heleboel studies verschenen over de voordelen van gedeelde slaap.'

'Gedeelde slaap?' snoefde Richard. 'Niemand deelt slaap met mij. Ik durf me niet om te draaien uit angst dat ik op Julian ga liggen; ik ben bang om mijn keel te schrapen uit angst hem wakker te maken...'

'Sorry,' zei Ayinde. Richard pakte haar vast en trok haar achterwerk tegen zijn kruis.

'Kom eens hier,' zei hij. Zijn vingers grepen naar haar borsten.

'Au!'

'Sorry,' zei hij en hij trok zijn handen en lichaam weg.

'O, Richard, dat doet pijn!' Er sprongen tranen in haar ogen. Ayinde wilde per se borstvoeding geven, ondanks het feit dat de vrouwen van enkele andere spelers hadden gezegd dat dat haar figuur zou verpesten. Haar figuur kon haar niet schelen, maar had iemand haar nou maar verteld hoeveel pijn het zou doen; hoe haar borsten het ene moment als halfvolle waterballonnen voelden en het andere gezwollen en pijnlijk waren alsof ze van heet glas waren. Haar tepels voelden alsof een beest met een rothumeur er in haar slaap aan had liggen knagen. En Julian had niet eens tanden. Hoe moest ze het overleven als dat wel het geval was? Ze zou er iets op moeten bedenken. De Amerikaanse Kinderacademie raadde aan het hele eerste jaar borstvoeding te geven en Priscilla Prewitt, wat een verrassing, zei dat er geen enkele reden was om dan al te stoppen, dat het 'beter voor Ukkie en beter voor mammie is' om borstvoeding te blijven geven 'tot de peuterspeelzaal'.

'Het spijt me,' zei hij nogmaals. Hij klonk verontschuldigend en verontwaardigd tegelijk. Na een korte stilte draaide hij zich zuchtend om. 'Hoort het zo moeilijk te zijn?'

'Wat? Borstvoeding?'

'Nee,' zei hij verdrietig. 'Alles.' Er klonk geritsel van lakens, ze voelde koele wind tegen haar benen en toen stapte Richard met zijn twee meter vijf uit het bed. 'Ik ga op de gang slapen,' zei hij. Hij boog voorover en kuste zijn vrouw op haar voorhoofd; de droge, kuise kus die een volwassen oom aan zijn zestienjarige nichtje geeft. 'Slaap lekker.' Hij boog voorover naar Julian.

'Maak hem niet wakker!' fluisterde Ayinde op scherpere toon dan ze had gewild. Alsjeblieft, dacht ze terwijl ze nog dichter tegen haar zoon aan ging liggen. Ga alsjeblieft weg en laat ons slapen.

'Rustig maar.' Hij aaide met een brede vingertop over Julians wang en deed toen muisstil de deur dicht. Ayinde trok de dekens tot haar kin op en legde haar wang tegen Julians krullen.

Augustus

Becky

'OKÉ,' ZEI BECKY EN ZE PROBEERDE ZICH BOVEN AVA'S GEJAMMER uit verstaanbaar te maken. 'Wat voor soort huilen denk jij dat dit is?'

'Wat voor soort huilen?' herhaalde Andrew. Becky hield de telefoon zo dat hij iedere nuance van Ava's gegil zou kunnen horen. Het was vijf uur 's nachts; haar kindje was vier weken oud en haar man was in het ziekenhuis, om middernacht uit huis geroepen om de verwondingen te verzorgen van zes tieners die hadden besloten dat het lollig zou zijn om zich te bezatten met cognac en dan op een tolhuisje in te rijden. 'Ik weet het niet. Wat denk jij?'

Ze nam de baby onder haar arm, klemde de telefoon onder haar kin en bladerde door T. Barry Brazeltons gids over pasgeborenen, die hun niet bepaald betrouwbare plattegrond was geworden tot een beter begrip van Ava. 'Klinkt ze schril, hoger wordend, of laag en ritmisch?'

'Laat me even luisteren.'

Becky rolde met haar ogen en wiegde de baby in haar armen. De afgelopen twee dagen had ze in een poging Ava's humeur en slaapgewoonten te verbeteren haar een honderd procent natuurlijk drankje tegen koliek gegeven dat buikwater heette. Er zat karwijzaad en dille in en hoewel het niet had geholpen tegen het huilen, rook Ava nu heerlijk naar vers gebakken roggebrood.

'Ik geef het op,' zei Andrew.

'Wat moet ik nu dan doen?'

'Heeft ze een natte luier?'

Becky rook aan Ava's billen, een beweging waarvan ze nog maar een paar weken geleden had gedacht dat ze die absoluut nooit zou kunnen maken. De baby zag er niet bepaald lieflijk uit. Haar slaapzak met elastiek in het middel, roze en bedrukt met bloemetjes en bijtjes, zat onder haar oksels gewrongen en haar gezicht zat vol met witte kopjes en sappige bultjes door een geval van babyacne dat zo ernstig was dat Becky op haar handen moest gaan zitten om zichzelf ervan te weerhouden de puistjes op haar neus uit te knijpen. Na vier weken was Ava nog steeds helemaal kaal en hoewel Becky het nooit tegen iemand zou toegeven, vond ze dat Ava er het grootste deel van de tijd uitzag als 's werelds kleinste boze oude man. Vooral als ze huilde. 'Nee. Ze is niet nat.'

'Heeft ze honger?'

'Ik heb haar een halfuur geleden nog gevoed.'

'O ja,' zei Andrew. Inderdaad o ja, dacht Becky. Ava voeden was oneindig veel ingewikkelder gebleken dan ze had gedacht dat het zou zijn. Becky had te veel melk, waardoor ze zodra de baby in de buurt van haar borsten kwam, wel een spuitende kraan leek. Wat betekende dat ze tepelhoedjes moest dragen – stukjes siliconen die eruitzagen als piepkleine, doorzichtige sombrero's die de vervelende eigenschap hadden op de vloer te vallen op het moment dat ze Ava net in de goede houding bij haar borst hield – zodat haar dochter niet zou stikken in haar maaltijd.

'Probeer het wipstoeltje eens,' zei Andrew.

'Heb ik gedaan,' zei Becky. 'Dat werkt niet.'

'En als je een liedje zingt?'

Becky haalde diep adem en keek naar haar dochter. 'Suja, slapen kindje,' zong ze. 'Door de open deuren waait het westenwindje en de rozen geuren.'

Ava begon nog harder te gillen.

'Levenslessen?' bood Becky aan. De baby haalde adem en was even stil met haar mond wijdopen. Becky wist wat er nu kwam: Ava Raes Nucleaire Doodsschreeuw. Patent aangevraagd.

'Het spijt me, lieverd,' zei Andrew in haar oor terwijl Ava aan haar gil begon. 'Het spijt me dat ik er niet ben om je te helpen.'

Becky worstelde met de krijsende baby en de telefoon. 'Waarom haat God me?' vroeg ze aan niemand in het bijzonder. Ze hield Ava tegen zich aan en wiegde haar naar voren en naar achteren. Ava huilde al drie kwartier aan één stuk en er was geen enkel teken dat ze van plan was te stoppen. 'Kun jij me niet helpen?' leek ze bij iedere schreeuw te vragen. 'Kan niemand me dan helpen, alsjeblieft?' Becky begon zich wanhopig te voelen. Was haar moeder er nou nog maar. Het was Edith Rothstein op de een of andere manier gelukt om niet één, maar twee baby's te overleven. Misschien had ze een geheime formule, een magisch slaapliedje dat ze had uitgevonden toen ze niet druk bezig was onzichtbare stofjes van de bank te vissen. Maar Edith moest terug naar Florida en haar baan. Ze had haar spullen ingepakt en was na een week waarin ze de baby had gewiegd, verschoond, gewassen, alle kleding die de baby bezat, had opgevouwen en iedere vierkante centimeter van de keuken had schoongemaakt, inclusief de vier *ramequin*-bakjes die achter in de kast stonden, terug naar huis gegaan. Het was te vroeg om haar te bellen; te vroeg om haar vriendinnen te bellen omdat hun kinderen, in tegenstelling tot Ava, waarschijnlijk lagen te slapen.

'Misschien ga ik even met haar naar buiten,' zei ze.

'Om vijf uur 's nachts?'

'Alleen de straat op en neer,' zei Becky. 'Ik weet het ook niet, misschien doet een andere omgeving haar goed.'

'Neem dan wel de telefoon mee,' zei Andrew.

'Prima,' zei Becky. Ze namen afscheid. Ze wikkelde Ava, die nog steeds schreeuwde, in een dekentje, trok Andrews badjas rond haar schouders, schoof haar voeten in het eerste paar schoenen dat ze tegenkwam (uit de manier dat de linker te strak zat en de rechter te groot was, leidde ze af dat ze een van haar vóór-de-zwangerschap-schoenen en een gymschoen van haar man aanhad), deed haar haar in een knotje en slofte de trap af.

'Lekker naar buiten, lekker naar buiten,' zong ze terwijl ze de voordeur opendeed. Een vrouw – dezelfde die ze in het park en die koffiebar had gezien, met het slierterige blonde haar en de lange blauwe jas – zat op de stoep aan de overkant van de straat onder een lantaarnpaal naar Becky's voordeur te kijken.

'O, hoi!' zei Becky enigszins geschrokken.

De vrouw sprong op en liep snel naar het oosten, richting park, haar haar tegen de achterkant van haar jas wapperend, een enorme roze tas over haar schouder.

'Hé!' riep Becky. Ze stak over, liep zijwaarts tussen twee SUV's door en stond toen midden op straat; haar nieuwsgierigheid was sterker dan haar angst. De vrouw zag er niet gevaarlijk uit. Hoewel, dacht Becky, misschien stonden haar instincten niet helemaal op scherp door slaapgebrek.

'He, wacht!' schreeuwde Becky. De vrouw in de blauwe jas haastte zich over Eighteenth Street, hoofd naar beneden, voeten steeds sneller bewegend. Becky ging harder rennen en de afstand tussen hen werd kleiner. 'Wacht alsjeblieft even!' riep Becky. 'Alsjeblieft' was, zoals haar moeder haar had geleerd, het magische woord. De vrouw stopte en trok haar schouders op met haar rug naar Becky toe, alsof ze bang was dat ze zou worden geslagen.

'Wat doe je hier?' riep Becky vanachter haar. Ze kneep haar oogleden in de duisternis samen en hield haar dochter dicht tegen haar borst. Met haar vrije hand reikte ze naar de zak in haar badjas en voelde het geruststellende gewicht van de telefoon.

De vrouw draaide zich om. Becky zag dat ze mooi was... en dat ze huilde. Ze droeg de lange, gevoerde jas die Becky al eerder had gezien, met vieze roze schoenen, een spijkerbroek die onder de jas vandaan kwam en haar dat aan de uiteinden blond was en op haar hoofd bruin. Ze zag eruit alsof ze ongeveer van Becky's leeftijd was, begin dertig. Tragedie in Hollywood, dacht Becky en toen deed ze een stap naar voren om erachter te proberen te komen waarom die woorden in haar hoofd waren geschoten.

'Het spijt me,' zei de vrouw, die er wanhopig ongelukkig uitzag. 'Het spijt me.'

Becky legde Ava – die gek genoeg was opgehouden met huilen en die nu buitengewoon geïnteresseerd leek te kijken naar wat er allemaal gebeurde – tegen haar schouder.

'Wat deed je bij mijn huis?' vroeg Becky. Ze vroeg zich af of de vrouw dakloos was. Dat zou het een en ander verklaren. Er woonden heel wat daklozen in Philadelphia. Er was een vrouw die zo'n beetje haar intrek had genomen in de vuilnisbak achter Mas. Becky en Sarah lieten iedere middag een lunch voor haar achter op het stoepje bij de achterdeur. Ze probeerde te bedenken wat ze in de keuken had liggen. Appels, brood, oud brood en tomatensalade... 'Heb je honger?' vroeg Becky.

'Of ik honger heb?' herhaalde de vrouw. Ze leek over de vraag na te denken terwijl ze naar haar schoenen staarde. 'Nee, dank je,' zei ze beleefd. 'Ik heb geen honger.'

'Wil je dan een kop thee?' vroeg Becky. Wat is dit bizar, dacht ze. Misschien droom ik wel. Misschien is Ava eindelijk opgehouden met huilen en ben ik in slaap gevallen... De vrouw liep ondertussen behoedzaam op haar af, deed toen een stap opzij, balanceerde licht op de ballen van haar voeten, klaar om weg te rennen als Becky haar telefoon uit de zak van haar badjas zou halen en de politie zou bellen. Becky keek naar de roze tas over haar schouder en zag eindelijk wat het was. Een luiertas.

De vrouw keek op naar Becky. 'Ik hoorde je kindje huilen,' zei ze.

Becky keek naar de vrouw. Ze had wijd uit elkaar staande ogen, een volle, roze mond, hoge jukbeenderen, een hartvormig gezicht met een puntige kin die te scherp was voor haar gezicht, maar op televisie...

'Hé,' zei ze. 'Ik ken jou! Jij speelde in die film over die cheerleaders...'

De vrouw schudde haar hoofd. 'Nee. Sorry. Dat was Kirsten Dunst.'

'Maar ik heb je in een film gezien.'

De vrouw reikte met één vingertop naar Ava en raakte bijna haar voetje aan. 'Ze is zo mooi,' zei ze. 'Je bent vast vreselijk gelukkig.'

'Gelukkig. Ja. Nou ja, als ze slaapt...' Becky's stem ebde weg. Lia Frederick. Zo heette ze. Lia Frederick. Er was geen enkele reden dat Becky dat zou weten, ware het niet dat ze een grote fan van *Entertainment Weekly* en *People* was en dat ze altijd naar de nachtelijke roddelprogramma's op de televisie keek, waar Lia Frederick vaak te gast was. Lia Frederick had wat rolletjes in grote films gehad, ze had een atoomwetenschapster met een zeldzame bloedziekte gespeeld en een stalkende ex-echtgenote in een film op Lifetime die Becky de afgelopen vier weken twee keer had gezien toen ze binnen gevangenzat met haar gloednieuwe baby.

Lia reikte in de luiertas en trok er een spuugdoekje uit, een chic in blauw-wit dat bij het slabbetje paste dat Becky had gevonden. 'Alsjeblieft,' zei ze en ze probeerde het aan Becky te geven. 'Dat is voor jou.'

Dus daar komen die cadeautjes vandaan, dacht Becky. Dit was degene die het slabbetje en de lepel door haar brievenbus had geduwd, die de rammelaar in haar tas had gedaan en een fopspeen in Mas had laten liggen.

'Hier,' zei Lia en ze probeerde het doekje in de zak van Becky's badjas te doen. 'Neem het alsjeblieft aan. Ik heb het niet meer nodig.'

Becky peinsde en peinsde. Tragedie in Hollywood, dacht ze weer en toen wist ze het weer. Gangbaar bruisende presentatrice, gezicht ongewoon ernstig getrokken. 'Onze condoléances gaan uit naar Sam en Lia, wier tien weken oude baby Caleb vorige week is overleden.' 'O god.'

'Alsjeblieft,' zei Lia, die er wanhopig verdrietig uitzag terwijl ze het spuugdoekje tegen Becky aan duwde. 'Het spijt me. Het spijt me dat ik je heb laten schrikken. Het spijt me dat ik bij je huis was. Ik kon niet slapen en toen ben ik een stukje gaan wandelen en ik was gewoon even aan het uitrusten toen de baby begon te huilen. Alsjeblieft. Neem het alsjeblieft aan. Alsjeblieft.'

Becky deed het doekje in de zak van haar badjas en pakte Lia bij de hand. 'Ga even met me mee,' zei ze.

Tien minuten later zat Lia aan Becky's keukentafel. Ze zag er nog steeds uit alsof ze verwachtte dat ze zou worden geslagen en Becky zat in de schommelstoel die ze in een hoek van de keuken had neergezet. Ava bleek toch gewoon honger te hebben gehad en ze lag tevreden te drinken terwijl ze met één vuistje tegen Becky's borst bonkte en eruitzag als een boze oude man die probeerde zijn geld terug te krijgen van een kapotte snoepautomaat. Een Twix! Een Twix! Godverdomme, ik wilde een Twix! Becky glimlachte, liet de baby boeren en legde haar in het rieten mandje dat op de tafel stond. 'Roerei, ik ga roerei maken,' zei ze voordat Lia kon antwoorden.

Becky sloeg met één hand vier eierschalen kapot in een kom, reikte naar het zeezout, haar pepermolen en haar garde. 'Als we ziek waren, maakte mijn moeder altijd roerei voor ons. Ik heb geen idee waarom, maar...'

'Ik ben niet ziek, hoor,' zei Lia met iets wat vaag op een glimlach leek op haar gezicht. Ze haalde diep adem en liet die langzaam weer ontsnappen. 'Ik heb hier gewoond, weet je. Nou ja, niet hier, niet in het centrum, maar in Philadelphia. In het Great Northeast.'

Becky deed een klontje boter in de pan en zette het fornuis aan. 'Thee?' vroeg ze. Toen Lia knikte, zette ze de ketel op het vuur. 'Dus je bent terug naar huis gekomen nadat...' Haar stem ebde weg.

'Erna,' zei Lia. Ze keek verdrietig naar haar luiertas. 'Ik ben met die tas in het vliegtuig gestapt. Ik dacht niet na. Ik had al die babyspullen en toen ik je in april zag...'

'Zag ik er zwanger uit?' flapte Becky eruit en ze voelde meteen enorme zelfwalging. Daar stond ze, met onweerlegbaar bewijs van haar toestand en ze speelde nog steeds Zwanger of Gewoon Dik.

'Ja,' zei Lia. 'En ik dacht gewoon... ach, ik weet het niet. Ik weet niet wat ik dacht. Ik denk dat ik een beetje was doorgedraaid.'

'Dat kan ik me voorstellen,' zei Becky. Ze deed de eieren in de pan en zette het gas lager. 'Ik bedoel, ik kan me voorstellen... Nou ja, ik kan het me eigenlijk niet voorstellen. Het is het ergste wat ik me kan voorstellen.' Ze hield de pan scheef, roerde de eieren en deed twee sneetjes brood in de broodrooster.

'Ik heb een tijdje naar je gekeken,' zei Lia. 'Naar jou en je twee vriendinnen. Maar ik weet niet hoe ze heten.' Ze glimlachte. 'Ik wist Ava's naam niet eens. Wist je dat je haar nooit Ava noemt? Ze is de baby met duizend namen: Piepteentje, Mopperkontje, Prinses Dikbil...'

'Volgens mij hadden we die dag luierproblemen,' zei Becky. 'Maar goed, de blonde vrouw heet Kelly en haar baby heet Oliver. Ze heeft schema's en haar voornaamste bezigheid is het terugbrengen van dingen naar de winkel. Ze is min of meer de Meg Ryan van Babies R Us, maar ze is heel aardig. De zwarte vrouw is Ayinde en haar baby heet Julian. Haar man speelt bij de Sixers en ze woont in een herenhuis in Gladwyne. Je weet niet wat je ziet. Haar kleedkamer is groter dan mijn hele benedenverdieping. Ik denk niet dat ik hen had ontmoet als we niet zwanger waren geweest.' Ze haalde haar schouders op. 'Baby's leveren vreemde vriendinnen op.'

Ava bewoog in haar mandje en stak een gebald vuistje boven haar hoofd op. 'De baby-powergroet,' zei Becky.

'Caleb deed dat ook,' zei Lia. 'Zo heette mijn baby. Caleb.' Ze leek meer te gaan willen zeggen, maar toen deed ze haar mond dicht en staarde naar Ava.

'Waar is je man?' vroeg Becky en ze probeerde op zijn naam te komen. 'Sam, toch?'

Lia schudde haar hoofd. 'Die is nog in Los Angeles. Ik ben gewoon vertrokken. Ik wilde tegen hem zeggen... Het was niet zijn schuld, maar...' Ze schudde haar hoofd weer. 'Ik kon gewoon niet blijven.'

Becky deed het fornuis uit en pakte borden en servetten. Ava begon met haar armen te zwiepen. 'Kun jij haar even nemen?' vroeg Becky.

'O,' zei Lia. 'Ik denk niet dat ik...'

'Ze bijt niet hoor,' zei Becky bij het fornuis. 'En als ze dat wel zou doen, zou het niet zo erg zijn, want ze heeft nog geen tandjes.'

Lia glimlachte. Ze trok haar jas uit, boog voorover en nam Ava in haar armen. Ze legde de baby een beetje onhandig tegen zich aan en wiegde haar terwijl ze door de keuken liep en een liedje zong dat hoog, lief en zilverachtig klonk:

Bye and bye, bye and bye,
the moon is half a lemon pie.

The mice who stole the other half
have scattered star-crumbs in the sky.
Bye and bye,
bye and bye,
my darling baby, don't you cry.
The moon is still above the hill.
The soft clouds gather in the sky.

Becky hield haar adem in. Ava deed een handje omhoog en stak haar vingers in Lia's haar.

Kelly

'HOE WAS HET BIJ DE DOKTER?' VROEG STEVE MET ZIJN RECHTERhand op haar knie.

Kelly schrok op uit haar dutje. Ze wist dat die vraag zou komen en ze wist dat hij hoe hij ook klonk niets met Steves bezorgdheid om haar gezondheid te maken had. 'Hoe was het bij de dokter' betekende vrij vertaald: 'Mogen we seks hebben?'

'Prima,' zei ze langzaam; ze wist wat er nu zou komen. Ze wist het en had er absoluut geen zin in.

De waarheid was dat ze was goedgekeurd. 'Het gaat prima,' had dokter Mendlow gezegd terwijl hij nog steeds tot bijna zijn pols begraven zat in wat ze geestig genoeg altijd als haar intiemste delen had beschouwd. Dat was vóór ze was bevallen in een academisch ziekenhuis en uiteindelijk voor een parade aan arts-assistenten, artsen in opleiding, geneeskundestudenten en, dat wist ze bijna zeker, een club middelbare scholieren op schoolreisje had liggen persen, hoewel Steve zwoer dat ze zich die laatstgenoemde groep had ingebeeld. 'Zodra je er aan toe bent, mag je weer gemeenschap hebben.' Kelly had er heel hard en lang om willen lachen, maar ze wist dat de dokter het druk had en ze moest zo snel mogelijk naar huis om Oliver te voeden. Dat en het feit dat ze geen beleefde manier wist om te zeggen dat ze nog nooit in haar leven minder behoefte aan seks had gehad dan nu en dat het aanzicht van haar in een korte broek geklede, aan de bank vastgeklonken echtgenoot die maar tegen haar bleef zeggen dat hij een welverdiende mentale vakantie nam voordat hij serieus naar ander werk zou gaan zoeken, haar libido niet erg veel goed deed.

En dan was er nog de kwestie van die bank. Ze was op een middag thuisgekomen na het uitlaten van Lemon en had een gigantische oranje-bruine driezitsbank in haar voormalig lege woonkamer gevonden. Ze had haar ogen dichtgedaan, ervan overtuigd dat als ze ze weer zou opendoen de lelijkste bank in de geschiedenis van lelijke banken zou zijn verdwenen. Maar nee. De bank stond er nog.

'Steve?'

Haar man, die de boxershort nog aanhad waarin hij had geslapen, kwam de kamer binnen lopen.

'Wat is dat?'

'O,' zei hij en hij keek naar de bank alsof hij die ook voor het eerst zag. 'Conovan deed hem weg en ik heb gezegd dat wij hem wel wilden.'

'Maar...' Ze zocht naar de goede woorden. 'Maar hij is foeilelijk!'

'Het is een bank,' zei hij. 'Iets om op te zitten.' Hij liet zich gelaten op de bank vallen. Kelly huiverde door de zure meeldauw en de *eau de oude mensen* rook die uit de kussens kwam. Dat ding stonk alsof er iemand op was gestorven. En daar een tijdje was blijven liggen. En hij zag eruit... God, dacht ze en ze slikte moeizaam. Hij leek zo op de bank die ze in haar ouderlijk huis had gehad dat hij familie kon zijn.

'Steve. Alsjeblieft. Hij is gruwelijk.'

'Ik vind hem mooi,' zei hij. En dat was dat. De bank was gebleven.

Dokter Mendlow keek naar Kelly, die haar ogen afveegde met een randje van de roze papieren ziekenhuisjurk. 'Loop je even mee naar mijn kantoor?' zei hij. Hij zag er net zo jongensachtig als altijd uit in zijn gebruikelijke blauwe operatiekleding en witte jas, maar ze zag een stropdas onder zijn kraagje uitsteken. Ze vroeg zich af waar hij heen ging en of hij zijn vrouw zou meenemen.

'Nee,' zei ze en haalde haar neus op, 'nee dank u, het gaat prima. Ik ben gewoon een beetje oververmoeid.' Wat zo'n understatement was dat ze bijna weer in schaterlachen uitbarstte. Ze had Oliver om elf uur 's avonds, om halftwee, drie uur en vijf uur 's nachts gevoed en had letterlijk haar tepel uit zijn mond moeten rukken om op tijd te zijn voor haar afspraak om halfnegen.

'Mijn kantoor,' zei hij terwijl hij zijn handen stond te wassen. Kelly veegde zichzelf schoon, trok haar onderbroek aan, haar trainingsbroek, haar T-shirt (vol spuugvlekken op beide schouders, zag ze, maar wat kon ze ertegen doen?) en ging in een van dokter Mendlows leren stoelen zitten.

'Luister,' zei hij toen hij vijf minuten later achter zijn bureau zat en

Kelly uit haar lichte dutje deed wakker schrikken, 'wat je ook tegen je man wilt zeggen, ik sta achter je.'

Haar mond moet zijn opengevallen. Hij knikte en klopte op haar hand. 'Als je tegen hem wilt zeggen dat hij de komende zes maanden alleen je hand mag vasthouden, moet je dat vooral doen.'

'Ik... echt?'

'Geef je borstvoeding?'

Kelly knikte.

'Dan krijg je niet veel slaap. En je past je aan aan wat waarschijnlijk de grootste verandering in je leven is. Seks staat op dit moment vast niet erg hoog op je prioriteitenlijstje.'

'Mijn man,' zei Kelly en hield toen haar mond dicht. De waarheid was dat de zes weken sinds de geboorte van Oliver als vakantie hadden gevoeld. 'Niets in de vagina,' had dokter Mendlow gezegd. 'Geen gemeenschap, geen tampons, niet douchen,' zei hij tegen hen. 'Je mag wel orale seks hebben,' zei hij. Kelly dacht dat Steve over haar ziekenhuisbed heen zou springen om hem te omhelzen, tot hij verderging: 'Waarmee ik bedoel dat jullie net zoveel over de seks die je niet hebt, mogen praten als je wilt.' Steves gezicht betrok. 'Kom over zes weken maar terug en dan kijken we hoe het gaat.' Toen had de dokter Steve vriendelijk met Olivers dossier op zijn onderarm gemept en was hij weggelopen.

Maar nu was haar respijt voorbij en Steves hand gleed omhoog over haar dij. 'Mag het?' vroeg hij. Kelly overwoog haar mogelijkheden. Het waren er niet veel. Ze kon nee zeggen en het onvermijdelijke uitstellen, of ze kon ja zeggen, even doorbijten en hopen op een snel einde.

'Slaapt Oliver?' fluisterde ze. Steve tuurde naar de voet van het bed, waar Oliver lag, knus in zijn Pack-n-Play (na zijn eerste nacht thuis had Kelly al snel geconcludeerd dat de geweldige, perfecte kinderkamer ongebruikt zou blijven zo lang de baby drie of vier keer per nacht wakker werd). Steve knikte, smakte met zijn lippen en dook op haar af.

Hij begon haar hals te kussen, zachte knabbeltjes van boven naar beneden. Hmmm. Ze sloot haar ogen en probeerde niet te gapen terwijl hij tegen haar aan lag. Hij kuste haar sleutelbeen... trok haar nachtpon omhoog... schudde aan haar schouders.

'Wat? Huh?' Ze knipperde met haar ogen.

'Was je in slaap gevallen?'

'Nee!' zei ze. Was dat zo? Waarschijnlijk wel. Kelly kneep hard in haar dij en zei tegen zichzelf dat het minste wat ze kon doen, was wakker te blijven tijdens deze ontmoeting. Dat verdiende haar man.

'Waar waren we?' vroeg ze. Ze kuste zijn oorlelletje en knabbelde aan zijn borstkas. Hij kreunde, legde zijn handen rond haar borsten en wreef met zijn duimen over haar tepels.

'Gedver!'

'Wat?' Ze kon niet weer in slaap zijn gevallen, toch? Dat kon niet.

Hij hield zijn handen voor haar gezicht, schudde ze en keek zo vol walging dat ze verwachtte dat er bloed van zijn vingertoppen zou druipen. In plaats daarvan zag ze een paar onschuldige witte druppels. Melk.

'Schat, dat stelt niets voor.'

Hij schudde zijn hoofd, zag er nog steeds bleek en geschrokken uit en deed een hernieuwde poging. De nachtjapon ging uit. De omaonderbroek, in het kruis de kleur van vervaagde ketchup (ze hoopte maar dat hij dat niet zou zien in het blauwige licht van de babyfoon), ging ook uit. En naar binnen ging het glijmiddel dat hij na het eten subtiel op het nachtkastje had gezet. Om ging het condoom. Geribbeld voor haar genot, stond er op het doosje. Ja, vast.

'Au!'

'Sorry,' hijgde hij. Au. Wat gebeurde er in godsnaam daarbeneden? Had de twaalf jaar oude assistent haar per ongeluk helemaal dichtgenaaid? Kelly sloot haar ogen en probeerde zich te ontspannen.

'O god,' zei hij in haar oor, 'O god, Kelly, je bent zo lekker.'

'Mmm,' kreunde ze terug en bedacht dat ze zich helemaal niet lekker voelde. Haar buik was nog steeds slap en blubberig; ze had het gevoel alsof ze nog steeds een halflege binnenband rond haar middel droeg en haar huid zag eruit alsof iemand een hark in rode verf had gedoopt en daarmee over haar buik heen en weer had gerost. Ze wist dat de striae minder zouden worden, maar zoals die er nu uitzagen, kon ze er niet naar kijken. Maar het leek Steve niet uit te maken.

'Waar heb je zin in?' hijgde hij, greep haar enkel en duwde haar rechterbeen naar zijn schouder. Kelly onderdrukte een gil en gooide van pijn haar hoofd opzij; ze hoopte maar dat hij dacht dat het passie was. 'Wat wil je dat ik doe?'

In plaats van een opgewonden antwoord, een variant op 'neuk me harder', wat haar typische pre-zwangerschapsantwoord was, schoot er een regel uit een boekje dat ze aan Oliver had voorgelezen voor hij was gaan slapen door haar hoofd: Meneer Brown zegt boe, en jij?

'Kelly?'

O, wat maakt meneer Brown een mooi geluid. Meneer Brown loeit als een koe...

'Boe!' zei ze.

Steve stopte lang genoeg met bewegen om haar aan te staren. 'Wat?'

'Ik bedoel mmm,' kreunde ze. Harder deze keer. Die godvergeten Dr. Seuss verziekt mijn seksleven.

'Kelly?'

Boem, boem, boem, meneer Brown is een wonder...

'Kelly?'

Boem, boem, boem, meneer Brown maakt donder! 'O god!' zei ze. Afgezaagd, maar acceptabel. En het rijmde tenminste niet op 'boe'.

Ze greep Steves schouders; zijn ademhaling versnelde. Dank u, God, dacht ze toen hij hijgde en Oliver begon te huilen.

'Shit!' zuchtte haar man.

'Wèh!' huilde haar baby.

De koe zegt boe, het schaap zegt bèh, ging het door haar hoofd, dat duidelijk afscheid had genomen van Dr. Seuss en nu was overgestapt op de kartonnen boekjes van Sandra Boynton. Ik zal nooit meer slapen, nooit, dacht Kelly, die onder haar man vandaan rolde en haar baby in haar armen nam.

Ayinde

AYINDE TROK HAAR JASJE RECHT OVER HET SPONZIGE GEBIED WAAR haar middel ooit had gezeten en probeerde nergens aan te friemelen terwijl de nieuwsredacteur naar haar band keek. 'Mooi werk, mooi werk,' mompelde hij terwijl een televisie-Ayinde op het scherm over huisbrand, auto-ongelukken, beleggingsproblemen en liefdadigheidsrodeo's praatte en de echte Ayinde zich met een steeds gedeprimeerder gevoel realiseerde dat ze had vergeten zoogcompressen in haar beha te doen voor ze van huis was vertrokken. Maar goed, Paul Davis, de nieuwsredacteur van WCAU, had niet echt naar haar gekeken. Haar agent had haar banden naar het station gestuurd – naar dit station en alle andere in de stad, inclusief de tweede publieke omroep, die midden in Roxborough lag en waarvan ze zeker wist dat Richard haar er niet alleen heen zou laten rijden – toen Richard hier was komen spelen. Maar dat was maanden geleden en ze had niets ondernomen tot de avond ervoor, toen Davis zelf had gebeld en vroeg of ze die ochtend tijd had om even naar het station te komen. Ayinde realiseerde zich dat het een drukke dag zou worden – als ze hier klaar was, moest ze naar huis om Julian op te halen en dan helemaal naar New York naar haar moeder rijden – maar als ze een baan kreeg aangeboden, zou het het allemaal waard zijn.

Paul Davis – een jaar of vijftig, blank, knap op een tweedachtige, sikachtige manier – zette het beeld stil en keek naar het cv op zijn bureau.

'Yale, hè? En daarna Columbia.'

'Ik hoop dat dat niet in mijn nadeel spreekt,' zei Ayinde en ze begonnen allebei te lachen.

'Tien maanden West-Virginia...'

'Wat een maand of acht te lang was,' zei Ayinde. Nog meer lachen. Ze ontspande een beetje en trok haar jasje strak over haar borstkas.

'Zes jaar in Fort Worth.'

'Ik ben daar begonnen met algemene opdrachten en ben toen gepromoveerd tot weekendredactrice, toen ben ik het nieuws van vijf uur gaan lezen, dat twaalf procent meer kijkcijfers kreeg tijdens het eerste jaar dat ik er was.'

'Heel leuk, heel leuk,' zei hij en hij schreef iets op het cv. 'Luister, Ayinde. Ik zal eerlijk tegen je zijn.'

Ze glimlachte naar hem. Hij had in één keer haar naam goed gezegd. Dat was wat waard.

'Je hebt duidelijk de eigenschappen die nodig zijn om een succes te zijn in deze markt. Je ziet er goed uit... Nou ja, dat hoef ik je niet te vertellen.'

Ze knikte weer en begon zich hoopvol te voelen. 'In Texas heb ik mijn haar een paar keer moeten veranderen...'

'Je haar is het probleem niet,' zei Paul Davis. 'Je man is het probleem.'

'Mijn man,' herhaalde Ayinde.

'Je bent intelligent. Je bent warm. Je bent slim, maar niet neerbuigend.' Paul Davis keek weer naar het scherm, waar Ayinde met open mond en half dichtgeknepen oogleden op stond. 'Je bent sexy, maar niet ordinair. Ik ben alleen bang dat je niet als nieuwslezeres kunt werken. Niemand zet de televisie aan om je het nieuws te horen lezen.'

'Niet?'

Davis schudde zijn hoofd. 'Ze zetten de televisie aan om te kijken met wat voor vrouw Richard Towne is getrouwd. Ze zetten hem aan om te zien wat je aanhebt, wat voor ringen je draagt en hoe je haar zit. Ik weet alleen niet zeker of ze je geloofwaardig vinden als je hun over schoolstakingen en auto-ongelukken vertelt.'

Ayinde rechtte haar rug. 'Ik denk dat mijn kwaliteiten als verslaggeefster duidelijk zijn. Dat kunt u bij mijn collega's in Fort Worth navragen. Doordat ik met Richard Towne getrouwd ben, is mijn IQ niet lager geworden. Ik ben professioneel, toegewijd, ik werk hard, ik functioneer goed in een team en ik vraag niet om een speciale behandeling...'

Paul Davis knikte. Zijn blik was niet onsympathiek. 'Ik ben ervan overtuigd dat dat allemaal waar is,' zei hij. 'En ik vind het jammer dat je door je huwelijk in deze positie bent terechtgekomen, maar ik denk niet dat er een nieuwsredacteur of manager in de stad is die er anders over zal denken. Je status – je beroemdheid – zouden de kijker afleiden.'

'Maar ik ben geen beroemdheid! Richard is de beroemdheid!'

Paul Davis haalde de band uit het apparaat en gaf die aan Ayinde terug. 'Laat me je vertellen wat wij denken,' zei hij.

Een kwartier later liep Ayinde terug naar de parkeerplaats. Ze voelde zich alsof ze was overvallen door een tornado. Bijzonder correspondent, dacht ze, maakte haar auto open en gooide de videoband op de passagiersstoel. Hij veerde tegen het karamelkleurige leer en kwam op de vloer terecht. Yale, Columbia en tien maanden in West-Virginia met haar eigen camera op haar nek; vier jaar als verslaggeefster en twee jaar als nieuwslezeres van een programma uit de top vijfentwintig en ze wilden dat ze 'bijzonder correspondent' werd? Naar wedstrijden van de Sixers gaan en – hoe had die walgelijke Paul Douglas het gezegd – 'je toegang gebruiken om de kijkers een kijkje achter de schermen van het team te geven'? Profielen van spelers. Profielen van de coaches. Profielen van de cheerleaders, God nog aan toe!

Ze rukte de veiligheidsgordel op zijn plek. 'Onzin,' fluisterde ze en ze zette de auto in de versnelling en reed naar huis naar Julian, die in zijn wiegje lag te slapen met de huishoudster op wacht bij de deur van zijn kamer. 'Richard heeft gebeld,' zei Clara. Ayinde zuchtte, laadde de baby en al zijn spullen in de auto en belde zijn mobiele nummer. Richard had toegekeken toen ze zich die ochtend had aangekleed en haar advies gegeven of ze haar pruimkleurige of grijze pak zou aantrekken. Hij had haar een kus gegeven en had tegen haar gezegd dat ze weg van haar zouden zijn.

'Hoe ging het?' vroeg hij gretig.

'Niet zo goed,' zei ze. Ze reed Schuylkill Expressway op. Dat was waarschijnlijk maar goed ook, dacht ze terwijl Richard verontwaardigde geluiden maakte, vroeg of ze een andere agent wilde, en of hij iets kon doen om te helpen. Misschien was dit gewoon Gods manier om haar te vertellen dat het de bedoeling was dat ze fulltimemoeder werd, dat ze haar tijd het beste bij haar kind kon doorbrengen.

'Waar is mijn lieve jongetje?' zong Lolo twee uur later, Ayinde wist zeker dat ze dat meer deed voor de verzamelde fotografen, visagisten, kappers en assistenten dan voor Julian.

'Hier,' zei Ayinde. Ze zette het autostoeltje en de overvolle luiertas op een tafel vol borden met bagels en gebak en draaide het een halve slag zodat haar moeder Julian in zijn verplichte Succes-met-baby's-stoeltje kon zien. De foto's werden gemaakt in een studio in Chelsea, een lange, rechthoekige ruimte met een betonnen vloer en rollen zwart papier die aan het plafond hingen en als achtergrond dienden. Er was een afgeschermde ruimte voor de make-up en de kleding en er dreunde techno uit de luidsprekers aan het plafond. 'Dit is mijn dochter,' zei Lolo groots. 'Ze is nieuwslezeres.'

'Niet meer,' zei Ayinde, die dacht aan wat ze die ochtend had gedaan. 'Ik ben nu gewoon moeder.' Ze keek naar Julian en bedacht dat die woorden hardop niet beter klonken dan toen ze ze had gedacht op de parkeerplaats van WCAU. Daar moest ze aan werken. 'Meid, je hebt nu de geweldigste baan die er bestaat!' stond er in *Succes met baby's*.

Haar moeder keek naar Ayinde. 'Ben je weer op gewicht?' vroeg ze.

'Min of meer,' zei Ayinde en ze probeerde zich niet op te winden over Lolo. Ze had ermee ingestemd die fotoreportage voor *More* te maken – 'Generaties van schoonheid,' heette die, of zoiets idioots – om Lolo een plezier te doen, en tot ongenoegen van haar man. 'Ik wil niet dat ons kind in een tijdschrift staat,' zei Richard en Ayinde was het ermee eens. Normaal gesproken had ze een gruwelijke hekel aan de manier waarop de media wegwerpartikelen maakten van vrouwen en kinderen, wier enige werk het was er goed uit te zien als ze op de tribune stonden te juichen. Maar Lolo had aangedrongen. Meer dan dat. Lolo had gesmeekt. 'Je weet hoe moeilijk het is om op mijn leeftijd werk te vinden,' zei ze. 'En als dit goed gaat, wil Estee Lauder me misschien als Gezicht boven de Vijftig.' Volgens Ayindes berekeningen was Lolo verkiesbaar voor de positie van Gezicht boven de Zestig, maar hoe minder daarover werd gezegd, hoe beter. Een deel van haar, een deel dat ze meestal verborgen en stil wist te houden, verlangde nog steeds wanhopig naar Lolo's goedkeuring, of zelfs maar Lolo's erkenning en dat was het deel dat ermee had ingestemd om Julian mee te nemen naar Manhattan voor een familieportret, ondanks het feit dat het rationele gedeelte van haar hersenen volhield: van ze lang zal ze leven niet.

'Wat een schatje!' Er stonden drie meisjes, helemaal in het zwart gekleed, met broeken met een lage taille en wreed puntige schoenen, rond Julian. Ayinde knuffelde haar zoon en nam een opbeurende snuif van de geur van zijn haar en warme huid.

Lolo's stem klonk boven het gekoer van de meisjes uit. Haar make-up was al gedaan. Haar koperachtige huid en groengouden ogen zagen er net zo perfect uit als altijd, haar lippen rijp en haar jukbeenderen hoog en fijn, haar wimpers dik en zwart als de vleugels van een vogel. 'Ze zijn klaar voor je, schat.' Ze keek naar de baby alsof die in een grote tumor was veranderd die aan haar dochters borst zat vastgegroeid. 'Waar is de nanny?'

Ayinde snoof nogmaals Julians geur op en stak haar neus in zijn krullen voor ze antwoordde. 'Moeder, ik heb geen nanny.'

'Nou, de oppas dan.'

'En ook geen oppas.'

Lolo trok een perfect geëpileerde wenkbrauw op. 'Een au pair dan?' vroeg ze zonder veel hoop in haar stem.

Ayinde dwong zichzelf te glimlachen. 'Ik doe het helemaal alleen.' Ze liet zich door een van de meisjes met punttenen naar een stoel leiden. Julian zat bij haar op schoot terwijl een man die Corey heette blusher, bronzer en koperkleurige oogschaduw op haar gezicht aanbracht, en haar vlechtjes in een draai onder in haar nek drapeerde. 'Borstvoeding,' zei ze verdrietig nadat de derde couturejapon niet over haar borsten paste. Ze hoorde haar moeder op tien meter afstand lucht tussen haar tanden naar binnen zuigen. Lolo Mbezi was een kampioenzuiger. Dat compenseerde het feit dat ze nooit fronste. 'Rimpels, schat,' zei ze altijd als ze haar dochter dat zag doen.

'Hmm,' zei de man van de kleding terwijl hij haar in een Vera Wang-jurk hielp, een glanzend stuk bleekgrijze zijde. De rits kon niet dicht, maar hij zei tegen haar dat het wel ging lukken. 'Wat spelden en plakband en dan is er niets aan de hand.' Hij keek over Ayindes hoofd. 'O jee,' zuchtte hij. Ayinde draaide zich om en zag haar moeder, schitterend in een creatie van chiffonzijde met ruches en plooien in tien kleuren roze van licht tot magenta. Een strapless lijfje liet haar schouders, sleutelbeenderen, zijdezachte mokkakleurige huid en de lengte van haar slanke nek perfect uitkomen. De rok was een klokvormige explosie van laagjes, die gracieus poften terwijl Lolo door de ruimte schreed, met haar handen de rok ophoudend en haar ellebogen een tikkeltje gebogen. Ayinde voelde zich een grijze muis. 'En daar hebben we de ster van de show!'

Een van de meisjes met punttenen gaf Julian aan zijn moeder. De baby was poedelnaakt. 'Ik weet niet of dit zo'n goed idee is...' zei Ayinde.

'O, doe toch niet zo bezorgd!' zei Lolo, die stralend naar haar dochter en kleinzoon keek. 'Lieverd, je ziet er schattig uit. Heel chic. Draai je eens om.' Dat deed Ayinde. 'Geweldig. Bobby, je verricht wonderen... met die spelden zie je nauwelijks dat de rits niet dicht kan.'

Ayinde sloot haar ogen en bad om geduld terwijl de fotograaf hen arrangeerde: Lolo staand op een vijftig centimeter hoog podium, Ayinde onder haar zittend, in een poging haar buik in te houden, met de naakte baby op haar schoot.

'Geweldig, Lolo, prachtig, met die ogen,' riep de fotograaf. Ayinde probeerde niet te gapen terwijl Julian lag te kronkelen. 'Kin omhoog, Ayinde... nee, niet zo hoog... Draai je hoofd eens een beetje... nee, de andere kant op...'

Ayinde begon te zweten onder de lampen en de spieren in haar benen en rug trilden door de poging kaars rechtop te zitten. Julian begon harder te kronkelen en sloeg tegen de zilveren oorbellen die ze haar hadden in gedaan.

'Volgens mij moeten we even pauzeren,' lukte het haar te zeggen voordat haar zoon succesvol een oorbel greep en er hard aan trok. 'Hij moet eten...'

'Een van de meisjes geeft hem wel even een fles,' zei Lolo, die de plooien in haar rok uitschudde.

'Hij krijgt geen flesvoeding, moeder, ik geef borstvoeding...' Zoals in dat boek staat dat je me hebt gestuurd, dacht Ayinde.

'Dat maakt niet uit, we zijn bijna klaar. Ogen hiernaartoe alsjeblieft. Perfect. Ayinde, probeer de baby eens andersom vast te houden.'

Ayinde legde Julian van haar rechterarm naar haar linker. De baby reageerde op de beweging door over haar jurk te plassen. Lolo zoog geschokt haar adem naar binnen. Ayinde sloot haar ogen toen ze de meisjes met de punttenen zacht hoorde giechelen.

'Dank u wel, dames, we zijn klaar,' zei de fotograaf.

'Ik begrijp niet waarom je geen nanny hebt,' zei Lolo. Het was een uur later en ze zaten te lunchen met kipsalade aan een tafeltje achter in La Goulue. Ayinde had een legging aangetrokken met een trui van Richard erop. Lolo zag er uitmuntend als altijd uit in haar Donna

Karan-pak. En ze zat te eten, terwijl Ayindes bord onaangeroerd voor haar stond omdat Julian lag te drinken en ze beide handen nodig had, tot onuitgesproken, maar overduidelijke irritatie van haar moeder.

'Ik wil hem zelf opvoeden,' zei Ayinde.

'Ja, natuurlijk. En dat is geweldig, maar wil je geen eigen leven?'

'Dit is nu mijn leven.'

'Al die dure scholen...' mompelde haar moeder.

'Wat wil je van me?' snauwde Ayinde. Haar moeder keek haar onderkoeld aan.

'Ik wil wat iedere moeder voor haar kinderen wil, schat. Ik wil dat je gelukkig bent.'

'Nee, echt,' zei Ayinde. 'Ik weet dat je iets wilt en ik kan er maar niet achter komen wat. Je stuurt me dat boek...' Julian begon te jammeren. Ze legde hem zo discreet mogelijk aan haar andere borst, streek zijn haar glad en praatte verder. 'Je stuurt me dat boek dat zegt dat de puurste band ter wereld die is tussen moeder en kind; waarin staat dat ik hem tot zijn derde borstvoeding moet geven en in mijn bed moet laten slapen en dat een nanny gelijkstaat aan kindermishandeling...'

Lolo keek verrast. 'Staat dat in dat boek?'

Ayinde onderdrukte een lachaanval. Natuurlijk. Lolo had het omslag van *Succes met Baby's* niet eens gelezen, het boek dat Ayindes bijbel was geworden. 'Luister. Julian opvoeden is nu mijn werk. Dit is mijn baan. En het is een belangrijke baan...'

'Ja, natuurlijk,' zei Lolo, die verward klonk. 'Maar dat betekent niet dat je helemaal geen tijd meer voor jezelf mag hebben.'

'Zoals wanneer jou dat uitkomt,' zei Ayinde.

Lolo stak haar kin omhoog. 'O schat, laten we nou geen ruzie gaan maken.' Ze spietste een stuk kip aan haar vork en hield de vork voor Ayinde. 'Alsjeblieft. Doe eens open.'

'Moeder...'

'Je hebt vast honger. Hier.' Ze zwaaide met de vork met kip voor Ayindes lippen en Ayinde deed met tegenzin haar mond open. 'Goed zo!' zei haar moeder. Ze glimlachte tevreden en leunde achterover, haar gezicht glanzend onder de make-up (Ayinde had die van haar er meteen af gewassen in de wetenschap dat make-up in combinatie met Julians handen een bende van haar kleren zou maken). 'Het enige wat ik wil zeggen,' ging Lolo verder, 'is dat je best hulp mag vragen. Je moet af en toe even pauze nemen, zelfs als je de beste moeder ter wereld bent.'

'Nou, laat ik hem dan maar meteen inschrijven op kostschool,' zei Ayinde, die probeerde haar toon opgewekt te houden en dacht aan de manier waarop Lolo haar leven in en weer uit was gefladderd. Dan zweefde ze ineens een halfuur na bedtijd Ayindes kamer binnen, zich klaarmakend om weg te gaan naar een feest of diner, gaf haar dochter een kus op haar voorhoofd en maakte haar meestal wakker als ze dat deed. 'Slaap lekker!' zong ze dan, haar hakken klikkend in de marmeren gang. Dan hoorde ze het geluid van haar vaders zwaardere voetstappen en de deur die zacht achter hen werd dichtgetrokken. Bij het ontbijt waren de deur van haar ouders' slaapkamer en de gordijnen in de woonkamer dicht. Dan maakte Selena melk en ontbijtgranen voor haar en zat Ayinde stil te eten, zette ze haar afwas in de gootsteen en sloop de deur uit.

'Nou, ik vind dat je het geweldig doet,' zei Lolo. 'Maar je moet het allemaal niet zo serieus nemen! Het gaat om luiers en wandelwagens, het is geen kernfysica!'

Ayinde keek naar Julian die in haar armen lag, zijn wangen werkend terwijl hij lag te drinken, haar perfecte, mooie jongetje, zijn mond precies de vorm van die van Richard, zijn lange vingers net als die van haar en haar moeder. 'Ik wil het gewoon goed doen.'

'Je doet wat je kunt. Dat doet iedere moeder. Hier,' zei Lolo en ze zwaaide met nog een vork met kip voor haar dochters mond. Ayinde zuchtte hulpeloos voor ze haar mond opende en haar moeder haar haar lunch liet voeren.

September

Becky

'HAY-AAH.'

Becky huiverde en hield de telefoon van haar oor weg. Het was zeven uur 's ochtends en Ava lag net te slapen na haar voeding van zes uur en het daaropvolgende schreeuwfestijn. Mimi leek een telefoontje om zeven uur 's ochtends volkomen normaal te vinden. 'Hoi Mimi,' zei ze en deed geen enkele poging wakkerder te klinken dan ze was.

'Bel ik je wakker?'

'Een beetje,' zei Becky, die overdreven gaapte en hoopte dat Mimi de hint zou begrijpen.

Niet dus. 'Nou, dan hou ik het kort. Geef mijn zoon even.'

Becky draaide zich om en prikte Andrew met de telefoon. 'Je moeder,' fluisterde ze.

Andrew nam de telefoon aan en draaide zich op zijn zij. 'Hoi mam.' Er viel een stilte. Een verontrustende stilte. 'Oké,' zei Andrew. 'Oké. Hoe lang al?' Nog een stilte. 'Nee, nee, natuurlijk niet! Rustig, mam, er is niets. Nee. Nee! Nou, als dat zo was, zou ik mijn excuses aanbieden. Natuurlijk. Nee. Natuurlijk wel! Oké. Dan zie ik je straks. Ik hou ook van jou. Dag.'

Hij verbrak de verbinding, ging op zijn rug liggen en sloot zijn ogen.

'Wat?' vroeg Becky.

Andrew zei niets.

'Zeg het nou maar, anders ga ik uit van het ergste.'

Meer stilte.

'Is ze weer getrouwd?' raadde Becky.

Andrew trok het kussen over zijn gezicht zodat zijn woorden werden gedempt, maar Becky hoorde ze nog steeds. 'De airco in haar huis is niet goed.'

Becky slikte moeizaam. 'Het is niet eens meer zo warm buiten.'

'Het is maar voor een paar dagen,' zei Andrew.

Becky zei niets. Andrew draaide zich om met het kussen nog over zijn gezicht.

'Becky, ze is...'

'Je moeder. Ik weet het. Daar word ik steeds op gewezen. Maar we hebben niet eens een logeerkamer! Zou een hotel niet comfortabeler zijn?'

'Daar wil ze geen geld aan uitgeven.' Hij begroef zijn gezicht dieper in het kussen. 'Ze klaagt nog steeds over wat onze bruiloft haar heeft gekost.'

'O, kom op zeg,' mompelde Becky en stond op. 'Zoals je misschien nog wel weet, was ik niet degene die driehonderd gasten wilde. En ik was ook niet degene die opdracht heeft gegeven voor ijssculpturen van de bruid en bruidegom,' ging Becky verder. 'Hoe lang wenst madame te blijven?'

Andrew stond op en keek haar niet aan. 'Dat wist ze niet precies.'

'En waar gaat ze slapen?'

Andrew zei niets.

'O, kom op!' zei Becky, die wist wat die stilte betekende. 'Andrew, ze kan toch niet van ons verwachten dat we onze slaapkamer opgeven! Ava slaapt hier en ik moet bij haar in de buurt zijn...' Ze stak haar hoofd in Ava's hoekje om te kijken of de baby nog sliep en liep toen naar beneden. Andrew trok een badjas aan en volgde haar. 'Wat een onzin,' zei Becky en begon koffie te zetten.

Andrew perste zijn lippen op elkaar. Becky kon niet zien of hij kwaad werd of probeerde niet te lachen. Ze zette een mok voor hem neer. 'Ik wil je iets vragen. En ik wil dat je me de waarheid vertelt. Heb je ooit wel eens NEE tegen haar gezegd? Ooit? Gewoon, rechtdoorzee: Nee mam, het spijt me, maar daar komt niets van in?'

Haar man staarde in zijn koffie. Becky voelde de moed haar in de schoenen zinken. Ze vermoedde al heel lang dat dit het geval was: dat Mimi opdrachten gaf, dat Mimi eiste, dat Mimi raasde tot ze haar zin kreeg en dat Andrew, de geduldige, goedaardige Andrew, machteloos was haar woedeaanvallen te weerstaan.

'Het is maar een paar dagen,' zei hij in zijn koffie roerend. 'En het betekent heel veel voor me.'

'Goed, goed,' zuchtte Becky. Een uur later, toen Andrew naar het ziekenhuis was vertrokken en Ava was gevoed, verschoond en aangekleed, ging de voordeurbel, en daar stond Mimi, bovenaan de trap, gekleed in een superstrakke spijkerbroek met een jack, een topje en een leren pet, met vier delen bij elkaar passende Vuitton-bagage, inclusief koffer, in een rij naast haar op de stoep.

'Haaaa, schat!' zei Mimi, die het huis binnen walste, twaalf pond geschrokken kale baby uit haar moeders armen griste en Becky achterliet om haar bagage de trappen op te zeulen. 'O, ruik ik koffie?' Ze trippelde de keuken in, waar Becky een kop voor haar inschonk. Mimi nam een slokje. 'Cafeïnevrij?' vroeg ze op eisende toon.

Becky overwoog te liegen. 'Nee,' zei ze. 'Ik kan wel even zetten...'

'O, schat, wil je dat doen?' Mimi's ogen bewogen voortdurend, van de keukenvloer naar de gootsteen naar het fornuis naar de planken met kookboeken. Becky wist niet waar ze naar zocht. Bewijs dat de keuken dienstdeed als speedlaboratorium, wat zou aantonen dat Becky inderdaad de asociale woonwagenbewoonster was die Mimi vermoedde dat ze was? 'Je hebt zeker niets te knabbelen?' vroeg Mimi onschuldig. Ze wees het witbrood af ('ik hou me verre van witmeel'), volkorenbrood ('daar kan ik niet tegen') en kanteloep ('die heb ik nooit lekker gevonden'). 'Als ik nou even op mijn kleindochter pas, zodat jij naar de winkel kunt?'

Natuurlijk, dacht Becky. Zal ik dan meteen mijn hand er afhakken en die aan de rottweiler van de overkant voeren? En was het nou echt zo moeilijk voor Mimi om Ava bij haar naam te noemen? Waarschijnlijk wel. Sinds die ochtend in de verloskamer had Mimi de baby niets anders genoemd dan 'mijn kleindochter' en 'mijn kleinkind'. De naam Ava was nooit over haar lippen gekomen. Misschien hoopte ze nog steeds dat ze haar alsnog Anna zouden noemen.

Geef haar een bot, zei Becky tegen zichzelf. 'Prima. Dan spring ik even onder de douche...'

Mimi wuifde haar weg. 'We hebben alles onder controle! Geef me maar een fles en dan komt het helemaal goed!'

En zo begint het dus. 'We geven borstvoeding, weet je nog?'

Mimi kreeg grote ogen. 'Nog steeds?'

'Nog steeds,' zei Becky.

'En de doktoren zijn het daarmee eens?'

'Het is het beste wat er is,' zei Becky. 'De borstvoeding helpt haar immuunsysteem en...'

'O, zeggen ze dat tegenwoordig,' onderbrak Mimi haar. 'In mijn tijd was kunstvoeding het best. En dat lijkt Andrew geen kwaad te hebben gedaan!' Ze keek naar Becky. 'En ik heb gelezen dat baby's die borstvoeding krijgen, gewichtsproblemen kunnen krijgen.' Ze begon te fluisteren. 'Overgewicht.' Vrolijk gegiechel. 'Maar daar heeft mijn Andrew gelukkig ook nooit last van gehad!'

Ik vermoord haar, dacht Becky met afstandelijke verwondering. Echt waar. 'Ik ben over tien minuten weer beneden,' zei ze en ze rende de trap op. Ze stond met gesloten ogen onder de douche en zong 'I Will Survive' tot het hete water op was.

In de keuken zat Mimi met de baby in haar armen. Er lag een half opgegeten bosbessenmuffin voor haar. 'Ze heeft bijna de hele bovenkant opgegeten!' zei ze.

'Wat?' vroeg Becky.

'Ze eet goed,' kondigde Mimi aan. 'Net als haar vader.'

'Mimi! Ze mag nog geen vast voedsel!'

'Pardon?'

Becky balde haar vuisten. 'Ze mag op zijn vroegst met vier maanden eten en dan alleen gepofte rijst!'

Mimi wuifde met haar handen. 'Och, dit kan heus geen kwaad, hoor. Ik heb Andrew na zes weken eten gegeven en die is prima terechtgekomen! Dat is gewoon een rage,' ratelde ze. 'Baby's eten geven, baby's geen eten geven, borstvoeding, kunstmelk... Hoewel jij er misschien meer verstand van hebt dan ik. Aangezien je met eten werkt en zo.'

Becky perste haar lippen op elkaar, pakte de telefoon, sloot zichzelf op in de badkamer en belde de praktijk van haar kinderarts, waar een heel vriendelijke dienstdoende verpleegster haar vertelde dat Ava misschien pijn in haar buik zou krijgen van een bosbessenmuffin, maar dat ze er geen blijvende schade van zou ondervinden. Toen liep ze weer naar beneden.

'Hoi schat,' zei ze tegen Ava. Ava keek naar haar moeders schoot en duwde toen haar hoofdje naar achteren. De huid onder haar kin ontvouwde zich als een accordeon. Mimi staarde er vol walging naar.

'Hè, jakkes!'

Becky tuurde over de schouder van haar schoonmoeder en zag de ringen grijsbruine derrie in de hals van haar dochter.

'Doe je haar nooit in bad?' vroeg Mimi op eisende toon.

'Natuurlijk wel, het is alleen...' Becky wist niet wat ze moest zeggen. Ze probeerde Ava onder haar kin te wassen, maar die maakte het haar niet gemakkelijk. De helft van de tijd wist ze niet eens zeker of Ava überhaupt een nek had. Haar hoofd leek precies tussen haar schouders te passen. Nou ja. Ze pakte een doekje uit haar luiertas en gaf dat aan Mimi.

'Ik heb geen idee waar dat vandaan komt.'

Mimi maakte een snoevend geluid.

'Dan ga ik even boodschappen doen,' zei Becky. 'Geef haar alsjeblieft niets te eten als ik weg ben.'

Nog een snoevend geluid. Becky greep haar sleutels en liep de deur uit. Toen ze terugkwam, met twee zakken door Mimi opgedragen boodschappen, zaten haar schoonmoeder en dochter op de bank in de woonkamer. 'Wie is mijn prinsesje dan? Wie dan? Wie dan?' Ava knipperde met haar ogen en grijnsde tandenloos. Vijf minuten later trok Mimi's stem haar terug de trap op.

'En dan gaan we nu onze buik oefenen! Eén! Twee! Eén! Twee! We moeten er goed uitzien! Zodat alle jongens ons bellen!'

Pardon? Becky rende de woonkamer in. 'Mimi. Luister. Ik weet zeker dat je het goed bedoelt, maar Andrew en ik willen niet dat Ava opgroeit met zorgen over haar figuur.'

Mimi staarde haar aan alsof Becky net uit haar ruimteschip was gestapt op haar eerste bezoek aan de aarde. 'Wat bedoel je?'

'Je buikspieren trainen. Jongens. We willen niet dat Ava zich daar zorgen om maakt.' Becky probeerde te glimlachen. 'In ieder geval niet vóór haar eerste verjaardag.'

Mimi trok een pruillip. 'En Andrew is het eens met die... die...' Ze hoorde haar bijna 'onzin' zeggen. 'Filosofie?' maakte ze af.

'Helemaal,' zei Becky en liep naar de deur voor ze kon toegeven aan de drang Ava uit de armen van haar grootmoeder te rukken en Mimi en haar designbagage de deur uit te trappen.

De achtertuin was Becky's favoriete deel van het huis. Hij was nauwelijks zo groot als een biljarttafel, maar op iedere vierkante centimeter stonden bloembakken en potten, met balsemien, petunia's en gerbera's erin, en de kruiden en groenten die ze in de keuken gebruikte: tomaten en komkommer, munt en basilicum, salie, twee soorten peterselie en zelfs een watermeloen. Ze verzorgde neuriënd de planten, plukte dode blaadjes en trok onkruid uit.

Vijf minuten later had Mimi, met Ava in haar armen, haar heiligdom geschonden. 'Laten we eens gaan kijken wat mammie aan het doen is!' zong ze terwijl ze Ava de lucht in gooide en toen naar beneden liet vallen op een manier die praktisch gegarandeerd binnen vijf minuten voor een spuugaanval zou zorgen. Dan zijn we tenminste die muffin kwijt, dacht Becky.

'We geven de plantjes water!' zei Mimi. Ze spoot water in de lucht, keek hoe Ava naar de straal greep en hoe ze haar wenkbrauwen fronste toen die door haar vingers glipte. Toen stak ze haar natte handje omhoog en probeerde haar duim in haar mond te steken. Mimi gaf haar een klap.

'Nee, niet op je duim zuigen! Stoute meid!'

Becky zette de kraan uit en bad. God, geef me de rust om de dingen die ik niet kan veranderen te accepteren, geef me moed om de dingen te veranderen die ik wel kan veranderen en het geduld mijn schoonmoeder niet te verstikken, in kleine stukjes te hakken en die in het riool te gooien. 'Eh, Mimi, ze mag best op haar duim zuigen, hoor.'

'Pardon? Dat kun je niet menen. Dan verpest ze haar tanden!'

'Dat is oude wijvenpraat,' zei Becky, die zich schaamde dat ze ervan genoot Mimi te zien huiveren bij de woorden 'oude wijven'.

Mimi perste haar lippen op elkaar. 'Als jij het zegt,' zei ze uiteindelijk.

'Ja, dat weet ik zeker,' zei Becky, die haar armen uitstrekte. 'Ik zal haar even verschonen.'

Becky droeg Ava naar boven. Ze had een droge luier, maar ze realiseerde zich dat ze als ze één minuut langer met Mimi zou doorbrengen, iets zou doen waarvan ze niet wilde dat haar dochter het zag.

Ze maakte Ava's rompertje weer dicht, ging in de schommelstoel zitten en trok haar shirt omhoog. Ava greep gretig haar borst. Ze had minder dan een uur geleden voor het laatst gegeten, maar ze leek uitgehongerd. Of misschien zocht ze gewoon troost. Mimi irriteerde iedereen; waarom zou dat niet gelden voor een pasgeborene?

Becky sloot haar ogen, schommelde zachtjes heen en weer en dutte weg terwijl haar baby in haar armen lag te drinken.

'Ben je haar aan het voeden?'

Becky schoot overeind en schrok wakker uit haar dutje. Ava deed haar ogen wijdopen. Ze trok zich los van de borst en begon te huilen.

'Dat was ik wel, ja,' zei Becky snibbig. Ze trok haar shirt naar beneden en klopte op Ava's rug tot ze boerde.

'O, SORRY hoor!' zei Mimi.

Becky veegde het getuite roze mondje van haar dochter met de hoek van een lakentje af en legde Ava tegen zich aan. 'Dit is het heerlijkste gevoel in de wereld,' had haar eigen moeder gezegd toen ze Ava voor het eerst vasthield. Becky had haar toen niet geloofd, ze was zo bang geweest dat ze de baby pijn zou doen, die zo klein en breekbaar leek dat het zweet haar bij iedere luierverschoning uitbrak. Maar nu Ava haar hoofdje een beetje kon ophouden, om zich heen keek en dingen opmerkte, nu ze die baby-acné niet meer had, vond Becky het heerlijk om haar vast te houden. Ava's huid was zacht en rook heerlijk, haar donkerblauwe ogen met lange wimpers en haar volle roze lippen waren het mooiste wat ze ooit had gezien. Ze kon uren doorbrengen met het kussen van Ava's nek, of haar neus tegen haar hoofdje duwen, dat nog steeds helemaal kaal was en zo'n bleke huid had dat je de aderen eronder zag lopen.

'We gaan even een dutje doen,' zei Becky tegen Mimi. Zonder op een antwoord te wachten legde ze de baby in haar wiegje en liep naar de slaapkamer, waar ze haar schoenen uittrok, de gordijnen dichtdeed en ongelukkig naar het dakraam staarde dat Andrew en zij er in de vredige dagen voordat Mimi in de stad was komen wonen, hadden ingezet. Ze belde Andrews kantoor, toen zijn mobiele nummer en toen hij beide niet beantwoordde, deed ze wat ze zo lang had weerstaan, dat wat ze zo walgelijk vond dat Mimi het zo vaak deed. Ze liet hem oppiepen. 'Ja graag, kun je vragen of hij naar huis belt? Nee hoor, geen noodgeval. Ik ben zijn vrouw.' Dertig seconden later ging de telefoon. Becky stortte zich erop. Ze was snel, maar Mimi was sneller.

'Andrew! Dag lieverd! Wat een leuke verrassing!'

'Hoi mam. Is Becky thuis?'

'Dat zal wel,' kirde Mimi. 'Maar heb je geen minuutje om even met je oude moeder te kletsen?'

Becky hing de telefoon op en balde haar vuisten. God, geef me de rust te accepteren wat ik niet kan veranderen... Tien minuten later stond Mimi onderaan de trap te schreeuwen. 'BeckYYYY! Mijn zoon wil je spreken!'

Ava begon te huilen. 'Zeg maar dat ik terugbel,' fluisterde Becky terug en liep Ava's kamer binnen, waar ze tien minuten bezig was om Ava weer in slaap te krijgen. Toen ze Andrews mobiele nummer weer belde, nam hij op.

'Hoe is het?'

'Niet goed,' zei Becky.

'Gedraagt ze zich onmogelijk?'

'Ach, wat zal ik zeggen. Tot nu toe heeft ze onze dochter een bosbessenmuffin gevoerd, heeft ze haar een keer wakker gemaakt, heeft ze haar duim uit haar mond geslagen...'

'Wat?' Andrew klonk oprecht ongelovig. Becky ontspande zich tegen de kussens aan. Hij staat aan onze kant, hielp ze zichzelf herinneren. Aan mijn kant. Niet aan die van haar.

'Ze heeft buikspieroefeningen met haar gedaan, zodat ze door jongens wordt gebeld...'

'Zei ze dat tegen Ava?'

'Nou, ze heeft het niet tegen mij gezegd in ieder geval.'

Andrew zuchtte. 'Wil je dat ik naar huis kom? Ik heb...' Becky hoorde dat hij zijn rooster pakte. 'Om drie uur een heupprothese, maar ik kan vragen of Mira die van me overneemt.'

'Nee, nee, ga jij die heup maar vervangen. Ik moest gewoon even mijn hart luchten.'

'Het spijt me, Becky,' zei Andrew. 'Het spijt me echt. Hou vol.'

'Dat zal ik proberen,' zei ze en verbrak de verbinding. Terug in de kinderkamer lag Ava op haar zij en Mimi leunde over het wiegje in exact dezelfde pose als die ochtend in het ziekenhuis, haar zwarte haar in de wieg en haar neus een piepklein stukje van die van Ava verwijderd. Becky zag haar gezichtsuitdrukking niet, maar haar houding deed haar denken aan die stadslegende over katten die de adem uit slapende baby's zuigen. Ze had haar vuisten gebald; haar korte nagels drukten in het vlees van haar palmen. Ga weg, wilde ze schreeuwen. Ga weg bij mijn kind, gestoord wijf!

'Ze is zo perfect,' fluisterde Mimi.

Becky's handen ontspanden zich. Gruwelijk als ze was, had ze wel gelijk over Ava. 'Ja, hè?' fluisterde ze terug.

'Ik heb altijd een meisje gewild,' zei Mimi. 'Maar na Andrew heb ik twee miskramen gehad en daarna mocht ik van de dokter niet meer zwanger worden.'

Becky voelde haar hart smelten. Mimi leunde nog verder naar de baby. Ava's ogen bewogen in haar slaap. 'Ze heeft van die lichte wimpers,' fluisterde Mimi. 'Zullen we een beetje mascara proberen?'

Becky voelde haar hart weer verharden. 'We moeten haar laten slapen,' zei ze en hield de deur nadrukkelijk voor Mimi open, tot Mimi het opgaf en haar naar beneden volgde.

Terug in de woonkamer zette Becky haar geheime wapen in. 'Wil je een glas wijn?'

Dat wilde Mimi wel. Twee glazen chablis en een afstandsbediening in haar handen verder, was Becky vrij. 'Wij gaan even een stukje wandelen!' riep ze. Ze tilde de wandelwagen de trap af en wist dat Mimi niet zou meegaan, aangezien hakken van tien centimeter een gezellig wandelingetje uitsloten. Becky wilde kijken of Lia thuis was. Lia zou haar helpen alles in perspectief te houden, want zelfs krijsende Mimi was niet zo'n probleem als je dacht aan wat Lia had meegemaakt.

Ze hadden elkaar een week geleden ontmoet en ze hadden een keer koffie gedronken in het park, waar ze het soort zullen-we-elkaar-leren-kennen-gesprek hadden dat je op een blind date meestal voert, tot Becky Lia zo ver had gekregen over haar geheime verslaving te beginnen: Hollywoodroddel. Na een uurtje met Lia, bedacht ze zich tevreden, wist ze meer over wie er in Hollywood homo was en wie naar de Scientologykerk ging dan ze in een heel leven *Access Hollywood* had geleerd. Ze had haar naar filmsterren gevraagd; Lia had haar naar haar vriendinnen en hun kindjes gevraagd. Een eerlijke ruil, dacht Becky.

Ze liep met Ava rond het park naar de hal van het gebouw waar Lia woonde en liet de conciërge naar boven bellen. 'Heb je zin in een wandeling?' vroeg ze. Lia droeg een Gloria Vanderbilt-spijkerbroek die ze zo te zien sinds haar middelbare schooltijd had. Haar tweekleurige haar zat netjes onder een Phillies-honkbalpetje weggewerkt, maar ze zag er ongemakkelijk uit toen ze haar gewicht van haar ene op haar andere voet plaatste, haar ogen verborgen in de schaduw van de klep van haar petje. 'Zullen we kijken of Kelly en Ayinde er zijn?' Ze was even stil. 'Tenminste... Ik bedoel...' Ze keek naar Lia, die op haar onderlip beet. 'Vind je het moeilijk om andere baby's om je heen te hebben?'

'Nee, dat is goed,' zei Lia. Ze schoof haar handen in haar zakken en haalde haar schouders op. 'De wereld is vol baby's. Daar heb ik niet zo'n last van. Niet zo lang het baby's zijn van mensen die ik ken. Soms is het wel...' Ze raakte Ava's wang aan. 'Soms is het wel moeilijk, hoor,' zei ze zacht. 'Als het lijkt of iedereen behalve jij een baby heeft die niet doodgaat.'

Becky slikte moeizaam. 'We kunnen ook gewoon in het park gaan wandelen,' zei ze. 'Een kop koffie drinken.'

'Nee, nee.' Lia schudde haar hoofd. 'Ik wil je vriendinnen graag ontmoeten.'

Een halfuur later lag Ava in haar wandelwagen te slapen en zaten Becky, Ayinde met Julian en Lia op een gruwelijke oranjebruine bank in Kelly's voormalig lege woonkamer. Oliver, die sinds zijn geboorte twee keer zo groot leek te zijn geworden, lag onder zijn Gymini op een bekwijlde knuist te kauwen. En Kelly, gekleed in wat eruitzag als haar oude zwangerschapssportkleding, zat in haar telefoonheadset te praten met één oog op haar baby en één op haar computerscherm.

'Paul, wacht even, ik wil zeker weten dat ik het goed begrijp,' zei ze. Ze glimlachte naar Becky en Ayinde, grijnsde naar de baby's en knikte naar Lia, die haar naam had gefluisterd. 'Er was een tyfoon? En daarom staan de kaarsen nog in Thailand? Oké, wat is ons noodplan?' Ze luisterde met gefronst voorhoofd en tikte met een pen op haar bureau. 'Dus we hebben geen noodplan. En er is in de hele driestatenregio geen kaars die een acceptabel alternatief is. Oké. Ja. Ja, ik wacht wel even.' Ze legde haar hand over het microfoontje en trok een gezicht. 'Daarom doe ik dus geen bruiloften,' fluisterde ze terwijl iemand – waarschijnlijk Paul – aan de andere kant van de lijn begon te schreeuwen. 'Paul. Paul. PAUL! Luister, we hebben het over tafelversiering, niet over een aidsvaccin. Ik denk niet dat een telefoontje naar het consulaat zal helpen. Ik stel voor dat je leveranciers in New York gaat bellen, ik fax je wel een lijst met nummers met kruisjes voor de bedrijven waar je de meeste kans maakt. Zoek maar een half dozijn kaarsen in dezelfde kleur uit. Ik kom morgen wel even langs en dan praten we samen met de bruid. Precies. Ja. Tien uur. Prima. Oké, dan zie ik je dan.' Ze verbrak de verbinding en ging in kleermakerszit op de grond naast haar baby en de slapende hond zitten.

'O mijn god!' zei ze en staarde naar Lia. 'Jij bent beroemd!'

'Nou, niet echt hoor,' zei Lia met een glimlach. Ze wees naar de telefoon. 'Dat klonk interessant.'

'Ben je weer aan het werk?' vroeg Becky.

'Buh. Niet echt,' zei Kelly. 'Mijn vroegere bazin zit met een noodgeval en ik heb beloofd dat ik haar zou helpen. De bruid is verliefd geworden op Thaise kaarsen. Jammer genoeg liggen er driehonderd op een schip dat vastligt in de haven vanwege een tyfoon. Ze zijn niet op tijd voor de bruiloft.'

'En nu?' vroeg Becky.

'Ellende,' zei Kelly. Ze nam Oliver in haar armen, rolde op haar rug en tilde de baby boven haar hoofd. Olivers dikke beentjes hingen naar beneden en zijn handjes gingen open en dicht terwijl zijn moeder hem naar boven en beneden bewoog. 'In een groen, groen, groen, groen knollen- knollenland,' zong Kelly, 'daar zaten twee haasjes, heel parmant. De een die blies de fluite-fluite-fluit en de ander sloeg de trommel.'

Ayinde keek op haar horloge. 'Mag ik je wieg even gebruiken?' vroeg ze.

'Ga... je... gang,' zei Kelly tussen het opduwen van Oliver door.

'Hij ziet er helemaal niet slaperig uit!' zei Becky.

Ayinde haalde verontschuldigend haar schouders op, nam Julian in haar armen en liep naar de kinderkamer.

'Trek je van haar maar niets aan, ze zit bij de sekte,' fluisterde Becky tegen Lia. 'Priscilla Prewitt. Wel eens van gehoord? Ze is Ayindes goeroe. Ayinde heeft Julians hele leven ingedeeld in een vijf-minutenschema en...' Ze keek naar Kelly. 'Wat doe jij nou?' vroeg ze terwijl Kelly Oliver omhoog bleef duwen.

'Triceps,' gromde Kelly en liet de baby op haar borstkas rusten.

'Nou, jij bent een betere vrouw dan ik,' zei Becky. Lemon snuffelde aan Olivers hoofdje. Ayinde liep op haar tenen de kamer weer binnen.

'Als ik geen vijf kilo afval, pas ik niet in mijn werkkleding,' zei Kelly. 'En ik kan me geen nieuwe garderobe veroorloven.'

Steve liep op blote voeten en in een korte broek met T-shirt de kamer binnen. 'Kan ik iets te eten voor iemand meenemen?'

Kelly had zo'n geluk, dacht Becky terwijl Steve ieders wensen opschreef. Ze zou het geweldig vinden als Andrew eens een dagje thuis was. Dan zou hij lunch voor haar kunnen halen, met de baby gaan wandelen en haar door de vijf manden wasgoed helpen die in één nacht leken te zijn ontstaan. Terwijl Steve opschreef welke salades ze wilden, legde Kelly Oliver terug onder zijn Gymini en begon ze op haar loopband te lopen met in elke hand een gewicht van vijf pond.

'Jemig, wat ben jij gelukkig dat je Steve om je heen hebt,' zei Becky. 'Hoe gaat het met zijn banenjacht?'

Er gebeurde iets met Kelly's gezicht toen ze het woord 'gelukkig' hoorde, maar die uitdrukking was weer weg voordat Becky de kans kreeg om uit te puzzelen wat die betekende. 'Prima!' zei ze en drukte op een knop tot ze rende. 'Heel... veel... spannende... mogelijkheden!'

Becky legde Ava op haar rug op de vloer en rekte zich lui uit. 'Mag ik hier de rest van mijn leven blijven?' vroeg ze.

'Is je schoonmoeder... echt... zo... erg?' vroeg Kelly terwijl ze nog harder begon te rennen.

'Eh. "Echt zo erg" komt niet eens in de buurt,' zei Becky.

'Wat heeft ze dan gedaan?' vroeg Lia.

'Als ik dat vertel, geloven jullie me niet.'

'Probeer maar,' zei Ayinde.

'Oké,' zei Becky. Ze schraapte haar keel. 'Ze had een trouwjurk naar mijn bruiloft aan en ze zong tijdens de receptie: "The Greatest Love of All".'

Kelly, Lia en Ayinde keken elkaar aan. 'Is ze zangeres?' vroeg Lia voorzichtig.

Becky rolde om en duwde haar neus tegen Ava's buikje. 'Nee!'

'En ze zong het voor jullie samen?'

'Nee, alleen voor Andrew.'

'En die trouwjurk...' Lia's stem ebde weg.

'Een echte,' bevestigde Becky. 'Volgens mij een Versace. Strak. Wit. Laag uitgesneden. Met een split. Een enorme vierenzestig jaar oude boezem, die, laat me dat even duidelijk stellen, niet was wat ik wilde zien toen ik naar Andrew liep. Volgens mij heeft ze hem al eerder gebruikt.'

'Ik... weet... dat je... een grapje... maakt,' hijgde Kelly. Haar paardenstaart hupte bij iedere pas op en neer.

Becky ging rechtop zitten, voelde in haar luiertas en haalde haar portemonnee te voorschijn. 'Hier,' zei ze en liet haar vriendinnen een foto zien. 'Voor het geval je je het afvroeg. Ik heb hem als bewijs bij me, niet om emotionele redenen.'

Kelly ging langzamer lopen, sprong van de loopband en zij, Lia en Ayinde bogen hun hoofd over de foto. 'O,' zei Lia. 'O jee. Zitten er hoepels in die rok?'

'Inderdaad,' zei Becky. 'Hoewel Mimi in couture was gekleed, droeg mijn hele gevolg hoepelrokken als eerbetoon aan haar zuidelijke afkomst. Met bijpassende parasolletjes in muntgroen.' Ze begon te giechelen. 'We leken wel een toneelclubje.'

'Dat je erom kunt lachen!' zei Kelly, die haar gezicht afveegde met de onderrand van haar shirt.

Becky haalde haar schouders op. 'Geloof me maar als ik zeg dat ik het toen niet bepaald grappig vond,' zei ze. 'Maar het is vier jaar geleden. En je moet toch toegeven dat het enigszins lachwekkend is.'

Ayinde staarde naar de foto. 'Dat is het vreselijkste bruiloftsverhaal dat ik ooit heb gehoord.' Ava rolde op haar zij en liet een harde wind.

'Goed gedaan!' zei Becky en klopte trots op de billen van haar dochter. 'Weet je dat ik de eerste keer dat ze in het ziekenhuis een scheet liet zo schrok dat ik een zuster heb gebeld om te vragen of dat wel mocht?' Ze grijnsde. 'Ook alweer zoiets waar in de babyboeken niet over wordt gerept.'

Kelly glimlachte vrolijk. 'We noemen ze hier billenbellen!'

Becky rolde met haar ogen. 'Bij mij thuis heten ze babyscheten!' Ze leunde achterover in de bruin-oranje bank. 'Kunnen jullie me in godsnaam vertellen hoe iemand zo kan worden als Mimi? Ik bedoel, die echtgenoten! En het drama!'

Lia haalde haar schouders op en friemelde aan haar honkbalpetje. Becky vroeg zich voor het eerst af of ze haar niet had moeten meenemen, of ondanks wat ze had gezegd drie baby's waarvan twee jongetjes toch meer was dan Lia aankon. 'Dat moet je mij niet vragen. Ik snap mijn eigen moeder niet eens, laat staan die van een ander. Maar ik denk...'

'Vertel eens,' zei Becky. 'Echt. Alsjeblieft. Help me.'

'Zulke mensen,' zei Lia, 'ik denk dat ze zo zijn omdat ze pijn hebben gehad.'

'Ik wil haar wel pijn doen,' mompelde Becky.

Lia schudde haar hoofd. 'Geweld is nooit een oplossing. En Becky...'

'...ze is zijn moeder,' zeiden Kelly en Ayinde in koor. Lia keek geschrokken. Toen begon ze te lachen en op dat moment ging Becky's telefoon.

'Schat?' zei Andrew. 'Je bent niet thuis.'

'En dan zeggen ze dat mannen niet opletten. We zijn gaan wandelen,' zei Becky.

'Heb je mama alleen gelaten?'

Becky's moed zonk haar in de schoenen. 'Je kent Mimi. Ze houdt niet van wandelen. En Ava had behoefte aan frisse lucht.'

'Twee uur frisse lucht?'

Was ze al zo lang weg? 'Luister Andrew, je moeder is een volwassen vrouw...'

'Ze wil wat tijd met haar kleindochter doorbrengen,' zei Andrew. 'En Becky...'

'Ja, ja, ik weet het,' zei ze. 'Je hoeft het niet nog een keer te zeggen. Ik ga al.' Ze verbrak de verbinding en pakte haar baby op. 'Hé, moest jij niet iets naar die kaarsenman faxen?' vroeg ze.

Kelly sloeg een hand voor haar mond. 'O mijn god,' mompelde ze en ze rende naar haar computer.

'Geen rust voor de zondaars,' zei Becky en reed haar dochter de deur uit.

Lia

'WERK ZOEKEN' STOND BOVEN AAN MIJN LIJSTJE, METEEN ONDER 'geld regelen' en 'woning zoeken'. Maar toen Becky me op weg naar het huis van Kelly een baan bij Mas aanbood, heb ik die afgewezen.

'Ik kan niet koken,' zei ik toen we naast elkaar liepen en Ava door Walnut Street duwden. 'Ik liet altijd Zone-maaltijden bezorgen. Ik heb thuis het fornuis niet eens aan gehad.'

'Dat maakt niet uit. Zo moeilijk is het niet. En in het begin kook je niet eens. Dan ga je snijden, pellen, wassen...' Becky duwde de wandelwagen een koffiebar in en boog voorover om Ava's roze zonnehoedje goed te doen, dat ontzettend leuk stond bij haar roze overall en roze-wit gestreepte T-shirt. 'Wist je dat iemand gisteren op straat tegen me zei: "Wat een leuk jongetje"?'

'Moest jij niet naar huis?'

'Ik ben toch op weg?' zei Becky opgewekt. 'Maar eerst even een bak koffie. En de baby voeden. En mijn moeder bellen. Een halfuurtje of zo. Maar goed,' ging ze verder terwijl ze aan het tafeltje achter in de zaak ging zitten. 'Het werk waar ik het over heb, is zo eenvoudig als maar kan. Spinazie wassen, garnalen pellen...' Ze keek me zijdelings aan. 'Je bent toch niet veganistisch, hè? Je hebt geen ethische bezwaren tegen het koken van levende wezens?'

Ik schudde mijn hoofd en dacht aan hoe mijn moeder me hetzelfde had gevraagd.

'Het verdient niet geweldig,' zei Becky. 'En het is geen glamourbaan. En je moet de hele dag staan.'

'Daar ben ik wel aan gewend,' zei ze. 'Als je acteert, moet je ook de hele dag staan.'

'Ja, maar dan sta je naast Brad Pitt en niet naast Dash de afwasser,' zei Becky. Ze keek over haar linkerschouder en toen over haar rechter, als een spionne in een film. 'Doe die eens over me heen,' mompelde ze uit haar mondhoek. Ze spreidde een pasjmina ter grootte van een picknickdeken over haar schouder, pakte de baby en trok haar blouse omhoog. 'Zie je iets?'

Ik keek. Ik zag Becky, en de deken en een vaag als Ava gevormde klont eronder. 'Niets te zien.'

'Mooi,' zei Becky. 'Maar hou haar in de gaten. Ze is een boef. Gisteren trok ze de deken eraf en toen zat ik met een loshangende tiet in Cosi aan Walnut Street. En dat natuurlijk net op het moment dat er zes collega's van Andrew langs kwamen lopen. Niet fijn. Neem je de baan?'

'Als je het meent. En als je het niet erg vindt dat ik geen enkele ervaring heb.'

'Geloof me, iedereen zal blij met je zijn. Vooral Dash de afwasser.'

'Dank je,' zei ik.

'De nada,' antwoordde ze. Ze liet Ava boeren, veegde haar mond af, was tien minuten op het toilet bezig om haar luier te verschonen, en uiteindelijk ging ze met tegenzin en heel langzaam, merkte ik, naar huis.

Ik begon de volgende middag op mijn werk. Ik stond voor het aanrecht in de rokerige keuken van Mas spinazie te wassen en wortels te schrappen tot ik mijn vingers niet meer voelde. 'Gaat het?' vroeg Becky voor de zesde keer dat uur. 'Gaat het echt? Wil je even pauze? Wil je wat drinken?'

'Het gaat prima,' zei ik tegen haar. Ik rechtte mijn rug en rekte mijn vingers. Het was lichamelijk zwaar werk, saai en eentonig, maar iedereen in de keuken was aardig, vooral, zoals Becky al had voorspeld, Dash de afwasser, die een jaar of negentien was, en die, als ik erop moest gokken, waarschijnlijk een fan was van mijn vroegste werk, dat alleen op video uitkwam. Het was voor het eerst sinds ik uit Los Angeles weg was dat mijn geest rustig was. En Sarah zou me laten zien hoe ik vinaigrette moest maken. Het ging goed.

De volgende maandag, mijn eerste vrije dag, vouwde ik het lijstje open dat ik voor mezelf had gemaakt. Alles was weggestreept, behalve de onderste regel: hulpzoeken. Ik kon het niet oneindig uitstellen, dacht ik terwijl ik mijn haar weer onder het honkbalpetje schoof en de schemer in liep.

Ik had in dezelfde krant die me mijn appartement had opgeleverd een advertentie van Parents Together gezien, maar toen ik drie minuten bij de maandagavondbijeenkomst zat, leek het me dat die groep me niet zo zou bevallen als mijn woning deed.

Wat ik wilde – en wat ik nodig had – was te weten wanneer ik niet meer iedere ochtend met pijn in mijn hart zou wakker worden, zo verdrietig dat ik er niet door kon ademen. Hoe lang zou dit pijn doen? Wanneer is Caleb niet meer de eerste en de laatste aan wie ik iedere dag denk? Wanneer zie ik zijn gezicht niet meer iedere keer dat ik mijn ogen sluit? Ik dacht niet dat ik mijn antwoorden in Pennsylvania Hospital zou vinden, in de vergaderruimte op de vierde verdieping waar het naar ziekte en desinfecterend middel stonk. De muren waren beige en het tapijt was grijs. Om de lange tafel zaten mensen uit plastic bekertjes koffie of thee te drinken.

De vrouw die eerst sprak, heette Merrill. Ze had krullend, schouderlang bruin haar, een bril met hoornen montuur die veel te groot was voor haar gezicht en een gouden trouwring die veel te groot was voor haar vinger. Merrill was veertig. Haar zoon heette Daniel. Hij had leukemie. Hij was op zijn elfde gestorven en dat was vier jaar geleden, maar Merrill klonk nog steeds zo geschrokken en gebroken alsof ze het nieuws die ochtend had gehoord. Het gebeurt nog steeds, dacht ik en greep de tafel terwijl de grond onder me vandaan leek te zakken.

'En die mensen van Wish Foundation blijven ons maar voor de gek houden,' zei Merrill. Ze had een kapotte tissue in haar hand, die ze iedere paar minuten naar haar wang bracht, maar ze zag er te kwaad uit om ook maar aan huilen te denken. 'Je mag toch een wens doen, het hoeft toch geen politiek correcte wens te zijn, geen wens die de goedkeuring moet hebben van een weldoener die nog nooit een ziek kind heeft gehad, en als het nou Danny's laatste wens was om Jessa Blake te ontmoeten, wie zijn zij dan om te zeggen dat ze niet met pornosterren werken?'

De man die naast haar zat – haar echtgenoot, nam ik aan – legde voorzichtig een hand op haar schouder. Merrill schudde hem af. 'Hij kende haar alleen van haar muziekclips. We lieten hem heus geen porno kijken,' zei ze. 'En toen wilden ze Adam Sandler sturen en ik weet zeker dat dat alleen maar was omdat die al naar Philadelphia kwam om een meisje met een nierziekte te bezoeken...'

Ik probeerde mijn lachsalvo te vermommen als een hoestbui. De groepsleider keek me aan. 'Wil jij nu?'

'O nee,' zei ik en schudde mijn hoofd.

'Vertel eens hoe je heet.'

'Ik ben Lisa.' Dat floepte er zomaar uit, hoewel ik al jaren Lia was. Een paar maanden terug in Philadelphia en hup, ik was Lisa weer. 'Maar ik wil echt niet praten. Ik weet niet eens wat ik hier doe.'

'Hij was stapelgek op Jessa,' zei Merrill. Ze bracht de tissueprop naar haar wang. 'Stapelgek.'

'Dank je, Merrill. Dank je,' zei de groepsleider vriendelijk. Merrills man trok haar hoofd tegen zijn schouder en ze begon te huilen. Ik haatte Merrill ineens. Haar zoon was elf. Ze had elf jaar met verjaarspartijtjes, kerstcadeautjes, geschaafde knieën en voetbalwedstrijdjes gehad. Ze had hem zien kruipen, lopen, rennen en fietsen. Misschien had ze hem zelfs het verhaal over de bloemetjes en de bijtjes wel kunnen vertellen, tegenover hem aan de keukentafel en misschien had ze toen wel tegen hem gezegd: 'Luister, er zijn dingen die je moet weten.' En wat had ik gekregen? Slapeloze nachten, vieze luiers, mand na mand vuile was. Een gillend pakketje slecht humeur dat nog nooit had gelachen.

Ik kneep mijn ogen dicht terwijl ik de wereld voelde kantelen en balde mijn vuisten op mijn stomme Gloria Vanderbilt-spijkerbroek. 'Lisa?' vroeg de groepsleider.

Ik schudde mijn hoofd. Ik dacht aan Becky die haar dochter onder het roze dekentje borstvoeding gaf. Als Caleb dronk, hield hij zijn handjes nooit stil. Ze gingen van mijn borst naar zijn hoofd en voelden aan mijn huid. Ze wapperden in de lucht. Soms fladderden ze als bladeren tegen mijn kin of wang.

'Het spijt me,' zei ik in de hoop dat mijn goede manieren zwaarder zouden wegen dan het feit dat ik zo snel was opgestaan dat mijn stoel op wielen tegen de muur was geklapt.

'Lisa,' riep de groepsleider. Maar ik ging niet langzamer lopen tot ik de deur uit was, de lift uit, het ziekenhuis uit. Toen leunde ik tegen de door de zon verwarmde bakstenen muur en zoog grote slokken lucht naar binnen met mijn hoofd bij mijn knieën bungelend. De lucht was donker geworden. Ik moest ergens heen, dus kon ik net zo goed naar Mas gaan.

'Hé,' riep Becky toen ik binnenkwam. 'Wat doe jij hier?'

'Ik... Ik dacht dat ik...' Ik keek om me heen en het drong tot me door dat het maandag was; Mas was niet eens open. De eetzaal was leeg, schoongeveegd, en alle tafels waren leeg, op één na, waar drie stoelen omheen stonden en die vol stond met hapjes. Ayinde zat voor een bord empanada's. Kelly's Kate Spade-luiertas hing aan een andere stoel en Kelly zelf stond in een hoek in de headset van haar telefoon te praten. Ik draaide me om naar de deur. 'Het spijt me. Ik was denk ik in de war.'

'We hebben een moederavondje,' legde Becky uit. Ze trok nog een stoel naar de tafel en gebaarde me te gaan zitten.

Ik schudde mijn hoofd. 'Nee, echt, dat wil ik niet, ik...'

Becky leidde me naar de stoel en gaf me een glas. Ik keek om me heen. 'Waar zijn de kinderen?'

'Ava is bij Mimi,' zei ze, 'die met een manicuresetje kwam aanzetten en me niet geloofde tot ik Andrew belde om te bevestigen dat je geen nagellak op de nageltjes van een pasgeborene mag smeren. Julian is bij...' ze keek naar Ayinde.

'Clara,' zei Ayinde. 'Die werkt voor Richard en mij.'

'Ze is jullie huishoudster,' plaagde Becky.

'Interieurverzorgster,' zei Ayinde. 'En ze is gek op de baby.'

'Steve zorgt voor Oliver,' zei Becky en wees met haar kin naar Kelly, die nog steeds aan de telefoon was.

'Schat, je moet zijn voorhuid zachtjes naar achteren duwen – doe hem geen pijn! – en dan ga je er gewoon een beetje met een washandje overheen... Goed, goed, niet in paniek raken, hij valt er heus niet af.' Kelly verbrak de verbinding en schudde haar hoofd. 'Sinds wanneer ben ik een expert op het gebied van penishygiëne?' vroeg ze.

'Wees maar blij dat je geen meisje hebt,' zei Becky. 'De eerste keer dat Andrew Ava in bad deed, belde hij me midden in de drukte bij Mas om me te vragen hoe hij – en ik citeer – "het gebied" moest behandelen. Je zou toch denken dat ze het daar op de artsenopleiding wel over hebben gehad.' Ze keek naar Ayinde. 'Hoe pakt Richard de badjes aan?'

'O, die doet Richard niet,' zei ze en nam een slokje uit een glas waar iets in zat wat op sangria leek. 'Ik doe Julian altijd in bad.'

'In je door Priscilla Prewitt goedgekeurde badje,' zei Becky.

'Eerlijk gezegd gaat hij met mij in bad,' zei Ayinde. 'Dat is heerlijk.'

'Dat deed ik ook altijd,' zei ik. Ik trok mijn hoofd tussen mijn schouders. Sam was een keer de badkamer in gekomen om foto's van ons samen te maken en ik was zo onzeker over mijn striae geweest dat ik een fles shampoo naar zijn hoofd had gegooid. Maar het was heerlijk. Ik dacht terug aan hoe ik Calebs glibberige lichaam vasthield, het gevoel van zijn natte huid tegen de mijne, hem onder zijn armen vasthouden en hem door het water trekken. Waar waren die foto's eigenlijk?

Becky gaf me een servetje. 'Gaat het?'

Ik knikte en knipperde snel met mijn ogen; ik wilde per se niet huilen en hun avond verpesten. 'Weet je zeker dat ik niets kan doen?' vroeg ik. 'Volgens mij is de kippenbouillon bijna op.'

'Doe niet zo gek.' Ze gaf me een bord. 'Hoe gaat het?'

Ik nam een slokje sangria en voelde hoe die mijn borst en buik verwarmde. 'Ik ben naar zo'n praatgroep geweest. Een verdrietgroep. Het was...' Nog een slik. 'Ik ben vrij plotseling weggegaan.'

'Waarom?' vroeg Kelly.

'Omdat het gewoon een groep verdrietige mensen is die elkaar hun verdrietige verhaal vertellen en ik wil niet... Ik kan niet...'

Becky zat me stil aan te kijken. 'Denk je dat het zou helpen als je erover praat? Dat lijkt me een goed idee. Ik bedoel...' Ze lachte nerveus. 'Ik weet niet hoe het voor je is, het lijkt me afschuwelijk, maar het lijkt me dat als je met mensen bent die hetzelfde hebben meegemaakt...'

'Maar ze hebben niet hetzelfde meegemaakt. Dat is het probleem.' Ik nam nog een slokje sangria. En nog een. 'Het probleem is...' Ik haalde diep adem en staarde naar mijn handen. 'Ik wilde helemaal niet eens zwanger zijn.' Ik legde mijn handen om het glas en sprak zonder een van hen aan te kijken. 'Het condoom is gescheurd. Ik weet hoe stom dat klinkt. Het is net de reproductieve variant van "de hond heeft mijn huiswerk opgegeten". En we waren niet getrouwd. We waren niet eens verloofd.' Ik dacht aan Sams snel ingezogen adem, mijn eigen stokkende adem toen hij uit me ging, nog half hard en zonder condoom. Ik had het er later met mijn vingers uitgevist en had de dagen sinds mijn laatste ongesteldheid geteld. Ik dacht: dit zou wel eens een probleem kunnen zijn.

Voor ik naar Los Angeles was verhuisd, was ik aan de pil, op mijn achttiende en met mijn diploma van George Washington High – waar ik was uitgeroepen tot de knapste, meest dramatische persoonlijkheid met de grootste kans op beroemdheid – en drieduizend dollar op zak die ik had gekregen voor het verkopen van de ring die ik had geërfd. Nadat ik naar audities en open dagen begon te gaan en zag dat alle vrouwen om me heen een beetje blonder, een beetje rondborstiger en acht kilo lichter dan ik waren, stopte ik ermee in de hoop dat ik dan sneller zou afvallen.

'Je hebt nu al ondergewicht,' zei de verpleegster bij Planned Parenthood terwijl ik mijn zakken volpropte met de gratis condooms die als chocolaatjes in glazen schalen lagen.

'Niet in deze stad,' antwoordde ik. Ik glimlachte en zei dat ze zich geen zorgen hoefde te maken, dat ik niet eens een vaste vriend had. En die had ik ook niet, jarenlang niet. Alleen ik en een serie kamergenoten in het flatje met één slaapkamer in Studio City. Ik nam acteerles. Ik ging bij een improvisatieclubje. Ik werkte even bij een makelaarskantoor en deed 's avonds telemarketing, tot ik, na tien jaar ploeteren, Sam leerde kennen en een hoofdrol kreeg in een film op Lifetime. Sam haalde een scheermesjesreclame binnen en een gastrol van zes afleveringen in *Friends*. We waren ineens beroemd.

En in verwachting. 'Het kwam vreselijk slecht uit,' zei ik tegen hen. 'Sam en ik kenden elkaar pas acht maanden. We werkten allebei zo hard aan onze doorbraak en zijn carrière kwam eindelijk op de rails. En de mijne ook, denk ik.'

In mijn derde jaar als zesentwintigjarige was ik eindelijk op het punt beland dat ik af en toe als mezelf werd herkend in plaats van te worden aangezien voor een andere, beroemdere actrice... of werd aangestaard door een met zijn ogen knipperende toerist die zeker wist dat hij moest weten wie ik was, maar er niet op kwam. 'Het was een heerlijke tijd. Daarvoor deed ik allerlei videoproducties. Series en televisiefilms. En toen had ik ineens al die mogelijkheden. En Sam. Ik was zo gelukkig.'

Ayinde draaide haar glas tussen haar vingers rond. 'Hoe oud was je?' vroeg ze. Ik keek haar aan de andere kant van de tafel aan. Ze zat met haar armen over elkaar naar voren geleund en ik zag een flits van haar in haar vorige leven, die professionele kalmte waarmee ze kijkers van Fort Worth het nieuws vertelde. Kelly beet op haar onderlip. Haar witblonde haar bedekte het grootste deel van haar gezicht en Becky's handen waren geen moment stil terwijl ze iedereen nog een glas sangria inschonk en de salsa liet rondgaan.

'Negenentwintig,' zei ik. 'Volgens mijn agent was ik natuurlijk zesentwintig. In die wereld is er altijd iemand die jonger, mooier en waarschijnlijk getalenteerder is dan jij. Met oog op mijn carrière zou het beter zijn geweest als we hadden kunnen wachten.' Misschien over vijf jaar, dacht ik, nadat we echt bekend waren; als Sam oud genoeg was om te worden gecast als de Bezorgde maar Liefhebbende Vader in autoverzekeringreclames en mijn acht kilo er weer aanzat en ik een gastrol kon binnenhalen als Stoere Officier van Justitie die Vroeger zo'n Stuk was.

Ik had niet op Sams verrukking gerekend toen ik hem het nieuws vertelde, ik had niet gedacht dat hij het zo gemakkelijk zou opnemen. 'Leuk, laten we een kind nemen,' zei hij, tilde me op en draaide me door de lucht op een manier waar ik nog misselijker van werd. 'Laten we een heel stel kinderen nemen.' Toen ik had gepraat over het verlies aan werk, had hij me geruststellend toegesproken en gezegd dat het maar voor een jaar zou zijn, dat een baby geen levenslange straf was, dat we geld hadden, van elkaar hielden en dat alles goed zou komen.'

Ik speelde met een tortillachip en boog mijn hoofd over de tafel. Buiten de hoge ramen was de straat stil en de hemel donker en verstild. De pompoenkleurige muren en gouden lampen in het restaurant gaven een zacht licht, alsof je in een schatkist zat. Ik dacht terug aan de dag dat we een echo hadden laten maken en hoorden dat we een zoon zouden krijgen. Dat Sam zo hard 'My Boy Bill' begon te zingen dat iedereen in de wachtkamer het hoorde. Zijn geluk was aanstekelijk; ik liet me door hem meeslepen.

Toen kwam de baby. 'Het was zo moeilijk na zijn geboorte. Ik had geen idee.'

'Ha,' zei Becky, die weer naar voren leunde om onze glazen bij te vullen. 'Denk je dat een van ons enig idee had? Denk je dat iemand aan een kind zou beginnen als ze wist wat haar te wachten stond?'

'Amen,' mompelde Kelly, die met haar handen de tafel greep. Haar bleke wimpers rustten op haar wangen.

Ik legde de tortillachip neer en vroeg me af hoe anders het zou zijn geweest als ik daar vriendinnen had gehad, andere nieuwe moeders die door hetzelfde gingen als ik. Maar die had ik niet. 'Ik was helemaal alleen. Sam moest meteen weer aan het werk: hij had een rol in *Sex and the City* als voortijdige zaadlozer.'

Becky schoot in de lach. 'Die aflevering heb ik gezien!' zei ze.

'Hij begon echt beroemd te worden.' Ik keek naar mijn lichaam en dacht terug aan hoe afschuwelijk ik me had gevoeld, zo opgeblazen en zweterig, mijn handen en voeten nog dik, mijn haar dat met bosjes tegelijk uitviel. Ik liep de hele dag in het ondergoed en T-shirt rond waarin ik had geslapen, want wat had het voor zin me aan te kleden? In tegenstelling tot mijn man kon ik nergens naartoe.

De wereld voelde alsof die om me heen instortte, hij werd kleiner en kleiner tot hij het formaat van Calebs kamer had, van zijn wieg. In de boeken stond dat pasgeborenen iedere drie uur moesten worden gevoed. Caleb wilde ieder halfuur. In de boeken werd beloofd dat pasgeborenen iets van achttien uur per dag sliepen. Maar Caleb deed alleen dutjes. Tien minuten nadat hij zijn ogen had dichtgedaan, werd hij weer wakker, gillend. Het had vier weken geduurd voor ik ook maar tijd had om de koffer uit te pakken die ik mee naar het ziekenhuis had genomen voor de bevalling. 'Ik had het gevoel dat ik gek werd. Ik had van die dromen...' Ik dronk mijn glas leeg. 'Ik droomde ervan in te checken in een mooi hotel met een grote, schone kamer en een groot, mooi bed en dan roomservice te laten komen, een boek te lezen en gewoon lekker alleen te zijn. Al was het maar een middagje. Ik had het gevoel dat ik nooit meer ergens tijd voor zou hebben of ooit nog alleen zou zijn.'

'En Sam?' vroeg Becky. Ik keek naar de anderen op zoek naar de veroordelende blikken die ik zeker zou gaan zien, maar het enige wat ik zag, was interesse. Vriendelijkheid. Die zag ik ook.

'Hij probeerde te helpen, maar hij maakte van die lange dagen.' Ik vouwde mijn handen op mijn schoot en vertelde hun het verhaal van het wasgoed, dat ook het verhaal van Calebs laatste dag was.

Geen van ons had die nacht ervoor geslapen. Caleb begon om middernacht te mekkeren, een halfuur nadat ik hem had gevoed, hem stevig had ingebakerd en hem in zijn wieg had gelegd. Het gemekker werd gejammer, het gejammer werd gillen en van middernacht tot twee uur 's nachts krijste Caleb onophoudelijk, met zijn oogleden samengeknepen, een knalrood gezicht en een v-vormige ader die op zijn voorhoofd klopte. Hij was alleen even stil als hij op adem kwam om weer te kunnen gillen. Sam en ik probeerden alles: met hem lopen, hem wiegen, op zijn rug kloppen, hem in de wandelwagen, zijn wipstoeltje en zijn schommel zetten. Ik probeerde hem te voeden. Caleb snakte naar adem, schreeuwde en sloeg me met zijn vuisten. We lieten hem boeren. We verschoonden hem. Niets werkte tot de huilaanval ineens net zo plotseling ophield als die was begonnen en Caleb op zijn rug midden op ons bed in slaap stortte. Er zat een fopspeen klem onder zijn kin, maar die durfde ik niet weg te halen.

Sam en ik bogen over hem heen, knipperden dommig met onze

ogen, mijn man in een boxershort en een vol gespuugd T-shirt en een niet eerder voorgekomen onvriendelijke stoppelbaard van twee dagen op zijn vierkante kaken; ik in een nachtpon met niets eronder.

'Wat is er gebeurd?' fluisterde Sam.

'Niet praten,' fluisterde ik terug en deed het licht uit. En toen sliepen we alledrie samen tot Caleb ons om acht uur wakker maakte, kirrend als een baby in een luierreclame.'

'Dat doen ze altijd,' zei Ayinde. Ze depte haar lippen met een servetje. 'Alsof ze het weten. Ze weten exact hoeveel van de hel ze je kunnen laten zien vóór ze je iets geven: een glimlach, of een paar uur slaap.'

Ik knikte. 'Ik voelde me beter toen ik wakker werd,' zei ik tegen hen. 'En het was zaterdag en Sam zou de hele dag thuis zijn.' Om tien uur vroeg ik of hij het wasgoed wilde opvouwen. Ik had de avond ervoor een bonte was aangezet.

'Ja, hoor,' zei hij opgewekt. Ik hoorde hem fluiten terwijl de geschoren-hij boven in de badkamer was en ik beneden op de bank zat met de baby in mijn armen. Ik keek door het raam naar het HOLLYWOOD-bord en probeerde te bedenken wanneer ik voor het laatst in een auto had gezeten. 'Ik ga even joggen,' zei hij.

Ik klemde mijn kaken op elkaar en zei niets terwijl ik van binnen kookte. Even joggen. Ik zou een moord plegen om het huis uit te kunnen om even te gaan joggen, even te wandelen, even wat dan ook te doen.

Om kwart over elf kwam mijn man weer thuis, glanzend van het zweet en een goede gezondheid. Hij gaf me een grote klapzoen op mijn wang en boog voorover om Caleb een kus te geven, die lag te drinken. 'Ik ga even douchen,' zei hij.

'De was,' zei ik en haatte het hekserige geluid van mijn stem, haatte hoe ik als mijn moeder klonk, als ieders moeder. 'Alsjeblieft, ik wil niet zeuren, maar ik kan niet...' En ik haalde knikkend naar de baby mijn schouders op. Knikkend naar alles en wensend dat ik zes handen had.

'O,' zei Sam en knipperde met zijn ogen. 'O ja. Sorry.' Hij ging naar boven. Ik hoorde de deur van de droger opengaan, hoorde die toen dichtslaan en ik voelde hoe ik ontspande.

'Ik sta op te vouwen!' riep Sam.

'Gefeliciteerd!' riep ik terug.

Er gingen een paar minuten voorbij.

'Ik sta nog steeds te vouwen!' riep Sam.

Ik beet op mijn onderlip en keek naar Caleb, een warm gewicht met melk op zijn lippen in mijn armen, met nu al dezelfde vierkante kaaklijn en hetzelfde kuiltje in zijn kin als zijn vader en ik haatte mezelf om de vreselijke gedachten die ik had. Alsof hij een medaille verdient omdat hij ook een keer de was opvouwt.

'Ik was nog nooit zo kwaad op hem geweest,' zei ik. Deze keer was het Kelly die begon te lachen en met een alwetende blik naar me knikte.

'Ik sta nog steeds te vouwen!' riep Sam weer. Ik beet nog harder op mijn onderlip, sloot mijn ogen en telde terug vanaf twintig. Ik hield van mijn man, hielp ik mezelf herinneren. Ik was gewoon moe. We waren allebei moe. Ik hield van mijn baby. Ik hield van mijn man. Ik hou van mijn baby. Ik zong het met dichtgeknepen oogleden als een mantra.

Twintig minuten later was Sam weer beneden, zijn huid nog roze van het douchen. 'Ik ben om drie uur terug,' zei hij. Ik knikte zonder mijn ogen open te doen en vroeg me af hoe ik zou moeten douchen. De baby zou wel even slapen, dacht ik, hoewel Caleb tot dusverre nog niets had laten zien wat erop wees dat hij zou gaan slapen: hij had alleen nog maar gegeten, gehuild en maximaal tien minuten gedut, tot het moment dat ik hem probeerde neer te leggen en hij weer begon te huilen. Maar hij moest slapen. Baby's konden toch niet altijd wakker zijn. Dat kon gewoon niet.

Sam knielde naast me neer en hield mijn handen vast. 'Hé,' zei hij. 'Als jij nou eens even de deur uitgaat als ik terug ben? Laat je lekker masseren of ga ergens koffie drinken of zo.' Ik schudde mijn hoofd en hoorde die hekserige toon weer in mijn stem. 'Dat kan niet, ik kan nergens heen. Dat weet je. Wat doe je dan als hij honger krijgt?'

Hij knipperde verward met zijn ogen, door de vraag of mijn toon. Ik weet het niet. 'Ga dan even een dutje doen.'

'Een dutje,' herhaalde ik. De onmogelijke droom, dacht ik.

Sam liep zwierig het huis uit om te gaan lunchen met zijn agent, een lange, kale vent die iedereen schat noemde omdat hij volgens mij gewoon geen moeite deed om namen te onthouden. Ik hield Caleb dicht tegen mijn zwetende borstkas en sleepte mezelf naar boven naar onze slaapkamer.

'Hij had de was opgevouwen,' zei ik tegen hen. Mijn tong voelde dik in mijn mond. 'Alle was. Alles lag in stapeltjes over het hele bed, met zijn natte handdoek erbovenop.'

Ayinde zuchtte. Becky schudde haar hoofd. Kelly veegde haar blonde haar van haar wangen en fluisterde: 'Dat ken ik, dat ken ik.'

Ik ging op bed liggen, boven op Sams natte handdoek. Het voelde als de ontknoping van een afschuwelijke grap, zo een uit *Twilight Zone*, hij had de was gevouwen, maar niet opgeruimd! Ik zag mijn leven aan me voorbijgaan, de volgende dagen, de volgende weken, de volgende achttien jaar, een eindeloze waas van voeden, slapen en door het huis lopen met een krijsende baby in mijn armen, van Calebs troep opruimen en Sams troep opruimen.

'Nee,' zei ik hardop. Ik legde Caleb midden op het bed tussen een stapeltje boxershorts en een bergje losse sokken. Ik deed een voedingsbeha aan, een onderbroek, deed twee zoogcompressen in mijn beha, trok een T-shirt van Sam aan en een legging met elastieken tailleband. Ik zat op het bed toen Caleb weer wakker werd en meteen begon te schreeuwen.

'Ik was zo vreselijk moe,' zei ik, stak mijn handen omhoog en liet ze op tafel vallen. Ik herinnerde me dat geïrriteerde zand-in-je-ogengevoel nog van nooit genoeg slapen. Ik voelde Becky's hand op mijn schouder. Ik dacht terug aan hoe de vrouw – Merrill – in het ziekenhuis de hand van haar man van zich had afgeschud. 'Ik dacht dat als ik met hem in zijn wandelwagen zou rondlopen, hij wel in slaap zou vallen. We kwamen Tracy tegen, onze buurvrouw. Ze was een jaar of vijftig en woonde in het appartement bij ons op de gang. Ze was visagiste en kapster bij een van de spelletjes die in Burbank draaiden. We kenden elkaar niet, begroetten elkaar alleen en ze was een keer om Sams handtekening komen vragen toen hij in *People* stond.'

Op de meeste dagen zwaaiden Tracy en ik alleen naar elkaar als ik met mijn krijsende baby langs haar voordeur liep. Maar die dag hield ze me tegen. 'Zal ik een uurtje op Caleb passen?' vroeg ze. 'Ik heb drie jongens opgevoed. En ik heb zeven kleinkinderen, maar die wonen allemaal in het oosten.' Ze keek weemoedig naar mijn schreeuwende zoon. 'Het lijkt me zo heerlijk weer eens een baby vast te houden.'

'Dan mag je hem hebben,' zei ik. Ik gaf hem en keek toe hoe vanzelfsprekend Caleb in de holte van haar arm paste, hoe zijn stijve lijfje verzachtte toen hij tegen haar aanleunde, hoe ze dit honderd keer beter deed dan ik. En toen ging ik weg.

'Ik bedoel, ik heb hem niet zomaar aan haar gegeven...'

'Natuurlijk niet,' mompelde Becky en gaf me een klopje op mijn hand. 'Dat zou je natuurlijk nooit doen.'

Ik boog mijn hoofd, hoewel ik het eigenlijk alleen maar op mijn op tafel over elkaar geslagen armen wilde leggen om te gaan slapen. Ik vertelde hun dat ik de nummers van mijn en Sams mobiele telefoon in Tracy's telefoon invoerde. Ik liet het nummer van onze kinderarts achter, doekjes en zalf tegen luieruitslag, hoewel Caleb die helemaal niet had. Ik bracht een schoon stel kleren, zijn Boppy-kussen en de Gymini en legde dekentjes op Tracy's bed met geruite quilt. 'Ga nou maar,' zei ze lachend en duwde me de deur uit, met de baby nog steeds tegen zich aan en me aankijkend met haar grote, donkergrijze ogen. En ik ging. Ik kuste mijn jongetje en vertrok. Ik nam de lift naar de parkeergarage, stapte in mijn cabrio en reed met de wind in mijn haar naar Sunset. Ik ging naar mijn o-zo-Hollywoodkapsalon waar een waterval naast de deur stond, waar de shampoomeisjes je water met citroen of een latte brachten en exemplaren van de nieuwste roddelbladen met cirkels om de sterren wier haar ze deden. Ik nam een manicure en een pedicure en ik kan getuigen voor de Heer en al Zijn engelen dat het heerlijk was en dat ik toen de vrouwen die mijn nagels poetsten naar mijn ring keken en me vroegen of mijn man en ik kinderen hadden, loog en nee zei.

'Ze zeggen dat moeders een zesde zintuig hebben waarmee ze kunnen voelen dat er iets mis is met hun kind,' zei ik tegen hen, 'maar dat was bij mij niet zo.' Ik begon te huilen. 'Er was een aardbeving...'

'Voel je dat?' vroeg het meisje dat mijn nagels lakte en ik schudde mijn hoofd.

'Kleine aardschok,' zei ze tegen me en boog haar hoofd over mijn voeten. 'Dat gebeurt constant. Ik voel ze nauwelijks nog.'

Dat was het eerste teken, maar ik zag het niet. Het tweede was dat het hek voor onze oprit wijdopen stond en dat er twee politieauto's voor het gebouw stonden geparkeerd. Politieauto's en een ambulance. Ik liep er gewoon voorbij. Ik begon pas te rennen toen ik het kluitje mannen en vrouwen in blauwe uniformen voor Tracy's deur zag staan en Tracy zelf in de gang met het hoge plafond, tussen hen in, jammerend. Gillend. Toen begon ik te rennen.

Ik herinner me een politieagent die me bij mijn onderarm greep en me tegenhield. Ik herinner me Tracy's gezicht dat eruitzag alsof ze ineens twintig jaar ouder was geworden; ze zag eruit als een krant die je in de zon hebt laten liggen, en ik weet nog dat ze een onmenselijk jammerend geluid maakte, als een dier dat is aangereden. 'O god,' zei ze steeds. 'O god, nee, O GOD.'

'Mevrouw,' zei de agent die mijn arm vasthield. 'Bent u de moeder van de baby?'

Ik staarde hem met open mond aan. 'Wat is er gebeurd?' vroeg ik. 'Waar is Caleb?'

De agent knikte over mijn hoofd heen en een andere agent, een vrouw, pakte mijn andere arm. Het tweetal leidde me Tracy's woonkamer binnen, waar een salontafel met een glazen blad stond en een crèmekleurige hoekbank. Ik herinner me nog dat ik me bedacht hoe gek dit was, hoe ik in al die tijd dat we er woonden vóór vandaag nog nooit eerder in Tracy's flat was geweest en dat het die dag al de tweede keer was. Ik herinner me nog dat ik dacht dat ik nooit een crèmekleurige bank zou hebben, of in ieder geval de komende jaren niet. Ik herinner me nog dat ik naar mijn teennagels keek en me bedacht dat de lak er nog helemaal netjes op zat, hoewel ik had gerend. 'Is alles goed met Caleb?' vroeg ik. En op dat moment stond de agent die me bij mijn arm had vastgehouden op en werd hij vervangen door een agente van een jaar of veertig, gebruind door de zon en met brede heupen, die mijn beide handen in de hare nam en tegen me zei dat er iets vreselijks was gebeurd en dat ze niet precies wisten wat maar dat Caleb was overleden.

'Overleden?' Mijn stem klonk veel te hard. Buiten hoorde ik Tracy nog steeds gillen. Ze vormde op dat moment geen woorden meer en maakte alleen een afschuwelijk klagend geluid. Hou op, dacht ik. Hou op en laat me luisteren. 'Overleden?'

'Het spijt me verschrikkelijk,' zei de agente die mijn handen vasthield.

Ik weet niet meer wat er toen is gebeurd. Ik weet niet meer wat ik heb gezegd. Ik weet dat ik naar de details moet hebben gevraagd, dat ik moet hebben gevraagd hoe het was gebeurd, want de aardige agente zei tegen me, met haar vriendelijke, geruststellende stem, dat zo ver ze het konden inschatten, het wiegendood was, dat Caleb niets had gevoeld en dat hij gewoon was gaan slapen en was opgehouden met ademen. Dat hij was gaan slapen en niet meer wakker was geworden.

'Er komt een autopsie,' zei ze en ik herinner me nog dat ik dacht: autopsie? Maar dat doen ze bij dode mensen. En mijn baby kan niet dood zijn, hij is helemaal nog niet eens een persoon, hij eet helemaal nog geen echt eten, hij kan nog niet zitten en niets vasthouden, hij heeft nog nooit naar me gelachen...

De aardige agente keek me aan en zei iets. Ik dacht dat ze een vraag stelde. Ze had een vraag gesteld en nu wachtte ze op mijn antwoord. 'Het spijt me,' zei ik vriendelijk, zoals mijn moeder me dat had geleerd toen ik nog Lisa heette, toen ik in een bungalow woonde in Noordoost-Philadelphia. Manieren kosten geen geld, had ze keer op keer gezegd. Goede manieren zijn gratis. 'Het spijt me, wat zei u?'

'Wie kunnen we voor u bellen?' vroeg ze.

Ik gaf haar het nummer van mijn man. En toen zijn naam. Ik zag hoe haar ogen groter werden. 'Het spijt me echt vreselijk voor u,' zei ze nog een keer en gaf me een klopje op mijn onderarm. Ik vroeg me af of het haar doordat hij min of meer beroemd was nog meer speet dan wanneer we gewone mensen waren geweest, als Caleb zomaar iemands baby was geweest. Ik bedacht me dat ik moest vragen of ik hem mocht zien. Dat zou een rouwende moeder doen. De hele tien weken van zijn leven had ik vaak het gevoel gehad dat ik niet echt een moeder was, dat ik alleen maar deed alsof. Nu moest ik gewoon doen alsof ik een rouwende moeder was.

Ze leidden me door de Spaanse bogen, door een betegelde hal, langs een plank vol gezichtloze, oogloze paspoppen met allemaal een andere pruik. De slaapkamer stond vol mensen, ambulancebroeders en agenten, maar die maakten zonder een woord te zeggen ruimte voor me toen ik aankwam. Ga terug, ga terug, gij schone bruid... Caleb lag op de quilt, in het blauwwitte shirt met de eend voorop en het blauwe trainingsbroekje dat ik hem die ochtend had aangetrokken. Zijn ogen waren dicht en zijn wenkbrauwen hingen naar beneden alsof hij net aan iets verdrietigs had gedacht. Zijn mond was getuit en hij zag er volmaakt uit. Volmaakt, beeldschoon en vredig, zoals hij er in zijn hele leven van tien weken bijna nooit had uitgezien.

Ik voelde de lucht zwaarder worden toen ik naar hem toe liep, overgaand van gas in vloeistof, zwaar en koud. Mijn voeten wilden stoppen, bevriezen op die plek midden op Tracy's beige tapijt; mijn ogen wilden sluiten. Ik wilde dit niet zien, ik wilde er niet zijn; ik wilde de klok terugdraaien, de dag opnieuw beginnen, de week, de maand, het jaar. Ik wilde dat dit niet waar was.

Als ik een betere moeder was geweest, dacht ik. Als ik meer naar hem had verlangd. Als ik niet zo'n haast had gehad om weg te gaan.

'Nee,' zei ik zacht. 'Nee,' zei ik nog een keer, harder om het woord te proberen. Ik dacht terug aan Sam in de wachtkamer van de gynaecoloog, zijn armen om me heen terwijl ik lachte, blij en gegeneerd. Ik ga hem leren worstelen! En door een golf heen duiken! Als we 's ochtends gaan zwemmen! Zijn moeder mag hem leren hoe hij zich moet gedragen, maar ze zal geen mietje van hem maken! Niet van hem! Caleb lag daar, zo roerloos, zijn gezicht zo verstild. Zijn ene hand lag naast hem en zijn andere rustte op zijn borstkas. Ik wilde hem oppakken en vasthouden, maar de politieagenten zeiden dat dat niet mocht.

'Ik weet nog hoe lang zijn nagels waren,' zei ik tegen mijn vriendinnen.

Becky zat met haar gezicht achter een servetje verstopt. Ayinde veegde haar ogen af. 'Wat vreselijk,' fluisterde Kelly. 'Wat vreselijk.'

Ik nam nog een slok en hoorde hoe mijn woorden een brij werden en hoe het me niet kon schelen; ik bedacht me dat ik eindelijk, eindelijk tot het einde was gekomen. 'Ik had ze willen knippen, maar in mijn babyboek stond dat je dat moest doen als je kind sliep en ik had het gevoel dat hij nooit sliep. Hij zwaaide altijd met zijn armen en toen...'

Ik rechtte mijn rug en probeerde mijn gezicht strak te trekken. 'En toen ben ik naar huis gegaan,' zei ik zonder op te kijken. 'En toen ben ik hiernaartoe gekomen.'

Ik hoorde hen in de stilte alledrie ademen. 'Het is niet jouw schuld,' zei Becky uiteindelijk. 'Het had ook kunnen gebeuren als hij thuis had liggen slapen. Zelfs als je hem in je armen had gehad.'

'Dat weet ik.' Ik haalde diep adem. 'Verstandelijk weet ik dat. Maar hier...' Ik legde mijn hand op mijn hart. Ik kon hun de rest niet vertellen; dat mijn mobiele telefoon ging en ging toen ik nog bij Caleb in de kamer was; Sams stem aan de telefoon, hoog en gespannen, die zei dat de politie had gebeld en vroeg of het goed met me ging. Of het goed ging met Caleb? Wat was er aan de hand? Ik deed mijn mond open om het hem te vertellen, maar er kwamen geen woorden uit. Niet die avond, vierentwintig uur lang niet, niet tot de begrafenis toen ik er als een paspop bij stond terwijl mensen me omhelsden, in mijn handen knepen en woorden tegen me zeiden die klonken als ruis op de radio.

Later, na een paar koppen sterke koffie verkeerd en wat amandelkoekjes, liep ik langzaam over Walnut Street. Het was na elven, maar de avond was weer lawaaiig geworden. De stoepen waren vol mensen: oudere stellen op weg naar huis na een chic dineetje; meisjes in strakke spijkerbroeken en op hoge en puntige schoenen. Het internetcafé was nog open, alle zes de computers waren ongebruikt. Ik ging achter een van de beeldschermen zitten en typte de naam van mijn man en zijn e-mailadres. 'Ik ben er', schreef ik. Ik dacht dat ik zou schrijven: 'Het gaat goed met me,' maar dat was nog niet waar, dus voegde ik nog één regel toe: 'Ik ben thuis.'

Oktober

Kelly

GELUKKIG. ALS KELLY HET WOORD 'GELUKKIG' NOG ÉÉN KEER ZOU horen, besloot ze, zou ze iemand moeten vermoorden. Hoogstwaarschijnlijk haar echtgenoot.

Ze liep het appartement in en deed haar schoenen uit voor ze de deur achter zich sloot. Het licht in de woonkamer was uit, maar zelfs in het gedimde licht dat door de gordijnen kwam, zag ze wat een bende het was: Steves gymschoenen onder de tafel, een van zijn shirts in een hoek op de krant van afgelopen zondag.

'Wat zeiden ze?' klonk Steves stem in de duisternis. Kelly kneep haar oogleden halfdicht en tuurde de kamer in. Hij zat precies waar ze hem rond de lunch had achtergelaten, in kleermakerszit op de vloer voor de laptop op de salontafel. Ze zag Oliver niet. Die lag vast te slapen. Waarschijnlijk. Hopelijk.

'Ze zeiden "geweldig". Ik kan volgende week beginnen,' antwoordde ze. Ze trok in de slaapkamer haar panty uit, zuchtte toen haar buik naar buiten zakte en gooide de panty op het onopgemaakte bed. Ze keek naar haar rok en jasje voor ze besloot dat ze niet naar de stomerij hoefden, hing haar kleren op en maakte de beugelbeha los die al de hele middag in haar lichaam sneed. Toen trok ze een trainingsbroek en een T-shirt aan, deed haar haar in een paardenstaart en liep op haar tenen en met ingehouden adem naar Olivers wiegje, nog steeds vol ongeloof over het feit dat ze die middag had doorgebracht met een sollicitatiegesprek voor de baan waar ze pas naar terug had willen gaan als Oliver één jaar was; als ze überhaupt ooit zou teruggaan. Toen ze voor het eerst de mogelijkheid tegen Steve had geopperd weer aan het werk te gaan, had ze verwacht dat hij haar zou aankijken alsof ze gek was geworden en dat hij zou zeggen: 'Daar komt niets van in!' Ze dacht dat hij verontwaardigd zou zijn, kwaad, razend bij de gedachte dat zij moest werken omdat hij het gezin niet kon onderhouden. En ze had gedacht – gedroomd, echt – dat het razend makende idee dat zij erover dacht weer aan het werk te gaan en geld in het laatje te brengen omdat hij dat niet deed – of kon – een vuur in hem zou aanwakkeren, hem van zijn reet en van de bank zou halen en dat hij binnen een week terug op kantoor zou zijn.

Dat was niet gebeurd.

'Als je dat wilt,' had hij gezegd. Hij had zijn schouders opgehaald en haar eigenlijk uitgedaagd. 'Je weet dat dat niet hoeft, maar als je daar blij van wordt, moet je dat doen.' Blij, dacht ze. Dat woord deed haar net zo veel pijn als 'gelukkig'. Maar hoe ze ook hoopte dat haar baas zou zeggen dat ze gek was dat ze ook maar aan werken dacht met een pasgeboren baby thuis, die hoop was meteen weggevaagd toen ze het kantoor was binnengelopen.

'O halleluja, dank u, God,' zei Elizabeth, haar baas bij Evenewens, en gooide haar armen in de lucht. Elizabeth was inwoonster van Philadelphia via Manhattan, met een vriend in New York, die zoals zij het zei: 'hier net genoeg met de trein naartoe komt om mijn leven interessant te houden.' Ze had glanzend zwart kortgeknipt haar, droeg knalroze lippenstift, en Kelly had haar nog nooit zonder hoge hakken of met een niet-bijpassend tasje gezien. 'We worden overspoeld. We verdrinken. We zijn wanhopig! We hebben meer vakantiefeesten dan we aankunnen! We willen je vreselijk graag terug.'

'Geweldig!' zei Kelly en deed haar uiterste best enthousiast te klinken.

'Maar,' zei Elizabeth terwijl ze met een bil op een hoekje van haar bureau ging zitten en haar prachtige benen, waarvan de voeten in limoengroene pumps van slangenleer staken, kruiste. 'Ik moet wel echt op je kunnen vertrouwen. Geen poepluiernoodgevallen, geen mijn-baby-is-ziek-verlofdagen.'

'Geen probleem!' had Kelly gezegd. Elizabeth had nooit kinderen gekregen. Ze grapte graag dat ze zich nauwelijks aan een koffiemok kon binden, laat staan aan een kind! Elizabeth had geen idee hoe het was om net moeder te zijn. Kelly was er niet helemaal van overtuigd dat ze dat zelf wel wist, hoewel ervaring haar al had geleerd dat het betekende dat je nauwelijks sliep en dat je huis altijd een bende was.

'Ik begin volgende week,' zei Kelly terwijl ze de woonkamer binnen liep en de stapels kranten en tijdschriften, Steves gymschoenen en jasje en zijn exemplaar van een zoeken-naar-werkgids oppakte. 'We moeten iemand inhuren.'

'Waarvoor?'

'Om voor Oliver te zorgen.'

'Hoezo, ben ik niet goed genoeg?' vroeg Steve. Zijn toon was licht, maar hij klonk niet alsof hij een grapje maakte. Kelly voelde haar maag samentrekken.

'Natuurlijk ben je wel goed genoeg, maar jij moet werk zoeken!' En ik ben niet met een huisman getrouwd, dacht ze. 'Ik zal morgen wat gaan regelen.'

'Prima, prima,' zei Steve terwijl Kelly de tijdschriften opnieuw stapelde, de kranten bij het oud papier gooide en begon aan een afwas die verdacht veel op de lunchoverblijfselen van haar echtgenoot leek.

Elizabeth had ermee ingestemd dat Kelly thuis zou werken – 'zolang je je werk maar gedaan krijgt, niet naar Barney of waar kijken kinderen tegenwoordig naar, kijkt' – zodat ze zich tenminste geen zorgen hoefde te maken om nieuwe werkkleding in haar huidige maat. De waarheid was dat ze thuis helemaal niet kon werken. Ze had haar kantoortje aan Steve gegeven, zodat die een computer, telefoonlijn en snelle internetverbinding had om naar werk te zoeken, waarvan ze aannam dat het minstens een paar weken zou duren. Ze zou wel met haar laptop naar een internetcafé met een draadloze verbinding gaan. Met haar laptop en haar mobiele telefoon zou ze het wel redden. Gelukkig hadden ze twee computers. Gelukkig, dacht ze en beet de snik die naar buiten wilde met moeite weg terwijl ze de boeken, schoenen en tijdschriften in een kast gooide. O, wat ben ik toch vreselijk gelukkig.

Oliver begon te huilen. 'Zal ik even gaan?' riep Steve. 'Nee!' riep Kelly terug en haastte zich naar de babykamer, waar ze Oliver in haar armen nam.

De telefoon ging één, twee, drie keer over. Kelly nam op met de baby op haar heup. Ze klemde een schone luier onder haar kin en droeg alles naar de slaapkamer. 'Hallo?'

Het was haar oma. 'Wat zul je toch gelukkig zijn dat Steve thuis is om je te helpen! In mijn tijd bestond er helemaal nog geen ouderschapsverlof, weet je.' Ja, natuurlijk, dacht Kelly met een zuur gezicht. Ouderschapsverlof was de smoes waaraan ze zich nog steeds vasthield.

'Nee, we zeggen niet tegen mensen dat je bent wegbezuinigd!' had ze tegen Steve gezegd. 'Hoe denk je dat dat klinkt?'

'Alsof ik ben wegbezuinigd,' had Steve schouderophalend gezegd. 'Dat gebeurt, Kelly,' zei hij met een scheve grijns. 'Het is niet het einde van de wereld.'

Ze haalde diep adem. '"Wegbezuinigd" klinkt net als "ontslagen". Ik vind dat we er een positievere draai aan moeten geven. We kunnen toch tegen mensen zeggen dat je een andere carrière ambieert en dat je tijdens je ouderschapsverlof nieuwe mogelijkheden onderzoekt?'

'Wat je wilt,' had hij gezegd, weer zijn schouders ophalend. Ze vertelde die leugen al sinds juni. 'Ouderschapsverlof,' zei ze, met een idiote glimlach op haar gezicht gepleisterd alsof het het geweldigste was waar een meisje van kon dromen. 'Steve heeft ouderschapsverlof en dan gaat hij op zoek naar nieuwe mogelijkheden.' Dat zei ze tegen haar zussen, haar oma en zelfs tegen Becky, Ayinde en Lia. Ouderschapsverlof.

De woorden begonnen als rot vlees in haar mond te klinken, maar het liegen voelde vreemd, zelfs geruststellend bekend. Toen ze een meisje was, had ze haar moeders handtekening op Terry's rapporten vervalst en had ze de telefoon beantwoord toen de rector belde. 'Mijn moeder kan nu niet aan de telefoon komen,' zei ze dan. 'Kan ik u helpen? Het spijt me, ze is er nu niet,' zei ze dan, of: 'Ze voelt zich niet lekker.' Terwijl de waarheid dichter lag bij: 'Om drie uur begint ze whisky in haar Tab-blikje te gieten en gaat ze tegen de televisie praten,' maar dat was niet iets wat je tegen de rector of Terry's voetbalcoach zei als die belde om te vragen waarom haar moeder niet met Gatorade en stukjes sinaasappel langs de lijn had gestaan bij de laatste wedstrijd. 'Het spijt me,' zei Kelly dan. Maar het had haar niet echt gespeten. Ze had een vreemde spanning gevoeld, een soort opwinding. Ze had zich belangrijk gevoeld. Ze was een jaar of tien, elf, twaalf en haar broers en zussen behandelden het huis allemaal als een tussenstation, alsof het iets onaangenaams was wat ze moesten ondergaan zolang ze niet konden ontsnappen. Kelly probeerde er iets van te maken. Ze hield de keukenvloer schoon en de kussens op de bank opgeklopt terwijl Mary en Doreen en Michael en zelfs Maureen in en uit liepen, dingen uit de koelkast grepen, melk of sap zo uit het pak dronken, hun schooluniform zo uit de droogtrommel trokken en altijd haast hadden om weer weg te gaan.

Zij was degene die de telefoontjes had afgehandeld, zij had de handtekeningen vervalst, zij had 's avonds de oude gebreide bruin-oranje Afghaanse deken van tante Kathleen over haar moeder gelegd en het laatste blikje Tab voorzichtig uit haar hand gehaald. Zij had de afwas gedaan en de woonkamer opgeruimd terwijl haar moeder op de bank lag te snurken en had gezorgd dat haar broers en zussen stil waren als ze thuiskwamen. 'Sst, mama slaapt.'

'Mam is knock-out,' zei Terry dan met donkerroze wangen, ruikend naar sigarettenrook en vervuld van de rechtschapen verontwaardiging van een veertienjarige, opgepept door nicotine en de waarheid over de machthebber sprekend.

'Stil,' zei Kelly dan. 'Ga slapen.'

Dus ze was eraan gewend de waarheid te verhullen in een acceptabelere leugen. Ze had haar hele jeugd op magische wijze van 'knockout' 'ziek' of 'slapend' gemaakt. Ze kon best van 'ontslagen' 'ouderschapsverlof' maken als ze er hard genoeg haar best voor deed.

'En hoe is het met jou?' vroeg haar oma. 'Mary vertelde me dat je weer aan het werk gaat.' Kelly wist wat oma Pat dacht. Wat haar hele familie waarschijnlijk dacht. Wat voor vrouw gaat twaalf weken nadat haar baby is geboren weer aan het werk? Het soort vrouw dat de huur moet betalen, zo'n vrouw, wilde ze schreeuwen.

'Het gaat prima,' zei ze. 'Het gaat prima.'

Steve kwam de slaapkamer binnen slenteren terwijl Kelly en haar grootmoeder het weer bespraken. Haar man droeg een hemd en dezelfde gevlekte spijkerbroek die hij al de hele week aanhad, die met de rits die permanent halfopen leek te staan. Zijn pakken en stropdassen leken in een zwart gat te zijn verdwenen. Na de zesde avond van naar het kruis van zijn boxershort staren, was ze geknapt. 'Doe je auditie voor de rol van Al Bundy?' had ze op eisende toon gevraagd. Hij ging rechtop op de bank zitten, waar hij had liggen zappen, een hand spelend met zijn rits en hij had Kelly met zijn ogen knipperend aangekeken. 'Waarom ben jij zo boos?' had hij gevraagd. Maak je een grapje? wilde ze zeggen. Dat, en: hoeveel tijd heb je? 'Je ziet er slordig uit,' zei ze. En toen ging ze verder met waar ze mee bezig was. De afwas. De was vouwen. Oliver voeden. De rekeningen betalen.

'En hoe is het met je baby?' keuvelde haar grootmoeder.

'Oliver is geweldig,' lepelde Kelly op.

'En je knappe man?'

'Die heeft het vreselijk druk,' zei ze en wenste dat dat waar was. 'Hij is allerlei mogelijkheden aan het onderzoeken.' Steve keek haar niet aan. Hij was alles behalve druk en Kelly wist dat ze begon te klinken als een zeurende moeder in haar aanhoudende pogingen hem in actie te krijgen, die, zo hoopte ze vurig, tot werk zouden leiden. Wie heb je vandaag gebeld? Heb je al cv's verstuurd? Heb je iemand gebeld? Heb je naar die website gekeken waarover ik je had verteld?

En alsof ze inderdaad een zeurende moeder was, gedroeg Steve zich af en toe als een norse puber die alleen in woorden van één lettergreep sprak en gromde. Ja. Nee. Goed. Best. Na een uitzonderlijk gruwelijke dag in augustus – een dag waarop ze allebei als zombies door het huis liepen omdat Oliver de halve nacht wakker was geweest – had hij tegen haar geschreeuwd. 'Er worden nergens mensen aangenomen! Het is zomer en er wordt niemand aangenomen! En wil je me nou alsjeblieft tien minuten met rust laten?'

Maar dat kon ze niet. Ze kon geen afstand houden, ze kon zich niet ontspannen en ze kon hem niet vertellen welke gedachte haar zo beangstigde en die haar in haar dromen achtervolgde: wat als ze met een *loser* was getrouwd? Een loser zoals haar vader? Een man die het niet kon schelen of zijn kinderen op vakantie konden, tweedehands kleding droegen en in een busje werden rondgereden, dat ze van de kerk hadden gekregen? Ze mompelde een excuus en ging Oliver in bad doen.

'Het gaat prima met ons,' zei Kelly tegen haar grootmoeder. Ze liep langs haar echtgenoot naar de badkamer, met de telefoon onder haar kin geklemd en Oliver in haar armen. Ze ging op haar hurken zitten om Steves vuile sokken en ondergoed van de grond te rapen en ze in de wasmand te doen. 'We bellen snel weer.'

Ze verbrak de verbinding en verschoonde Olivers luier. Ze kuste hem op zijn buik en wangen en hij wapperde met zijn handjes in de lucht en lachte hard. In de woonkamer zat Steve met zijn gulp open voor de laptop naar de website van ESPN te kijken. Fantasiebasketbal. Heerlijk. Toen hij Kelly hoorde binnenkomen, klikte hij schuldbewust naar monster.com en trok zijn hoofd tussen zijn schouders alsof hij bang was dat ze hem ging slaan.

'Hoe is het met je oma?' vroeg hij zonder zich om te draaien.

'Prima,' zei ze en deed de koelkast open, die haar begroette met het aanzicht van twee weken oud sinaasappelsap, twee verschrompelde appels en brood dat eruitzag als een wetenschappelijk experiment, iedere snee gehuld in een wollige, blauwgroene deken.

'Zullen we Chinees bestellen?' riep Steve. Kelly sloot haar ogen.

Chinees eten kostte dertig dollar, wat niets voorstelde toen Steve nog werkte, maar nu dat niet zo was, begonnen de bezorgmenu's te duur te worden. Maar de gedachte aan het ontdooien van een van de stevige, gezonde maaltijden die ze had ingevroren toen ze nog zwanger was, toen Steve nog werkte, maakte dat ze alleen nog maar wilde huilen.

'Prima,' zei ze in plaats daarvan. 'Doe mij maar kip met broccoli.'

Zoals op de meeste avonden aten ze zonder veel te zeggen. 'Mag ik de eendensaus,' zei Kelly dan. 'Mag ik nog wat water?' vroeg Steve. Het herinnerde haar zo pijnlijk aan het avondeten thuis, pogend een gesprek op gang te houden en het niet te hebben over wat er zo duidelijk mis was; haar moeder die bijna onopgemerkt in haar stoel aan het uiteinde van de tafel heen en weer zat te zwaaien en haar vader die aan het andere uiteinde woedend naar de kinderen zat te staren.

Oliver knipperde vanuit zijn wipstoeltje met zijn lange wimpers naar hen. Lemon rolde onder de tafel op zijn rug. Steve gaapte en rekte zijn armen boven zijn hoofd uit. 'O, wat een gaap! Pappie is zoooo moe!' zei Kelly tegen Oliver. Na weer een lange dag van nietsdoen! wilde ze toevoegen, maar het lukte haar dat niet te zeggen. Oliver smakte met zijn lippen en volgde alles wat ze deden met zijn ogen.

'Heb je honger, knul?' vroeg Steve. Hij zette stralend Oliver op schoot en liet hem met de eetstokjes spelen terwijl Kelly haar adem inhield en maar hoopte dat Oliver zichzelf er niet mee in een oog of zijn neus zou prikken. Ze stond op om af te ruimen.

'Zal ik even helpen?' vroeg Steve.

'Nee, nee, ik doe het wel.' Dat was de manier waarop het altijd was gegaan; zoals ze het vroeger fijn had gevonden. Steve maakte lange dagen en Kelly zorgde voor het huis. Ze had het niet te veel gevonden als ze de was naar de stomerij bracht of de boodschappen deed. Dat was eerlijk omdat hij zo veel meer geld verdiende dan zij. En dat zou snel weer zo zijn, zei ze tegen zichzelf.

'Weet je het zeker?' vroeg hij.

'Ja,' zei ze. Ze deed de afwasmachine dicht, droogde haar handen af en liep met Oliver naar zijn kamertje om hem weer te voeden en hem in bad te doen. Om halfnegen begon ze door de gang te lopen met Oliver in haar armen, tegen hem zingend tot hij in slaap viel. Toen ruimde ze de tafel af, gooide de papieren servetjes en eetstokjes weg, wierp trieste blikken op de gettobank, die nog steeds in hun woonkamer stond. 'Ik ga even douchen,' zei ze. Steve knikte. Kelly liep zacht de gang door naar Olivers kamer. Hij lag met boven zich uitgestrekte armen op zijn rug, had zijn mond open en zijn ogen dicht. Ze sloot haar eigen ogen en legde haar hand op zijn borst, haar adem inhoudend tot ze zijn borstkas zacht op en neer voelde gaan. Hoe oud zou hij zijn, vroeg ze zich af, als ze niet meer zijn kamer in zou sluipen om te controleren of hij nog leefde? Een? Twee? Achttien? Ze liep op haar tenen de kamer uit, liep toen naar het kantoortje om Olivers natte luiers en dutjes in haar spreadsheet in te voeren en een vrolijke e-mail te schrijven aan de cateraars, bloemisten en muzikanten die ze had leren kennen. Beste collega's! stelde ze in haar hoofd op. Jullie hadden natuurlijk niet verwacht zo snel weer van me te horen, maar ik ben weer aan het werk, wat eerder dan verwacht... Na een korte aanraking van de spatiebalk sprong de desktop flikkerend aan.

'Leer Amerika,' stond er op het scherm. Hè? Ze scrolde naar beneden en dacht dat het een fout was of een *pop-up*-advertentie. 'We roepen net afgestudeerden op om twee jaar les te geven in achterstandswijken op het platteland of in de stad om de mogelijkheden voor kinderen die daar opgroeien, te verbeteren.' O god. Dacht Steve er serieus over na om met zijn vrouw en kind in een achterbuurt te gaan wonen? Kelly slikte moeizaam. Ze voelde zich ineens licht in haar hoofd en misselijk. Ze klikte door vijf andere schermen die haar man open had laten staan. 'Word onderwijsassistent op een van Philadelphia's openbare scholen', nodigde één uit. En er was een pagina die informatie gaf over de eenjarige leraarsopleiding aan Temple University.

Lesgeven. Lieve hemel. Ze dacht terug aan hun trouwdag, hoe hij met de priester had geruzied over het 'in rijkdom en armoede'-gedeelte. Hij had 'armoede' niet eens willen uitspreken. 'Dat is geen optie,' zei hij kalm tegen vader Frank terwijl de priester eerst hem aanstaarde en toen Kelly, met zijn borstelige wenkbrauwen opgetrokken alsof hij wilde vragen of Steve een grapje maakte.

Kelly zat voor de computer en voelde haar hart tegen haar ribbenkast bonken. Dat meende hij toch niet... Toch? Ze dacht aan meneer Dubeo, die alle acht O'Hara-kinderen in zijn geschiedenisklas had gehad en die gedurende de veertien jaar dat ze gezamenlijk op school hadden gezeten, steeds in dezelfde Chevy Nova had gereden. Meneer Dubeo droeg een plastic bril met dikke glazen en hij had vijf polyester stropdassen, één voor iedere dag van de werkweek. Veertien jaar lang dezelfde vijf stropdassen en hij liep met boterhammen van thuis in een plastic zakje in zijn tas rond, die hij na het vierde uur achter zijn bureau opat. Steve kon niet overwegen om leraar te worden. Dat kon niet.

Oliver begon onrustig te worden in zijn wieg. Ze liep de gang door, pakte de baby op en hield hem in haar armen. Haar jongetje, haar heerlijke, lieve knulletje met de hoge aaibaarheidsfactor. Ze gaf hem blaaskusjes op zijn buik, verschoonde zijn luier, liep met hem naar de woonkamer en ging op de gettobank zitten om hem te voeden. Ze probeerde het stof in de lucht en de kranten op de vloer te negeren toen ze Olivers hoofdje met haar rechterhand ondersteunde. In plaats van hun schoonmaakster te ontslaan om kosten te besparen had ze beter de kabeltelevisie kunnen opzeggen. Ze durfde te wedden dat Steve harder naar werk zou zoeken als hij geen driehonderd kanalen tot zijn beschikking had. Ze durfde te wedden dat zijn pakken dan niet in de kast zouden hangen te verstoffen en dat er dan geen kontvormige deuk in de bank zou zitten.

Toen Oliver weer sliep, trok ze haar kleren uit en liet die op de vloer naast het bed vallen. Toen kroop ze in haar onderbroek onder de dekens, met Lemon die hondenadem in haar gezicht ademde naast zich. Vijf minuten later lag Steve naast haar in bed en kwam tegen haar aan liggen. Dat kan hij niet menen, dacht ze en ze kneep haar ogen dicht voor ze zich realiseerde dat haar man niet haar borst of been probeerde te strelen. Hij wilde haar hand vasthouden.

'Kelly?'

Ze bleef langzaam en diep ademen.

'Kelly, gaan we erover praten?'

Ze negeerde hem. Nee, we gaan er niet over praten. Er is niets te bespreken. Jij gaat het soort werk regelen dat je had toen we trouwden en ik blijf thuis bij de baby, zoals we dat hadden afgesproken.

Steve zuchtte en ging op zijn rug liggen. 'Je hoeft niet te gaan werken als je dat niet wilt, hoor,' zei hij.

Kelly draaide zich naar hem om. 'Heb je werk gevonden?' vroeg ze gretig.

Steve trok zijn hand terug. 'Jezus, ik schrik me rot!'

'Heb je werk gevonden?' vroeg ze nog een keer.

'Nee, Kelly, ik heb in de afgelopen tien minuten geen werk gevonden, maar er is geen reden om in paniek te raken. We hebben spaargeld.'

Dat is waar, dacht ze. Steve had zijn aandelen in het on line investeringsbedrijf dat hij na zijn studie had helpen opzetten voor een goed bedrag verkocht – niet voor de miljoenen die hij en zijn partners op een bepaald moment op papier waard waren geweest, maar ze hadden zeker meer geld op de bank dan andere mensen van hun leeftijd. Maar ze wilde niet aan hun spaargeld komen tot ze zeker wist waar ze zouden staan als alles op was. 'Ik wil het spaargeld niet gebruiken,' zei ze.

'Ja, nou ja...' Ze zag hem in de duisternis zijn schouders ophalen. 'Onze omstandigheden zijn veranderd. We kunnen het spaargeld gebruiken zolang ik wat anders zoek.'

'Maar dat wil ik niet,' zei Kelly. 'Dat vind ik niet prettig. Ik vind het niet erg om te werken.' Liegbeest, dacht ze. 'Maar ik wil dat jij ook werkt. Ik wil niet dat we geld uitgeven dat we eigenlijk zouden moeten investeren.'

'Ik wil werk zoeken dat ik leuk vind en dat kost tijd,' zei Steve, die nu jengelig klonk. Slap. Zwak. 'Ik was niet gelukkig in een groot bedrijf, Kelly.'

'Nou, wie heeft er ooit tegen je gezegd dat werk je gelukkig moet maken?' vroeg ze. 'Daarom noemen ze het werk, als je dat nog niet wist. Denk je dat mijn werk me gelukkig maakt? Ik droom er heus niet al mijn hele leven van om kerstfeesten en zomerpicknicks voor een club veertigjarige mannen in pakken te organiseren. Maar ik doe het omdat het de rekeningen betaalt.'

Haar echtgenoot blies gefrustreerd zijn adem uit.

'Ik ga slapen,' zei Kelly. Maar dat lukte niet. Toen Steve begon te snurken kroop ze het kantoortje in en opende haar map Favorieten. Ze wilde de ovale ladekast, de kubistische barkrukken en het Donghiabed. Ze zat drie uur lang met haar gezicht in de blauwe gloed van het beeldscherm badend naar het scherm te staren, tot het gehuil van Oliver haar weer naar de kinderkamer riep.

Becky

'O JEE! O JEE! SPUUG IN PAD VIJF!' KIRDE MIMI.

Becky bad, voor haar gevoel voor de miljoenste keer de afgelopen drie weken, om de kracht haar schoonmoeder niet te vermoorden. Ze keek naar Ava, met wie niets aan de hand was. 'Als je haar gewoon even afveegt...'

'O, ik trek haar wel even schone kleertjes aan.' Wat vandaag Ava's vierde stel schone kleren zou zijn. Niet slecht, dacht Becky. Toen ze er net was, had Mimi haar vóór de lunch al een verbijsterende zeven keer omgekleed. Wat Becky helemaal niet zo erg zou hebben gevonden als zij niet degene was die de was deed en Mimi er niet op stond Ava aan te kleden in wat Becky haar 'slettenpakjes' was gaan noemen. Ava had op het moment een gescheurde minispijkerbroek aan met een kettinkje dat uit een van de zakken bengelde, eraan, met daaronder een roze rompertje waarop stond: 'Oma's engeltje'. Om het geheel te completeren had ze een roze-wit met glittertjes versierd hoofdbandje om haar nog steeds kale hoofdje.

'Denk je dat ze snel haar krijgt?' vroeg Mimi zoals ze dat iedere dag deed. Ze liep met de baby de trap op, haar eigen kettinkje uit haar broekzak bungelend en haar hardroze hoge hakken trippelden over de hardhouten vloeren.

'Dat weet ik niet,' zei Becky. Het kan me niet schelen, dacht ze.

'Je krijgt binnenkort haartjes,' vertrouwde Mimi Ava toe. 'En dan word je zo mooi! Dan vragen alle jongens om je telefoonnummer!'

'Ze is nu al mooi,' riep Becky. 'En slim! En leuk! En we geven nog niet om jongens! En... ach, stik maar,' mompelde ze en liet zich op de bank zakken. Dit was vreselijk. Het was ongelooflijk. Ondraaglijk. Onacceptabel. Maar na zesentwintig dagen inwoning gaf Mimi geen enkel teken te gaan vertrekken en wat nog erger was, Andrew toonde geen enkel initiatief haar te dwingen te vertrekken.

'Ze is eenzaam, Becky. Ze vindt het hier leuk. En ze helpt je toch?'

Becky zei niets. Ze wist niet hoe ze tegen Andrew moest zeggen dat Ava bij Mimi achterlaten als ze naar haar werk ging haar een vreselijk ongemakkelijk gevoel gaf omdat ze, hoewel ze het niet kon bewijzen, zeker wist dat Mimi al haar verzoeken, suggesties en opdrachten wat betreft Ava's verzorging en voeding negeerde. Geen menseneten, zei Becky tegen Mimi en dan kwam ze 's avonds om elf uur thuis en vond haar dochter met een paarse tong en het cellofaan van een bakje blauwe bessen gescheurd. Geen flessen, zei ze, maar ze wist zeker dat Mimi haar dochter stiekem kunstvoeding gaf. Geen televisie, had ze gevraagd, maar nog de vorige dag was Mimi het ontbijtgesprek begonnen met de woorden: 'Toen Ava en ik Oprah zaten te kijken...' En ze had het opgegeven wat betreft de kleding. Pre-Mimi lag Ava's kast vol leuke, betaalbare en gepaste kleertjes van Old Navy en Baby Gap. Het maakte niet uit. Iedere keer dat ze even niet keek, had Mimi de baby iets nog idioters aangetrokken. Gisterenavond had Ava een roze tutu aan. Om in te slapen! Becky had tegen Andrew gefluisterd toen ze oncomfortabel op de bedbank lagen: 'Dit moet stoppen!'

'Helemaal aangekleed!' kondigde Mimi aan en kwam met Ava aanlopen, die nu was uitgedost in een geel zonnejurkje met ruches en... Nee, dacht Becky met haar ogen knipperend, dat kan niet. Maar het kon wel. Een geel strikje, op de een of andere manier aan Ava's hoofd vastgemaakt.

'Mimi, hoe heb je dat...'

'Met maïspasta!' zei haar schoonmoeder. 'Dat is echt een wondermiddel! Nu denkt niemand meer dat je een jongetje bent,' kirde ze tegen Ava. 'Fijn, hè? We zijn klaar voor een hapje,' zei ze tegen Becky zonder haar aan te kijken.

Maïspasta, dacht Becky en liep hoofdschuddend naar de keuken. Ze riep de mogelijkheden naar boven. Cashewnoten? Te vet. Crackers met kaas? Heeft Andrew je niet verteld dat ik allergisch ben voor tarwe? Nee? Een appel? Is die biologisch? Kun je hem snijden? En schillen? En misschien een stukje kaas erbij en misschien toch maar wat van die cashewnoten en nog een glaasje van die wijn.

Toen Mimi's maaltijd was klaargemaakt en Ava haar tweede dutje lag te doen, begon Becky aan het avondeten. Ze knipte rozemarijn uit een pot op de vensterbank, zette de radio op een station dat klassieke muziek draaide en las een paar clafoutisrecepten om tot rust te komen.

Om halfzes begon Ava te huilen. 'Ik haal haar wel!' riep Mimi. 'Jakkes, wat een stinkerdje!' Becky zuchtte, waste haar handen en ging haar dochters luier verschonen, de minuten tellend tot Andrew zou thuiskomen. Het was zo oneerlijk. Ze had plannen voor die avond. Het was haar op de een of andere manier gelukt tussen drie avonden per week werken, het huishouden doen, met Ava naar muziekles en haar speelgroepje en yoga en wandelen in het park, door tien minuten on line door te brengen, om drie porno-dvd's te bestellen om de triomfantelijke – en tot dusverre nog niet ingeplande – terugkeer van haar en Andrew naar het huwelijksbed te vieren.

De telefoon ging en Mimi nam natuurlijk op. 'Hay-aah. O.' Ze hield de telefoon tussen haar vingers alsof ze een dode vis vasthield. 'Het is voor jou.'

Becky keek naar het nummer en liep naar de babykamer. 'Hoi mam,' zei ze.

'Kan ze niet eens hallo tegen me zeggen?' vroeg haar moeder verontwaardigd. 'En waarom logeert ze nog steeds bij jullie? Hoe lang is dat nu al?'

'Breek me de bek niet open,' zei Becky.

'Hoe is het met je?' vroeg Edith. 'Hou je het een beetje vol?'

Becky beet de woorden weg die ze eigenlijk wilde zeggen. Kom me halen! Laat me naar huis komen! Ik woon met een gestoord wijf in huis en ik kan er niet meer tegen! 'Het gaat wel,' zei ze in plaats daarvan. 'We doen ons best.'

'O, lieverd. Kon ik je maar komen helpen.'

'Het gaat echt wel,' zei Becky. 'Ik bel je nog wel. Ik moet ophangen.'

Ze dekte de tafel terwijl Ava in haar wipstoeltje zat te kletsen en Mimi doelloos zat te zappen en aan Becky vroeg of ze een kartonnen nagelvijltje had (nee), cola light (ook niet) en of ze de baby even mocht vasthouden (Mimi, laat haar even rustig wakker worden).

Om zeven uur hoorde Becky Andrews sleutel in het slot van de deur en ze moest zichzelf inhouden om zichzelf en Ava niet op hem te werpen en hem te smeken met hen naar een hotel te gaan. Liefst in het buitenland.

'Dag engel,' zei Mimi, die Becky met haar elleboog opzij duwde en zich op Andrew wierp voor een kus.

'Hoi mam,' zei Andrew, die Mimi een verplicht kusje op haar wang gaf. 'Hoi schat,' zei hij en sloeg zijn armen om Becky heen. Hij gaf haar een heel ander soort kus. Ze dacht aan de drie dvd's, waar ze de hoesjes af had gehaald en die ze met een steek van spijt tussen de kookboeken had verstopt.

'We eten lamsvlees,' kondigde Mimi aan alsof Andrew dat zelf niet kon zien. 'Toen Andrew opgroeide, aten we nooit lamsvlees,' zei ze tegen Becky. 'Ik weet niet waarom. Het voelde altijd als, ik weet niet, wat je kocht als je je geen biefstuk kon veroorloven.'

Ach, zo ben ik in mijn arbeidersgezin opgegroeid, dacht Becky. Ze rekte de maaltijd zo lang ze kon, half luisterend naar Mimi die iets opdreunde wat klonk als Andrews gehele middelbare schoolrooster ('En die aardige Mark Askowitz heeft op Jamaica een villa voor zijn moeder gehuurd. Heb je nog contact met Mark?). Ze was een halfuur bezig Ava in bad te doen, haar haar pyjama aan te trekken en voor haar te zingen tot haar dochter eindelijk in slaap viel. Toen Becky op haar tenen Ava's kamer uit liep, denderde Mimi op haar hoge hakken over de gang en deed geen enkele poging stil te zijn. 'Slaap lekker!' had ze het lef over haar schouder te roepen terwijl ze in de slaapkamer van Andrew en Becky verdween.

Toen de slaapkamerdeur dicht was, haalde Becky een van de dvd's uit het kookboek en liet die in haar zak glijden. Ze liep naar Andrew in de woonkamer, die met de slaapbank aan het worstelen was. 'Dankjewel dat je het allemaal zo sportief opvat,' zei hij.

'Ik heb een cadeautje voor ons gekocht,' fluisterde Becky, die het licht uitdeed en de televisie aanzette.

Toen ze hem de dvd liet zien, begonnen zijn ogen te stralen. 'Leuk!'

'Eerlijk gezegd is hij stout,' giechelde ze. Ze wachtten, handen vasthoudend en kussend, tot wat een goede pauze leek. Toen Mimi's rasperige ademhaling de trap af begon te dwarrelen, begon het speelkwartier.

'Ik hou van je,' fluisterde Andrew twintig minuten later toen ze allebei weer normaal ademden.

'Dat is wel het minste,' zei Becky. Ze sloot haar ogen en viel in slaap op de muziek van het gesnurk van haar schoonmoeder.

De ochtend begon met Mimi die de keuken in kwam in een suède broek met een met bont afgezet truitje, haar gezicht dik opgemaakt en haar gebruikelijke stortbui aan verzoeken. Had Becky vers sinaasappelsap? Nee. Cafeïnevrije koffie met een smaakje? Nee. Speltbrood? Mimi, ik weet niet eens wat dat is. Sorry.

Zodra Becky aan tafel zat, begon Ava te gillen.

'Rustig maar!' zong Mimi en rukte Ava uit Becky's armen. 'We gaan lekker die dvd kijken die ik heb meegenomen!'

'We kijken geen televisie met haar!' riep Andrew tegen de rug van zijn moeder. Mimi negeerde hem.

'Laat ons maar even de afstandsbediening zoeken.' Becky hoorde de televisie aangaan. Toen hoorde ze het geluid van de dvd-speler die werd aangezet. Andrew en Becky keken elkaar aan, aan de grond genageld in ongeloof. 'O, shit,' zei Andrew geluidloos. Ze draaiden zich tegelijk om en botsten tegen elkaar aan. Becky gleed uit en viel. Andrew stapte zonder naar haar te kijken over haar heen en rende de trap op. Te laat. Zelfs in haar huidige positie – opgekruld op de vloer met haar gezicht een paar centimeter van de koelkast verwijderd – hoorde ze het gekreun en gesteun en erger, o god, o nee, het geluid van iemand die werd geslagen. 'Vind je dat lekker, schatje?' vroeg een stem. En daar begon de sjofele achtergrondmuziek: boem-tsjieka-boemboem. En uiteindelijk Mimi's gil: 'Wat is dat?'

Becky bedacht zich dat het grappig zou zijn als het iemand anders overkwam. Ze krabbelde langzaam overeind terwijl Andrew de dvd uitzette. Het was zelfs nu al enigszins grappig.

'Wat heeft dit in 's hemelsnaam...'

Oef. Ze stond op, hoopte maar dat Ava niets had gezien wat haar levenslang zou traumatiseren en liep de trap op terwijl Andrew een verklaring stamelde die neerkwam op: 'Ik heb geen idee wat die daar doet.'

'Ik heb je beter opgevoed!' gilde Mimi, die voor de televisie stond met haar handen op haar knokige heupen. Becky perste haar lippen op elkaar; ze voelde haar hele lichaam schudden van het lachen.

'Ik heb mijn hele LEVEN nog nooit zoiets walgelijks gezien!'

Gelukkig was het de anale scène niet, dacht Becky. En dat deed het hem. Ze klapte dubbel van het lachen en tranen stroomden over haar wangen terwijl Andrew verontschuldigingen bleef stamelen.

'Je moest je schamen!' gilde Mimi met vuurspuwende ogen onder haar lagen eyeliner.

Becky veegde haar ogen af en bedacht zich dat wat er ook verder zou gebeuren, deze vrouw haar man zich nooit meer schuldig zou laten voelen over seks. Ze rechtte haar rug, gooide haar haar over haar schouders, pakte Ava op van de bank waar ze zo maar was achtergelaten en zei het enige wat haar man zou kunnen redden. 'Die is van mij, Mimi.'

'Jij... jij...' Mimi's dunner wordende zwarte haar stond in een pluizige corona om haar hoofd. Zelfs het bont aan haar truitje leek te beven.

'Van mij,' herhaalde Becky. Ze haalde het schijfje uit het apparaat en stak het in haar achterzak. 'Jessa Blake is een van mijn favorieten. Ik geniet erg van haar werk vóór *Up and Cummers* vier.'

'Ik... jij... o!' riep Mimi uit. Ze keek Becky vernietigend aan, stormde de trap op en sloeg de deur van hun slaapkamer dicht. Becky keek naar Andrew, die haar aankeek met een glimlach rond zijn mondhoeken.

'*Up and Cummers* vier?'

'Ik zal hem eens huren. Maak je geen zorgen. Je hoeft *Up and Cummers* één, twee en drie niet te kijken om hem te kunnen waarderen.'

Hij legde zijn hand in haar nek en duwde haar gezicht naar het zijne. 'Je bent me er eentje, wist je dat?'

'Op een leuke manier of op een niet-leuke manier?'

'Op een verbijsterende manier,' zei hij en kuste haar. Toen pakte hij zijn koffertje en liep de deur uit. Becky maakte een lange wandeling met Ava en ze hingen nog twee uur in een koffiebar, de vernietigende blikken van het personeel negerend. Om vier uur was het huis stil en de slaapkamerdeur zat nog steeds dicht. Mimi lag vast te pruilen, dacht Becky. Of te herstellen van een shock. Ze had Ava net op het aankleedkussen gelegd om haar te verschonen toen de telefoon ging.

'Hallo?'

Het was Ayinde. En ze huilde. 'Becky?'

'Wat is er?' vroeg Becky. 'Wat is er aan de hand?'

'Er is iets gebeurd,' zei ze. 'Kun je komen?'

Becky voelde haar hart een slag overslaan. 'Is er iets met Julian? Is Julian in orde?'

'Met Julian gaat het prima,' zei Ayinde, 'maar kun je alsjeblieft komen?' En toen begon ze weer te huilen.

'Ik kom eraan,' zei Becky, die snel nadacht: in de luiertas zaten doekjes, een schoon setje kleding en de zes luiers die Ava in een gemiddelde middag versleet.

'Zet alsjeblieft de radio niet aan,' zei Ayinde. 'Als je in de auto zit.

Alsjeblieft. Beloof me alsjeblieft dat je dat niet doet.' Becky beloofde het. Ze verschoonde Ava en pakte haar autostoeltje. Ze keek of er geld in haar portemonnee zat, pakte haar sleutels en ging de deur uit. Pas halverwege Gladwyne realiseerde ze zich dat ze haar schoonmoeder geen gedag had gezegd.

Ayinde

TIJDENS HAAR OPLEIDING HAD DE NADRUK GELEGEN OP DE KLAS-siekers: Shakespeare, heel veel Milton en Donne en de bijbel als literatuur. Ayinde had het hele scala aan dode blanke mannen bestudeerd, dikke boeken vol symboliek en aanwijzingen. Nu ze erop terugkeek, had ze zelf een aanwijzing verwacht: donder, bliksem, een kikkerregen, een sprinkhanenplaag. Of tenminste een overstroming in de kelder. Maar er was niets. De dag waarop haar wereld instortte, was een dag als alle andere. Beter dan de meeste, zelfs.

Julian en zij hadden samen, zij aan zij, in het enorme Richardloze bed geslapen. Om zes uur 's ochtends was de baby wakker geworden. Ayinde had de gordijnen opengedaan en zat in kleermakerszit tegen het met textiel overdekte hoofdeinde naar het geluid van de blender te luisteren, waarin de kokkin Richards eiwitshake maakte; naar het zachte geritsel van de kranten toen Clara die op de eetkamertafel legde; het geluid van de bus van de bloemist die de oprit opreed.

Er werd zacht op de deur geklopt. 'Goedemorgen,' riep Ayinde. Clara kwam zachtjes binnen, knikte naar Ayinde en Julian, zette een dienblad met thee, toast, honing en de ochtendkrant op het tafeltje aan het voeteneinde van het bed en liep zachtjes weer naar buiten. Ayinde sloot haar ogen. Ze wist zeker dat het personeel zich dingen over haar afvroeg. Ze wist dat de spelersvrouwen zich dingen afvroegen. Tijdens de officiële teambijeenkomst – een barbecue in juli bij het zomerhuis van de coach aan de kust van Jersey – hadden de vrouwen Julian overladen met cadeautjes: een handgemaakte trui met het nummer van zijn vader erop, mini-Nikes en -Timberlands, piepkleine kleertjes van spijkerstof en leer en een nylon Sixers-trainingspakje in maat 50/56.

Toen waren de vragen begonnen. Of eigenlijk één vraag: heb je al een nanny? Alle andere vrouwen hadden fulltime hulp; inwonende hulp, in de meeste gevallen. En geen van hen werkte. Ze brachten hun dagen winkelend, lunchend, trainend, echtgenote-zijnde door, waren altijd beschikbaar om met hun man mee op reis te gaan, hem te steunen, en om seks met hem te hebben, nam Ayinde aan. Ze konden zich niet voorstellen dat Ayinde geen nanny wilde. Ayinde had zich stil gehouden toen ze een saillant stukje uit *Succes met baby's* voor zichzelf citeerde. 'Als je werk alleen dient om je een gevoel van richting te geven, een gevoel dat je in de wereld iets betekent, wil ik dat je naar dat kleine schatje gaat (tenzij hij net een dutje doet, natuurlijk!) en dat je Ukkie vasthoudt. Elke richting, ieder doel, alles wat je ooit kunt hopen of wensen, heb je in je armen. Je hebt al een baan. Jouw functie heet: moeder. En er is geen baan ter wereld die belangrijker is dan die.'

De oude, pre-Priscilla Ayinde zou haar retoriek als reactionaire, antifeministische onzin hebben verworpen en misschien had ze het boek wel tegen de muur gekwakt om haar ideeën erover kracht bij te zetten. Maar de post-baby Ayinde – Ayinde met Julian in haar armen, gekweld door herinneringen aan de halfslachtige ouders die zij had gehad, vastberaden haar baby perfect of in ieder geval bijna perfect op te voeden en, als ze eerlijk was zonder werkaanbiedingen in zicht – had het boek verslonden. Wat kon werk haar geven dat haar baby haar niet gaf? Aannemend dat ze überhaupt ergens zou worden aangenomen? 'Mijn functie heet moeder,' fluisterde ze tegen zichzelf. Ze zei het alleen tegen zichzelf. Ze had het een keer per ongeluk hardop tegen haar vriendinnen gezegd en Becky had er zo hard om gelachen dat ze bijna in haar latte was gestikt.

Er werd weer op de deur geklopt en Richard kwam binnen. Hij rook naar aftershave en zeep. Een loszittende nylon korte broek hing om zijn heupen tot aan zijn knieën; in zijn T-shirt zonder mouwen kwamen zijn gespierde armen goed uit. Hij ziet er goed uit, dacht Ayinde, maar het was een afstandelijke vorm van waardering, hetzelfde soort dat ze aan een beeld in een museum zou geven. 'Hé schat,' zei hij en kuste haar voorhoofd. 'Hé, kleine man,' zei hij en streelde Julians hoofd met zijn vingertoppen. Ze namen zijn schema door: hij zou de hele dag in Temple zijn om een workshop voor een juniorenteam te leiden en dan zou hij na het avondeten met zijn zakelijk manager en zijn publicist de details van een nieuwe deal over een creditcard doornemen. Hij legde zijn hand onder Ayindes kin en kuste haar zacht. Toen liep hij naar de keuken, waar zijn shake en zijn kranten op hem wachtten en vertrok toen, nam ze aan, door de voordeur, waar zijn auto met chauffeur stond te wachten om hem naar Temple te rijden, waar een paar dozijn tieners vol ontzag op hem zou staan wachten, helemaal opgewonden dat ze dezelfde lucht zouden inademen als haar man.

Het was een prachtige herfstochtend, de hemel was fris en blauw en de bladeren van de esdoorn begonnen net te verkleuren. Ayinde duwde Julians wandelwagen over de lange oprit. Ze vroeg zich af of er kinderen aan de deur zouden komen om snoep; of de kinderen uit de buurt dapper genoeg waren om de oprit op te fietsen of dat Richard eenvoudigweg de bewaker in zijn Hummer voor de brievenbus zou zetten met een zak snoep om uit te delen.

Om tien uur legde ze de baby neer voor zijn door Priscilla Prewitt opgedragen dutje en het lukte haar te douchen, haar tanden te poetsen en zich aan te kleden. Om twee uur reed ze naar de stad om met Kelly te lunchen. Ze aten gegrilde kip met raketsla bij Fresh Fields terwijl hun baby's in hun wandelwagen lagen en elkaar negeerden. 'Hoe gaat het op je werk?' vroeg ze.

'Prima!' zei Kelly en streek haar steile blonde haar glad. 'We zoeken nog steeds een nanny. Ik heb deze week heel wat gestoorde types gezien. Dus nu is Steve thuis om voor Oliver te zorgen terwijl ik werk en dat is prima!' Oliver begon onrustig te worden. Kelly tilde hem op, rook aan zijn billen, trok een vies gezicht en reikte naar haar luiertas. 'O god, o nee. Heb jij een extra luier? En doekjes? God, dat doet Steve nou altijd. Hij gebruikt alles tot het op is en dan vervangt hij niets. Wat stom dat ik het huis uit ben gegaan zonder die tas te controleren!'

Ayinde kon niet voorkomen dat ze zich een heel klein beetje zelfgenoegzaam voelde toen ze Kelly haar pakje biologische, gerecyclede katoenen doekjes en een van haar katoenen luiers gaf ('Die zijn het beste voor het milieu en voor Ukkies billetjes,' zei Priscilla Prewitt) en na de lunch ook, toen ze Julians autostoeltje op de bank klikte en zijn wandelwagen behendig in de achterbak vouwde. 'Mijn functie heet moeder,' fluisterde ze terwijl ze beiden naar huis reden. En ze was er goed in ook, dacht ze, zelfs als het saai en vervelend was, zelfs als de dagen maar niet voorbij leken te gaan, zelfs als ze zichzelf er steeds op betrapte dat ze op haar horloge keek, de uren telde, de minuten zelfs, tot Julians volgende dutje of bedtijd, wanneer ze even haar handen vrij zou hebben. Haar functie heette moeder en ze deed het prima.

Toen ze thuiskwam, stonden er zes auto's op de oprit, haastig geparkeerd, alsof hun eigenaren zo dicht mogelijk naar de voordeur waren gereden voor ze naar binnen waren gerend. Ayinde parkeerde achter de achterste auto en voelde de eerste onrust in haar ruggengraat kriebelen. Vier vreemde auto's en twee die ze herkende: de zwarte stadsauto, glanzend en anoniem, die Richard reed naar waar hij heen gereden wilde worden en de Audi met het nummerbord COACH, in dezelfde opvallende zilverkleur als het haar van de eigenaar. Geen ambulance, bedacht ze zich en dacht aan Lia. Ze trok haar handtas over haar schouder, tilde Julian in zijn autostoeltje uit de auto en liep naar binnen. De kokkin was een aanrecht dat er brandschoon uitzag, langzaam aan het schoonmaken en de zakelijk manager die bij de deur stond, knikte hallo zonder Ayinde aan te kijken.

Richard zat in de eetkamer, in elkaar gezakt aan het hoofd van de tafel waar achttien mensen aan konden zitten. Zijn mahoniehout getinte huid had een askleurige ondertoon en zijn lippen zagen blauw rond de randjes. 'Richard?' Ze zette Julian op de tafel. 'Wat is er?'

Hij sloeg zijn ogen op om haar aan te kijken en hij keek zo getergd dat ze een paar stappen achteruit deed, met een hak achter de franje van een antiek Perzisch tapijt bleef steken en bijna viel. 'Wat is er gebeurd?'

'Ik moet je iets vertellen,' zei Richard. Zijn ogen waren bloeddoorlopen. Hij is ziek, dacht Ayinde verwilderd. Hij is ziek, hij moet naar een dokter, hij moet naar het ziekenhuis, hij moet hier helemaal niet zijn... Ze keek om zich heen. De eetkamer vulde zich met vreemdelingen. Er stond een man in een broek met een gekreukt Oxford-shirt met een grote FedEx-envelop in zijn hand; achter hem stond een vrouw in een donkerblauw pak met een knotje. Geen stethoscoop of witte jas te zien.

'Wat is er aan de hand?'

'Als we nou eens allemaal gaan zitten,' zei de coach. De toon van zijn stem, de vriendelijkheid, deed Ayinde denken aan haar eigen vader – niet in zijn echte leven, natuurlijk, maar in de rol die hij op Broadway had gespeeld in *De maan om middernacht* – en aan de speech die hij had afgestoken toen hij zijn toneeldochter vertelde dat haar moeder was overleden. Hij had een Tony voor die rol gewonnen, bedacht ze zich vaag.

Julian was in zijn autostoeltje in slaap gevallen. Ze nam hem toch in haar armen en legde zijn slapende hoofdje tegen haar schouder. Richard trok zichzelf langzaam uit zijn stoel omhoog en liep naar haar toe, bewegend alsof hij ineens tien jaar ouder was of een pees had gescheurd, de grootste angst van iedere basketballer. 'Er is iets gebeurd in Phoenix,' zei hij. Zijn stem klonk zo laag dat Ayinde er bijna niet tegen kon.

Phoenix. Phoenix. Daar ging Richard regelmatig naartoe; daar was het hoofdkwartier van het frisdrankbedrijf waar hij reclame voor maakte. Hij was er drie weken geleden voor het laatst geweest. 'Wat is er dan gebeurd?' Ze staarde Richard aan en probeerde het te bedenken. Had hij daar tijdens het trainen of in een ondermaatse fitnessruimte in een hotel een blessure opgelopen?

'Er was een meisje,' mompelde hij. Ayinde voelde haar hele lichaam koud worden. Parfum, fluisterde haar geest. Ze greep Julian zo stevig vast dat hij in zijn slaap naar adem snakte. Parfum, zei haar geest nogmaals. En toen kwamen er zes woorden, gesproken met een stem die zonder twijfel van Lolo was: 'Dat heb ik je toch gezegd?'

Ze stak haar kin omhoog, vastberaden niet in te storten voor die menigte vreemdelingen. 'Wat is er gebeurd?'

'Ze...' Richards stem ebde weg. Hij schraapte zijn keel. 'Ze is zwanger.'

Nee, dacht Ayinde. Niet haar Richard. Dat niet. 'En jij bent de vader?'

'Dat moet de rechtbank bepalen,' zei de vrouw in het blauwe pak.

'Wie ben jij?' vroeg Ayinde onderkoeld.

'Dat is Christina Crossley,' zei de coach. Ze is de crisiscommunicatiemanager.' Hij trok zijn hoofd tussen zijn schouders. 'We hebben haar ingehuurd voor... zo lang als het duurt. Tot het is opgelost.'

Christina Crossley Crisis! zong het in Ayindes hoofd.

'Die vrouw heeft beschuldigingen geuit,' zei Christina Crossley. 'Richard vliegt morgen naar Phoenix om een DNA-monster te geven. Daarna...' ze trok haar schouders op, 'zien we wel.' Christina Crossley perste haar lippen op elkaar. 'Het probleem is dat ze er al mee naar de pers is gegaan. De roddelbladen. *National Examiner* wil er woensdag mee openen, wat betekent dat de serieuze pers het als eerlijk spel zal beschouwen.'

Eerlijk spel. Ayinde probeerde te bedenken wat dat betekende, ieder woord apart te overwegen, maar dan sloeg het nog nergens op. Het was geen spel en het was al helemaal niet eerlijk. Niet voor haar. Niet voor Julian.

'We hebben een persconferentie gepland,' vervolgde Christina Crossley. 'Die is morgenmiddag om vijf uur, zodat we in ieder geval in het avondnieuws zitten.' Ze glimlachte professioneel medelevend naar Ayinde. 'We kunnen vanmiddag gebruiken om aan je verklaring te werken.'

Ayinde staarde de vrouw aan voor ze bedacht dat er maar één ding was dat ze kon zeggen.

'Eruit,' zei ze.

Christina Crossley keek naar de coach en toen naar Ayinde. Haar professionele glimlach was ineens graden in temperatuur gedaald. 'Mevrouw Towne, ik weet niet zeker of u de ernst van de situatie inziet. Richards inkomen – zijn toekomst – hangt af van hoe we dit verhaal in de pers brengen...'

'ERUIT!'

Ze renden: de coach, Christina Crossley, de melkkleurige blanke wiens naam niet was gezegd, ze renden allemaal over de in de was gezette hardhouten vloeren en het handgeknoopte Perzische tapijt. De kristallen in de kroonluchter rammelden door hun voetstappen. Richard, Ayinde en Julian waren alleen in de kamer. Richard schraapte zijn keel. Ayinde staarde hem aan. Hij wiebelde met zijn voeten. Hij zei niets. Ze voelde zich bevroren, vastgenageld.

'Het spijt me,' flapte hij er uiteindelijk uit.

'Hoe kun je,' zei ze. Het was geen vraag maar een verklaring. Hoe kún je.

'Het spijt me,' zei hij nogmaals. 'Maar Ayinde, het betekende niets. Het was één nacht. Ik weet haar achternaam niet eens!'

'Dacht je dat ik dat geloof?' vroeg ze op eisende toon. 'In de nacht dat onze zoon werd geboren, kwam je naar me toe met de parfum van een andere vrouw op je...'

'Wat?' Hij staarde haar verbijsterd aan. 'Schatje, waar heb je het over?'

'Hoeveel?' schreeuwde ze tegen hem. 'Hoeveel vrouwen, Richard? Hoe lang bedrieg je me al?'

'Ik weet niet over welke parfum je het hebt. Het is maar één keer gebeurd, Ayinde, dat zweer ik.'

'Nu moet ik me zeker beter voelen, hè, omdat je me maar één keer hebt bedrogen,' gierde ze. 'Hoe kun je zo stom zijn! Hoe kun je het...'

Haar stem bleef in haar keel steken. 'Hoe kun je het zonder condoom hebben gedaan?'

'Ze zei dat ze aan de pil was.'

'O Richard,' kreunde Ayinde. In al die jaren dat ze hem kende, had ze haar man van alles gevonden: slim, vriendelijk, een beetje ijdel. Ze had nog nooit gedacht dat hij stom was. Tot nu.

'Het was een vergissing,' zei hij en keek haar met zijn gekwelde ogen aan. 'Dat zweer ik.'

'Je hebt al een keer gezworen,' zei Ayinde. Ze voelde zich alsof ze haar lichaam had verlaten en het hele tafereel van een enorme afstand bekeek. 'Je hebt gezworen van me te houden. En van niemand anders, toch? En me te eren? Of herinner ik het me verkeerd?'

Hij staarde haar aan. 'Nou, jij hebt hetzelfde beloofd en toen heb je me uit mijn eigen bed getrapt.'

Ze was zo verbijsterd dat ze nauwelijks kon ademen. 'Dus dit is mijn schuld?'

Hij keek naar de tafel en zei niets.

'Richard, ik heb net een kind gekregen...'

'Je hebt een kind,' zei hij, 'maar je hebt ook een man. Ik had je nodig en je hebt me afgewezen.'

'Dus het is mijn schuld,' herhaalde ze en bedacht zich dat dit ook een waarheid in Richards leven was: het was altijd de schuld van een ander. Hij weet verlies van een wedstrijd aan een van zijn teamgenoten, een verdediger die een middenspeler van de tegenpartij niet goed blokte, een aanvaller die zijn vrije worp miste. Hij weet zijn persoonlijke tekortkomingen aan zijn opvoeding: een tienermoeder, een liefhebbende oma, allebei zonder middelbare schoolopleiding, beiden met hun handen vrij, klaar om prins Richard alles te geven wat hun inkomen maar toestond. En dan de NBA, te veel, te snel, auto's, huizen en geld, allemaal ingepakt in de ingebouwde garantie dat er iemand is die ervoor opdraait en dat er een Christina Crossley is die de bende gladstrijkt en opruimt als je uiteindelijk toch iets doet wat erg genoeg is om de aandacht van de hele wereld te trekken.

'Het spijt me,' zei hij. 'Als ik het ongedaan kon maken...' Zijn stem brak.

'Je moet je laten testen op soa's. En op aids,' zei ze. Hij staarde haar even dommig aan en schudde toen zijn hoofd. Ayinde dacht weer aan haar moeder. Lolo had een hekel aan Richard gehad vanaf het moment dat ze zijn naam voor het eerst had gehoord. 'Sportin' Life', had ze hem genoemd, naar de drugdealer uit *Porgy and Bess*. 'Hoe is het met Sportin' Life?' had ze gevraagd als ze belde. Je trouwt niet met zo'n man, had Lolo haar dochter geïnstrueerd, alsof Ayinde haar om advies had gevraagd. Nee, dat doe je niet! Je hebt lol met hem, meisje. Je zorgt dat je foto in de kranten staat. En dan zoek je een man om mee te trouwen.

'Ik hou van hem,' zei Ayinde tegen haar moeder. Lolo haalde haar schouders op en ging verder met het aanbrengen van haar valse wimpers, de wimpers die ze iedere dag droeg, zelfs als ze alleen maar naar de lobby ging waar, behalve de verveelde portier, geen enkel publiek toekeek hoe ze haar post ophaalde.

'Het is je eigen begrafenis,' had ze gezegd.

Ayinde kneep haar oogleden half samen en staarde naar Richard. De hele wereld zal ons uitlachen, dacht ze en die gedachte schopte haar terug in haar lichaam, in deze kamer, in het hier en nu van wat haar man had gedaan. Mij uitlachen. Julian uitlachen. Ze stak haar kin nog verder omhoog. 'Eruit,' zei ze.

'Ze zullen met je willen praten,' zei Richard. 'Over wat we nu gaan doen.'

'Eruit,' zei ze nogmaals met een stem die ze nauwelijks als haar eigen herkende. Hij stond op met neerhangende schouders, slofte de kamer uit en ze bleef alleen achter met Julian in haar armen. Ze duwde haar neus tegen zijn hals en ademde zijn warme melkachtige geur in, zijn zoete adem. Er stond een hoofdstuk over scheiding in het boek van Priscilla Prewitt. 'Huwelijk op de klippen? Concentreer je op je prijs. Onthoud wat er echt toe doet. Onthoud wie er op de eerste plaats staat. Studie na studie – net als gezond verstand – toont aan wat we in ons hart al weten. Baby's zijn gelukkiger als mammie en pappie samen onder één dak wonen.'

Ayinde kneep haar ogen dicht en wist dat er ondanks het feit dat ze hem had weggestuurd nog mensen in huis waren. Als ze goed luisterde, kon ze hen allemaal horen: de kokkin, de schoonmaaksters, de publicist, de zakelijk manager, de trainer, de masseuse, de tuinman, de tuinarchitect, de bezorgers, assistenten, stagiaires en de secretaresses die haar huis in- en uitliepen zoals Richard haar huwelijk was in- en uitgelopen. Ze vroeg zich af of iedereen wist wat er was gebeurd. Ze vroeg zich af of Richard vrouwen mee naar huis nam als ze bij haar ouders in New York was of een middagje op stap ging. Ze vroeg zich af of de huishoudster de lakens had rechtgetrokken en of de kokkin een ontbijt voor twee had gemaakt.

Ze liet zich op een tweezitsbankje vallen en greep naar haar mobieltje. En toen belde ze haar vriendinnen en zei hun dat ze naar het gastenverblijf moesten komen en vroeg of ze onder het rijden alsjeblieft niet naar de radio wilden luisteren.

Ayinde realiseerde zich dat Richard niet echt was vertrokken. Hij had zichzelf alleen in de logeerkamer opgesloten. Ze liep een keer of vijf langs de deur, terwijl ze haar armen slordig vol propte met haar kleren en die van Julian, die ze daarna de trap af droeg, langs de keuken waar de kokkin en Clara hun blik afwendden, langs de eetkamer waar de coach en de advocaten en Christina Crossley zaten, de deur uit en naar de slaapkamer van het gastenverblijf. Toen ging ze met haar baby in haar armen op de oprit staan en wachtte.

Kelly's auto reed als eerste de oprit op. 'Wat is er aan de hand?' vroeg ze door het open autoraam. Ze had bleke wangen. Haar haar hing er in natte slierten tegenaan en ze rook naar Ivory-zeep. 'Gaat het wel?'

'Ik wil wachten tot Becky er ook is,' zei Ayinde.

Kelly knikte en stapte uit de auto en Lia stapte uit aan de passagierskant. 'Ik hielp een handje met Oliver,' zei Lia. 'Ik hoop dat je het niet erg vindt... geef hem maar,' zei ze en strekte haar armen uit. Ayinde keek en zag dat ze Julian vasthield als een zak aardappels, met een arm lukraak om zijn middel. Hij had maar één sokje aan. En hij huilde. Hoe lang huilde hij al? vroeg ze zich af terwijl ze hem aan Lia gaf, die hem tegen haar schouder legde.

'Ssh, ssh,' fluisterde ze. Julian stak zijn duim in zijn mond en hij stopte met huilen terwijl Becky's kleine Honda de oprit op kwam rijden.

Ayinde leidde hen naar het gastenverblijf, dat op instructie van Richard was omgebouwd tot volledig uitgerust clubhuis, met zware lederen meubels, een breedbeeldtelevisie, een volledig uitgeruste bar achterin de woonkamer met Richards prijzen op speciaal gebouwde glazen plankjes erboven. Allesbehalve een bordje met VERBODEN VOOR MEISJES, dacht Ayinde. Ze had zo'n bordje moeten kopen. Dat had ze aan het kruis van haar man kunnen spijkeren.

Haar vriendinnen zaten in een rijtje op de bank met hun baby's en die van haar op schoot. Toen kon ze het niet meer uitstellen.

'Richard,' zei Ayinde. Haar stem beefde. 'Hij is op zakenreis naar Phoenix geweest. Hij heeft... Er was...' ze realiseerde zich dat ze geen idee had hoe ze het moest zeggen. 'Een vrouw in Phoenix zegt dat ze zijn kind krijgt.' Zo. Kort en direct.

Het drietal staarde haar aan. 'Dat geloof ik niet,' zei Kelly uiteindelijk. 'Dat zou Richard nooit doen.'

'Hoe weet jij dat?' snauwde Ayinde. Kelly keek weg. 'Hij heeft het echt gedaan,' zei Ayinde. 'Dat heeft hij me verteld. En ik vertrouwde hem.' Toen boog Ayinde voorover. Ze greep zichzelf vast, ademloos door de plotselinge pijn die door haar buik gierde. Het voelde alsof ze werd opengereten. Dit deed honderd keer meer pijn dan de bevalling.

Becky's armen lagen warm om haar heen. Ze hielp Ayinde overeind en leidde haar naar de bank. 'Is dit de eerste keer?'

Parfum, fluisterde Ayindes geest weer. 'Dat weet ik niet,' zei ze. O nee? hoorde ze Lolo vragen op haar hautaine, spottende toon. Weet je het niet, of wil je het niet weten? 'Maakt het wat uit?' Ze zag stukjes van de gospel volgens Priscilla Prewitt voor haar ogen dansen. 'Onthoud wat echt belangrijk is.... de belangrijkste baan in de wereld... mammie en pappie samen onder één dak.' 'Ik kan niet bij hem weg. Niet met een baby. Dat vertik ik.'

'Wat ga je dan doen?' vroeg Becky.

Ayinde kon wel raden wat er nu kwam. Toen ze als verslaggeefster had gewerkt, had ze minstens tien van dit soort schandalen besproken en er nog eens honderd gelezen. Ze zou als een showpaard worden opgetrommeld om haar man terzijde te staan. Ze zou worden gefotografeerd terwijl ze naar hem staarde met een idiote Nancy Reagan-blik van adoratie op haar gezicht. Ze zou zijn hand moeten vasthouden. De wereld zou haar uitlachen. Ze zou een rake slotzin zijn, een waarschuwende fabel, een slechte grap. En waarover? Een groupie, een cheerleader, zo vervangbaar als die papieren bekertjes met een sportdrankje erin dat de spelers tijdens de wedstrijd dronken en weggooiden? Een of ander wicht dat met sterren neukte om er triomfantelijk tegen haar vriendinnen over op te kunnen scheppen, met een aandenken dat Richard haar had toegeworpen: een petje met handtekening, een T-shirt, een baby? Ze boog voorover, naar adem snakkend en de pijn gierde weer door haar lijf.

Becky's stem klonk zo vriendelijk als Ayinde altijd had gehoopt dat de stem van haar moeder zou klinken. 'Misschien moet je met Richard gaan praten.'

Julian begon 'eh, eh, eh,' te mekkeren, wat betekende dat hij bijna echt zou gaan huilen. 'Ssh, liefje,' fluisterde Lia, die hem tegen haar borst wiegde; de rand van haar honkbalpet wierp een schaduw over zijn gezicht.

Ayinde voelde hoe haar lichaam zonder dat ze er invloed op had, bewoog; ze voelde hoe haar handen aan haar haar voelden en hoe haar voeten begonnen te lopen.

De logeerkamerdeur was dicht maar niet op slot. De deurklink gleed onder Ayindes hand naar beneden. Richard lag in het donker in bed. Hij had zijn kleren, inclusief schoenen, nog aan en lag met zijn armen strak langs zijn lichaam. Dodenhouding, dacht ze. Bij yoga noemen we dat de dodenhouding. Ze opende haar mond, maar merkte dat ze niets tegen haar man te zeggen had; helemaal niets.

November

Lia

'DAG, DAG, DAG, KINDJES,' ZONG KELLY ENTHOUSIAST EN EEN TIKJE vals. Haar paardenstaart wiebelde terwijl ze Oliver over de stoep duwde. Kelly, Becky, Ayinde en ik hadden samen koffie gedronken nadat zij drieën samen naar hun muziekklasje waren geweest en zo te horen werd het afscheidsliedje als afscheid in ieder klasje gezongen. 'Dag, dag, dag, mammies...'

'O god, hou daar alsjeblieft mee op,' smeekte Becky. 'Nou krijg ik het nooit meer uit mijn hoofd. Dit is nog erger dan Rick Astley.'

'Al die meiden die Emma heten,' mompelde Ayinde, 'en er zit niet één Ayinde tussen.' Een glimlach krulde haar mondhoeken maar raakte haar ogen niet. Ik vroeg me af hoe het voor haar op muziekles was sinds het Richard Towne-schandaal was uitgebroken. Ik vroeg me af of de andere moeders haar aanstaarden of juist probeerden dat niet te doen. Dat was het ergst geweest, vond ik. Toen ik Caleb had, ging ik naar een parkje en een paar andere moeders en ik begroetten elkaar altijd. Die ene keer dat ik nadien was teruggegaan naar het park, voelde als een stroom hitte die in juli van het asfalt komt, hoe ze hun best deden terwijl ze probeerden niet naar me te staren en dezelfde clichés tegen me mompelden, waarvan ik durfde te wedden dat Ayinde ze nu onderging: 'Wat vreselijk' en 'Wat naar voor je' en 'Tijd heelt alle wonden'.

Ik kwam die drie mama's tegen, drie baby's en wat is er anders dan anders? Maar toch leken ze niet in verlegenheid gebracht door het feit dat ik er was. Misschien kwam dat doordat we ons allemaal zo raar voelden bij Ayinde in de buurt.

'Wat heeft Julian een mooie trui aan,' zei ik tegen haar. Haar gezicht klaarde een beetje op.

'Dank je.' De trui was marineblauw met een rood randje en er zaten vilten boerderijdieren op het voorpand. Julian droeg hem met een spijkerbroek, een bijpassend gebreid petje en mini-Nikes. Ik wist vrij zeker dat dit setje meer had gekost dan de kleren die ik uiteindelijk voor mezelf had gekocht. Niets chics, een gewone spijkerbroek, broeken en T-shirts, om de spijkerbroeken en truien die ik nog van de middelbare school had en de blauwe jas van mijn moeder, waar ik maar geen afstand van kon doen, aan te vullen.

'Luister,' begon Kelly. 'Oliver is afgelopen nacht maar twee keer wakker geweest. Om één uur en om halfvijf.' Ze keek ons hoopvol aan. De huid onder haar ogen zag er blauw en breekbaar uit. 'Dat telt bijna als doorslapen, toch?'

'Zeker weten,' zei Becky. 'Hou vol.' We liepen verder en ik probeerde me geen buitenbeentje te voelen zonder wandelwagen. Kelly had natuurlijk de hippe, dure Bugaboo, zoals die in *In Style* en *Sex and the City* is te zien. Ayinde had haar zonder er moeite voor te doen overtroffen met een Silver Cross-wandelwagen die haar moeder voor haar had meegenomen uit Londen. En Becky had een tweedehands Snap 'n Go waarvan ze zei dat ze hem op een rommelmarkt had gekocht. Toen Kelly had gevraagd of hij aan de huidige veiligheidseisen voldeed, had Becky haar uitdrukkingsloos aangestaard en gezegd: 'Min of meer,' voor ze hartelijk was gaan lachen.

We tilden met zijn tweeën de wandelwagens Becky's gang in. Haar huis was warm en het rook er naar salie, maïsbrood en pompoentaart.

'Organiseer je een Thanksgivingdineetje?' vroeg ik.

'Nee. Maar Mimi wel. Ze belde ons om ons uit te nodigen voor Thanksgiving en vroeg ons vervolgens om...' ze was even stil, 'het eten mee te nemen.'

'Is dat een grap?'

'Was dat maar waar. Maar ik mag niet klagen. Ze is tenminste weg.' Ze rolde met haar ogen. 'Heb ik jullie over die zeventien parkeerbonnen verteld die ze heeft gekregen terwijl ze bij ons logeerde? Die heeft ze allemaal onder de deur door geschoven toen ze terugging naar Merion.' Ze trok een gezicht. 'En raad eens wie ze heeft betaald?'

'Ik dacht dat ze rijk was,' zei Kelly.

'Volgens mij is dat hoe de rijken rijk blijven,' zei Becky. 'Ze laten de minderbedeelden hun parkeerbonnen betalen.' Becky legde Ava op een dekentje op de keukenvloer tussen Julian en Oliver. 'Willen jullie spelen?' vroeg ze. 'Lia en ik hebben een nieuw spel bedacht.'

Ik reikte in een la, trok er een handvol keppeltjes uit en gaf er één aan Kelly. 'Probeer die maar eens op Olivers hoofd te gooien.'

Kelly zat in Becky's schommelstoel met een Afghaanse deken om haar schouders en haar ogen halfdicht. Ze trok haar neus op en keek naar het keppeltje dat ze tussen duim en wijsvinger vasthield. 'Ik weet het niet hoor,' zei ze. 'Is dat geen heiligschennis?'

'Het is een keppeltje, niet het bloed van de Redder,' zei Becky.

Ik keek toe hoe Kelly het keppeltje in haar handen hield en met een vingertop over de woorden 'Andrew' en 'Rebecca' streek die er in gouddraad op stonden geborduurd en ik bedacht me dat ze de vrolijkste persoon was die ik ooit had ontmoet. Iedere keer dat ik haar had ontmoet, ging het Prima! Geweldig! Super! met haar. Als je met haar in gesprek kwam, hoorde je natuurlijk dat Oliver nog steeds niet meer dan drie uur aan één stuk sliep, dat ze iedere dag werkte en 's avonds ook nog twee of drie keer per week naar een feest ging nadat de baby in bed lag. Ik vroeg me af hoe Kelly op een crisis zou reageren en toen glimlachte ik, me het telefoontje voorstellend. 'Hoi! Met Kelly! Mijn been zit in een berenval! Kun je me komen helpen? Nee? O, geen probleem! Hij staat me eigenlijk wel leuk!'

'De kinderen vinden het niet erg hoor,' zei Becky. Om dat te bewijzen pakte ze zelf een keppeltje, mikte zorgvuldig en gooide het op Ava's hoofd. 'En zeg nou zelf, hoe moeten ze ons anders vermaken?'

Kelly perste haar lippen op elkaar. 'Ik vind gewoon niet dat we religieuze objecten naar onze baby's moeten gooien.'

'Christina Crossley draagt een kruis,' zei Ayinde vanuit een hoek van de keuken, waar ze ongeïnteresseerd door een *Saveur* stond te bladeren. 'Dat klinkt als een kinderversje, hè?'

We zaten maar wat, Becky en ik staand in de hoek van de keuken waar de baby's op een deken lagen; Kelly zat met haar ogen halfdicht in de schommelstoel.

'Is ze... erg religieus?' vroeg ik uiteindelijk.

'Dat weet ik niet,' zei Ayinde, die het tijdschrift neerlegde. 'Dat zou kunnen. Ze heeft ons volgende week in *60 Minutes* geboekt, dus misschien heeft ze een lijntje met God. Of een deal met de duivel. In ieder geval, Richard en ik krijgen twaalf minuten prime time om elkaars hand vast te houden en verliefd naar elkaar te kijken. Willen jullie mijn verklaring horen?' Zonder op een antwoord te wachten, trok ze een vel papier uit Julians luiertas, rechtte haar schouders en begon te lezen: 'Ik vraag het publiek onze privacy en die van onze zoon te respecteren terwijl mijn man en ik deze moeilijke periode verwerken.' Ze vouwde het papier weer op en grijnsde een glanzende toneelgrijns naar ons terwijl ze naar een van Becky's barkrukken liep. 'Wat vinden jullie ervan? Krijgt ze vijf sterren en twee duimen omhoog? Heeft ze een lekker ritme? Kun je erop dansen?'

'O, Ayinde,' zei Kelly zacht. Ik keek weg. Ik dacht aan mijn eigen man, hoe die tijdens de korte maanden van ons huwelijk, toen ik een tientonner was en me het grootste deel van de tijd afschuwelijk had gevoeld, altijd even lief en bezorgd was geweest. Ik geloof dat hij nooit ook maar naar een andere vrouw heeft gekéken en hij werd er iedere dag door omringd.

'Wil je het echt wel doen?' vroeg Becky, die ineens een kleur kreeg en snel met de koffiepot in de weer ging. Ayinde deed de verklaring terug in Julians luiertas.

'Ik wil niet dat Richards leven wordt geruïneerd,' zei ze met haar rug naar haar vriendinnen. 'Want dat betekent dat het leven van Julian ook wordt geruïneerd. Of niet geruïneerd, maar bezoedeld. Voor altijd.' Ze stak haar handen in haar zakken. 'En verder weet ik het niet.' Ze blies gefrustreerd haar adem uit, waardoor haar vlechtjes op haar wangen dansten. 'Het is echt belachelijk. Christina Crossley was gisterenmiddag drie uur in videovergadering met een imago-expert om te beslissen wat ik aan moet tijdens die uitzending. Voor het geval jullie je dat afvragen: ik draag een lijsteengrijs Donna Karan-pak, dat de boodschap uitzendt dat ik serieus ben, met een poederroze shirt met lange mouwen eronder, dat zegt dat ik een hart heb.'

'Dan had je net zo goed mijn IK HOOR BIJ DIE OEN-T-shirt kunnen lenen,' zei Becky. Ayinde glimlachte zurig.

'Je verklaring is heel goed!' zei Kelly opgewekt als altijd, hoewel ze eruitzag alsof ze de Afghaan over haar hoofd wilde trekken en dagen wilde slapen. 'Heel effectief. Kort en duidelijk.' Ze tuurde over de rand van de Afghaan. 'Mag ik een kop koffie?'

'Die meid is op *Dateline* geweest,' zei Ayinde. Geen van ons zei iets. Dat wisten we al. Het meisje – Tiffany nogwat, ooit cheerleader bij het reserveteam – was op *Dateline* geweest en bij Ricki en Montel en ze had op het omslag van meerdere tijdschriften gestaan, altijd met haar buik duidelijk zichtbaar en met koppen die allemaal een variant waren op het woord 'liefdesbaby'. Er leek eindeloze interesse te zijn voor de onsmakelijke details voor wat de roddelbladen haar gepassioneerde nacht met sexy Sixer Richard Towne noemden, die tot nu toe een onberispelijke carrière had gehad als de huisvader van de NBA. En omdat alle namen en foto's al in de roddelbladen hadden gestaan, vond de zogenaamd serieuze pers dat hij ze ook wel kon publiceren. *Philadelphia Examiner* had zelfs een foto geplaatst van Ayinde met Julian in een draagdoek op haar buik in het park. Becky en Kelly waren razend geweest, maar Ayinde had alleen maar vermoeid haar schouders opgehaald en gezegd dat het concept dat de zonden van de vader de zoon niet bezoedelden, nog niet tot Philadelphia was doorgedrongen.

'En wat het nog erger maakt, is dat ze blank is,' zei Ayinde. Ze begon door *De kunst van het koken* te bladeren. 'Want nu gaat het niet meer alleen om bedrog, maar de *sistas* zijn ook nog eens pisnijdig. Die vrouwen die het iedere keer persoonlijk opvatten als een zwarte man naar een blanke vrouw kijkt.'

'Wat vonden die ervan toen hij met je trouwde?' vroeg ik.

'O, ik ben zwart genoeg voor hen,' zei ze met een minzame glimlach. 'Ze vonden het prima dat Richard met me trouwde. Maar nu...' Ze schudde haar hoofd. 'Het team heeft het er al over om extra beveiliging in te huren om hem in en uit de sportzalen te krijgen. In Madison Square Garden hebben vrouwen condooms naar hem gegooid.' Ze sloeg het boek dicht en zette het terug op de plank. 'Had ik er maar aan gedacht om er een paar naar hem te gooien. Toen dat nog zin had gehad.'

Ze liep naar het midden van de keuken waar de baby's in een rijtje lagen en gooide een keppeltje naar Julian. Het kwam op zijn schouder terecht en viel op de vloer. 'Vijf punten,' zei ze en ging weer zitten.

Kelly kreeg grote ogen. 'Spelen jullie voor punten?'

'Voor geld,' zei Becky. 'De eerste die honderd punten heeft, krijgt tien dollar. Als je op zijn hoofdje gooit en hij blijft hangen, krijg je twintig punten; tien als je het op zijn hoofdje gooit, maar het valt eraf en vijf als je een ander lichaamsdeel raakt. O, en als zijn eerste woordjes "sabbat sjaloom" zijn, heb je automatisch gewonnen.'

'Oké dan,' zei Kelly. Ze draaide het keppeltje om in haar handen en keek toen over haar schouder alsof ze verwachtte dat Jezus in eigen persoon met een verwijtende vinger opgestoken achter haar stond. Ze deed haar elleboog naar achteren en gooide het keppeltje. Dat landde op Olivers hoofd en gleed naar voren. 'O nee!' gilde ze en haastte zich naar hem toe om het weg te pakken. 'Nou komt het onder het kwijl!'

'Maakt niet uit, ik heb er nog vijfhonderd,' zei Becky. 'Mimi heeft er wat te veel besteld.' Ze rolde met haar ogen. 'We hebben gisteren bij haar gebruncht. Ava heeft haar haarstukje eraf getrokken.'

'Draagt Mimi een haarstukje?' vroeg ik. Ik had Mimi nog nooit gezien, maar Becky had me genoeg over haar verteld om me een helder mentaal beeld van haar schoonmoeder te geven... waar ik nu een pruik aan moest toevoegen.

'Ja. Dat wist ik ook niet,' zei Becky. 'Ze heeft last van dunner wordend haar, dat komt door haar oestrogeenhuishouding. Dat heeft ze me later allemaal verteld. Aaaaallemaal.'

'Ze belt je tenminste. Ze komt tenminste oppassen,' zei Ayinde. We keken elkaar weer aan. Ayindes moeder, de glansrijke Lolo Mbezi, had pas één keer de twee uur durende reis van New York City naar Philadelphia gemaakt en Richards moeder was één keer geweest, op weg naar Atlantic City, met een ingepakte driewieler in de Escalade die Richard voor haar had gekocht. Ze was gaan pruilen toen Ayinde haar had verteld dat Julian zijn hoofdje nog niet kon optillen, laat staan dat hij op een driewieler kon zitten.

'Heeft jouw moeder je al gebeld sinds...' Kelly vouwde haar keppeltje dubbel en toen in vieren. 'Heeft ze je de laatste tijd nog gebeld?'

'Ze belt,' zei Ayinde. 'Ze zegt dat ze me wil steunen. Ze heeft nog niet "Ik had je toch gewaarschuwd" tegen me gezegd, maar ik weet dat ze dat denkt. En eerlijk gezegd denk ik dat ze er hartstikke blij mee is.'

'Waarom denk je dat?' vroeg Becky.

'Ze krijgt vreselijk veel werk aangeboden gekregen sinds... Nou ja, sinds. Alle kranten plaatsen die stomme foto die we hebben gemaakt en een van haar uit de zeventiger jaren.'

Ik wist over welke foto ze het had. Er stond een Lolo en profile op in het Studio 54-tijdperk, gekleed in een *dashiki*, met gouden armbanden en een afrokapsel van veertig centimeter hoog. Ayinde zuchtte en legde haar lange vingers om een kop koffie. 'Kon ik hier maar blijven.'

'In de stad?' vroeg Becky.

'Nee. In jouw keuken.' Ze keek om zich heen naar de rode muren, de doorleefde keukentafel, de planken vol beduimelde, met saus bevlekte kookboeken en de paarsblauwe quilt waar de baby's op lagen.

'Ik wil ook blijven,' zei Kelly, die zich met een teen op de vloer afzette en naar voren en achteren schommelde. Ze vouwde haar keppeltje in achten en toen in zestienden, alsof ze hoopte dat het zou verdwijnen. Met haar kin naar beneden en haar haar in een staartje leek ze twaalf.

'Wat is jouw probleem?' vroeg Becky.

'Mijn man,' zei ze. 'Mijn man is mijn probleem.'

'Wacht, wacht, niet zeggen,' zei Ayinde. 'Heeft hij een verhouding met een twintigjarige?'

Kelly streek haar paardenstaart glad. 'Hij is ontslagen.' Ze stond op, pakte Oliver onder zijn oksels en legde hem tegen haar schouder. 'Ik weet dat ik tegen jullie heb gezegd dat hij naar iets anders op zoek was en dat hij ouderschapsverlof had, maar dat is niet waar. Hij is ontslagen en hij onderzoekt niets anders dan de televisie.' Haar lippen trilden. Ze perste ze hard samen.

'Wanneer is dat gebeurd?' vroeg Becky.

'In juni. Zes weken voor de geboorte van Oliver,' zei Kelly. Ze kuste Oliver op zijn bolle wangen terwijl wij rekenden.

'Red je het financieel wel?' vroeg Ayinde uiteindelijk.

Kelly lachte kort. 'Nu ik weer aan het werk ben wel. Hij blijft maar zeggen dat we ons spaargeld moeten gebruiken – hij heeft meteen na de middelbare school een internetbedrijf opgezet en hij was één van de drie mensen van onze leeftijd die de crisis hebben overleefd – maar ik wil er niet aankomen; het is ons appeltje voor de dorst. Dus betaal ik de rekeningen.' Ze begon weer te schommelen, op en neer, tikte op Olivers dik aangeklede billen en zag eruit alsof ze ging instorten onder het gewicht van de dikke baby. 'Ik wilde helemaal niet weer aan het werk. Ik heb altijd gedacht dat ik een jaar vrij zou nemen om bij de baby te zijn, maar nu...' Ze begon sneller te schommelen. 'Ik heb het gevoel dat ik geen keuze heb. En...' Ze kreeg rode wangen. 'Ik vind werken leuk. Dat is het erge.'

'Waarom is dat erg?' vroeg Becky. 'Het is toch niet erg om wat je doet leuk te vinden?' Kelly zette de baby tegen haar heup en begon door de keuken te lopen. 'Misschien gaat het er niet om dat ik het leuk vind om te werken. Ik vind weggaan leuk. Ik vind het fijn om het huis uit te gaan zodat ik niet de hele dag bij Steve hoef te zijn, maar ik moet Oliver bij hem achterlaten en dan voel ik me schuldig omdat ik weet dat ze niets educatiefs doen; ze gaan niet wandelen, ze lezen geen boeken en ze kijken niet naar *Baby Einstein*, ze liggen gewoon op de bank naar *SportsCenter* te kijken.

'O Kelly,' mompelde Becky.

'En Steve...' Kelly sloeg haar ogen neer en trok Olivers gezichtje tegen haar hals. 'Ik begrijp niet wat er met hem gebeurt. Volgens mij probeert hij het niet eens.'

'Hoe bedoel je?' vroeg ik.

'Het enige wat hij doet, is naar een loopbaanconsulent gaan. Een of andere klootzak,' spuugde Kelly. Ik huiverde en vroeg me af of ik haar al eerder had horen vloeken. 'Hij gaat er drie keer per week naartoe en dan doet hij persoonlijkheidstests. Ben je introvert of extravert? Wat is je emotionele profiel? Welk werk zou perfect bij je passen?' Ze schudde haar hoofd. 'Ik wilde hem gewoon door elkaar schudden en zeggen: "Het kan niemand iets schelen wat perfect bij je past! Ga gewoon wat doen!" Maar hij zit gewoon de hele dag te niksen, alsof het al maanden weekend is. Geen sollicitatiegesprekken. Helemaal niets. Ik werk en Steve doet niets. Helemaal niets,' herhaalde ze en sprong overeind. 'Ik moet ervandoor.'

'Kelly,' zei Becky en strekte haar hand uit.

'Nee, nee, ik moet nog een heleboel telefoontjes plegen,' zei ze en pakte Olivers luiertas op. 'Bloemist, catering, lichtbedrijf; en ik moet naar de drogist en onze wc is verstopt, dus ik moet een loodgieter zoeken. Ik bel jullie nog wel.' En daarmee rende ze de trap af.

Becky en Ayinde keken naar de trap en toen naar hun baby's. 'Ik ga wel,' zei ik en haastte me achter haar aan. 'Kelly! Hé!'

Ze had Oliver al in zijn wagen gelegd en probeerde het hele ding op te pakken en de deur uit te wurmen.

'Ik help je wel even.' Ik deed de deur open en hielp haar de wandelwagen de stoep op te tillen. 'Zal ik met je mee naar huis lopen?'

'Nnneee,' zei ze langzaam. 'Nee. Dat kan ik niet van je vragen.'

'Wil je dat ik op Oliver pas?'

Ik hield mijn adem in, half gelovend dat ze me zou gaan uitlachen of me vrolijk zou afwimpelen, een andere versie van: 'Nee, nee, het gaat prima.' In plaats daarvan bleef ze staan. 'Wil je dat?' vroeg ze. 'Wil je dat doen?'

'Natuurlijk. Ik moet vanavond in het restaurant werken, maar vanmiddag heb ik niets te doen.'

'O mijn god. Je zou mijn leven redden. Dan kan Steve...' Ze wreef met haar vuisten in haar ogen en ik vroeg me af hoe lang het geleden was dat ze ononderbroken had geslapen. 'Dan kan ik tegen hem zeggen dat hij wat werk kan doen, wat telefoontjes plegen of zo. En we betalen je natuurlijk.'

'Dat hoeft niet. Ik ga mijn spullen even halen.'

'Dank je,' zei ze. Ze greep mijn hand. Haar ogen glansden. 'Heel erg bedankt.'

'O nee. Nee, nee. Nee, nee, nee,' zei Becky en duwde een gele bandana naar achteren over haar warrige krullen.

Ik keek op van de manchegokaas die ik aan het snijden was om over de salades te doen. 'Wat is er?' Het was acht uur 's avonds. Ik had mijn middag bij Kelly doorgebracht en met Oliver gespeeld terwijl Steve zich op het kantoortje had opgesloten en ik stond sinds zes uur in de keuken, met alleen een korte onderbreking om te douchen in mijn appartement en mijn Gloria Vanderbilt te vervangen door een van mijn middelbare school-Sassons. Mijn flatje was niet langer leeg. De week ervoor had Ayinde gevraagd of ik wat spullen nodig had. 'Ik ben alles opnieuw aan het inrichten,' zei ze tegen me. De volgende ochtend was er een vrachtwagen gekomen met daarin wat op de hele inhoud van het gastenhuis leek. Ik belde Ayinde en zei dat ik dat absoluut niet kon aannemen, maar ze had aangedrongen. 'Je doet me er een plezier mee,' zei ze. Dus nu had ik idioot grote lederen fauteuils en banken, lampen en een salontafel, een breedbeeldtelevisie en een stel van Richards ingelijste MVP-certificaten, waarvan ik aannam dat ze op een bepaald moment zouden teruggaan.

Becky maakte haar bandana opnieuw vast. 'Er zitten vijfentwintig hongerige zakenmannen binnen die Chileense zeebaars met wilde paddestoelen en tamarindesaus verwachten en...' Ze trok de kast dramatisch open. 'Ik heb geen wilde paddestoelen. Ik heb niet eens gekweekte champignons met sterallures. Ik heb überhaupt geen paddestoelen.'

Ik keek snel de eetzaal in, waar de zakenmannen er heel tevreden uitzagen met hun sangria en gegrilde tonijn op tortillachips, en Sarah op hoge leren laarzen om hen heen dartelend, zorgend dat hun glazen vol bleven.

'Misschien kun je ze extra *arepas* geven,' stelde ik voor.

De telefoon in de keuken ging. 'Becky,' riep Dash de afwasser, zwaaiend met de telefoon. 'Voor jou.'

Ze nam aan. 'Ja. Wat? Nee. Nee, dat kan niet. Nee, ik...' Ze schoof de bandana weer naar achteren. 'O man.'

'Wat?'

Ze schudde haar hoofd en draaide zich om naar de frituurpan, waar de arepas borrelden. 'Het kinderdagverblijf gaat om negen uur dicht en dan ben ik hier nog lang niet weg en Andrew moet ineens een pancreatico-duodenectomie doen, niet dat ik weet wat dat is. Ik moet Mimi bellen,' zei ze en sloeg haar ogen op naar het plafond. 'Waarom, God, waarom?'

'Ik kan wel even paddestoelen gaan halen,' zei ik.

'Nee, nee, dat lukt wel. Ik stuur Sarah wel naar binnen met meer drank. Ze zien er niet uit als een clubje dat moeilijk gaat doen als er geen groente is.'

'Of ik kan op Ava passen.'

Becky legde haar wijsvinger tegen haar lippen en deed alsof ze erover nadacht. 'Hmm, de paddestoelen of mijn dochter? Ga het kind maar halen. Ik bel het kinderdagverblijf wel even zodat ze daar niet denken dat je haar komt stelen. Wacht even, dan pak ik mijn sleutels.' Ze zocht in haar zak. 'Ga maar met mijn auto, het autostoeltje staat erin, één van ons zou voor middernacht thuis moeten zijn. Hier, wacht, dan geef ik je wat geld...'

'Waarvoor?'

Becky keek me aan en krabde toen onder de bandana op haar hoofd. 'Onvoorziene gevallen?'

'Ik heb zelf geld,' zei ik. 'Waar parkeer je altijd?'

'Op Twentieth en Sansom. Je redt mijn leven, weet je dat? Ik ben je eeuwig dankbaar. Ik vernoem mijn tweede naar jou.' Ze gaf me de sleutels en wees naar de deur. 'En nou wegwezen!'

Het kinderdagverblijf was op de tweede verdieping van het ziekenhuis en Ava was de laatste baby die er nog was, ze lag opgerold in een wiegje in een hoek van de ruimte waar de verlichting was gedimd. 'Haar vader is een uur geleden nog even komen kijken,' fluisterde de verzorgster nadat ze naar mijn rijbewijs had gekeken en mijn aanbod Becky te bellen om nog even te vragen of ik inderdaad de baby mocht meenemen, wegwuifde. Ze gaf me Ava's tas en haar fles, een dekentje en schone kleertjes. 'Ze slaapt al drie kwartier en dokter Rabinowitz zegt dat ze soms de hele weg naar huis doorslaapt.'

'Hoi schat,' fluisterde ik. Ava zuchtte in haar slaap. Ik nam haar voorzichtig in mijn armen, legde haar in de wagen en liep naar de auto.

'Bye and bye, bye and bye, the moon's a slice of lemon pie,' zong ik toen ik over straat liep, haar in haar autostoeltje zette en een wollig roze mutsje over haar kale hoofdje trok. Ze deed haar ogen open en keek me verwonderd aan.

'Hoi, Ava. Ken je me nog? Ik ben een vriendin van je moeder. Ik ga je naar huis brengen en dan ga je lekker slapen.'

Ava knipperde met haar ogen alsof die informatie ergens op sloeg.

'We gaan naar je huis en dan gaan we een lekker flesje melk drinken... Nou ja, eerlijk gezegd ga jij dat doen. En dan krijg je een schone luier en dan leg ik je in je bedje.'

Ava gaapte en haar oogjes vielen dicht. Ik keek uitgebreid om me heen, de straat in en toen ik achter het stuur ging zitten over mijn schouder, op zoek naar daklozen, gekken en mogelijk herrieschoppers. Maar het was stil in Walnut Street. 'Je bent een schatje, wist je dat?' fluisterde ik richting de achterbank. Bij Becky's huis aangekomen nam ik de slapende baby in mijn armen en liep op mijn tenen naar de eerste verdieping. Ava's kamer was piepklein; er was nauwelijks genoeg ruimte voor het wiegje, de schommelstoel en de mobiel met een koe die over de maan sprong. Het rook er naar luiercrème en Johnson's kalmerende bodywash, waar ik persoonlijk slechte ervaring mee had. 'Als er echt iets bestond waar je baby rustig van zou worden,' had Sam gezegd, 'zou dat dan niet veel meer hebben gekost dan drienegenennegentig?'

Ik gaf de baby de fles waar 'borstmelk' op stond, met een schedeltje met botten ernaast getekend. Voor Mimi, nam ik aan. Ava dronk honderdtwintig kubieke centimeter met haar ogen dicht en maakte tevreden geluidjes terwijl ze dronk. Ik klopte op haar ruggetje tot ze boerde. Ik verschoonde haar luier, kuste haar voetjes, wikkelde haar weer in haar dekentje en legde haar tegen mijn borst. Ik had het gevoel dat mijn melk begon te stromen, dat bitterzoete gekriebel dat ik kreeg als ik Caleb aanlegde. Ik vroeg me af hoe Caleb op haar leeftijd zou zijn geweest. Zou hij rustig zijn, met Ava's grote, oplettende ogen? Zou hij mijn vingers volgen als ik ermee als een spinnetje over zijn buikje zou lopen? Zou hij naar me lachen? Ik zat met Ava in mijn armen in de schommelstoel, ademde haar geur in, nam het geluid van haar ademhaling in me op en voelde me verdrietig maar ook vredig terwijl ik terugdacht aan mijn zoon.

'Ben je klaar om naar bed te gaan?' vroeg ik uiteindelijk. Ava's lijfje leek met mijn lichaam te zijn versmolten, haar hoofdje tegen de zijkant van mijn gezicht, haar buik tegen mijn schouder. Ik voelde haar tegen mijn wang ademen toen ik haar in haar wieg legde.

Ik liep naar beneden en hoorde het huis om me heen rustig worden. Mijn geest rekende automatisch. Als het hier tien uur was, was het zeven uur in Los Angeles. Ik pakte mijn mobieltje uit mijn zak. Ik kon hem bellen, maar wat zou ik dan zeggen? Dat ik twee verschillende baby's in mijn armen had gehad en dat er niets was misgegaan? Dat ik hem miste? Dat ik iedere minuut dat ik niet aan Caleb dacht aan hem dacht?

Ik deed mijn schoenen uit en sloop de trap weer op. Ava snurkte en ze had zich omgedraaid; ze lag met haar hoofd op haar armpjes met haar billen omhoog gestoken. Ik glimlachte onwillekeurig terwijl ik langs haar kamertje naar de badkamer liep. Mijn gezicht in de badkamerspiegel zag er anders uit... of eigenlijk soortgelijk. Ik leek meer op mijn moeder dan ik ooit had gedaan. Ik bedacht dat we dezelfde ogen hadden en ik tilde een lok haar op. Ik had het een keer bruin geverfd voor een rol in een tandpastareclame. Sam had ernaar gekeken en gevraagd: 'Is dat je eigen kleur?'

'Wie weet die nog?' zei ik tegen hem.

'Ik vind het mooi,' had hij gezegd.

Ik vroeg me af hoe ik eruit zou zien als ik weer bruin haar zou hebben. Ik bedacht dat ik iets moest doen, aangezien mijn tweekleurenkapsel niet meer in was geweest sinds Madonna in 1985. Misschien was bruin wel mooi, dacht ik. Ik luisterde naar de babyfoon voor het geval Ava wakker zou worden en me nodig zou hebben. Het was alsof ik thuiskwam.

December

Kelly

OM ZES UUR 'S OCHTENDS, EEN WEEK NADAT ZE HAAR VRIENDINNEN de waarheid over haar man had verteld, lag Kelly in bed met een verstijfd lichaam en gebalde vuisten te luisteren naar Oliver die gorgelde en tegen zichzelf kletste, hopend, zoals ze dat iedere ochtend deed, dat Steve vóór haar wakker zou worden. Ze gluurde opzij. Hij lag op zijn rug met zijn mond open te snurken. 'Ik ga wel even,' had hij de eerste twee weken na de geboorte iedere ochtend tegen haar gezegd. Ze had het hem niet toegestaan. Wat had het voor zin? Hij kon de baby geen borstvoeding geven en hij zou snel weer aan het werk gaan, dus hij had zijn rust nodig.

Stom, dacht ze terwijl Steve verder snurkte. Want het was nu bijna vijf maanden later en hij werkte nog steeds niet en Oliver was nu zover dat hij alleen háár accepteerde als hij 's ochtends wakker werd.

Kelly stond langzaam op uit het warme bed en ging Oliver halen, die stopte met kauwen op het randje van zijn deken en haar heel even aankeek vóór hij zo breed begon te grijnzen dat ze de kuiltjes in zijn wangen zag. 'Goedemorgen engeltje,' zei ze en voelde hoe haar hart samentrok toen ze hem naar het aankleedkussen droeg. Ze stak haar neus in zijn bruine haar, dat iedere dag dikker leek te worden. Oliver was niet de mooiste pasgeborene geweest – hij had Steves neus geërfd, die een volwassene beter stond dan een baby, en zijn gezicht had eruitgezien als een gezwollen ballon boven zijn schriele ledematen – maar hij was uitgegroeid tot een prachtige baby, mollig en goedgehumeurd; hij huilde bijna nooit. Kelly was het dolst op zijn dijen. Ze waren heerlijk dik, zacht en zompig als twee versgebakken broden en ze kon zichzelf er niet van weerhouden ze te kussen voor ze zijn pyjama uittrok en hem een overall en een rood-wit gestreept shirt aandeed.

Prachtig, maar – dat kon ze in de stille ochtenduren alleen aan zichzelf toegeven – een beetje saai. Ze hield van hem, ze zou voor hem sterven, ze kon zich haar leven niet zonder hem voorstellen, maar de waarheid was dat ze na een kwartiertje met hem onder de Gymini spelen of het voorlezen van een van zijn Sandra Boynton kartonnen boekjes, begon te verlangen naar haar toetsenbord, naar de zakcomputer en haar Palm Pilot, haar mobieltje, de relikwieën van een leven waarin ze iets had om naartoe te gaan, waar ze belangrijke dingen moest regelen. Al kon ze zelfs maar vijfenveertig minuten in bed opgekruld liggen met een *Metropolitan Home*.

Steve kwam achter haar aan en ademde zijn zure ochtendadem in haar hals. Hij wreef zijn stoppels tegen haar kin tot ze een stap achteruit deed. Toen hij nog werkte, schoor hij zich wel eens twee keer per dag; nu deed hij het nog twee of drie keer per week. 'Ik doe het wel. Ga jij nog maar even liggen.'

'Het gaat prima,' zei ze zonder zich om te draaien. Ze bedacht zich dat er iets mis was met haar. Ze wilde dat Steve hielp en als hij het dan aanbood, was ze alleen maar geïrriteerd dat hij er niet eerder was geweest. Ze had zo wanhopig naar een baby verlangd – de perfecte baby om hun perfecte gezinnetje te completeren – en nu ze er een had... Ze maakte Olivers overall vast. Steve haalde zijn schouders op en liep terug naar de slaapkamer. Ze wilde haar baby echt. Hoe slecht het ook ging, dat zou ze altijd willen.

Kelly zat in kleermakerszit op het bed, maakte haar nachtpon open en trok de baby tegen zich aan. Dit was het fijnste moment van haar dag, als ze in de warme halfduisternis met Oliver in haar armen zat en hem nadien, als hij klaar was, op bed legde en naast hem ging liggen, onder de dekens om te dromen over hoe anders haar leven zou zijn geweest als ze met iemand anders dan Steve zou zijn getrouwd.

Brett, dacht ze. Brett had tijdens haar derde studiejaar een maand met haar geflirt en ze had hem lief en grappig gevonden, maar ze vond ook dat hij er gek uitzag: hij was één meter vijfennegentig en broodmager, had een zeebarbeel als huisdier en hij lachte als een hyena. Ze had tegen hem gezegd dat ze gewoon vrienden wilde zijn en hij had gezegd: 'Dat zeggen ze allemaal.' Volgens haar alumnitijdschrift was Brett naar Silicon Valley verhuisd, was een internetbedrijf begonnen en had dat vóór de crash voor miljoenen verkocht. Er was een artikel van een halve pagina over hem verschenen, compleet met een foto. Hij had zijn slechte kapsel de deur uit gedaan en had een vrouw en drie kinderen. Het artikel repte niet over zijn hyenalach.

Of ze had Glen kunnen hebben, haar vriendje van de middelbare school, voorzitter van de debatclub. Mary was zijn moeder in een schoonheidssalon tegengekomen en had gehoord dat hij ondertussen partner was bij een advocatenkantoor in D.C. Glen was niet de gepassioneerdste jongen ter wereld geweest – Kelly herinnerde zich nog steeds levendig hoe hij niet met haar had willen vrijen op de avond voor de examens omdat hij zijn krachten wilde sparen – maar hij had meer dan genoeg ambitie gehad. Als ze met hem was getrouwd, zou ze niet degene zijn die het vuur uit haar sloffen liep.

Om acht uur stak Lemon zijn neus tegen Kelly's handpalm en deed Oliver zijn ogen open. Kelly gaf hem een schone luier en legde hem huilend in zijn wieg terug terwijl ze de kleren aantrok die ze de avond ervoor op de grond had laten liggen. Ze poetste in tien seconden haar tanden en stak haar gezicht onder de koude kraan. Toen legde ze Oliver in de wagen, deed Lemon aan de riem, deed een paardenstaart in en liet Steve slapend achter. Ze liep naar de lift en probeerde de riem van de hond uit de wielen van de wagen te houden.

Lemon jankte terwijl de lift hen naar de lobby bracht. Vóór de baby er was, had hij zich vrij goed gedragen, maar sinds de komst van Oliver was hij gedegradeerd van zijn positie als hoogstgeplaatste nietverbale wezen in het huishouden. Pre-baby maakte Kelly lange wandelingen met Lemon, kocht ze mooie halsbanden met bijpassende riemen voor hem, aaide ze hem en krabde zijn buik. Post-baby had Lemon geluk als hij vers water en een klopje op zijn kop kreeg als hij langs kwam lopen. En hij genoot niet van zijn nieuwe status als tweederangs inwoner.

'Lemon, sst!' siste ze toen hij begon te janken en toen ging blaffen. Oliver trok geschrokken met zijn hele lichaam en begon te huilen. Ze stak een fopspeen tussen zijn lippen, gooide een hondenkoekje naar Lemon en rende naar buiten, de baby duwend en de hond trekkend.

Ze begonnen aan hun dagelijkse sleur-a-thon. Ze nam vijf stappen, toen tien en toen ging Lemon midden op de stoep zitten en weigerde nog een stap te zetten. 'Lemon, kom op nou!' zei ze terwijl mannen in pakken en vrouwen op hoge hakken met een grote boog om haar heen liepen. 'Lemon, kom HIER!' zei ze, trok aan zijn riem en hoopte maar dat er niemand keek of snel de dierenbescherming belde om haar aan te geven wegens hondenmishandeling.

Ze hadden de hoek om gehaald naar Het Beloofde Land, de koffiebar in de buurt. Kelly bond Lemon aan een parkeermeter vast, duwde de wandelwagen met één hand en opende de deur met de andere.

'Driedubbele espresso,' zong het meisje achter de balie toen Kelly binnenkwam.

'Jij weet wat een vrouw wil,' zei ze. Ze bedacht zich dat ze niet zo veel koffie zou moeten drinken terwijl ze borstvoeding gaf – arme Oliver zou nog vóór hij naar de peuterspeelzaal ging een cafeïnejunkie zijn – maar ze kwam de dag niet door zonder. Ze deed magere melk en zoetjes in haar kopje, nam haar eerste slok en liep toen naar buiten om de hond te halen. Olivers wandelwagen had een bekerhoudertje, waar de waarschuwing: GEEN HETE DRANKEN! GEVAARLIJK VOOR DE BABY! op stond. De afgelopen maanden was Kelly heel behendig geworden in het duwen van de wandelwagen met één hand, met Lemons riem om haar ene pols gewikkeld en haar kop koffie in haar andere hand. Het systeem werkte het grootste deel van de tijd perfect. Die ochtend sprong Lemon speels op een skateboarder af. Kelly trok haar hand terug en siste toen de gloeiendhete koffie over haar pols en hand stroomde.

Uiteindelijk, terug in het appartement, liet Kelly Oliver slapend in de wandelwagen liggen, gooide eten en vers water in Lemons bakken, startte koffiedrinkend haar laptop op, en controleerde zo snel ze kon haar e-mail. Ze had de helft van haar nieuwe berichten gelezen toen Oliver wakker werd.

Ze keek naar de slaapkamer. De deur was nog dicht. 'Steve?'

De deur zwaaide open en Steve sprong naar buiten, nog in een T-shirt en onderbroek, met zijn slappe roze penis door de gulp van zijn boxershort naar buiten bungelend. 'Waarom heb je me niet wakker gemaakt? Dan had ik de hond uitgelaten.'

'Neem Oliver even,' zei ze.

'Geen probleem,' zei hij en pakte hem uit zijn wagen.

'Hij moet misschien even een boertje doen!' schreeuwde Kelly over haar schouder, wetend dat het geen zin had. Steve zou Oliver een paar halfslachtige tikjes op zijn rug geven en dan besluiten dat hij niet hoefde te boeren. Nou, het was niet dat Oliver niet hoefde te boeren, het was dat Steve het te snel opgaf. Dat begon een patroon te worden, bedacht ze zich, zette de computer op stand-by, parkeerde zichzelf in haar schommelstoel en maakte haar beha los.

'Alsjeblieft,' fluisterde ze tegen zichzelf terwijl ze de plastic cups over haar tepels deed en de machine aanzette. Laat dit alsjeblieft snel zijn afgelopen. 'Alsjeblieft,' mompelde ze en keek naar de plastic flessen die aan de cups en aan haar tepels vastzaten, die ooit prachtig anjerroze waren geweest maar nu beige waren geworden, met kloofjes en lelijk als de knieën van een olifant. In het rechterflesje zat nog geen halve centiliter melk en in het linker zaten een paar druppels. Pompen was saai en ongemakkelijk en het was onmogelijk iets anders te doen terwijl het apparaat aanstond. Ze had beide handen en al haar coördinatie nodig om de cups op zijn plaats te houden en als ze zich niet ontspande, had ze geen melk. 'Alsjeblieft,' zei ze nog een keer en sloot haar ogen, schommelend tot de timer afging en er vijftien minuten waren voorbijgegaan. Ze koppelde zich dankbaar van het apparaat los en hield de flesjes tegen het licht. Vijfenzeventig kubieke centiliter. Nog niet eens een halve fles. Dat werd weer kunstvoeding.

De voordeurbel ging terwijl ze haar shirt rechttrok. Kelly pakte de flesjes en rende naar de gang alsof ze hoopte dat ze de kerstman of Ed McMahon met een vette cheque zou zien. Ze wist dat het Lia was. En wat haar betreft was Lia, die ermee had ingestemd drie dagen per week te komen oppassen, beter dan de kerstman en Ed samen.

'Hoi!' zei Lia, die haar appartement binnen kwam stormen, haar haar (net geverfd in glanzend kastanjebruin) in een paardenstaart, haar witte shirt (schoon, zonder vlekje) in haar broek (gestreken, modieus). Kelly voelde hoe ze ontspande toen Lia voorover boog en Oliver uit de babybouncer pakte waar Steve hem had ingezet. Het was zo heerlijk een levend wezen in huis te hebben dat ook echt hielp.

Kelly zag een flits van Steves onderbroek en hoorde de slaapkamerdeur dichtslaan terwijl Lia met haar neus die van Oliver aanraakte. 'Hoi, Ollie-bollie!' Kelly keek toe hoe Lia haar baby vasthield. Het tweetal – Oliver zo goedlachs, Lia zo mooi – zag eruit als een advertentie in een opvoedingstijdschrift, toen ze nog tijd had die te lezen. Terwijl zij eruitzag als de 'voor' op de metamorfosepagina. Ik had met Lia moeten trouwen, dacht ze. Je hoefde Lia nooit twee keer te vragen of ze wilde zorgen dat de baby een boertje deed. Lia wist instinctief, of uit eigen ervaring, dat een natte luier droog kon aanvoelen en zij zou nooit een van Steves favoriete trucjes inzetten: zijn duim in de luier schuiven, even snel voelen en dan zeggen: 'Nee hoor, hij is nog droog,' als de luier in kwestie zichtbaar nat was en je de ammoniakdamp er bijna vanaf zag stomen. Lia zou nooit voor de televisie gaan hangen met de baby in haar armen en naar SportsCenter gaan kijken en ze zou nooit gaan internetten met de baby onhandig in een hoekje van haar arm op schoot. Zij en Lia zouden vetarme maaltijden koken en met Oliver naar het park gaan, naar de dierentuin en het Raak-me-aan-museum. En er zou natuurlijk geen seks zijn. Kelly dacht niet dat ze dat erg zou missen.

Ze deed Lia verslag – hoe laat Oliver wakker was geworden, waar ze hadden gewandeld en wat hij had gegeten – terwijl ze haar laptop, mobieltje, sleutels, Palm Pilot en portemonnee inpakte. Steve kuierde terug naar de tafel, gekleed – min of meer – in een stokoud versleten T-shirt, met een spijkerbroek en op blote voeten. 'Ik werk vandaag thuis,' zei hij, half uitdagend en half verontschuldigend. Die kleine speech was voor Lia, niet voor Kelly, want waar zou hij anders 'werken'?

'Prima,' zei Kelly, die voor de baby vrolijk probeerde te klinken. Ze pakte haar spullen en ging terug naar de koffiebar.

'Nu alweer terug?' riep het meisje achter de balie.

'Daar ben ik weer,' zei Kelly. Ze bestelde nog een driedubbele espresso, plugde haar laptop in en vroeg zich af wat de bediening van haar zou denken, dat ze daar vijf uur per dag, vijf dagen per week zat, espresso drinkend en typend. Ze vroeg zich af of ze haar haatten omdat ze een plek in beslag nam, een van de beste plekjes aan het raam. Misschien dachten ze dat ze promovenda was of een ploeterende dichteres, iets groots en romantisch of in ieder geval iets interessants.

Ze zette de laptop aan, dronk haar gloeiendhete espresso met snelle slokjes op en zat met haar voeten op de grond te tikken tot de tergend langzame, temperamentvolle oude laptop eindelijk was opgestart. Haar telefoon ging. 'Kelly Day!' riep ze monter en sloot haar ogen. Ze rustte met haar hoofd op één hand terwijl ze met haar andere aantekeningen maakte voor de bruiloft van Margolies, het vakantiefeest van Drexel en het Pfizer multiculturele festival, waarvoor ze een voorstelling van Dr. Martin Luther King in jellybeans moest maken. Ze typte, maakte aantekeningen, stelde de juiste vragen en probeerde haar telefoontjes zo te plannen dat er op het moment dat ze iemand belde niet net iemand een frappuccino bestelde en haar cliënten geen blender op de achtergrond zouden horen.

Het was een grap. Een schijnvertoning. Ze voelde zich net de Tovenaar van Oz, een bedrieger achter het groene zonnescherm van de koffiebar, keihard werkend terwijl haar man thuiszat en soaps op de televisie keek. Hij had het ontkend toen ze hem ermee had geconfronteerd, maar op zijn doelijstje stond nog steeds het opnemen van de dagelijkse afleveringen van *As the World Turns*. Ze werkte, deed telefoontjes, maakte aantekeningen, keek op haar horloge en dacht aan Oliver, vroeg zich af of hij een dutje deed; ze dacht aan Steve en vroeg zich af of die ook lag te slapen.

Om vijf uur liep ze snel naar huis. Lia zat met Oliver op de woonkamervloer te spelen; ze rammelde met knuffeldieren voor zijn gezicht. Steve was nergens te bekennen. Die zat natuurlijk weer bij die loopbaanbegeleider, dacht ze terwijl ze zich de slaapkamer in haastte en haar adem inhield terwijl ze haar corrigerende onderbroek en dito panty tot over haar heupen optrok en haar lange fluwelen rok zo goed ze kon dichtritste.

'O, kijk eens wat mooi!' zei Lia tegen Oliver toen Kelly met haar benen uit elkaar op de gettobank ging zitten en zich in haar feestschoenen wrikte. 'Je ziet er echt prachtig uit.'

'Ja, nou...' Ze bleef vijf seconden voor de spiegel in de gang staan, deed lippenstift op en probeerde haar opstandige haar glad te strijken. 'Ik hoop maar dat het goed gaat. En dankjewel. Ontzettend bedankt.'

Ze zat op de bank met Oliver op haar heup en wipte hem op en neer. Geen Steve. Ze toetste geïrriteerd zijn mobiele nummer in. 'Waar ben je? Je moest om zes uur thuis zijn, weet je nog? Lia moet naar Mas en ik heb een feest...'

Ze hoorde verkeer en op de achtergrond motoren en toeterende claxons. 'Ik sta helemaal vast op Aramingo,' zei Steve. 'Ik sta al drie kwartier stil. Er zit geen enkele beweging in.'

'Kun je niet afslaan en binnendoor rijden?'

'Zodra ik bij een afrit kom, zal ik dat zeker doen, maar ik kan niet bepaald over al die mensen heen rijden.'

'Wat moet ik nou doen?' jammerde ze. Lia was weg, ze zou nooit zo snel een oppas kunnen regelen, ze kende de buren niet goed genoeg om Oliver daar achter te laten en als ze niet snel zou vertrekken, kwam ze te laat voor het feest dat ze vanavond organiseerde.

'Kun je hem meenemen? Het zou niet zo heel lang moeten duren. Zodra ik de snelweg af ben, kom ik naar dat feest en dan neem ik hem mee naar huis.'

'Prima, prima,' zei ze, greep de luiertas en haar tasje, gaf het adres aan Steve, verbrak de verbinding en rende de deur uit.

De gastvrouw heette – Kelly opende haar planner terwijl ze uit de taxi stapte – Dolores Wartz, en het betrof een feest in de vergaderzaal van een appartementencomplex voor de vriendinnen van haar oude studentenvereniging. Dolores Wartz was een jaar of veertig, een vierkant gebouwde bulldogachtige vrouw met een dikke laag make-up die in de groeven zat die van haar mondhoeken over haar kin liepen. Ze droeg lippenstift die de kleur en textuur van aardbeienjam had.

'Kelly Day?' zei ze stralend. Haar glimlach verdween acuut toen ze Oliver zag. 'Wat is dat?'

'Dit is mijn zoon, Oliver,' zei Kelly. En hij is geen wat, maar een wie. 'Het spijt me verschrikkelijk. Mijn man zou thuis zijn, maar er is een groot ongeluk op de 95 gebeurd...' Oliver probeerde uit haar grip te kronkelen en toen volgde het onmiskenbare geluid – om het nog maar niet te hebben over de geur – van een baby die zijn luier vulde. Shit, dacht Kelly. 'Ik ren even naar het toilet. Mijn man is onderweg.'

'Dat hoop ik dan maar,' zei Dolores Wartz, die aan de zware gouden studentenverenigingsspeld op haar rever voelde. Te gek, dacht Kelly. Ze haastte zich naar het toilet, waar natuurlijk geen commode stond. Ze sloot zich op in een toilethokje, legde de baby op de vloer, probeerde niet te denken aan alle bacteriën die over de tegels kropen, knielde en verschoonde zo snel ze kon zijn luier. Ze waste haar handen en haastte zich terug naar de foyer, waar Dolores Wartz haar vijandige blikken toewierp. Marnie Kravitz, Elizabeths assistente, stond ongemakkelijk van haar ene op haar andere been te huppen, als een klein kind dat vreselijk nodig moet plassen maar geen toestemming durft te vragen.

'Kelly,' zei Marnie.

'Ja?' zei Kelly, die zag dat Marnie de richtlijn van hun bazin om 'gepast feestelijke seizoenskleding' te dragen heel serieus opvatte. Ze droeg een groene rok, een rood met wit gestipte panty en een rode trui met een wollig wit rendier op haar boezem.

'We hebben een crisis,' zei ze en legde haar hand over Rudolphs glinsterende neus om haar woorden extra nadruk te geven. 'Er zijn geen servetjes!'

Kelly trok haar starende blik weg van Marnies hypnotiserende rendier. 'Pardon?'

'Het tafellaken is er, en de drank ook, en de catering is alles aan het klaarzetten, maar die dacht dat de bloemist het tafellinnen zou meenemen en de bloemiste zei dat jij alleen tegen haar had gezegd dat ze tafelkleden moest meenemen...'

O nee. Kelly greep haar Palm Pilot en zag dat het rode lampje knipperde. Accu leeg. Heel fijn. En Marnie stond zo'n beetje haar handen kapot te wrijven. Kelly zag dat ze haar nagels in rood-groene strepen had gelakt.

'Wat moeten we nu?' jammerde Marnie.

Kelly graaide in haar tasje en gaf Marnie haar vijftig dollar voor noodgevallen. 'Jij rent naar de supermarkt op JFK en gaat servetten kopen.'

Marnies ogen puilden bijna uit de kassen. 'Maar die verkoopt alleen papieren servetjes! Kelly, dat kan niet!'

'Het is niet het einde van de wereld,' zei Kelly. Ze probeerde haar toon licht te houden, maar Dolores Wartz keek haar aan alsof er maden uit haar mond kwamen kruipen. Oliver maakte gebruik van de situatie om met zijn arm te zwaaien en sloeg haar tegen haar oor. Steve, dacht ze, godverdomme, terwijl haar oor bonsde, waar bleef Steve nou?

'Kon je geen oppas krijgen?' vroeg Dolores Wartz onderkoeld.

Kelly haalde diep adem. 'Zoals ik al zei, is mijn man hier zo snel mogelijk.'

'Ik heb twee kinderen. Van twaalf en veertien,' zei Dolores Wartz. Verder zei ze niets. Maar dat hoefde ook niet, bedacht Kelly zich. De tekst tussen de regels was kraakhelder. Ik heb twee kinderen en ik heb er nooit één mee naar mijn werk hoeven nemen. Ik heb twee kinderen en dat kon ik veel beter aan dan jij.

'Ik ga even bij de catering kijken,' zei Kelly. Ze zette Oliver tegen haar heup en haastte zich tussen de eerste paar gasten door, langs de bar in de hoek, de keuken in, waar ze zich tegen de zijkant van een oven liet vallen en haar ogen sloot.

'Wauw, wat een schatje!' zei een van de serveersters.

'Wil jij hem hebben?' vroeg Kelly. 'Dat is geen grapje. Neem jij hem maar. Hij is van jou.' Ze keek om zich heen. Garnalencocktail, krabtaartjes, kaasknabbels. Tjonge, wat creatief, dacht ze terwijl de serveersters hun zilveren dienbladen vulden en de zaal in liepen. Ze greep een kaasknabbel van een dienblad en at die snel op, toen ze zich ineens realiseerde dat ze vandaag alleen maar espresso had gedronken en niets had gegeten. Ze nam net de laatste hap van een krabtaartje toen een glimlachende vrouw in een lavendelkleurig pakje haar hoofd om de deur stak. 'Sorry dat ik jullie lastigval, maar waar zijn de servetjes?' Ze wees treurig naar een klodder cocktailsaus op haar rever en keek Oliver toen stralend aan. 'O, wat een schatje!'

Kelly gaf haar haar dankbare glimlach en haalde een pakje babydoekjes uit Olivers luiertas. 'Is dit wat?'

'Perfect!' zei de vrouw. Ze depte de saus, kneep Oliver in een voetje en liep de deur weer uit op het moment dat de serveersters terugkwamen.

'Hé,' zei een van hen en tuurde naar Kelly's hoofd. 'Je hebt een...' Ze reikte met twee lange vingernagels en plukte iets uit Kelly's haar. Kelly keek er verbijsterd naar. Een cornflake. Ze had er de vorige dag een paar aan Oliver gegeven. Liep ze al vierentwintig uur rond met cornflakes in haar haar?

'Nieuwste mode,' zei Kelly opgewekt.

'Pardon.' Dolores Wartz kwam de keuken in. 'Kelly. Je echtgenoot is er.'

Dank U, God, dacht ze. Het lukte haar naar Dolores te glimlachen voor ze zo snel ze kon naar de deur liep en Oliver in de armen van zijn vader duwde. 'Wegwezen!' snauwde ze.

'Hoezo?' vroeg Steve. 'Is er brand?'

'Ga nou maar gewoon!' zei ze en probeerde de luiertas onder Steves arm te duwen. 'Ik moet werken!'

Steve keek op. 'Hé,' zei hij. Ze volgde zijn starende blik. Mistletoe. Die hing er nog van een ander feest, dacht ze.

'Steve, ik heb nog een miljoen dingen te doen...'

Hij leunde voorover en gaf haar een kusje op haar wang. 'Ga maar,' zei hij. 'Ik zie je wel weer verschijnen.'

Ze veegde haar handen aan haar rok af en draaide zich om naar de menigte: zestig vrouwen, de meeste met een glas wijn in hun handen, kaasknabbels knabbelend en wiegend op de kerstdeuntjes.

Het was druk aan de bar; Marnie had de serveerster servetten gegeven en legde ook een stapeltje op de statafels. Alles is onder controle, dacht Kelly en stond zichzelf toe te ontspannen.

Om elf uur was de catering weg, waren de gasten vertrokken, was het laatste tafellaken opgevouwen en het laatste bord opgeruimd. Kelly nam afscheid van Dolores Wartz, die iets terug gromde. Ze deed in de lift haar schoenen uit en strompelde naar buiten. Ze had eindelijk een taxi gevonden en ging net op de naar aardbeienwierook ruikende achterbank zitten toen haar telefoon ging.

'Kelly?' Elizabeths stem klonk killer dan ze ooit had gehoord. 'Ik kreeg net een hoogst verontrustend telefoontje van Dolores Wartz. Wil je me vertellen wat er is gebeurd?'

'Nou, dat is snel,' zei Kelly. Het zag ernaar uit dat goede moeder Dolores geen moment had verspild om 'hallo' of 'slaap lekker' tegen haar kinderen te zeggen. Die moest meteen naar de telefoon om over haar te klikken. 'Luister,' begon ze, 'er was een ongeluk op de 95. Steve was te laat, dus ik moest Oliver meenemen, maar hij is er maximaal een halfuur geweest en hij heeft niemand lastiggevallen.'

'Dolores zei dat hij huilde en dat hij niet buiten is gezet.'

'Hij heeft niet gehuild,' zei Kelly. 'Hij heeft misschien wat geluid gemaakt, maar hij huilde niet. En Elizabeth, hij is een baby, geen vuilniszak!'

'Ze was zwaar teleurgesteld,' ging Elizabeth verder. 'Ze zei dat je meer aandacht had voor de baby dan voor haar feest.'

Nou ja, het feest hoefde ook geen schone luier, dacht Kelly, maar ze beet op haar onderlip en zei niets.

'Ze wil haar geld terug.'

Kelly balde haar vuisten. Het duurde even voor ze dat rare prikkelende gevoel achter haar oogleden herkende als tranen. Die had ze al sinds groep zeven niet meer gevoeld, toen de hoofdmeester haar naar zijn kantoor had geroepen en had gezegd dat hoewel hij Kelly's ondernemende geest bewonderde, ze geen toegangsgeld voor het klimrek mocht vragen. Ze zat in de problemen. Nee. Erger. Ze had iets verpest. 'Prima,' zei ze. 'Stuur mijn commissie maar naar haar. Zeg maar tegen haar dat het me vreselijk spijt dat ze zo is teleurgesteld.'

'Prima.' Elizabeth was even stil. 'Kelly, we hebben gepraat toen je weer begon met werken. Je moet zorgen dat je je persoonlijke en je professionele leven gescheiden houdt.'

'Het spijt me, Elizabeth,' zei Kelly. Ze voelde zich ergens tussen diepbeschaamd en razend. 'Maar ik kan het verkeer toch niet regelen!'

'Je moet een noodplan hebben...'

'Ja, nou ja...' Kelly maande zichzelf tot stilte. Ze haalde diep adem. 'Het spijt me,' zei ze nog een keer. En dat was ook zo, maar niet om de redenen waarvan Elizabeth waarschijnlijk dacht dat het haar speet. Het speet haar voor Oliver, het speet haar dat ze hem ook maar een minuut had laten doorbrengen in een ruimte vol giftige wijven die niet het minste medeleven konden opbrengen of ook maar een greintje vriendelijkheid konden tonen. 'Stuur haar mijn geld maar,' zei Kelly.

'Prima,' zei Elizabeth. Haar stem klonk ietsje warmer. 'Laten we proberen dit achter ons te laten, Kelly. Je weet dat je een van mijn waardevolste werkneemsters bent.' Kelly kneep haar oogleden samen en dwong zichzelf niet te gaan huilen.

'Het spijt me,' zei ze nog een keer. 'Ik bel je morgen.' Ze klapte haar telefoon dicht, duwde haar wang tegen het gebarsten zwarte vinyl van de achterbank en huilde gedurende de zestien straten naar huis.

Becky

DE OORLOG WAS ONSCHULDIG GENOEG BEGONNEN, MET EEN PAKJE per post dat in Mimi's hanenpoten was geadresseerd aan A. Rabinowitz. Mimi had nog steeds het idee niet losgelaten dat haar kleindochter Anna Rabinowitz had moeten heten. Alsof het zo moeilijk was om Rothstein op te schrijven, dacht Becky, die het pakje onder haar arm stak. Ze mikte het op het aanrecht in de keuken en vergat het twee dagen. Toen ze er eindelijk aan dacht om het open te maken wist ze niet zeker wat ze zag toen er iets satijnachtigs uit de doos gleed. Iets met rode en groene diamantjes en Ava's naam erop geborduurd.

'Is dit wat ik denk dat het is?' vroeg ze aan Andrew en hield het aanstootgevende ding tussen duim en wijsvinger omhoog.

Andrew keek even op. 'Het is een kerstsok,' zei hij.

'Andrew.' Haar man keek op van zijn koffie. 'Dit is misschien een verrassing voor je, maar we zijn joods.'

'Ja, nou, maar eh...' Hij haalde zijn schouders op en nam nog een slokje koffie. 'Mimi doet aan Kerstmis. En nu ze hier woont, neem ik aan dat ze het met ons wil vieren.'

'Hoe bedoel je: "Mimi doet aan Kerstmis"? Is dat net zoiets als "Debbie doet aan aerobics"?' Becky draaide het doosje om en kreunde toen er een roodgroen slabbetje met BABY'S EERSTE KERSTMIS! erop uit kwam vallen.

Andrew schonk nog een kop koffie voor zichzelf in. 'Ze vindt gewoon dat het feit dat we joods zijn niet hoeft te betekenen dat we Kerstmis moeten missen.'

'We geloven niet in Jezus. Dat is toch best een aardige reden.'

'Becky, laten we er alsjeblieft geen ruzie over maken.'

Ze vouwde de sok op en deed die terug in de doos. 'Dus jullie hadden een kerstboom?'

Andrew knikte.

'En jullie hingen sokken op?'

Nog een knik.

'En jullie zongen kerstliedjes?'

'Af en toe.' Hij deed melk in zijn koffie. 'Ze vond Kerstmis meer een seculiere nationale feestdag dan een religieus feest.'

'Maar...' Becky's geest maalde. 'Dus nu denkt ze dat Ava Kerstmis gaat vieren.'

Hij haalde zijn schouders op en ging anders zitten. 'Daar hebben we het niet over gehad.'

'Nou, dat moeten we dan maar eens doen. We zijn er trouwens niet eens op de vijfentwintigste, weet je nog? Dan gaan we naar mijn moeder.'

'Dat zal ik tegen haar zeggen,' zei Andrew. 'Het is geen halszaak, hoor. Echt niet. Ik bel haar morgenavond wel even.'

Maar de volgende ochtend vroeg werd er op de deur geklopt en stond er een kerstboom van twee meter op de stoep.

'Dank u, maar we hoeven geen kerstboom,' zei Becky tegen het mannetje in spijkerbroek en een Eagles-jack dat bijna geheel achter de boom verborgen was.

'Ik kom hem alleen maar brengen,' gromde hij en schudde met de boom. Er vielen dennennaalden rond haar voeten. 'Hij is al betaald. Hier tekenen, graag.'

'Laat maar op de stoep staan,' zei Becky nadat ze had getekend.

'Meent u dat?' vroeg de man.

'Als u hem wilt hebben, mag dat.'

De man keek naar Becky, toen naar de boom, schudde zijn hoofd, spuugde op de stoep en liet de boom tegen de trap leunend achter. 'Vrolijk kerstfeest,' zei hij.

'Gelukkig Chanoeka,' riep Becky en deed de deur dicht, zichzelf belovend dat Andrew en zij een inzichtelijk gesprek over de betekenis van Kerstmis voor de familie Rothstein-Rabinowitz zouden hebben zodra hij uit zijn werk kwam.

Twintig minuten later ging de telefoon. 'Ah, je bent thuis,' kirde Mimi. 'Is je boom er al?'

Becky ging rechtop zitten, spande haar spieren en bereidde zich voor op de onvermijdelijke ruzie. 'Ja Mimi, laten we het even over die boom hebben.'

'Is hij niet hemels?' vroeg haar schoonmoeder. 'Ik ben zo gek op de geur van dennen!'

'Luister Mimi, over die boom... We zijn niet christelijk.'

'Dat weet ik heus wel hoor, gekkie!' giechelde Mimi.

'Dus...' Becky begon het gevoel te krijgen dat ze ineens in Wonderland was, waar boven beneden was en beneden boven en waar zelfs het eenvoudigste, duidelijkste gegeven uit de wereld uitgebreide uitleg behoefde. 'We vieren geen kerst. We zijn er niet eens met Kerstmis. We gaan naar Florida. Dus we willen die boom niet.'

Toen ze weer sprak, klonk Mimi's stem zo kil als de decemberlucht. 'Vieren jullie geen Kerstmis?' vroeg ze op eisende toon.

Becky's greep om de telefoon werd steviger. 'Andrew en ik hebben het erover gehad en we zijn het erover eens. Je mag natuurlijk in je eigen huis met Ava doen wat je maar wilt. Maar er wordt hier geen Kerstmis gevierd. Sorry.'

'Zeg je mijn kleindochters eerste kerstfeest af?' gilde Mimi.

God sta me mij, dacht Becky. 'Nee. Natuurlijk niet. En zoals ik al zei, mag je in je eigen huis doen wat je wilt, maar...'

'En hoe zit het dan met het kerstdiner? En wie maakt dan de HAM?'

Ham. Ham. Had Andrew het over ham gehad?

'Ik heb alles al gepland,' mekkerde Mimi. 'Ik heb al familie uitgenodigd. Hoe kan ik mijn hoofd nou omhoog houden als jullie niet komen? Het is al erg genoeg dat je je dochter geen Anna kon noemen, wat overigens een prachtige naam is, een klassieke naam, mijn moeders naam, voor het geval je dat was vergeten...'

Becky beet op haar onderlip. Daar gaan we weer.

'Maar dat je mijn kleindochter haar eerste KERSTMIS ontzegt! Ik heb de recepten al uitgezocht en ik heb cadeautjes voor mijn kleindochter voor onder de boom en jij... jij... GRINCH!'

Becky voelde dat ze bijna in de lach schoot. 'Oké Mimi, laten we rustig blijven...'

'Je moet Kerstmis vieren!' zei Mimi.

'Ik hoef helemaal niets te doen behalve het zwarte schaap zijn en sterven!' zei Becky.

Dat snoerde Mimi de mond. Tien hele seconden. 'WAT ZEI JE DAAR TEGEN MIJ?' gilde ze.

'Wie geeft jou het recht ons te vertellen wat we moeten doen?' vroeg Becky. 'Bel ik jou om je te vertellen wie ik bij je thuis heb uitgenodigd en welke feestdagen je moet vieren en wat je moet koken?'

'Sla niet zo'n toon tegen me aan! Je gaat buiten je boekje! Ver buiten je boekje!'

'Hoezo?' vroeg Becky. De drang te gaan giechelen was weg. Haar laatste beetje geduld was ook verdwenen. 'Dit is ons huis en Andrew en ik hebben het recht te beslissen wat hier gebeurt. We kunnen zelf de naam van onze baby bedenken, we kunnen vieren wat we willen en we kunnen uitnodigen wie we willen.'

'Dit was vast allemaal het idee van je moeder,' gierde Mimi. 'Ik durf te WEDDEN dat je moeder wil dat je Ava's KERSTMIS niet viert. Zij krijgt alles wat ze wil en ik sta in de kou! Ik krijg niets! Het is niet eerlijk!'

Becky haalde diep adem en besloot hier niet in mee te gaan of ook filmtitels naar haar schoonmoeders hoofd te gooien. 'Als je Kerstmis wilt vieren, doe je dat maar. Wat Andrew en ik in ons huis met onze dochter doen, is onze zaak.'

Mimi's stem klonk ijzig kil. 'Als je per se naar je moeder wilt, zet ik nooit meer een voet in jullie huis.'

Halleluja, dacht Becky. 'Nou, het spijt me dat je er zo over denkt,' zei ze kalm. 'Maar Andrew en ik hebben het besproken. En ons besluit staat vast.'

'Jij... jij...' Er klonk een razende, woordenloze gil. En toen de kiestoon. Mimi had de telefoon erop gegooid.

Becky staarde naar de telefoon. Ze kon zich niet herinneren dat iemand sinds groep acht ooit nog de telefoon erop had gegooid, nadat Lisa Yoseloff en zij ruzie hadden gekregen over wie er aan de beurt was om in de bus naast Robbie Marx te zitten. Ze balde haar bevende handen tot vuisten en keek naar Ava, die op de keukenvloer zat en tevreden plastic maatbekers tegen elkaar zat te slaan. 'Ik vind het naar dat ik dit tegen je moet zeggen, maar je grootmoeder is gestoord.'

'Ehgah?' zei Ava.

'Als "ehgah" babytaal is voor gestoord, dan ja. Maar maak je geen zorgen.' Ze pakte de telefoon. 'We gaan pappie bellen en dan komt alles weer goed.'

'Kunnen we de tickets nog afzeggen?' vroeg Andrew.

Becky duwde de telefoon tegen haar oor. Ze had hem vast verkeerd verstaan. Ze had hem het hele verhaal verteld, van het bezorgen van de kerstboom tot Mimi's bedreigingen en dit was zijn antwoord?

'Andrew. Je moeder heeft me Grinch genoemd, ze heeft de telefoon erop gegooid en ze lijkt een psychotische fantasie te hebben waarin ik ham voor haar maak. Ze is losgeslagen. Volgens mij is het beste wat we kunnen doen de stad verlaten.'

Ze hoorde hem zuchten. 'Mimi heeft me net gebeld. Ze is vreselijk overstuur.' Nog een zucht.

'Ja, dat dacht ik al toen ze toen ze ophing. Luister Andrew, ze heeft een woedeaanval.'

'Zo kun je het noemen,' gaf Andrew toe.

'En weet je wat je doet als een klein kind een woedeaanval heeft? Dan geef je niet toe. Dan loop je gewoon weg. Dan zeg je dat het rustig moet worden en dat je niet praat tot het zover is.'

'Ik denk gewoon dat het gemakkelijker zou zijn als...'

'We haar geven wat ze wil. Dat weet ik. Maar kijk eens naar het verleden! We geven haar altijd wat ze wil en ze is nooit tevreden. Uiteindelijk niet. Eigenlijk meteen al niet. We kunnen niet steeds maar weer hetzelfde blijven doen, haar geven wat ze wil en haar geven wat ze wil en haar toch laten ontploffen. Het werkt niet. Zie je dat niet?'

Er viel een stilte. 'Becky...' begon Andrew.

...ze is mijn moeder, maakte Becky in haar hoofd af. Ze voelde de moed haar in de schoenen zinken. Hoe kon zij dit niet hebben zien aankomen? Haar echtgenoot, geweldige, knappe, sexy Andrew, was een eersteklas moederskindje. Hij was niet eens echt met haar getrouwd. Hij was met Mimi getrouwd. Mimi's wensen kwamen eerst en haar woedeaanvallen leverden precies op wat ze wilde. Becky was gewoon een toeschouwer.

'Waarom bellen we niet om te vragen of we de dag na Kerstmis kunnen vertrekken in plaats van de dag ervoor,' zei Andrew. 'Zo'n probleem zal dat niet zijn. En dan kunnen we nog steeds een hele week bij je moeder zijn. Dan geven we Mimi haar dag; dan geven we haar haar kerst.'

Becky schudde haar hoofd. 'Nee,' zei ze. Haar stem klonk zacht maar vastberaden. Ze ging zich niet als Mimi gedragen. Ze ging niet gillen, dreigen of de telefoon erop gooien. Maar ze veranderde niet van gedachten. 'Nee.'

'Wil je dat niet eens doen?' vroeg Andrew. 'Kun je haar niet eens één dagje geven?'

'Het gaat niet om die dag; het gaat om het principe. We moeten een standpunt innemen, anders dansen we de rest van ons leven naar de pijpen van Mimi.'

Zijn stem klonk nu verontwaardigder. 'Zo is het niet.'

Becky dacht aan al de voorbeelden die ze kon opsommen; de honderden maniertjes waarop Mimi hen manipuleerde en ondermijnde. De bosbessenmuffin die ze Ava door de strot had geduwd; de strik die ze met maïsmeel aan haar hoofdje had geplakt, de parkeerbonnen die ze onder de deur door had geschoven. Dat er geen enkele foto van Becky en Ava in haar huis hing; alleen foto's van Mimi en Ava, en Andrew en Ava, alsof ze de baby samen in een laboratorium hadden gekweekt of haar van een boom hadden geplukt. De trouwjurk die Mimi naar hun huwelijk had gedragen. 'The Greatest Love of All'. 'Denk eens aan Ava,' zei ze in plaats daarvan. 'Wat denk je dat dit haar leert? Dat degene die het hardst gilt, dat degene die scheldt en de telefoon erop gooit, krijgt wat ze wil? Dat het goed is om tegen je kinderen te zeggen hoe ze hun leven moeten leiden? Dat ze niets zelf mogen beslissen? Dat ze nooit volwassen mogen worden?'

'Mimi is niet de jongste meer,' zei hij. 'Ze is niet de jongste meer en ze is helemaal alleen. Ik ben de enige die ze heeft.'

'En je kunt er ook voor haar zijn,' zei Becky. 'Ze is je moeder. Jij bent haar zoon. Dat begrijp ik allemaal. Maar ik ben je vrouw. Ava is je dochter. Wij zouden op de eerste plaats moeten komen, vind je niet? In ieder geval een deel van de tijd?'

Er viel een stilte. 'Heb je echt tegen haar gezegd dat je niets hoeft te doen behalve het zwarte schaap zijn en sterven?' vroeg Andrew.

Becky draaide een krul haar om haar vinger. 'Dat floepte er zomaar uit. Sorry.'

Ze hoorde hem zuchten alsof hij naast haar in de kamer stond. 'Ik zal met haar praten,' zei hij zacht, alsof hij het tegen zichzelf had. 'Het komt wel goed.'

Andrew kwam die avond pas om tien uur thuis en toen hij binnenkwam, had hij een asgrauw gezicht en rode ogen. Becky keek op van de vloer, waar ze met Ava had zitten spelen, haar tot laat op houdend zodat ze haar vader nog even kon zien. 'Ik neem aan dat het niet zo goed is gegaan bij Mimi?'

Andrew schudde zijn hoofd. 'Ze zei dat we haar nooit hebben verteld dat we naar Florida gaan.'

Becky voelde dat ze kwaad werd. 'Moeten we eerst toestemming aan haar vragen voor we ergens heen gaan? Ik zal nog eens in de *ketuba* kijken, maar volgens mij staat er niets in over het vragen van mijn schoonmoeders toestemming voor ik op vakantie kan.'

'En ze is teleurgesteld dat ze geen Kerstmis met haar kleindochter kan vieren.'

'Nou, jij bent de dokter, maar volgens mij is er nog nooit iemand aan teleurstelling overleden,' zei Becky, die een houten blokje uit Ava's mond haalde, die er met haar ene tand die de week ervoor was doorgebroken, op had zitten kauwen. 'Rustig aan, Slagtand.'

'Ieieie!' zei Ava en kronkelde opzij op zoek naar een andere prooi.

'Dus je hebt standgehouden?' vroeg Becky.

Andrew knikte. 'Ze moest vreselijk huilen.'

'Dat vind ik naar om te horen,' zei ze. 'Maar ze komt er wel weer overheen, toch?'

Andrew liet zich in een stoel vallen. Hij raapte een van Ava's blokken op en begon hem in zijn hand op te gooien. 'Dat weet ik zo net nog niet.'

'Ach, kom op. Ze gaat er heus niet aan dood. Ze moet gewoon leren dat ze af en toe een compromis moet sluiten. Je bent nu getrouwd. Ze kan niet van je verwachten dat je altijd voor haar klaarstaat om alles voor haar te doen wat ze maar wil. En zoals ik tegen haar heb gezegd, mag ze in haar eigen huis doen wat ze wil wat betreft feestdagen, religie, wat dan ook. Ze mag ons alleen niet opdragen wat we hier doen.'

Andrew begroef zijn gezicht in zijn handen. Becky stond op en sloeg haar armen om zijn schouders. 'We komen er wel uit. En dan gaan we naar Florida! Lol en zon! Zand en zee! We trekken Ava dat leuke kreeftenbadpakje aan en laten haar in het ondiepe dobberen. Hè, Ava?'

'Ie!' zei Ava en stopte nog een blok in haar mond.

'Meid, wat heb ik nou tegen je gezegd over hout eten?' vroeg Becky. Ze verving het blok door een bijtring en kuste Andrew op zijn oor. 'Het komt wel goed,' zei ze. 'Ze vindt heus wel iemand anders om haar ham te koken en op een dag is ze weer getrouwd en tegen de tijd dat we terugkomen uit Florida, is ze alles vergeten.'

Andrew staarde haar gedeprimeerd aan. 'Ik hoop dat je gelijk hebt.'

Ayinde

'SORRY DAT IK TE LAAT BEN,' ZEI DOKTER MELENDEZ EN HAASTTE zich de onderzoekkamer in. Ze stopte bij de rand van de tafel en keek Julian stralend aan, die haar beantwoordde met een tandenloze grijns. 'O hemel,' zei ze. 'Wat een engeltje.'

Ayinde voelde haar lichaam ontspannen en ze keek stralend naar haar zoon. Haar huwelijk was misschien een puinhoop, maar als moeder was ze tenminste een succes. Nou ja, min of meer dan.

'Je hebt je afspraak met zes maanden gemist hè?' berispte de dokter haar. Ayinde keek naar haar met bont gevoerde laarzen.

'We hadden het druk,' zei ze. Dokter Melendez knikte alleen maar. Was het mogelijk dat ze niet wist wat er zich in het leven van Ayinde en Julian afspeelde, of was ze gewoon beleefd? 'Het spijt me. We lopen vast achter op het entingsschema.'

'Dat geeft niet,' zei de dokter en tuurde in Julians oren. 'Ik wil er alleen geen gewoonte van maken. Vertel eens hoe het gaat,' zei ze terwijl ze behendig met haar handen langs Julians lichaam ging en twee studenten achter haar toekeken. Ze wriemelde aan zijn voetjes, bracht zijn knieën naar elkaar toe en liet ze toen weer los. 'Kruipt hij al?'

'Niet echt, maar hij kan wel zitten en hij probeert dingen te pakken. En hij kletst heel veel en probeert zichzelf op te trekken aan de rand van de bank.' Ayinde was even stil om adem te halen.

'Dat klinkt goed,' zei de dokter, die de stethoscoop in haar oren deed. Ze luisterde, keek in Julians dossier, liet de stethoscoop toen naar een ander plekje op zijn borstkas gaan en fronste haar wenkbrauwen. 'Hmm.'

Ayindes adem bleef in haar keel steken. 'Is er iets?'
Dokter Melendez stak een vinger in de lucht om haar tot stilte te manen. Ayinde keek toe hoe de secondewijzer tikte. Tien seconden, vijftien, twintig. Ze sloot haar ogen. 'Is er iets?' vroeg ze nog een keer.
Dokter Melendez haalde de stethoscoop uit haar oren en keek nogmaals in Julians dossier. 'Heeft Julian wel eens ademhalingsproblemen? Is het je ooit opgevallen dat hij snel ademt?'
'Nee,' zei Ayinde en schudde haar hoofd. 'Nee, nooit.'
'Heeft iemand wel eens tegen je gezegd dat Julian hartruis heeft?'
Ayinde liet zich in de stoel op wielen naast de onderzoektafel zakken. 'Nee,' zei ze. 'Nee. Alles was goed. Hij is een paar weken te vroeg geboren, maar verder is alles altijd goed geweest.'
'Nou, hij heeft een ruisje en ik wil graag dat de cardioloog er even naar luistert. En die zal er ook wel even naar willen kijken.'
Ayinde leunde voorover en nam Julian, nog steeds gekleed in alleen zijn luier, in haar armen. 'Wat is er dan?' vroeg ze. Haar stem werd hoger en haar eigen hart bonsde tegen haar ribbenkast. 'Hoe erg is een hartruis?'
'Heel vaak stelt het niets voor,' zei dokter Melendez, die op haar hurken zat zodat ze Ayinde goed in de ogen kon kijken. 'Die ruis zelf zegt ons niet zoveel. Hartruis komt heel vaak voor en is vaak een indicatie van een probleem dat zich met de tijd vanzelf oplost. Julian is blakend gezond en zoals je kunt zien, zijn er ook geen problemen met zijn groei.'
Ayinde bemerkte dat ze snel zat te knikken. Julian zat bij zijn geboorte boven de middellijn wat betreft lengte en gewicht. Mijn grote vent, zei Richard altijd tegen hem toen ze nog met elkaar praatten.
'De kans is groot dat er gewoon iets is wat we een beetje in de gaten moeten houden; iets waar hij overheen groeit of wat we met medicijnen kunnen behandelen.'
'En als dat niet kan?'
'Nou, dan zijn er chirurgische mogelijkheden,' zei dokter Melendez. 'Maar laten we niet op de feiten vooruitlopen. Het eerste wat we moeten doen, is erachter komen wat er is.' Ze reikte naar haar receptenblok en begon te schrijven. 'Ik wil dat je een afspraak maakt bij mijn collega, dokter Myerson.'
Ayinde was duizelig. Ze pakte Julian steviger vast. 'Dus we moeten een afspraak maken?'
'Ja,' zei dokter Melendez, die een receptenblaadje met een naam,

een telefoonnummer en een adres erop aan haar gaf. 'Het zal wel volgende week worden. En ik wil dat je Julian in de gaten houdt. Als je ziet dat hij ademhalingsproblemen heeft – als hij hijgt of blauwe lippen krijgt – wil ik dat je ons meteen belt en dat je met hem naar de dichtstbijzijnde eerste hulp gaat. Ik denk niet dat de kans groot is dat dat gebeurt,' ging ze verder en legde haar hand op Ayindes onderarm. 'Als er iets mis zou gaan, was dat al gebeurd. De kans is groot dat er niets aan de hand is. Ik wil het alleen even zeker weten.'

Ayinde knikte en bedankte. Ze friemelde Julian in zijn kleertjes en zette hem in zijn wagen. Ze vouwde het receptenblaadje op, deed het in haar zak, liep naar de parkeergarage, waar ze Julian in het autostoeltje vastmaakte, liet zich achter het stuur vallen en belde Becky.

'Kent je man kinderhartchirurgen?'

'Wat is er?' vroeg Becky meteen.

'Julian heeft hartruis.'

'O, o. Oké, niet in paniek raken. Heel veel baby's hebben dat.'

'Dat weet ik, maar we moeten naar ene dokter Myerson en die heeft misschien pas volgende week tijd en Richard is weg – wedstrijden – en ik denk niet dat ik zo lang kan wachten.'

'Ayinde,' zei Becky. 'Julian gaat heus niet ontploffen. Maar ik zal even vragen of Andrew iets kan regelen.'

'Dank je,' zei Ayinde. Ze staarde even naar de telefoon in haar hand en dacht aan de vrouw in Phoenix. Ayinde mocht geen televisie kijken en geen tijdschriften lezen. 'Onwetendheid is een zegen,' had Christina Crossley tegen haar gezegd. 'Geloof me, ik heb dit vaak genoeg meegemaakt om te weten dat hoe minder je weet, hoe beter het is.' Maar Ayinde had het gezicht van die andere vrouw gezien dat haar bij alle kiosken aanstaarde en ze had een keer een exemplaar van *National Examiner* gekocht en had dat gelezen terwijl Julian in zijn autostoeltje lag te slapen. Het meisje heette Tiffany en ze was een eenentwintigjarige mislukte studente en parttime cheerleader vóór Richard Townes affectie haar had verheven tot object van nationale belangstelling. Met het hart van Tiffany's baby zou alles natuurlijk goed zijn.

Ayinde stak haar bevende handen in haar zakken en probeerde ze stil te krijgen. Richard was in Boston, dacht ze – ze hield de laatste tijd niet meer bij waar hij heen ging en tegen wie hij speelde. Ze belde het nummer dat ze niet meer had ingetoetst sinds ze zelf in het ziekenhuis had gelegen, negen maanden daarvoor. Hij kan maar beter opnemen deze keer, dacht ze en voelde de opluchting door haar heen gaan toen de telefoon meteen werd opgenomen.

'Hallo?'

Het was Richard niet. Het was Christina Crossley, die zijn mobiele telefoon in beslag had genomen.

'Christina, met Ayinde. Ik ben met Julian bij de dokter. Ik moet Richard onmiddellijk spreken.'

'Waarom? Is er iets?'

Ayinde hoorde bijna hoe de geest van de andere vrouw ratelde, hoe de mogelijke problemen werden overwogen en hoe de mogelijke impact op de campagne die ze leidde om Richards imago en dus zijn inkomen te redden, werd berekend.

'Ik moet Richard spreken,' zei Ayinde. 'Nu.'

'Ik zal hem even gaan zoeken,' zei Christina Crossley. Vijf seconden later had ze Richard aan de lijn.

'Ayinde? Ben jij dat?'

'Je moet thuiskomen,' kon ze uit haar keel persen. 'Er is iets mis met Julian.'

'Dokter, ik begrijp het niet,' zei Ayinde tegen dokter Myerson, die Julian aan het wegen en meten was. Andrew had enorm zijn best gedaan en had de eerste afspraak de volgende ochtend voor hen kunnen regelen. Richard was uit Boston naar huis komen vliegen en ze hadden het grootste deel van de nacht doorgebracht met naar Julian turen, die vredig tussen hen in op bed lag te slapen. Ze hadden naar iedere ademhaling geluisterd, hadden zijn lippen gecontroleerd om te kijken of die niet blauw waren, tot Richard om twee uur 's nachts een deken om de schouders van zijn vrouw had geslagen en had gezegd: 'Ga jij maar slapen. Ik hou hem wel in de gaten.' Het was voor het eerst in maanden dat ze samen met haar man in één bed had gelegen.

'Bij zijn geboorte was er niets aan de hand, en er is nog steeds niets aan de hand. Hij eet goed, hij ontwikkelt zich precies volgens schema...' Ze pakte het logboek in *Succes met baby's* dat ze nauwgezet had bijgehouden, met daarin een dagelijkse beschrijving van hoe lang hij had gedronken, wat hij had gegeten, hoeveel natte luiers hij had, hoeveel poepluiers en het moment en de duur van zijn dutjes.

'Soms zijn er niet meteen symptomen,' zei de dokter. Dokter Myerson was een jaar of vijftig, kalend, met dandyachtige zwart glanzende bordeelsluipers en korte, dikke vingers waarvan Ayinde al had besloten dat ze die niet ook maar in de buurt van het hart van haar kind wilde hebben, hoewel Andrew haar had bezworen dat hij de beste was. De beste of niet, hij miste de aangename omgangsvormen van dokter Melendez. Ayinde hoopte maar dat dat betekende dat hij zijn werk goed deed. 'Heel veel chirurgen zijn arrogant,' had Becky een keer tegen haar gezegd. 'En Andrew?' had Ayinde gevraagd. Becky had haar schouders opgehaald en had gezegd dat ze hoopte dat haar man die ene uitzondering op de regel was.

Dokter Myerson luisterde twintig seconden naar Julians hart voor hij zijn stethoscoop uitdeed, de baby in luier terug aan zijn moeder gaf en zich tot Richard en Ayinde wendde. Richard pakte Ayindes hand, wat ze voor het eerst sinds de middag met juffrouw Phoenix toeliet. 'Oké,' zei de dokter. Zijn stem klonk hoog en rasperig. Hij klonk als een tekenfilmfiguur. 'Als ik afga op wat ik hoor, denk ik dat Julian tetralogie van Fallot heeft: een gaatje tussen zijn rechter- en linkerhartkamer.'

De wereld tolde voor haar ogen. 'Wat betekent dat?' vroeg Ayinde.

'Waarom is niemand dat eerder opgevallen?' vroeg Richard. 'Hij is toch iedere maand op controle geweest?'

'De eerste drie maanden iedere maand en daarna één keer in de drie maanden,' zei ze en vertelde maar niet hoe laat ze voor de laatste controle waren geweest. 'Er was nooit wat aan de hand.'

'Zoals ik al zei, merk je dit niet altijd bij de geboorte op. En om antwoord op uw vraag te geven, mevrouw Towne, ik zal het even laten zien.' Hij pakte iets op van een kast, een roodblauw plastic model van een babyhart. Wat klein, dacht Ayinde. 'Kijk,' begon hij, 'het hart heeft vier kamers, de linker- en rechterboezem en de linker- en rechterklep. Normaal gesproken worden de linker- en rechterboezem van elkaar gescheiden door het boezemtussenschot, en...' hij wees, 'worden de linker- en rechterkamer gescheiden door het schot tussen de kamers.'

'En Julian heeft een gat...' Ayinde greep de baby steviger vast en dacht, zoals ze de hele nacht had gedacht, dat hij er kerngezond uitzag. Lang en met lange armen en benen, met helderbruine ogen en de gladde kastanjebruine huid van zijn vader. Nooit verkouden. Niet eens snotterig. En nu dit.

De dokter wees weer. 'Hier. Tussen de twee kamers. 'Het komt vrij vaak voor.'

'En dat weet u zeker door naar zijn hart te hebben geluisterd?' vroeg Richard.

De dokter kneep zijn oogleden samen en knikte.

'Doet het...' Ayindes adem bleef in haar keel steken. 'Doet het pijn?'

De dokter schudde zijn hoofd. 'Hij heeft geen pijn.'

'Hoe lossen we het weer op?' vroeg Richard. 'Moet hij worden geopereerd?'

'Dat kan ik nog niet zeggen,' antwoordde de dokter. 'Misschien hoeven we hem alleen maar in de gaten te houden en groeit het zonder problemen vanzelf dicht.'

Richard schraapte zijn keel. 'Kan hij hardlopen? Sporten?'

Ayinde staarde haar man ongelovig aan. Richard pakte haar hand steviger vast. 'Ik wil gewoon weten of het goed komt met hem,' zei Richard.

De dokter krabbelde iets op een vel papier. 'In het beste geval is er helemaal niets aan de hand en gaat het gaatje vanzelf dicht. Zoals ik al zei, komt deze afwijking regelmatig voor en we zullen gewoon moeten kijken hoe het verdergaat. We gaan in eerste instantie wekelijks naar zijn hart luisteren en als hij geen symptomen ontwikkelt, wordt dat minder vaak. Voor hij naar de tandarts gaat, zal hij antibiotica moeten krijgen en verder hoeft er niets te gebeuren. Hij krijgt vast een lang en gelukkig leven. Er zijn natuurlijk ook andere mogelijkheden, maar voor we die bespreken, wil ik hem nauwkeuriger bekijken.'

Ayinde boog haar hoofd. 'Waarom gebeurt dit?' vroeg ze.

'Kon de medische wetenschap daar maar antwoord op geven, maar dat kan niet.' De krasserige stem van de dokter werd een heel klein beetje vriendelijker. 'Het is een veel voorkomende afwijking. Eén op de honderd baby's heeft een hartprobleem. Soms komt dat door ondervoeding of door slechte prenatale verzorging, als de moeder bijvoorbeeld tijdens haar zwangerschap aan de drugs is...' Hij keek naar Ayinde.

Ze schudde haar hoofd voor hij het haar kon vragen. 'Niets. Ik heb misschien een paar glazen wijn gedronken voor we het wisten... voor we het zeker wisten... maar...'

'Geef jezelf er niet de schuld van,' zei hij. 'Ouders vinden het nooit leuk om dit te horen, maar...' Hij haalde zijn schouders op en de gesteven schouders van zijn doktersjas kwamen omhoog. 'Het is gewoon een van de dingen de gewoon gebeuren.'

Ayinde begon te huilen. Richard kneep in haar handen. 'Het komt allemaal goed,' zei hij.

Ze voelde hoe haar eigen hart tegen haar ribbenkast bonkte. Ze werd steeds duizeliger. Ik heb iets verkeerd gedaan, dacht ze... maar wat dan? Wat kon ze hebben gedaan dat dit haar overkwam, dat dit haar baby overkwam?

Ze wilde zich van Richard losmaken en naar de deur lopen. 'Ik moet even bellen.'

Richard greep haar steviger vast. 'Ayinde...'

'Ik laat jullie een paar minuten alleen,' zei dokter Myerson en hij was de deur al bijna uit voor hij die woorden had uitgesproken. Ayinde vroeg zich af waarom hij dit werk deed, dag in dag uit slecht nieuws aan gezinnen brengen, en hoe hij daarmee omging. Wilde hij iedere avond dat hij naar huis ging alleen nog maar huilen?

Ze deed haar hoofd omhoog en keek Richard aan. 'Ik wil mijn vriendinnen bellen. Ik wil dat ze bij me zijn. Becky's echtgenoot is arts en haar vriendin, Lia...' Haar strot zat dicht. 'Ze had een kindje...' En toen kon ze niets meer zeggen. Ze had Julian op schoot, duwde haar gezicht tegen de borstkas van haar man en huilde.

Hij hield haar hoofd in zijn handen. 'Ssh... ssh, Ayinde, stil maar, zo wordt Julian bang.' Hij sloeg zijn armen om haar heen en wiegde haar en hun kind; hield hen beiden tegen zijn brede borst. 'Het komt allemaal goed,' zei hij.

'Hoe weet je dat?' vroeg ze.

Hij glimlachte naar haar. 'Omdat God niet zo wreed is. Je hebt al genoeg doorstaan.'

Ze vroeg zich af wat Lia daarvan zou vinden. Lia wist wel beter. God was soms wel zo wreed.

'Laat me iets voor je doen,' zei hij. 'Laat me voor je zorgen. Ik weet dat ik dat de afgelopen tijd niet bepaald goed heb gedaan, maar ik wil het beter doen, Ayinde. Als je dat toestaat.'

Ze merkte dat ze knikte.

'Blijf jij maar bij Julian.' Hij pakte haar mobieltje. 'Ik bel je vriendinnen wel even.'

Ze knikte weer en veegde haar tranen af. 'Ze heten...'

'Becky,' zei Richard. 'En Kelly – dat is toch dat kleintje, van wie de man niet werkt? En wie is die andere?'

'Lia,' zei Ayinde. Ze was duizelig en verbijsterd. Hoe wist Richard de namen van haar vriendinnen? Hij had Becky en Kelly één keer in het ziekenhuis gezien, in de wervelstorm na de geboorte van Julian, en hij had Lia überhaupt nog nooit gezien. 'Becky heeft haar nummer wel.'

Richard was even stil. 'Zal ik je moeder bellen?'

Ayinde schudde haar hoofd. Lolo vond dat haar dochter een puinhoop van haar leven had gemaakt, dat ze de verkeerde had getrouwd en dat er niets dan ellende uit die verbintenis was voortgekomen, en Ayinde ging haar niet nog meer argumenten geven waarmee ze kon hardmaken dat ze gelijk had.

'Ik kom zo terug. Hier.' Hij pakte een papieren bekertje, zette de kraan aan en gaf Ayinde een bekertje water. Toen liep hij de kamer uit, een lange, breedgeschouderde man die bewoog met de souplesse van een atleet, die de blikken van de verpleegsters aantrok, die van andere bezorgde moeders, zelfs die van andere kinderen. Ayinde tilde Julian op de tafel en begon hem heel langzaam en voorzichtig zijn kleertjes aan te trekken.

'Hoi, Ayinde.' Becky moest meteen van Mas naar Ayindes huis zijn gekomen. Ze had twee plastic tassen bij zich en ze droeg een zwart-wit geblokte broek, een T-shirt met lange mouwen en een schort met groene strepen. Haar haar zat in een knot op haar hoofd. Koriander, dacht Ayinde. Kelly liep direct achter haar, in een spijkerbroek met een sweater met rits en een capuchon, haar haar sluik rond haar schouders, kringen onder haar ogen en Oliver in haar armen. Lia kwam als laatste de keuken in, gekleed in een strakke zwarte broek met een zwarte trui. Ze had haar haar laten verven sinds Ayinde haar voor het laatst had gezien. De donkere wortels en blonde punten waren vervangen door rijk kastanjebruine lokken die in golven over haar schouders vielen. Zo moet ze eruit hebben gezien, dacht Ayinde vluchtig, in haar echte leven. Vóór...

'Ik heb eten meegenomen,' zei Becky, die de geurende tassen op het aanrecht zette. 'Hoe is het nu?' vroeg ze.

'Ze weten het nog niet. Het elektrocardiogram en de röntgenfoto's waren niet eenduidig,' dreunde Ayinde op. 'Morgen gaan ze een slokdarmecho maken.' Richard had haar verteld dat hij het had uitgelegd: dat Julian een gaatje in zijn hart had en dat de artsen hem verder gingen onderzoeken. Een gaatje in zijn hart. Het klonk bijna poëtisch. Ze had weken rondgelopen met het gevoel dat ze er zelf een had. 'Het is een poliklinische procedure, maar hij gaat wel onder narcose en de dokter had morgenochtend nog een plekje. Waar is Ava?'

'In het kinderdagverblijf,' zei Becky, die het eten dat ze had meegenomen, begon uit te pakken, een serie isoleerbakjes opendeed en servetten en bestek neerlegde. 'Waar is Julian?'

'In zijn kamer. Met zijn vader. Het spijt me dat ik jullie van je werk houd...'

'Doe niet zo gek,' zei Becky. 'Hoewel je Sarah misschien wel je excuses moet aanbieden. Volgens mij is ze bijna flauwgevallen toen ze Richard aan de telefoon kreeg. Het was net of God belde om te vragen of Hij een tafeltje om halfacht kon krijgen.' Ze schoof een bord naar Ayinde toe met gesmoord varkensvlees, zwarte bonen en saffraanrijst. Ayinde duwde het weg. 'Ik krijg geen hap door mijn keel. Ik kan niet eten, ik kan niet slapen... Ik blijf maar denken: wat als er iets gebeurt... wat als hij stopt met ademen...' Ze begroef haar gezicht in haar handen.

'O Ayinde,' zei Becky. Kelly sloeg haar handen voor haar ogen. Het was Lia die naast Ayinde ging zitten en Lia die haar handen pakte. Lia die rustig naast haar zat en haar liet huilen.

'Hé, kleine man,' zei Richard.

Hij zat in een schommelstoel in de wachtkamer van het ziekenhuis, zijn lange benen ongemakkelijk in een kronkel, met Julian op schoot. Ayinde hield haar adem in en stond even op de gang. Ze was naar het toilet geweest om haar hoofd onder de koude kraan te houden en had Richard met Julian achtergelaten.

'...dus je gaat een tijdje slapen,' zei Richard. Julian leek bijna weer zo klein als toen hij net was geboren, in de holte van Richards arm leunend. 'En als je wakker wordt, heb je misschien een beetje keelpijn en dan weten we wat er met je hart aan de hand is.' Hij tikte met één grote vinger op Julians borstkas. 'Misschien is er wel niets. Dan hoef je het alleen maar een tijdje rustig aan te doen. Dan halen we je uit actieve dienst. Of misschien moeten ze je opereren om je weer beter te maken. Maar wat er ook gebeurt, het komt allemaal goed. Je mama houdt zoveel van je en je papa houdt ook van je. Het komt allemaal goed, kleine man. Alles komt goed.' Hij nam Julian in zijn armen en wiegde hem. 'Dus maak je maar geen zorgen,' zei hij.

Hij pakte de baby stevig vast en wiegde hem. 'Dus geen zorgen,' zei hij. Ayinde zag dat hij huilde. 'Je hoeft niet te basketballen. Je hoeft helemaal niets te doen, als je maar weer beter wordt. We houden van je, wat er ook gebeurt.'

Ze schraapte haar keel. Haar man keek op. 'Hé schat,' zei hij en veegde zijn ogen af.

'Ik neem hem wel even,' zei ze. Ze strekte haar armen uit naar Julian.

'Mag ik hem nog even?' vroeg Richard.

'Ja hoor,' zei ze. Deze keer was zij degene die zijn hand pakte. 'Natuurlijk.'

De verpleegster kwam Julian precies om negen uur halen. 'Het duurt een halfuur,' zei ze en nam hem in haar armen. Ayinde bereidde zich erop voor dat de baby zou gaan huilen, maar Julian keek alleen maar om zich heen en opende en sloot toen zijn handje in zijn babyversie van zwaaien. 'Probeer u geen zorgen te maken.'

Ayinde liep heen en weer in de beige geschilderde gang. Ze had het gevoel dat ze ieder lusje in het tapijt in haar hoofd had en de naam op iedere deur wist. Soms liep Richard naast haar, haar niet aanrakend, niets zeggend, maar zo dichtbij haar dat ze de warmte van zijn lichaam voelde. Dan ging hij zitten en liepen haar vriendinnen naast haar; Becky en Kelly aan de ene kant en Lia aan de andere. Becky was stil. Kelly mompelde zacht: Wees gegroet Maria, vol van genade, de Heer is met U; Gij zijt de gezegende onder de vrouwen, en gezegend is Jezus, de vrucht van Uw schoot. Heilige Maria, Moeder van God, bid voor ons zondaars, nu en in het uur van onze dood. Wees gegroet Maria...'

Ayinde bad haar eigen gebed, één woord van drie lettergrepen: alstublieft. Alstublieft, alstublieft, alstublieft, alstublieft, alstublieft, dacht ze terwijl ze door de gang heen en weer liep. Ze kon alles verdragen – een man die vreemdging, een moeder die alleen maar minachting voor haar had, publiekelijke vernedering. Ze vond het allemaal best als haar zoon maar gezond was. 'Alstublieft,' zei ze hardop. Wat zou ze doen als ze haar kindje verloor? Dan zou ze waarschijnlijk als Lia eindigen; rennend als een geslagen hond, proberend een plekje te vinden waar ze zich beter zou voelen, een plekje dat als thuis voelde. Maar Philadelphia was nu haar huis, bedacht ze toen ze zich aan het einde van de gang omdraaide en weer terugliep. Ze had hier een leven, wat voor puinhoop dat nu ook was. Ze had haar baby in dit ziekenhuis gekregen, ze had met hem op de stoepen gelopen, met hem in de schaduw van de treurwilg in het park gezeten. Haar vriendinnen en hun kinderen waren hier en Julian zou met hen opgroeien. Als Julian mocht opgroeien. Alstublieft, bad ze met haar hoofd naar beneden. Ze merkte nauwelijks op dat Lia haar hand pakte. Alstublieft, alstublieft, alstublieft.

Ze hoorde Richard voor ze hem zag, het bekende geluid van zijn voetstappen terwijl hij de smalle gang door kwam lopen. Ze keek op van het tapijt en daar was haar man, in beweging: Richard die rende zoals ze hem al duizenden keren op basketbalvelden over de hele wereld had zien rennen. Richard die in moeilijkheden raakte bij een rebound, die een lay-up scoorde, Richard die de lucht in ging alsof hij kon zweven, die de tip-off won en de bal precies in de handen van een van zijn teamgenoten deed belanden terwijl de menigte verbijsterd naar adem snakte. 'Schatje.'

Ze draaide zich om en voelde dat ze niet meer kon bewegen of ademen.

'Het is goed,' zei Richard. Hij straalde. En ineens was ze in zijn armen, tegen hem aan gedrukt, hem stevig vastklampend. 'Er zit inderdaad een gaatje, maar het is klein; het gaat vanzelf dicht. We moeten hem gewoon goed in de gaten houden en dan komt alles goed.'

'Goed,' herhaalde ze. Ze voelde hoe haar knieën begonnen te knikken, maar deze keer was Richard er om haar op te vangen voor ze met haar schouders tegen de beige muur viel. 'Ssh, ssh,' fluisterde hij en kuste haar op haar wang. Toen liep hij voor de laatste keer met haar door de gang, terug naar het eiland met banken en bijzettafeltjes, de oude tijdschriften en de ouders met gespannen, bange gezichten. Haar vriendinnen zaten op haar te wachten, naast elkaar op de bank, Becky in haar zwart-wit geblokte koksbroek, Kelly die de rozenkrans op haar schoot bevingerde en Lia's gezicht, dat en profile zo strak en mooi was dat het in een schilderij of op een munt thuishoorde. Ze keken haar aan met hun gezichten omhoog als bloemen, hun handen ineen, als zussen. 'Het komt allemaal goed.'

Januari

Lia

'HALLO,' ZEI IK EN GLIMLACHTE TERWIJL IK OP HET DUO AFLIEP: een ouder echtpaar met wit haar. Oma en opa een avondje uit. 'Ik ben Lia en ik ben vanavond uw serveerster. Kan ik u vertellen wat de dagmenu's zijn?'

'Alleen als je erbij vertelt wat ze kosten,' zei de vrouw, die me aankeek met samengeknepen oogleden alsof ik probeerde er met haar portemonnee vandoor te gaan. 'Ik haat het als serveersters je vertellen wat de dagmenu's zijn zonder erbij te zeggen wat ze kosten. En dan schrik je als je de rekening krijgt. Allemaal heel onaangenaam.'

Ik deed moeite te blijven glimlachen. 'Natuurlijk. We hebben vanavond *ceviche*, dat is in limoensap gemarineerde rauwe vis...'

'Ik weet wat ceviche is,' zei de vrouw gebarend met haar botermes. 'Je hoeft me niet zo neerbuigend te behandelen, jongedame.'

Oké. Oude heks. 'Onze ceviche is vanavond zalm in een marinade van limoen en bloedsinaasappel en die kost twaalf dollar. We hebben ook met anchopeper ingewreven kalfsvlees, geserveerd met een hartige vla van jalapeñopepers, voor achttien dollar. Onze hele vis van de avond, klaargemaakt met olijfolie, kosjer zout en peper, is zalmkarper.' Ik was even stil. De oude vrouw trok haar wenkbrauwen op.

'Zalmkarper is een milde vis met stevig vlees...'

'Dat weet ik.'

'Sorry. Hij wordt geserveerd met pisang en hij kost tweeëntwintig dollar.'

'We willen de varkensempañada's,' zei de man.

'Als die tenminste niet te vet zijn,' zei de vrouw.

'Ze zijn wel gefrituurd,' zei ik.

Sarah liep langs me met een omhoog gestoken dienblad. Ik keek langs haar heen en zag de mensen aan de tafel achter de mijne. Mijn adem bleef in mijn keel steken en ik deed zonder erbij na te denken twee passen achteruit. 'Pardon,' mompelde ik.

'Pardon,' zei de oude vrouw. 'We waren nog niet klaar!'

'Ik kom zo terug,' zei ik en liep langs het stel op hun eerste afspraakje aan tafel acht en vluchtte de keuken in, waar ik mijn handen tegen het roestvrijstalen aanrecht duwde en probeerde op adem te komen.

'Hé, gaat het wel?' vroeg Becky, die langs kwam rennen met een schaal geklopte eieren.

Ik knikte en stak een duim omhoog.

'Heb je een geest gezien?' vroeg ze.

Zoiets, dacht ik.

'Hé,' zei ik tegen Dash de afwasser. 'Mag ik wat van je water?'

'Natuurlijk!' zei hij en gaf me de fles aan. Hij zag er verwonderd uit. 'Neem de hele fles maar!'

Ik nam een grote slok. Toen schonk ik wat water op een servet en legde die tegen mijn nek. Dat deed mijn moeder altijd voor me op hete zomerdagen. 'Voelt dat beter?' vroeg ze dan met haar hand tussen mijn schouders.

Ik ging rechtop staan, deed mijn witte blouse opnieuw in mijn zwarte-met-een-rode-toreadorstreep-bij-de-enkels-broek, die leek me toen ik hem kocht ideaal om bij Mas in te serveren, en keek naar binnen. Ik had het niet verkeerd gezien. Het was Merrill van Parents Together, degene die maar was doorgegaan over hoe die mensen van de Wish Foundation haar stervende zoon maar geen bezoekje van een pornoster hadden gegund. Ze was met haar man, degene die zo nutteloos op haar schouder had geklopt. Merrill en haar man en een jongetje.

Ik gaf de roddelende meiden hun rekening en ging terug naar Onzalige Oma.

'Nou zeg!' zei de oude vrouw. 'Kijk eens wie we daar hebben!' Ik keek uit mijn ooghoek naar Merrills tafeltje en zag hoe ze naar het jongetje leunde en lachte om iets wat hij zei.

'Het spijt me,' zei ik. 'Hebt u nog vragen over het menu?'

De man schudde zijn hoofd. 'De gegrilde garnalen, graag.'

De vrouw wees naar een van de voorgerechten. 'Is het lamsrek met een korstje van chilipepers heet?'

'Ja. Ja, dat is erg heet.'

'Kan ik dat zonder chilipepers krijgen?'

Merrills jongetje was twee of drie. Hij klom uit zijn kinderstoel en zijn vader hielp hem in een rood wollen jasje.

'Dat moet ik even vragen,' zei ik en wist wat Sarah zou zeggen: als ze gewoon vlees willen, gaan ze maar naar Smith & Wollensky verderop.

'Doe dat maar even,' zei de vrouw. Merrill stond op, legde het rekeningmapje weer op tafel en leidde de jongen naar de deur. Bij Parents Together had ze een spijkerbroek met sweater aangehad, het internationale uniform van mensen met een gebroken hart, had ik wel eens gedacht. Maar vanavond was ze helemaal opgedirkt, met glad en glanzend haar, lippenstift en eyeliner, in een zwarte broek met een witte blouse en een gouden schakelketting, en roodgouden Chinese slippers. Als je haar zo zag, zou je niet denken dat er iets aan de hand was. Ze zag eruit als iedere andere jonge moeder die een avondje uitging. Ik voelde mijn knieën week worden en ik greep de achterkant van een stoel van het tafeltje van het oudere stel om te voorkomen dat ik en mijn nieuwe toreadorbroek op de vloer zouden eindigen.

'Is er een probleem?' vroeg oma op eisende toon.

'Sorry,' zei ik. Merrill en haar zoon en echtgenoot gingen de deur uit en ik rende zonder erbij na te denken de keuken in. 'Kun je het even van me overnemen?' vroeg ik Becky.

'Wat?'

'Neem het even van me over,' zei ik, deed mijn schort af en gaf haar mijn bestellingen. 'Ik heb tafel zeven, acht en negen. De mensen aan zeven zijn afschuwelijk. Ik ben zo terug.' Ik rende de keuken uit, het restaurant door en volgde Merrill en haar man de straat op. 'Hé!' riep ik. 'Merrill!'

Ze draaide zich om en keek me aan. 'O god, heb ik mijn creditcard laten liggen? Dat doe ik wel vaker...' Haar stem ebde weg.

'Ik ben Lisa. Van Parents Together.' Het was ijskoud buiten. Had ik mijn moeders blauwe jas nou maar even aangetrokken. 'Sorry dat ik je stoor, maar...'

'Schat.' Haar man pakte haar arm. 'De film begint zo.'

'Gaan jullie maar vast,' zei ze tegen haar man terwijl ze mij bleef aankijken. 'Lisa en ik gaan even een kop koffie drinken.'

'Ik wil je niet ophouden. Ik wil je avond niet verpesten...'

'Dat doe je niet,' zei ze. Haar adem wasemde zilverachtig in de avondlucht. Ze deed de deur van de koffiebar op Nineteenth Street open. Ik liep achter haar aan naar binnen.

'Is dat...' ik slikte moeizaam. 'Dat jongetje. Is dat...'

'Dat is mijn zoon,' zei ze. 'Hij heet Jared.'

'En je hebt hem gekregen nadat...'

Ze knikte en ging aan een tafeltje achter in de zaak zitten. 'Nadat.' We wisten allebei wat 'nadat' betekende.

'Hoe? Dat wilde ik je vragen. Kun je me vertellen hoe?'

Ze knikte, en in dat gebaar zag ik een glimp van die razende vrouw die ik in de praatgroep had gezien, degene die zichzelf niet toestond te worden getroost en die zo veel pijn leek te lijden. 'Ik dacht dat we het niet zouden doen. Dat we het niet zouden kunnen. Ik dacht dat we zo'n stel zouden zijn waarvan iedereen weet: o, die hebben hun zoon verloren en hun huwelijk heeft het niet overleefd en ze zijn uit elkaar gegaan. Maar Teddy, mijn man, deed het zo goed met Daniel dat soms...' Ze liet haar hoofd tussen haar schouders zakken. Haar stem was bijna niet hoorbaar. 'Ik kwam op het punt dat ik het bijna als een zegen ging zien, wat er met Daniel is gebeurd, omdat mijn man me daardoor kon laten zien hoeveel hij van me houdt. Dat ik daar nooit aan hoef te twijfelen. Ik weet hoe dat klinkt, maar...'

Ik duwde mijn handen tegen de tafel zodat ze niet zouden beven. Ik dacht aan Sam: een glas dat over de bar werd geduwd, een papieren ring die aan mijn vinger werd geschoven, een trouwjurk op een hotelbed. Laat mij nu je familie zijn.

'Ted heeft me zes maanden na de dood van Daniel gevraagd of ik het nog een keer wilde proberen,' zei Merrill. 'Ik was er toen nog niet aan toe. Ik dacht dat als ik nog een kindje zou krijgen, nog een jongetje, dat ik zijn hele leven mijn adem zou inhouden, wachtend tot de leukemie zou terugkomen en hem zou doden. Tot die mijn hele gezin zou vernietigen. Dat die alles wat ik had, zou afnemen en niet alleen Daniel. Ik dacht dat ik iedere keer dat hij zou niezen of een bult zou hebben ik hem naar de dokter zou slepen... dat ik niet in staat zou zijn hem een kind te laten zijn. Ik was te bang.'

'En ging het ook zo?'

'Een beetje. Vooral in het begin. Ik denk dat moeders zoals wij, moeders die een kind hebben verloren, dat we onze adem altijd een beetje inhouden. Maar ze groeien toch op en hoe voorzichtig je ook wilt zijn, zij willen gewoon kind zijn en kinderdingen doen. Fietsen, voetballen, naar buiten in de regen...' Ze wrong haar handen samen.

'Ik heb een goede man,' zei ze. 'Dat onderving driekwart. De rest heb ik zelf gedaan. Ik bedacht me dat het een keuze was. Ken je van die mensen, die zeggen dat geluk een keuze is?'

Ik knikte. In Californië woonden er een heleboel.

'Hoop is ook een keuze. Ik weet dat het gek klinkt...'

Ik schudde mijn hoofd.

'Ik weet nog dat ik twee dagen nadat Daniel was gestorven in bed lag. Ted en ik moesten de voorbereidingen treffen. Zo noemden ze het, voorbereidingen treffen, maar wat het betekende, was dat we een doodskist moesten uitzoeken. Mijn moeder was bij ons en ze bleef herhalen: "Het is niet Gods bedoeling dat ouders hun kind moeten begraven." Het enige wat ik kon bedenken, was dat ik nooit had geweten dat er zulke kleine doodskistjes bestonden en dat hij ze allemaal lelijk zou hebben gevonden. Zijn hele kamer hing vol posters en stickers van raceauto's. Hij haatte het zich netjes aan te kleden om naar de kerk te gaan, en al die doodskisten waren...' Ze schudde haar hoofd. 'Ze waren gewoon zo verkeerd voor een elfjarige jongen. Ik ging die avond naar huis en lag in bed. Ik had mijn schoenen niet eens uitgedaan. Ik lag gewoon in het donker en ik weet nog dat ik dacht: je kunt leven of sterven.'

'Dus besloot je te leven,' zei ik.

Merrill knikte. 'Ik besloot te hopen. Het was het moeilijkste wat ik ooit heb gedaan. Het eerste jaar voelde alleen al opstaan en me aankleden als meer dan ik aankon... En er waren dagen dat dat me niet eens lukte. Maar Ted was zo goed, hij was zo geduldig met me. Zelfs mijn moeder was na een tijdje niet meer zo erg. Uiteindelijk was Daniels dood niet meer het eerste waar ik aan dacht als ik wakker werd. En ik kon weer naar andere kinderen kijken – andere jongens – zonder jaloers of verdrietig te worden. Ze hoorden weer gewoon in het landschap. En wat er met Daniel was gebeurd, was een deel van mijn geschiedenis. Een belangrijk deel, een vreselijk deel, maar niet meer iets waar ik iedere minuut door werd geobsedeerd. Het werd iets wat me was overkomen, niet iets wat nog steeds gebeurde.' Ze hield haar hoofd scheef. 'Begrijp je dat?'

Ik merkte dat ik niets kon zeggen, dus in plaats daarvan knikte ik.

'Als je was gebleven, had ik je dat in de groep verteld. Heb ik je weggejaagd?'

'O nee, het was niet jouw schuld,' zei ik. 'Ik was er gewoon nog niet klaar voor, denk ik.' Ik keek op mijn horloge. Twintig minuten. Shit.

'Ik moet weg. Mijn werk... Ik moet terug naar mijn tafels. Dank je,' zei ik en stond onhandig op op mijn bevende benen. 'Heel erg bedankt.'

'Bel me maar,' zei Merrill, die haar telefoonnummer op een servetje schreef. 'Alsjeblieft. Als je iets nodig hebt, of als je even wilt praten.'

Ik vouwde het servetje op en rende terug naar Mas. Sarah stond achter de bar. 'Hé, gaat het wel? Becky heeft tafel zeven van je overgenomen, maar je hebt hun voorgerechten niet genoteerd. Ik heb ze een gratis drankje gegeven...'

Shit. 'Het spijt me,' zei ik. Ik pakte mijn bestellingen en rende terug naar het tafeltje.

'Nou, nou,' zei oma. 'Kijk eens wie we daar hebben.'

'Het spijt me verschrikkelijk,' zei ik. Ik raakte het servetje in mijn zak aan, dat met Merrills telefoonnummer erop en hoopte dat het me kracht zou geven. De vrouw maakte een snoevend geluid.

'Nu is het wel genoeg, Judith,' zei de oude man.

De mond van de vrouw viel open. 'Pardon?'

'Ze wil graag nog wat water,' zei de man.

Ik knikte. Ik liep naar de bar, schonk het water in en liep naar de keuken.

'Hé, als je gaat huilen, gebruik dan geen handdoek,' zei Dash over mijn schouder. 'Becky zeurt vreselijk aan mijn kop over de handdoeken. Hier.' Hij gaf me een handvol toiletpapier. 'Gaat het wel? Wil je naar huis?' Ik schudde mijn hoofd, snoot mijn neus, depte voorzichtig onder mijn ogen en haalde genoeg geld uit mijn zak om het lamsvlees van Grommende Grootmoeder te betalen. Hoop, dacht ik en dacht aan Ayindes gezicht toen ze ons had verteld dat het goed zou komen met Julian. Becky stond in de keuken gefrituurde stoneleeks op iemands biefstuk te arrangeren. 'Hé,' zei ik.

Ze keek me grijnzend aan. 'Gaat het?'

'Ja,' zei ik. 'Ik ga even naar buiten. Ik ga niet weg, hoor. Ik moet alleen even iemand bellen.'

Kelly

DE BABYMUZIEKGROEP KWAM IN EEN GROTE, OUDE KERK AAN PINE Street bij elkaar. De kerk had glas-in-loodramen van Christus bij het altaar en in de kelder waar de muziekles was, hingen posters van de Anonieme Alcoholisten. Op dinsdagochtend trok Kelly Olivers sneeuwpak uit en deed zijn muts en sjaal af. Ze ging op de overblijfselen van een tapijt zitten met haar man naast zich. Steve zwaaide naar Becky en Ayinde terwijl Galina, de leidster, op de oude piano begon te rammen en aan het welkomstliedje begon. 'Hallo, goedemorgen, welkom Nick. Hallo, goedemorgen, welkom Oliver.' Ze zongen hun welkom voor Cody, Dylan, Emma, Emma, Nicolette, Ava, Julian en Jackson. 'Hallo, goedemorgen mammies. Hallo, goedemorgen nanny's,' zong Galina op de toetsen slaand. 'Hallo, goedemorgen papa...'

Steve hupte Oliver op zijn knie op en neer en zwaaide met zijn maraca in de maat mee terwijl de groep begon te zingen. 'Als je gelukkig bent, klap dan in je handen!' Kelly onderdrukte de neiging om op haar zakcomputer te kijken. 'Als je gelukkig bent, klap dan in je handen!' Ze wist dat Elizabeth nog steeds kwaad was over het feest van Wartz. 'Als je gelukkig bent en dat echt wilt laten zien...' Ze zakte tegen de muur. Ze voelde zich dubbel, niet op haar plaats en moe. Boven alles vooral moe.

'Hé,' fluisterde Steve. 'Van mij mag je gaan hoor, O en ik doen het hier prima.'

'Nee, ik blijf wel,' fluisterde ze terug. Er waren papa's die met hun zoon of dochter naar de muziekles kwamen, waaronder een man van een jaar of vijftig die met een driejarige kwam (Kelly was er nooit achter gekomen of het zijn zoon of zijn kleinzoon was). Andrew was al een paar keer met Ava gekomen. Zelfs Richard Towne, met een honkbalpet over zijn ogen getrokken, was op een dinsdagochtend geweest, rustig alle starende blikken van de andere ouders en die ene mammie met een digitale camera die stiekem een foto van hem had gemaakt met Julian in zijn armen, negerend en vrolijk 'Boer daar ligt een kip in 't water' meezingend. Maar die pappies hadden werk om naar terug te gaan en niet alleen het zoeken naar een baan. Zogenaamd zoeken naar een baan, bedacht ze zich verdrietig terwijl Steve Olivers hand om een babytamboerijn legde en hem hielp ermee te schudden.

Kelly keek naar de poster en overwoog Stap Een van de Twaalf Stappen: 'We Weten Dat Ons Leven Stuurloos Is Geworden; We Geven Ons Over Aan Een Hogere Macht'. Haar leven was stuurloos geworden. Waar was de twaalfstappengroep voor te drukke moeders die getrouwd waren met mannen zonder baan?

'We gaan spelen!' zei Galina. Ze maakte een gymtas open en gooide een dozijn rubberen ballen in de cirkel. De grote kinderen – van twee en drie, degenen die konden lopen – gilden van plezier en waggelden naar de ballen. Oliver snakte hikkend naar adem en begon te huilen toen Steve een rode bal op zijn schoot legde. 'Ssh, ssh, het is goed,' zei hij en liet de bal aan Oliver zien.

Kelly trok Olivers truitje recht en dacht aan het telefoontje met haar zussen van de avond ervoor. 'Hoe is het met meneer Perfect?' had Doreen gevraagd.

'Prima!' zei Kelly. 'Het gaat prima met ons allemaal! Alles is prima!' Nadat ze had opgehangen, zat ze aan de keukentafel rekeningen over te maken. Steve kwam binnen en gaf haar schaapachtig zijn creditcardrekening. Elfhonderd dollar. 'Waarvoor?' vroeg ze op scherpere toon dan de bedoeling was.

Steve haalde zijn schouders op. 'Eten. Kleding. O, en de verjaardag van mijn moeder.' Kelly keek naar de rekening. Steve had driehonderd dollar uitgegeven, waarschijnlijk aan een nutteloos ding om stof te verzamelen op haar schoonmoeders etagère. Toen ze het geld overmaakte, had ze zich misselijk gevoeld.

'Waarom laat je me niet wat van onze aandelen verzilveren?' had hij gevraagd.

Ze huiverde. Wat zou er gebeuren als het spaargeld op was en Steve nog steeds niet zou werken? Wat zou er gebeuren als ze de ziektekostenverzekering niet konden betalen en een van hen ziek werd? Ze wist hoe dat verhaal afliep: om zeven uur 's ochtends deurwaarders aan de telefoon. Tweedehands auto's en afdankertjes. Mooi niet. Ze had er te hard voor gewerkt om Oliver zulke dingen te besparen.

'Visje, visje, in het water,' zong Galina. Kelly zong ook. Alle moeders zongen; alle nanny's zongen. Steve zong ook, zo hard dat Kelly hem wel moest horen. 'Wie weet er nog een dier?'

'Een koe!' riep een nanny.

'En wat doet een koe?'

De nanny ging op handen en knieën zitten terwijl haar verantwoordelijkheid – een van de Emma's, dacht Kelly – begon te giechelen, in afwachting van wat ze wist dat er zou komen. 'Boeoeoeoe!' zong ze hard. De kinderen lachten, klapten en riepen: 'Boeoeoeoe!'

'Weet papa een dier?' vroeg Galina en keek naar Steve.

'Eh,' zei hij en keek naar Oliver. 'Een hond?'

'Hond! Een hondje is goed! En wat voor geluid maakt een hondje?'

Steve grinnikte mak. 'Waf, waf?'

'Harder blaffen, papa, harder!' spoorde Galina hem aan.

'Waf, waf,' blafte Steve.

'En wat doet een hondje?'

'Dat kwispelt met zijn staart!' riepen Emma één en twee, Cody, Nicolette en Dylan tegelijk.

'Laten we eens kijken hoe papa met zijn staart kwispelt!'

Aan de overkant van de kring zat Ayinde angstvallig naar de bovenkant van Julians hoofd te kijken en Becky beet op haar onderlip. Ze wist wel beter dan te gaan lachen, dacht Kelly; Becky stond al sinds ze drie weken eerder de baslijn van 'Smoke on the Water' op een babyxylofoon had gespeeld, op Galina's zwarte lijst.

'Kwispelen, papa!' instrueerde Galina. Door haar Russische accent leek ze wel een van de tweederangs boeven in een James Bond-film. 'Kwispelen!'

Steve schudde lachend met zijn kont. Oliver begon te giechelen en probeerde in zijn handjes te klappen.

'Goed zo, Steve,' riep Becky.

'Goed zo, papa. Oké, iedereen. We gaan onze ballen opruimen!'

Volgens mij heeft hij dat al gedaan, dacht Kelly terwijl het afscheidsliedje begon. 'Dag, dag, dag mammies... dag, dag, dag kindjes...' Ze trok de slaperige Oliver zijn sneeuwpak weer aan en trok zijn muts over zijn oren. Steve en zij duwden hem door de menigte AA-deelnemers en de mist van sigarettenrook die hen omringde. In de hal keek Kelly steels de kapel in, de glas-in-lood-Maria zag er sereen uit met haar stralenkrans en witte gewaad. Vast omdat Joseph wel werk had.

Terug thuis verschoonde Kelly Olivers luier, kuste zijn buik en wangen en keek verlangend naar haar bed. Een minuutje dan, dacht ze en trok haar schoenen uit.

Het volgende wat ze voelde, was dat ze werd wakker geschud. Ze hield haar ogen dicht. Ze had een heerlijke droom gehad over Colin Reynolds, op wie ze in de tweede verliefd was geweest en met wie ze had getongzoend in de gymzaal van de onderbouw. Colin Reynolds was in haar droom volwassen, ze deden veel meer dan zoenen en er was in de verste verte geen baby, of echtgenoot, te bekennen.

Steve schudde haar weer heen en weer. 'Kelly. Telefoon.'

'Ik lig te slapen.'

'O,' zei hij. 'Dat wist ik niet.' Kelly begroef haar gezicht in het kussen en hoorde een Beckyachtige snedige opmerking in haar hoofd: 'Ja, dat ik met mijn ogen dicht in het donker lag, zette je vast op het verkeerde been.'

'Neem maar een boodschap aan,' zei ze terwijl Oliver begon te huilen. Shit. Ze ging rechtop zitten en keek naar de klok. Drie over vijf? Dat kon niet kloppen.

'Heb ik de hele middag geslapen?' vroeg ze terwijl ze Oliver uit zijn wieg haalde en op het aankleedkussen legde en Steve achter haar aan sjokte met de telefoon in zijn handen.

'Je zult wel moe zijn geweest,' zei hij. Vijf uur, dacht Kelly. Ze had helemaal niet gewerkt en de hond zou wel moeten worden uitgelaten en ze had haar e-mail niet eens gecheckt. Elizabeth zou wel ziedend zijn.

Ze klemde de telefoon onder haar kin. 'Hallo?'

'Kelly Day?'

'Ja.'

'Dag, met Amy Mayhew. Ik ben journaliste voor *Power Magazine* en ik hoopte dat je me zou kunnen helpen met een artikel waar ik mee bezig ben.'

'Waar gaat het over?'

'Over succesvolle vrouwen,' zei ze. 'Vrouwen die het is gelukt met succes te werken terwijl ze hun kinderen opvoeden.'

Succesvol. Het woord alleen al was genoeg om Kelly in hysterisch lachen te laten uitbarsten. Dat of een vreselijke jankbui. Maar als het haar lukte – als ze op het publiek kon overkomen als een vrouw die werk en gezin succesvol wist te combineren – zou dat haar misschien helpen weer in Elizabeths gratie te komen.

'Ik heb wat onderzoek naar je gedaan.' Kelly hoorde op de achtergrond een toetsenbord ratelen. 'Je werkt toch bij Evenewens?'

'Inderdaad,' zei ze. 'Ik was eerst IT-risicokapitaalplanningsconsulente en ik ben min of meer in het evenementplannen gerold. Ik werk nu bij Evenewens, dat als het beste bedrijf in Philadelphia wordt beschouwd. We overwegen uit te breiden naar New Jersey en New York. Maar ik werk nu parttime.'

Kelly hoorde dat er meer werd getypt. 'En je hebt net een kind gekregen?'

'Op dertien juli,' zei ze terwijl ze Olivers spijkerbroek losmaakte en met één hand zijn luier lostrok. 'Dus ik werk nu maar twintig uur per week. Nou ja, officieel dan. Maar je weet hoe dat gaat.'

'Niet echt,' zei Amy Mayhew. 'Ik heb nog geen kinderen.' Aan de hand van haar o-zo-serieuze toon en scherpe lachje maakte Kelly zich een voorstelling van Amy Mayhew: een hip donkerblauw pak met precies de goede schoenen erbij. Op haar bureau zou een enveloptasje liggen dat net groot genoeg was voor haar sleutels, portemonnee, een lippenstift en een paar condooms en dan zou het nog maar ongeveer een zestiende van de maat van de luiertas hebben die Kelly altijd met zich meezeulde. In Amy Mayhews ogen zou geen zeven centimeter lange pony hangen doordat ze al vier maanden geen tijd had gehad om naar de kapper te gaan, haar vingernagels zouden zijn gemanicuurd en ze zou subtiel naar eau de toilette ruiken in plaats van naar Kelly's kenmerkende parfum van lichaamsgeur, moedermelk en wanhoop.

'Hallo?'

'Ik ben er nog,' kon Kelly nog net zeggen terwijl ze Olivers broek vastmaakte.

'Luister,' zei ze, 'ik zou heel graag een afspraak maken voor een interview. Hoe ziet je maand eruit?'

'Nou, ik ben heel flexibel.' Kelly rende naar de slaapkamer, legde Oliver midden op het lege, onopgemaakte bed, griste een pen van het nachtkastje, bladerde naar een lege bladzijde in Olivers babyboek, dat al maanden niet was bijgehouden, en begon te schrijven. Kapper. Manicure. Nieuw pak (?). Ze paste nog steeds niet in haar oude. En nieuwe schoenen. Ze moest haar koffertje zoeken. Ze had ooit een geweldig koffertje gehad. Van kalfsleer, met een gouden handvat. Ze dacht dat ze het in de kast had zien staan, onder het autostoeltje waar Oliver al uit was gegroeid.

'Kan het volgende week vrijdag? Misschien kunnen we samen lunchen.'

'Lunch vrijd.' schreef Kelly op. Vroeger lunchte ze. Dan nam ze cliënten mee naar twee uur durende lunches bij Capital Grill en Striped Bass. Dan nam ze een glas wijn met een salade en gegrilde vis of geroosterde kip. Vroeger bestond de lunch niet alleen uit pindakaas als Oliver even sliep, zo uit de pot gelepeld en van haar vingers gelikt omdat er geen schone messen waren omdat zij noch Steve de afwasmachine had aangezet.

'We zouden graag wat foto's op het werk maken en een paar thuis, met de baby...'

Shit. Shit. Shit, shit, shit. Ze moest schoonmaken: de keukenvloer was meer dan smerig; Steve had voor de koelkast een fles kunstmelk geknoeid en het niet bepaald goed schoongemaakt. Er moesten verse bloemen komen, ze moest stofzuigen, ze moest zorgen dat Steve het kantoortje opruimde en ze moest een plek bedenken om de zak met van-nul-tot-drie-maandenkleding die ze naar de spullenhulp had willen brengen, op te ruimen... meubels. Die had ze ook nodig. Of misschien kon ze zeggen dat haar meubels net werden gereinigd of zo, of dat ze in opslag stonden omdat ze nieuw tapijt kregen...

'...en je man.'

'Man?' herhaalde Kelly.

'Ja,' zei Amy Mayhew lachend. 'Je weet wel, de hoek van de samenleving.'

'O, mijn man is vaak op zakenreis.'

'Wat deed hij ook alweer?'

'Hij is consulent voor beginnende internetbedrijven.' De woorden vlogen uit haar mond als een zwerm kwaadaardige vogels. O god, dacht ze, wat als Amy Mayhew Steve zou gaan googelen om hem na te trekken? 'Hij begint net... zijn bedrijf is nog niet officieel, hij heeft nog geen website en kantoor en zo, maar hij is erg veel weg. Hij werkt samen met wat oude vrienden van zijn opleiding.' Hou je bek, zei ze tegen zichzelf. Dit was het moment dat ze het altijd had geweten als haar zussen logen. In plaats van een eenvoudig antwoord kreeg je dan een hele Hamlet-monoloog. 'Dus hij is er misschien niet voor de foto's.'

'O, nou ja. Schikt komende vrijdag?'

'Perfect!' zei Kelly. Ze spraken een tijd af. Amy Mayhew zei dat ze uitkeek naar de ontmoeting. Kelly zei dat zij er ook naar uitkeek. Toen hing ze op en liep met Oliver naar de keuken. Steve lag op de bank.

'Wie was dat?' vroeg Steve.

'Een of ander telemarketingbedrijf. Ik ga de hond even uitlaten. Kun jij Oliver zijn gepofte rijst geven?'

'Ja hoor,' zei Steve.

'En zou je je aan kunnen kleden?'

Steve keek naar zichzelf en leek verrast te zien dat hij alleen een boxershort en een T-shirt aan had. 'Waarom?' vroeg hij. 'Ik ga toch nergens heen?'

Ze beet de beledigingen die wanhopig graag haar mond uit wilden, weg. 'Ik weet dat je nergens heen gaat, maar het is halfzes 's avonds en het is een werkdag...' Haar stem ebde weg.

'Prima,' zei hij en trok een spijkerbroek van de vloer. 'Broek,' hoorde ze hem mompelen. 'Je moeder is een zeurpiet!' riep hij tegen Oliver. Kelly wreef over haar slapen. Ze voelde dat haar gebruikelijke late-avondhoofdpijn vandaag vroeg opkwam. Ze slikte twee pijnstillers, zette een was aan, maakte een paardenstaart en rende de woonkamer in.

Lemon zat bij de voordeur te kwispelen en Oliver zat in zijn kinderstoel met een gezicht vol *rice-crispies*. Steve zat hem in de woonkamer eten te geven. 'Er was eens,' zei Steve, 'een dappere prins die in een kasteel woonde.' Oliver zwaaide met zijn handjes door de lucht en maakte een tevreden geluid. 'De prins was zo dapper dat hij door grachten vol haaien, alligators en Dallas Cowboy-fans durfde te zwemmen,' ging Steve verder. 'Hij kon met één enkele zwaai van zijn angstaanjagende zwaard draken doden en hij kon in de kleinste plekken fileparkeren, en hij kon de mooie prinses van betoveringen en vloeken redden.' Steve zuchtte. 'En toen werd hij ontslagen en toen wilde de mooie prinses niet meer met hem praten.'

Kelly's hart kneep samen. 'Het spijt me...' begon ze te zeggen, maar wat speet haar? Dat hij was ontslagen? Dat had ze tegen hem gezegd en dat had geen verschil gemaakt. Dat het haar speet dat hij zich zo vreselijk voelde? Nou, hij zou zich niet zo vreselijk voelen als hij gewoon werk zou vinden en dat had Kelly hem al te vaak verteld en als hij dat zou doen, zou alles prima zijn en dan kon zij ophouden met fantaseren dat ze hem vermoordde en dat ze het eruit zou laten zien als een ongeluk bij het scheren zodat zijn levensverzekering zou uitbetalen.

Ze schraapte haar keel. Steve keek op. 'Hé,' zei hij.

'Hé,' antwoordde ze en maakte Lemons riem vast. 'Wat heeft hij gegeten?'

'De helft van de rice-crispies en twee hapjes pruimenprut,' rapporteerde Steve, die het blad van de kinderstoel pakte en ermee naar de gootsteen liep.

'Mooi,' zei ze, 'ik ga even...' Haar hart stond stil toen Oliver naar voren leunde. 'Steve!' gilde ze en begon te rennen. Niet snel genoeg. Oliver viel uit de stoel, met zijn gezicht op de grond. Er was een hoorbare bonk en toen een seconde stilte. Toen schepte Kelly hem van de vloer, Oliver opende zijn mond en begon te schreeuwen.

'O mijn god, o mijn god!' zei Kelly.

'Gaat het?' vroeg Steve, die eruitzag alsof hij een spook zag.

'Dat weet ik niet!' schreeuwde Kelly boven het gekrijs van de baby uit. 'Waarom zat hij niet vast?'

'Dat heb ik vergeten!' zei Steve. 'Gaat het wel?'

Kelly keek hem vernietigend aan en liep met Oliver in haar armen langs hem heen naar de keuken om de telefoon te pakken. Op weg ernaartoe zag ze dat Lemon inderdaad weer op de vloer had gepiest. Ze toetste het nummer van de dokter in, dat op de koelkastdeur stond en drukte een paar keer op de één tot ze met de dienstdoende verpleegster werd doorverbonden. 'Hallo, met Kelly Day. De moeder van Oliver. Hij is vijf maanden en hij is net uit zijn kinderstoel gevallen...'

Steve tikte op haar schouder. 'Wat kan ik doen?' fluisterde hij. 'Moet ik ijs pakken of zo? Moeten we een ambulance bellen?'

Kelly duwde hem opzij. Ze wist dat als ze ook nog maar een seconde naar zijn gezicht zou kijken, iemand in huis inderdaad een ambulance nodig zou hebben en dat het Oliver niet zou zijn.

'Rustig maar,' zei de verpleegster. 'Een baby die zo kan schreeuwen, kan niet al te ernstig gewond zijn. Is hij op een houten vloer gevallen?'

'Nee,' zei Kelly.

'En hij is niet buiten bewustzijn geweest en is niet even gestopt met ademen? Bloedt hij ergens?'

'Nee,' zei ze. Haar knieën beefden. Ze leunde tegen de muur. Oliver jammerde en begroef zijn gezicht in haar hals. 'Hij is er zo uitgevallen. Mijn man had hem niet vastgemaakt.'

'Dat kan gebeuren,' zei de verpleegster. 'En meestal is er niets aan de hand. Als hij zo huilt, als hij niet is flauwgevallen en niet heeft overgegeven, is er hoogstwaarschijnlijk niets aan de hand. Probeer het uzelf niet kwalijk te nemen. Of uw man. Hou hem een paar uur in de gaten en bel even als er iets verandert.'

'Oké,' zei Kelly. 'Dank u.' Ze verbrak de verbinding, wiegde Oliver in haar armen en zei: 'Ssh, ssh. Arme jongen, arme jongen.' Ze liep met hem naar de schommelstoel, waar ze haar shirt omhoog deed en zijn gezicht naar haar borst bracht. Oliver staarde haar aan, zijn wimpers nog vol tranen. Hij zag er ellendig en verraden uit, zuchtte toen gelaten en begon te drinken.

Steve kwam binnenlopen. 'Hij ziet er goed uit,' zei hij.

Kelly negeerde hem.

'Maar we moeten zeker met hem naar de dokter?'

Kelly zei niets.

'Het spijt me echt heel, heel...'

'Het spijt je,' herhaalde ze. 'Waarom had je hem niet vastgemaakt?'

'Dat zei ik toch: dat had ik vergeten!'

'Ja hoor,' snauwde ze. De dam brak en het vergif stroomde naar buiten. 'Net zoals je je deadline bent vergeten. Net zoals je hebt vergeten de afwasmachine aan te zetten. Net zoals je vergeet je godvergeten broek aan te trekken als ik je er niet aan herinner die aan te doen.'

Kelly trok haar shirt naar beneden en stond op. Ze duwde haar man opzij, die als verlamd in de deuropening stond. 'Ik moet de hond uitlaten.'

'Dat doe ik wel.'

'Je hoeft niets voor me te doen!' riep ze en zette de opnieuw huilende Oliver in zijn wagen, maakte overdreven gebarend zijn bandjes vast, pakte Lemon bij zijn riem en haastte zich met hond en kind de lift in en naar buiten.

Ze was halverwege de straat toen Steve haar inhaalde. Hij zag er schaapachtig en bang uit.

'Ga weg,' zei ze en ging harder lopen.

'Ik dacht dat je deze misschien nodig zou hebben,' zei Steve. Hij hield de luiertas die ze had vergeten, omhoog. 'Ik heb er een flesje in gedaan, voor het geval dat.'

'Dank je,' zei ze. Ze duwde de wagen naar de hoek van de straat en stopte voor het rode verkeerslicht.

'Mag ik met je meelopen? Alsjeblieft? Ik voel me afschuwelijk.'

Kelly zei niet tegen hem dat dat niet hoefde, maar ze ging wel zo ver opzij dat er ruimte was om naast haar te staan. Steve propte de luiertas in het rekje onder de wagen en ging erachter staan. Toen het licht op groen sprong, begon hij te duwen en ze liepen drie straten in stilte verder. 'Waar ging dat gesprek met die telemarketeer over?'

De leugen die ze de journaliste had verteld, knalde haar hersenpan weer in. 'O, niets belangrijks,' zei Kelly. Ze hoopte maar dat hij in de duisternis niet zag dat ze bloosde. 'Ze wilde weten wat voor tijdschriften ik lees en of ik het afgelopen jaar een nieuwe auto heb gekocht.'

'Sorry dat ik je daarvoor heb wakker gemaakt,' zei Steve. 'Luister, als je nog moet werken, kun je wat mij betreft naar huis. Ik ga wel met hem wandelen. Ik pas wel op hem als we thuiskomen.'

En hem dan weer laten vallen? Of laten overrijden door een vrachtwagen? dacht Kelly. Mooi niet. Ze moest een reden bedenken waarom ze die telefonische vergadering met Elizabeth en een nieuwe cliënt had gemist. Verkouden, verstuikte enkel, vrouwenprobleem. Iets wat om haar ging en niets met Oliver te maken had, want Elizabeth had haar gevoel over de baby heel duidelijk gemaakt.

'Nee, ik doe het wel.'

'Kelly, je bent uitgeput. Laat me nou helpen,' zei Steve.

Ze schudde vermoeid haar hoofd, woordeloos, en liep achter Steve aan die de wagen terug naar huis duwde.

Lia

MIJN MOEDER WAS VÓÓR MIJ IN MAS EN TOEN IK AANKWAM, ZAT ZE al aan een tafeltje, met haar gezicht naar de deur. Ze had een vierkante zwarte tas bij zich, groot genoeg om de repetities van een hele klas in te doen. Ik ging tegenover haar zitten en zij zat tussen haar vork en mes, waar een bord had moeten staan. Ze had het bestek vast alsof ze het ieder moment naar me toe kon gooien. Of naar iemand. Ermee gooien en dan wegrennen.

'Lisa.' Ze klonk bijna verlegen. En bezorgd. Ze schraapte haar keel. 'Je ziet er...' Ik hoorde onze geschiedenis in die stilte naar de oppervlakte drijven. Als je er zo bijloopt, ga je de straat niet op. Haal die lippenstift eraf. Trek een jas aan. Ik likte mijn lippen en dacht terug aan de twee weken stilte nadat ik op mijn dertiende plukjes van mijn haar had geblondeerd. Ik had de fles waterstofperoxide in de vuilnisbak in de garage begraven en had tegen haar gezegd dat ik het met citroensap en zonlicht had gedaan. Ik had daar ook al mijn cosmeticabonnen verstopt, nadat mijn moeder haar afkeur had uitgesproken over een flesje Chanel-foundation en tegen me had gezegd dat het vast leuk was om geld aan onzin uit te geven. 'Je ziet er goed uit,' zei ze uiteindelijk terwijl ze aan de hengsels van haar tas zat te friemelen. 'Hoe is het met je?'

'Prima.'

Ze keek om zich heen in de ruimte: zestien tafeltjes, de helft bezet. 'Werk je hier?'

'Ja,' zei ik. Ik had al bedacht wat we zouden gaan eten. Op zondagmiddag serveerde Mas *high tea*, met scones met chilipepertjes, chocolaatjes met kaneel, boterhammetjes met gekruide garnalen, eiersalade, komkommer en boter. Ik had het hele blad zelf voorbereid en ik had een pot pruimen-gemberthee gezet. 'Meestal in de keuken. Ik ben niet zo'n goede serveerster.'

Haar handen grepen de hengsels van haar tasje steviger vast. Ik schonk haar een kop thee in, die ze negeerde. 'Ik heb je man gesproken,' zei ze tegen me.

Ik liet bijna de theepot vallen. 'Sam?'

Ze knikte. 'We spreken elkaar al een paar weken.'

'Wat...' Ik slikte en likte over mijn droge lippen. 'Wat zei hij?'

Haar gezicht stond uitdrukkingsloos. 'Nou, in eerste instantie was hij erg verrast dat ik nog leef.'

O jee.

'Hij wil weten of je thuiskomt,' zei ze. Ze nam een slokje thee en greep toen haar handtas weer vast. 'Hij lijkt me erg aardig.'

Was het mijn verbeelding, of klonk ze nou weemoedig? Ik zette de theepot voorzichtig neer en veegde mijn handen af aan een servet. 'Wat heb je tegen hem gezegd?'

'Wat kon ik zeggen? Wat weet ik nou?' zei ze. Haar rug was kaarsrecht; haar woorden waren helder en precies. Ze had net zo goed tegen een hele klas zevende groepers kunnen praten. 'Ik weet niet hoe het met je gaat. Ik weet niet of je naar huis gaat.'

'Maar...' Ik schudde mijn hoofd. Ik had deze afspraak geregeld, ik had precies bedacht wat ik tegen haar zou gaan zeggen en nu draaide ze alles om. 'Wist je dat ik was getrouwd?'

'Lisa. Ik ben je moeder. En ik ben niet stom. Je bent niet bepaald onzichtbaar geweest, hoor.'

Ik staarde naar mijn bord. Ik dacht dat ik onzichtbaar was geweest zover het mijn moeder betrof. Ze ging nooit naar de bioscoop en ik had nooit gespeeld in iets wat op ABC werd uitgezonden, dus hoe kon ze het weten? Had ze mijn films gezien? Of die infomercial die alleen middenin de nacht werd uitgezonden? Die voor een 'revolutionair' ontharingsmiddel? Ik was het meisje met de snor. Nep, natuurlijk, maar Sam bleef me er maar mee plagen.

'Dus je wist dat ik was getrouwd.'

'Lia Lane,' zei ze. Haar mondhoeken – de lippenstift begon al buiten haar lippen te kruipen – krulden omhoog. 'Dat klinkt als een superheldin. Veel beter dan Lia Frederick.'

'En je weet van Caleb.'

Ze slikte moeizaam. Eén keer. Twee keer. Toen ze weer sprak, klonk haar stem zo breekbaar en gebarsten als een antieke spiegel. 'Ik wist niet hoe hij heette.'

Ik reikte in mijn tasje. Ze maakten foto's van alle baby's in de kraamzaal van het ziekenhuis en een van de verpleegsters had me een kiekje van Caleb meegegeven toen we naar huis gingen. Dat had ik in de luiertas gedaan en ik was het helemaal vergeten tot ik naar Philadelphia kwam en het weer had gevonden. Of het had mij gevonden. Het was het enige wat ik nooit had willen weggeven; het enige wat ik niet kon loslaten. Calebs gezichtje was tomaatrood op die foto, gerimpeld en boos. Hij was in een ziekenhuisdekentje gewikkeld en droeg een roze-blauw gestreept mutsje.

Ik trok de foto uit mijn portemonnee, streek de hoekjes glad en gaf hem aan mijn moeder.

Ze nam de foto aan en ze begon ineens helemaal te beven: haar handen, haar lippen, de losse huid in haar hals. 'O,' fluisterde ze. 'O.'

Ik boog mijn hoofd. Mijn ogen stonden vol tranen. Ik dacht dat ik overal klaar voor was: haar woede, haar verwijten, haar koude afwijzing, haar oogrollende vragen: In wat voor drama heb je jezelf nu weer gemanoeuvreerd? Maar die gekwelde babyvogelgeluidjes die nu uit haar strot kwamen? Nee. 'Mam. Hè, mam, hou daarmee op. Het is goed hoor.'

Ze greep de foto steviger vast. Ik hoorde dat ze hem begon te verfrommelen.

'Mam!'

Ik reikte over de tafel heen, maar ze was te snel. Ze hield de foto omhoog. En toen begon ze te huilen. De mensen aan het tafeltje naast ons wendden hun blikken af. Een van de andere serveerders kwam eraan en keek me aan. 'Servetjes,' zei ik zonder geluid te maken. Hij knikte en kwam terugrennen met een hele stapel.

Mijn moeder veegde haar ogen af met een servetje, haar schouders schuddend terwijl ze geluidloos huilde. Toen haar greep om de foto los genoeg was, haalde ik hem uit haar handen en deed hem terug in mijn portemonnee.

Ze keek me aan. Haar ogen waren rood en waterig en haar lippen beefden. Ik vroeg me af of ze ooit had geprobeerd te bellen. Ik vroeg me af wat ik had gezegd als ze dat had gedaan.

'Wist ik het maar,' zei ze. Haar woorden werden ingeslikt met een snik.

'Wist je wat maar?'

'Wist ik maar wat ik heb gedaan dat je me zo haat.'

Ik voelde de lucht uit me stromen. 'Eerst haatte jij mij,' zei ik. Omdat hij meer van mij hield dan van jou, dacht ik.

Ze keek me met knipperende ogen aan. 'Denk je dat echt?'

Ik haalde mijn schouders op en voelde me ineens onzeker. Dat had ik geloofd, zoals... nou ja, zoals een kind in de kerstman of de tandenfee gelooft. Dat was het verhaal dat ik mezelf had voorgehouden, dat ik als tiener had bedacht en in alle jaren dat ik weg was geweest nooit had betwijfeld. En ik had haar gebeld en hier uitgenodigd, vastberaden haar te vergeven, mijn hand te openen en verder te gaan. Maar... De mogelijkheid ging nu door mijn hoofd als een blad dat in de afvoer zit verstopt. Wat als ik me had vergist? Wat als er niets was om haar voor te vergeven? Wat als bleek dat het net zozeer mijn schuld was als die van haar?

Mijn moeder perste haar lippen op elkaar. Ze sprak langzaam, alsof ieder woord haar pijn deed. 'Ik weet nog dat je een baby was. Ik was degene die je voedde, ik was degene die je luier verschoonde, die je wiegde, die je in slaap zong, maar als je vader binnenkwam...' Ze sloot haar ogen en schudde een beetje met haar hoofd. 'Dan lichtte je gezicht helemaal op. Dat was moeilijk voor me, een beetje. Ik hield zoveel van je, maar ik had het gevoel dat je alleen maar voor hem glimlachte.'

Nee, dacht ik. O nee. Dit wil ik niet horen, hier wil ik niet aan denken, dat wil ik me niet herinneren... maar het gebeurde toch. De beelden kwamen, ongevraagd: ik in de schommelstoel in een gevlekte nachtpon, wiegend en wiegend terwijl Caleb gilde. Ik in Sams trainingsbroek omdat mijn kleding van voor de zwangerschap me niet paste en ik er niet aan moest denken mijn zwangerschapskleding nog te dragen, heen en weer lopend in de korte gang, als een gevangene, heen en weer, op en neer, terwijl de uren zich opstapelden, de hele nacht door. Ik die Caleb vasthield terwijl hij in zijn badje lag te gillen, ik die Caleb vasthield terwijl hij op het aankleedkussen lag te krijsen... en Sam die aan het einde van de nacht Caleb vijf minuutjes vasthield, die hem in de lucht tilde en 'Sweet baby James' voor hem zong en Caleb die dan helemaal niet krijste.

'Ik heb hem veel vergeven omdat hij zoveel van je hield.'

'Wat heb je hem vergeven?'

Ze zuchtte nogmaals zonder me aan te kijken. 'Dat zijn oude koeien,' zei ze. 'Het is zo lang geleden.'

Ik draaide alle herinneringen aan mijn vader in mijn hoofd om: de dierentuin en de Floriades, lunchen in een restaurant en de ijsjes in het park. Ik genoot niet van wat ik op de achterkant zag. Toen ik acht, negen, tien was, kwam ik thuis van school en dan was hij er wel eens. Dan glipten we het huis uit naar een matinee en dan aten we achteraf drop en snacks. 'Niet tegen je moeder zeggen, hoor,' zei hij dan en glimlachte samenzweerderig naar me terwijl hij twintig dollar uit haar portemonnee haalde en die in de zijne stak. 'Dit is ons geheimpje.' Het was op die leeftijd nooit in me opgekomen me af te vragen waarom hij zo vaak thuis was, maar nu vroeg ik het me ineens af.

En er was meer geweest. Soms was er een vrouw die met ons meeging naar de film, of naar McDonald's, Friendly's of Nifty Fifties als die was afgelopen. 'Dit is Susan,' zei hij. Of Jean, Vicky of Raquel. Zijn hand lag dan onderop haar rug. 'Een vriendin van mijn werk.' Susan, Jean, Vicki of Raquel was altijd jonger dan mijn moeder en altijd mooier. Jean had platinablond haar en een hese lach. Vicki had me een lippenstift in een gouden hulsje met ribbels gegeven. Had ik toen geweten wie ze waren? Had ik het al die tijd geweten? Had zij het geweten?

'Hij had vriendinnen,' zei ik. Ik wachtte tot ze dat zou ontkennen, maar ze zei niets.

Haar zucht werd over de tafel geblazen als een koude wind. 'Ik hoopte dat je dat niet wist,' zei ze. 'Ik hoopte dat hij in ieder geval het benul had je dat niet te vertellen.'

'Waarom ben je bij hem gebleven? Waarom bleef je bij hem, als je dat wist?'

Ze greep de hengsels van haar tasje steviger vast. 'Als je een kind hebt, is alles anders.' Ik dacht aan Ayinde en Richard en zag hoe dat het geval kon zijn, hoe een baby ervoor kon zorgen dat je de ander de vreselijkste misstappen vergaf. 'Ik wilde niet van hem scheiden omdat ik wist dat als ik dat zou doen, je hem nooit meer zou zien. Dat hij dan gewoon zou vertrekken en ergens anders opnieuw zou beginnen, met iemand anders. En dat hij tegen je zou zeggen dat hij op bezoek zou komen, maar dat niet zou doen. Ik kende hem goed genoeg om dat te weten.'

'Maar dat is ook gebeurd.'

'Een van zijn vriendinnen stelde hem een ultimatum,' zei ze. Haar stem klonk laag en toonloos. 'Ik of je vrouw. Hij...' Ze likte haar lippen en nam nog een slokje thee. 'Nou ja. Je weet wie hij heeft gekozen.'

Mij niet, dacht ik. Hij had mij niet gekozen. Ik herinnerde me, vol plotseling opkomende schaamte, hoe ik nadat Sam en ik waren getrouwd naar een chique papierwinkel op Rodeo Drive was gegaan, die bekendstond om de met de hand gekalligrafeerde bruiloftsuitnodigingen. Ze hadden een voorbeeld voor me gemaakt, maar ik was nooit teruggegaan om een order te plaatsen. Ik had er maar één nodig. Er was maar één iemand van wie ik wilde dat die een crèmekleurig vel papier kreeg waarop stond dat Lia en Sam man en vrouw waren geworden. Ik had het naar het laatste adres dat ik van mijn vader had, gestuurd: een appartementencomplex in Arizona. Drie weken later had ik een brief teruggekregen; of eigenlijk een krabbeltje op een uitgescheurd velletje uit een aantekeningenblok. 'Gefeliciteerd', stond er in zijn herkenbare achteroverhellende handschrift. 'En nu je een "groot succes" in Hollywood bent, heb je misschien wel wat over voor je pa.' Ik had het Sam nooit verteld. Ik had het niemand verteld. Nou, dat is dan dat, had ik gedacht en ik had het vodje weggestopt. Dat is dan dat.

'Hij hield op zijn manier van je. Waarschijnlijk meer dan hij ooit van iemand anders heeft gehouden.' Ze glimlachte een beetje naar me. 'Je was zijn meisje. Weet je nog hoe hij dat zei? Dan kwam hij thuis...'

'... uit zijn werk en zwiepte me de lucht in,' zei ik. Mijn stem klonk alsof die ver uit een tunnel kwam. 'Jij bent mijn meisje.'

'Ach, werk,' zei mijn moeder. 'Soms was het zijn werk en soms...' Haar stem ebde weg. Haar handen zweefden door de lucht. 'Het spijt me,' zei ze. 'Het spijt me dat je dit over hem moet horen. Het spijt me van je...' De woorden tuimelden uit haar mond. 'Van je zoon.'

'En dat dekbed?'

Ze keek me aan met in verbazing opgetrokken wenkbrauwen. Dat was mijn onbelangrijkste vraag, het minste wat tussen ons lag, maar het was het enige wat ik kon bedenken om haar te vragen.

'Dat dekbed. Het Strawberry-Shortcakedekbed. Dat je niet voor me wilde kopen. En toen kocht hij het voor me en vertrok en toen weigerde je me ooit een nieuw dekbed te geven. Je zei dat we er geen konden betalen.'

Ze keek naar haar handen en ik zag ineens in haar gezicht hoe ze eruit zou zien als ze oud zou zijn. Zo zou ik er waarschijnlijk ook uit gaan zien. 'Dat dekbed is het enige wat hij je ooit heeft gegeven,' zei ze. 'Ik wilde dat je het hield zodat je je vader zou herinneren.'

'Dat is niet waar. Hij heeft me van alles gegeven. Mijn barbies... mijn serviesje... mijn rolschaatsen...'

Mijn moeder schudde haar hoofd.

'Maar... maar...' O, wat deed dit pijn. Ik herinnerde me hoe mijn vader over me heen leunde als ik in bed lag, een tas of doos naast mijn kussen zette en fluisterde: 'Kijk eens wat papa voor zijn favoriete meisje heeft gekocht!'

'Het spijt me,' zei ze. 'Ik wilde dat hij een betere vader was – of eigenlijk een betere man – en toen hij dat niet kon zijn, denk ik dat ik er het kwaad niet in zag te doen alsof. Dus kocht ik dingen die hij aan je kon geven en dan pakte ik die in en dan was ik gewoon blij te weten dat je er gelukkig mee was. Ik wilde je alles geven wat je wilde. Volgens mij wil iedere moeder dat.' Ze veegde met haar servet haar ogen af. 'Het meest van alles wilde ik je een betere vader geven en toen ik je die niet kon geven...'

Ik wist niet wat ik tegen haar moest zeggen. Ik wist niet of ik iets kon zeggen.

'Al die toneelstukken,' zei ik uiteindelijk. 'Al die toneelstukken op de middelbare school. *Bye Bye Birdie, Mame* en *Gypsy*. Je kwam nooit kijken...'

'Dat wilde je niet,' zei ze. Ze glimlachte een beetje. 'Ik geloof dat je precieze woorden waren dat je me zou vermoorden als je me in het publiek zou zien zitten.'

Ik haalde mijn schouders op en het lukte me zelfs te glimlachen. 'Ja, maar ik was actrice.' Ik herinnerde me die ruzies. 'Je mag niet komen,' zei ik dan tegen haar en sloeg mijn dunne slaapkamerdeur dicht. 'Je mag niet komen, ik wil niet dat je komt!'

'Dus je hebt mijn gezicht nooit gezien. Maar ik was er wel.' Mijn moeder ontspande haar greep om de hengsels van haar tas lang genoeg om erin te reiken. Ze trok er een manillapapieren map uit die ze vast had gepikt uit de voorraadkast op haar school. Ze duwde hem over de tafel. Ik maakte hem open en vond een gekreukte folder van de eerste komediegroep waarbij ik had gespeeld. Hij was tien jaar oud, herhaaldelijk open- en dichtgevouwen en het papier was zacht als linnen in mijn handen. 'Waar heb je die gevonden?'

'Op eBay,' zei ze. Onder de folder lag een pagina die uit een televisiegids was gescheurd. Het was een artikel over een serie die zich afspeelde op een middelbare school en die zeven jaar geleden een half seizoen was uitgezonden. Ik had een rol in de hele serie en op de foto zag je mijn gezicht en profile.

'Die heb ik niet van eBay,' zei ze. 'Ik had een abonnement. Daarop, op *Entertainment Weekly* en op *People*. En op alle roddelbladen.' Dezelfde geest van een glimlach verscheen op haar gezicht. 'Ik nam ze mee naar de docentenkamer als ik ze had gelezen. Ik ben er vreselijk populair mee geworden.'

Ik bladerde door de map. Daar stond ik in een advertentie voor een televisiefilm die was uitgezonden op een kanaal dat mijn moeder niet eens ontving. Er zaten foto's van me in in een jurk, spijkerbroek, minirok en bikini en uiteindelijk een van mij in mijn trouwjurk in Las Vegas. Scheermesjesreclameman Sam Lane en zijn bruid, actrice Lia Frederick. Mijn Hollywoodblonde haar was op mijn hoofd gestapeld in het kapsel waartoe ik me door de kapper van het hotel had laten overhalen. Mijn buik was nog plat en ik zag op de achtergrond de flesgroene veren van een van de vogels in zijn kooi in de lobby.

'Kijk,' zei ze. Haar handen beefden. 'Hier.' Achter in de map zat een stapeltje vergeelde programma's. Ze legde ze naast elkaar voor me neer. Mijn naam stond op de voorkant, mijn oude naam, mijn middelbare schoolnaam. Lisa Urick. 'Allemaal. Iedere avond.'

Ik greep de rand van de tafel stevig vast. 'Je wilde niet dat ik naar LA ging.'

'Ik wilde niet dat je op je achttiende ging,' zei ze. 'Ik wilde dat je eerst ging studeren. En ik wist gewoon niet hoe ik met je moest praten. Je was zo kwaad op me, je was altijd zo kwaad...'

Ik zei niets. Misschien was ik kwaad op haar geweest omdat ze er was en ik niet kwaad op mijn vader kon zijn omdat die er niet was.

'Maar ik heb je in de gaten gehouden,' zei mijn moeder. 'Toen je je naam veranderde, werd het moeilijker, maar volgens mij heb ik alles gezien wat je ooit hebt gedaan. Toen je in *The Price is Right* speelde...'

'O god,' zei ik, kreunend terwijl ik terugdacht aan mijn vijfdaagse invalrol voor een zieke Barkers beauty. 'De verkoopwaarde van deze map...'

'Maar je zult mijn televisiedebuut wel hebben gemist,' zei ze met een sluwe glimlach.

'Wat? Toch niet...'

Ze knikte. '*Jeopardy*!'

'O mam! Je droom is uitgekomen! Heb je gewonnen?'

'Drie dagen achterelkaar. Zestienduizend dollar. Niet genoeg om terug te mogen voor de finale, maar ik heb het dak laten repareren.' Ze trok haar hoofd tussen haar schouders. Typisch, dacht ik. Geef iedere willekeurige vrouw in Amerika zestienduizend dollar en ze geeft het uit aan juwelen of een vakantie in een kuuroord. Geef het aan mijn moeder en ze laat haar dak repareren. 'Het was moeilijk om erna naar huis te gaan,' gaf ze toe. 'Ik wist dat ik niets had om naar uit te kijken. En ik vroeg me af... nou ja, of je me misschien wilde zien en of je erover dacht contact op te nemen.'

Mijn ogen vulden zich weer met tranen. Ik dacht terug aan die keer dat Sam *Jeopardy!* had aangezet – tijdens onze huwelijksreis, in dat enorme hotel in Las Vegas – en ik had gedreigd de afstandsbediening door de wc te spoelen als hij me ooit nog een spelletjesprogramma zou aandoen. 'Met God als mijn getuige,' had ik tegen hem gezegd, 'ik moest achttien jaar lang, vijf dagen per week *Jeopardy!* kijken en dat zal ik nooit meer doen!' Hij had snel ingestemd, hoewel het feit dat ik een witte kanten open beha droeg die mijn vriendinnen me als grap hadden gegeven, er misschien wel iets mee te maken had.

'Heb je Alex Trebek ontmoet?'

Ze giechelde – echt waar – en haar wangen werden roze; ze leek wel een verliefde schoolmeid. Ik zag op dat moment haar geschiedenis in haar gezicht, het slimme, mooie meisje met de heldere ogen dat was getrouwd met Fred Urick en dat hoopte voor de rest van haar leven te worden liefgehad maar eindigde als juf van groep zeven, met een man die niet werkte en vreemdging, en een dochter die was verdwenen.

'Mam,' zei ik. 'Het spijt me. Het spijt me allemaal.'

Ze knikte. 'Dat weet ik,' zei ze zacht. 'Het spijt mij ook.' Het was een begin, dacht ik. Misschien zou ik haar op een dag de andere foto's die ik van Caleb had, kunnen laten zien, en de voetafdruk die ik van het ziekenhuis had gekregen, de foto's die Sam van ons samen in bad had gemaakt en het witte mutsje dat ik voor hem had gebreid. Het was een begin, dacht ik nogmaals terwijl ik over de tafel reikte en mijn moeders hand pakte.

Becky

BECKY ZAT RECHTOP IN BED EN VOELDE EEN GOLF VAN DUIZELIGheid door zich heen gaan waardoor ze achterover viel. Voedselvergiftiging, dacht ze terwijl de kamer om haar heen tolde. Dat was het risico van haar vak. Typistes kregen RSI, directeuren maagzweren en chef-koks achtenveertig uur overgeven, bibberen en diarree. Had ik die oesters maar niet moeten eten, dacht ze en ze sloot kreunend haar ogen. Ze had wel pech dat ze net nu ziek werd. Het leven was zo goed. Ze had niets meer van Mimi gehoord sinds de Tragedie van de Kerstham. En Andrew ook niet. Geen telefoontje, geen e-mail, niet opgepiept, geen enkel sletterig babypakje in een aan A. Rabinowitz geadresseerd pakketje. Becky had soms het gevoel dat ze onder een radioactieve wolk woonde die zomaar kon openbreken en dan zijn gif over haar zou uitstorten, maar het grootste deel van de tijd was het heerlijk vredig, gezegend stil.

Andrew kwam uit Ava's kamer met de baby in zijn armen, nog in haar roze pyjama. 'Voel je je niet lekker?'

'Eh,' hijgde ze terwijl de volgende golf van misselijkheid door haar heen ging. 'Volgens mij ben ik ziek,' zei ze en ging weer liggen. Andrew voelde aan haar voorhoofd en de klieren in haar nek.

'Geen koorts, maar misschien is het buikgriep. Zal ik de dokter bellen?'

Natuurlijk, dacht Becky. En dan een preek krijgen over de vijf – nee, zeven – kilo die ze nog niet kwijt was sinds de geboorte van Ava? 'Het gaat wel,' zei ze. 'Hebben we ginger ale?'

Andrew liep met Ava naar de keuken en kwam vijf minuten later terug met ginger ale zonder koolzuur en een bord zoute crackertjes. Becky dronk en at. 'Dat helpt,' zei ze. 'Lekker. Weet je, volgens mij heb ik geen zoute crackertjes meer gegeten sinds...' Haar stem ebde weg. Ze staarde naar Andrew. 'O shit.'

Andrew had het lef tevreden te kijken terwijl hij met Ava de slaapkamer uit liep. 'Mopperkontje en ik gaan even een stukje wandelen,' zei hij.

'O shit,' herhaalde Becky.

'Loop nou niet op de zaken vooruit,' zei Andrew. Hij liep stralend met Ava de gang in. Becky hoorde hem zeggen: 'Wil je wel een broertje of zusje?'

O shit, dacht ze weer en trok de quilt over haar hoofd.

Een kwartier later waren Andrew en Ava terug met een zakje van de drogist.

'Wat heeft dat kind aan?' gromde Becky terwijl ze haar dochters ensemble van een rood-geel geblokte corduroybroek, een limoengroen rompertje, een roze trui en een blauwe muts in zich opnam. Andrew was een heerlijke, lieve man, maar hij was ook kleurenblind. Maar hij had haar tenminste niet de knalroze met nepbont afgewerkte legging met bijpassende muiltjes aangetrokken.

'Verander niet van onderwerp,' zei Andrew terwijl hij haar uit bed hielp en richting de badkamer duwde.

'Dit is belachelijk,' zei Becky. 'Ik heb griep of zo. Als ik zwanger was, zou ik dat toch wel weten?'

'Doe me een lol,' zei hij. 'Laten we nou geen conclusies trekken voor we iets weten.'

'Nee,' mompelde ze en liep de badkamer in, waar 'nee' een helderblauw 'ja' werd.

'Hoe kan dat nou?' vroeg ze vijf minuten later op eisende toon terwijl ze met de strip in de lucht zwaaide.

'Nou Becky,' zei Andrew met een zelfgenoegzame grijns op zijn gezicht en Ava in zijn armen, 'ik denk dat we wel weten hoe dat kan.'

'Maar ik geef nog borstvoeding! En ik heb een pessarium gebruikt!' Meestal tenminste, dacht ze terwijl ze terugdacht aan de zesentwintig nachten dat ze waren verbannen naar de slaapbank en ze niet altijd gemotiveerd genoeg was geweest om op haar tenen de trap op te lopen en te riskeren dat ze Mimi op de gang zou tegenkomen op weg naar de badkamer.

'Nou ja, niets is honderd procent veilig,' zei Andrew.

'Niet te geloven. Hoe moet ik dit doen? Hoe? Ik kan nauwelijks één kind aan en nu krijg ik een tweede? Met vijftien maanden ertussen?'

'Hoe bedoel je dat je nauwelijks één kind aankunt?' Andrew zag er – wat was hij toch een engel – oprecht verbaasd uit. 'Je doet het geweldig.'

'Je weet niet...' Becky liet zich op bed vallen en trok de quilt weer over haar hoofd. 'Ik heb een keer tegen haar geschreeuwd. We liepen op South Street. Ik moest naar Chef's Market, we hadden geen saffraan meer in het restaurant, en op Fourth and Pine begon ze zo hard ze kon te krijsen en hield niet meer op. En ik heb alles gedaan wat ik kon bedenken: ik heb haar opgetild, ik heb geprobeerd haar de borst te geven in een koffiebar, maar ze hield maar niet op en toen heb ik tegen haar geschreeuwd. Ik heb mijn gezicht in de wandelwagen gestoken en toen zei ik: "Wat wil je dan dat ik doe?" Iedereen op straat staarde ons aan.'

'Niemand staarde je aan.'

'Echt wel.' Becky draaide zich om en trok de quilt nog strakker om zich heen. 'En dan kan ik een tijd niet werken. Ik hou van Ava... Ik bedoel dat ik echt het grootste deel van de tijd gruwelijk veel van haar hou, als ze op straat niet schreeuwt, maar ik ben altijd zo blij als ik haar naar het kinderdagverblijf breng en naar mijn werk mag. Soms lijkt het net of ik voorwaardelijk vrij ben. Alsof ik Sisyphus ben en eindelijk die rots niet meer hoef te duwen.' Ze draaide een lok haar om een vinger. 'Ik ben een vreselijke moeder.'

'Ah-jah,' tsjilpte Ava alsof ze ermee instemde.

'Wat weet zij er nou van,' zei Andrew. 'Je bent geen vreselijke moeder.'

Ze zuchtte weer en haalde haar neus op. 'Ik ben gek op dat restaurant. Met twee kinderen lukt me dat nooit. Ik moet maar eens gaan vragen of Sarah me wil uitkopen.'

'Doe niet zo gek,' zei Andrew. 'Het is geen levenslang. We bedenken wel wat.'

Becky veegde met een mouw haar ogen af. 'Misschien is het wel lekker om het maar achter de rug te hebben,' zei ze. 'Dan duurt het nog... hoe lang? Nog twee of drie jaar luiers en borstvoeding en dan is het achter de rug. Klaar. Afgelopen.'

'Tenzij we er nog één krijgen.'

'Ik dacht het niet. Jij laat ze doorknippen.'

'Wat?'

'Doorknippen,' herhaalde ze. 'Ik ga niet riskeren dat dit nog een keer gebeurt.'

Hij zette Ava op bed en legde zijn hoofd tegen haar buik. 'Hallo daar,' fluisterde hij. Becky kreeg tranen in haar ogen. In plaats van zich opgewonden te voelen zoals toen ze ontdekten dat ze zwanger was van Ava, voelde ze zich nu verdrietig, verward en op de een of andere manier niet loyaal. Ava was de baby. Nu zou ze met vijftien maanden een grote zus zijn. Ze had gedacht dat ze jaren samen zouden hebben, met zijn drietjes, jaren waarin Ava het centrum van de wereld kon zijn, hun kleine ster. Nu zouden ze met zijn vieren zijn. En zij zou uitgeput zijn.

'Je hebt een geweldige grote zus,' zei Andrew, die met één hand over Becky's haar aaide en met zijn andere op haar buik klopte. Becky legde haar hand op zijn hoofd en streelde zijn haar. Hoe kon ze net zoveel van een andere baby houden als ze van Ava hield? Hoe kon ze het redden met nóg een kind? God, dacht ze. Ze zou een van die vrouwen met een tweelingwandelwagen zijn, ze zou als een sherpa rondlopen met rugzakken en luiertassen, schalen vol rice-crispies en haar zakken vol spenen, rammelaars en kortingsbonnen voor pampers.

'Je hebt een beeldschone moeder,' zei Andrew. Becky sloot haar ogen en voelde weer een golf van duizeligheid en misselijkheid over zich heen komen en nog erger: déjà vu. Dit hadden ze allemaal al gedaan. Andrew smeerde haar huid in met cacaoboter, zijn handen in langzame cirkels bewegend, en in haar negende maand had hij *Goodnight Moon* aan haar buik voorgelezen. Het was allemaal zo bijzonder geweest, zo nieuw. Hoe zou het deze keer voelen?

'Becky,' zei hij. Hij sloeg zijn armen om haar heen.

'Realiseer je je wel dat ik die afstotelijke zwangerschapskleding weer moet dragen?' vroeg ze. Ze leunde met haar voorhoofd tegen dat van hem. 'Beloof me alsjeblieft dat het goed komt,' zei ze. 'Beloof het.'

'Als we vinden dat dat nodig is, kunnen we een nanny nemen,' zei Andrew. 'Of we kunnen de schoonmaakster twee keer per week laten komen. Ik weet dat het niet ideaal is, maar we hebben eigenlijk geluk, als je er even over nadenkt.'

Geluk. Ze ademde het woord tegen de warme huid van zijn hals en wist dat dat waar was. Als er één les was die ze had geleerd van het nieuwe moederschap en haar vriendinnen, was het wel dat je ieder beetje voorspoed als geluk moest zien... En er was altijd, altijd iemand die het slechter had dan jij.

Kelly

DE DEURBEL GING VRIJDAGOCHTEND OM TIEN UUR, EEN UUR NAdat haar man was vertrokken, een halfuur sinds ze haar trainingsbroek en T-shirt had uitgetrokken en het perfect geperste pak dat ze de dag ervoor van de stomerij het huis had binnengesmokkeld, had aangedaan. Kelly trok haar schoenen met hoge hakken aan, legde een schoon spuugdoekje over haar schouder en legde Oliver, in zijn Oshkosh-overall en een rood-wit gestreept rompertje, ertegenaan. Toen controleerde ze haar lippenstift en deed de deur open.

'Hé, Kelly!'

Amy Mayhew was nog jonger dan ze aan de telefoon had geklonken. Maximaal vierentwintig, dacht Kelly. Ze droeg een rok op knielengte, een donkerblauw truitje en kniehoge laarzen met naaldhakken. De fotograaf was een beer van een vent van een jaar of vijftig in een lange broek met een honkbalpetje. Zijn handen voelden warm toen hij haar de hand schudde en Oliver onder zijn kin kriebelde. 'Wat een knappe vent!'

'Dank u,' zei ze en leidde hen naar binnen de bijna lege woonkamer in. Ze was om zes uur opgestaan om die schoon te maken. 'Willen jullie koffie?'

Amy en de fotograaf, die David heette, zeiden allebei dat ze dat graag wilden. Kelly zette Oliver – die was gevoerd, had geboerd, een schone luier had gekregen en die vijfenveertig minuten daarvoor zijn goed-gedrag-gegarandeerde-babypijnstiller had gekregen – in zijn babybouncer en ze liep de glanzende keuken in, neuriënd terwijl ze de koffie inschonk en de kopjes die Becky die ochtend was komen brengen op een dienblad zette. Er was een schaaltje suikerklontjes, een kannetje melk en een schaaltje halvemaanvormige koekjes met poedersuiker. Perfect, dacht Kelly, die met het dienblad de woonkamer in liep en genoot van hoe het zonlicht op de net gedweilde vloeren scheen en hoe de lucht nog een heel klein beetje naar de kaarsen met perengeur rook die ze de avond ervoor had aangestoken. Je kon nauwelijks zien hoe gruwelijk de gettobank was, onder de enorme crèmekleurige kasjmieren plaid die ze van Ayinde had geleend, en de kartonnen dozen met het antiek kanten tafelkleed vormden een perfecte plaatsvervanger voor de salontafel die Kelly nog niet in haar bezit had.

Ze ging op de bank zitten en keek glimlachend naar de journaliste. 'Zo,' zei ze. 'Wat kan ik over mijn leven vertellen?'

Amy Mayhews lach klonk bewonderend. Kelly vroeg zich af wat ze van dit gezellige huiselijke tafereeltje zou hebben gevonden toen ze zelf nog alleen was. 'Ik zal je wat achtergrondinformatie over mijn artikel geven. Het richt zich op een nieuwe generatie vrouwen: vrouwen die het schisma tussen de werkende vrouw en de thuisblijvende moeder weigeren te accepteren en die vernieuwende manieren hebben gevonden om een balans tussen gezin en carrière te vinden. Zullen we met je levensverhaal beginnen?'

Kelly vertelde glimlachend over haar broers en zussen, de stad waar ze was geboren, het jaar dat ze aan Penn was afgestudeerd en het risicokapitaalbedrijf waar ze consulente was geweest en waarvoor ze tweehonderd dagen van de twee jaar dat ze er had gewerkt, onderweg was geweest. Oliver hupte in zijn bouncer en schreeuwde zo nu en dan 'Brr!' terwijl Kelly hun vertelde over haar jeugd in Ocean City en hoe ze in haar eentje had aangezet tot een heuse woestijnrattenrage op school. Amy Mayhew lachte waarderend toen Kelly uitlegde hoe ze haar eigen woestijnrat mee naar de klas had genomen om hem te laten zien, te aaien en te knuffelen en dat ze toen ze de vraag ernaar flink had aangewakkerd, heel goedkoop bij de dierenwinkel meer woestijnratten had gekocht en die voor vijf dollar per stuk aan haar klasgenootjes had verkocht. En toen had ze het geluk gehad dat ze een zwangere woestijnrat had gekocht en toen had ze meer dan honderd dollar winst gemaakt, tot haar moeder had gezegd dat ze het zat was om met kooien vol ratten in een bontjas te wonen en dat Kelly haar knaagdierenfabriek moest sluiten.

Ze vertelde Amy hoe ze vanaf haar vijfde haar eigen verjaardagsfeesten en die van haar broers en zussen had georganiseerd; ze vertelde maar niet dat ze dat had gedaan omdat haar moeder te dronken of ongeïnteresseerd was geweest om zoiets te doen. Ze vertelde zo snel mogelijk haar familieverhaal en bleef wat langer stilstaan bij Maureen, die aan het promoveren was, en sloeg Doreen over, die net was ontslagen. 'En je ouders?' vroeg Amy.

'Mijn vader werkt op het postkantoor. Mijn moeder is overleden,' zei Kelly. De journaliste maakte meelevende geluiden en vroeg maar niet: 'Waaraan?' waardoor Kelly geen omslachtige manier hoefde te bedenken om 'levercirrose' te zeggen en niet hoefde te verhullen dat haar dood een opluchting was geweest.

'La la la, ga ga ga, pa pa pa,' zei Oliver, die met zijn knuffelbeer boven zijn hoofd stond te zwaaien.

'En papa?' vroeg de fotograaf glimlachend.

Ze leunde naar Oliver, glimlachte naar hem en voelde haar hart smelten toen hij teruglachte en de camera net op tijd klikte om het moment vast te leggen. 'Papa is op zakenreis!' zei ze monter. Papa was eerlijk gezegd naar Sam's Club gestuurd met een ellenlange boodschappenlijst, nadat Kelly haar schoonmaakwoede had uitgelegd door te zeggen dat haar vriendinnen kwamen lunchen, maar dat hoefden die mensen van *Power* niet te weten.

Oliver gorgelde en liet zijn tandvlees en zijn twee tanden zien. Hij reikte naar Kelly, en de camera klikte terwijl ze hem optilde. 'Geweldig,' mompelde David terwijl Kelly Oliver boven haar hoofd tilde. Toen klonk er ineens een onheilspellend gorgelend geluid. Oliver deed zijn mond open en er stroomde een waterig, roze overgeefsel naar buiten, dat over Kelly's pak droop en een plas op de vloer maakte.

'O mijn god!' zei Amy Mayhew, die zo snel naar achteren stapte dat ze bijna op – en door – de kartonnen dozen viel die zich voordeden als echte meubels.

'O jee,' zei Kelly, die de gillende Oliver tegen haar schouder legde. 'Ogenblikje. We zijn zo terug.'

Shit, dacht ze toen ze zich door de gang haastte. Dat moet de tylenol zijn geweest. Ze rende de babykamer in, rukte zijn kleertjes uit en keek verwilderd om zich heen, op zoek naar iets vervangends. 'Ja hoor, ik doe de babywas wel even,' riep Steve al drie dagen. Ze deed de wasdroger open. Die was leeg. Ze deed de wasmachine open en kreunde toen ze al Olivers kleertjes zag, allemaal doorweekt. Ze hield met één hand de huilende baby op het aankleedkussen vast en trok la na la open tot het tot haar razernij tot haar doordrong dat de enige schone kleding die Oliver had op dat moment zijn doopjurk en een stel pyjama's waren. Dan maar een pyjama, besloot ze terwijl ze de schoppende en schreeuwende Oliver een schone donkerblauwe pyjama aantrok.

'Gaat het wel goed daarbinnen?' schreeuwde Amy Mayhew boven het gegil van Oliver uit.

'Prima!' riep Kelly terug. Ze kleedde hem aan, vond een schoon dekentje, droeg Oliver naar de slaapkamer en legde hem op het dekentje op het bed. Ze trok haar doorweekte, kleverige pakje uit en zocht in de garderobekast, Steves ongebruikte pakken opzij schuivend tot ze een rok zag waarvan ze dacht dat ze hem zou passen. Oliver jammerde. Ze veegde met een luier zijn wangen en kin af en toetste met haar vrije hand een nummer op de telefoon in.

'Hallo, met Kelly Day. Ik bel over mijn zoon, Oliver...' Ze trapte haar schoenen uit en trok hard aan de rits van haar rok, die niet dicht wilde. Ze boog voorover om haar voorhoofd tegen Olivers buik te duwen zodat hij niet van het bed zou glijden. 'Ik heb hem ongeveer een uur geleden tylenol gegeven en nu heeft hij overgegeven...'

'Had hij koorts?' Godzijdank was het een andere verpleegster dan degene die had opgenomen toen Oliver uit zijn stoel was gevallen.

'Sorry?'

'De tylenol,' zei de verpleegster. 'Waarom hebt u hem die gegeven?'

'O, eh, hij krijgt tandjes...' Een leugen, maar wat moest ze dan zeggen? Ik geef mijn kind medicijnen zodat hij zich gedraagt tijdens een interview? Met deze actie en die van het ongeluk met de kinderstoel kon ze nu haar kansen om moeder van het jaar te worden wel vergeten. 'Weet u? Hij ziet er ineens weer prima uit. Ik ga proberen hem te voeden en dan bel ik nog wel.' Ze verbrak de verbinding voor de verpleegster iets kon zeggen en zocht verder in de kast. Haar favoriete truitje lag op de naar-de-stomerij-stapel en zat vol met hondenhaar. Haar op één na favoriete truitje zat nu zo strak dat ze als ze het droeg leek op een pin-up na een lang weekend aan een zoveel-je-kunt-eten-buffet. Ze voelde met haar rechterhand op de stoffige bovenste plank en vond eindelijk de Lord & Taylordoos die ze met kerst van Doreen had gekregen. Ze pakte hem van de plank en gooide hem op bed. De trui die erin zat, was lavendelkleurig. Diep uitgesneden. Pluizig angora. Maar hij was tenminste schoon. Ze trok hem over haar hoofd en rende met Oliver in haar armen terug naar de woonkamer.

'Sorry!' zei ze met een brede glimlach op haar gezicht. 'Alles is weer onder controle.'

De journaliste en fotograaf keken elkaar vragend aan. Toen er een pluisje angora in haar neus kwam, onderdrukte Kelly een nies.

'Hoe oud was de baby precies toen je weer ging werken?'

'Zestien weken,' loog ze. Dat was twaalf geweest, maar ze vond dat zestien beter klonk. 'En maar een paar dagen per week, in het begin zelfs maar een paar uur. Mijn manager heeft me geweldig de ruimte gegeven om het langzaam weer op te bouwen.' Nog een leugen. Ze was meteen weer volop begonnen en had zo'n beetje veertig uur werk in een twintigurige werkweek verzet om te voorkomen dat ze hun spaargeld zouden moeten aanspreken. En om haar een paar uur per week uit de buurt van haar echtgenoot te geven, die met zijn gulp open rondhing, weg van Oliver die al haar aandacht en allebei haar handen opeiste.

'En tijdens het werk heb je een nanny?'

'Mijn familie is een tijdje ingesprongen en nu past een vriendin van me op,' zei Kelly. 'Ik heb vreselijk veel geluk met haar.' Dat was tenminste wel echt waar, zolang je Steve als familie zag. En ze had geluk, vergeleken bij het grootste deel van de vrouwen in het land, die blij mochten zijn als ze zes weken vrij kregen na de bevalling en die hun baby naar een kinderdagverblijf moesten brengen of die maar moesten hopen dat er een redelijk en welwillend familielid was dat niet te ver weg woonde. Ze had geluk dat haar gezin nog verzekerd was (hoewel dat nog maar zes maanden het geval zou zijn; dan eindigde Steves overgangsregeling en bovendien was die verzekering onwaarschijnlijk duur, maar het was beter dan niets). Ze had geluk dat ze vriendinnen had die onmiddellijk klaarstonden om Oliver op te vangen als zich een noodgeval voordeed.

'En ik mag van mijn baas thuiswerken, dus ik ben bijna altijd in de buurt,' sloot ze af terwijl ze Oliver behendig omdraaide zodat hij zijn nieuwste kunstje niet kon uitvoeren: de boord van wat ze op dat moment droeg, grijpen om zichzelf aan op te trekken en in het proces haar hele truitje naar beneden rukken. Dat was leugen nummer drie, maar ze kon toch moeilijk vertellen dat ze de hele dag met haar laptop in een koffiebar zat omdat haar man haar kantoor had overgenomen, dat hij schijnbaar nodig had om zijn steeds groter wordende aantal fantasiefootball- en honkbalteams te managen.

'Hoe hebben je cliënten gereageerd?' vroeg Amy. 'Vinden die het vervelend dat je geen acht uur per dag beschikbaar bent?'

'Ik merk dat ik net zo veel contact met iedereen heb als toen ik nog op kantoor werkte. Ik heb natuurlijk een mobieltje en voor noodgevallen heb ik een pieper bij me.'

'Maar als er iets gebeurt en je vriendin is er niet? Wat doe je dan met...' Amy keek snel in haar aantekeningen. 'Oliver?'

Kelly beet op haar onderlip. In dat geval gaf ze de baby aan Steve, met een stapel kartonnen boekjes en speelgoed. 'Dan ga ik met hem wandelen!' zei ze triomfantelijk. 'Hij is altijd tevreden als hij in zijn wandelwagen zit en dan praat ik in mijn headset, zodat ik mijn handen vrij heb voor de wagen...'

Amy keek haar sceptisch aan. 'Maar als je nou een document moet bekijken? Of een memo of zo? Is dat niet moeilijk als je niet achter je computer zit?'

'Nou, als ik echt iets nodig heb, kan ik dat uitprinten en ernaar verwijzen tijdens het wandelen...' Ja hoor. Natuurlijk. Ze stelde zichzelf op Walnut Street voor, Oliver in zijn wagen, mobieltje tegen haar oor, in een poging een verfrommelde print te lezen die ze tegen de handvatten van de wandelwagen hield. 'Of als we in het park zitten. Of ik wacht tot hij een dutje doet, of... Nou, ik heb andere vriendinnen die ook moeder zijn en we helpen elkaar als er een crisis is. Hij kan altijd wel naar één van hen. Als er echt een noodgeval zou zijn.' Zo. Dat klonk leuk. Zelfs gezellig. Knus en vrouwelijk, als die lieve jonge moeders die zelfgebakken taart en koffie over het hek heen uitwisselen. Ze veegde heimelijk haar hand aan haar rok af terwijl ze de camera hoorde klikken. Haar hart bonsde. Als doen alsof je alles hebt zo moeilijk was, moest het echt allemaal hebben onmogelijk zijn. 'En veel van de evenementen die ik organiseer, zijn 's avonds, als Oliver slaapt en mijn man thuis is, dus dat gaat heel goed.'

'Ik vind het verbijsterend,' zei Amy. 'Het idee dat je voor iemand anders moet zorgen... Ik kan meestal niet eens voor mezelf zorgen!'

Je hebt geen idee, zus, dacht Kelly. 'Geniet er maar van,' zei ze. 'Je zult snel genoeg in mijn situatie zitten.'

Amy Mayhew glimlachte, maar Kelly zag dat ze haar niet echt geloofde. Of misschien dacht ze dat de wereld zou zijn veranderd tegen de tijd dat zij er klaar voor was zich voort te planten, dat de wetenschap en maatschappij een of andere perfecte oplossing zouden hebben bedacht, waarin baby's en werk in perfecte harmonie naast elkaar bestonden.

'Vertel eens over een typische dag in je leven,' zei Amy.

'Nou, ik sta op een uur of zes op...' begon Kelly en nam haar ochtend door. Ze vertelde niet over de ongelukkige golden retriever die ze iedere morgen over de stoep moest sleuren.

David begon dozen met apparatuur uit te pakken en regelde het licht in een hoek van de kamer. 'Is je leven zoals je je dat had voorgesteld?' vroeg Amy. 'Toen je nog studeerde? Is dit hoe je je voorstelde dat het eruit zou zien?'

'Eh. Nou. Hmm.' Kelly probeerde zich te herinneren wat ze zich precies had voorgesteld. Een echtgenoot die minstens zo veel geld verdiende als zij, om te beginnen. Ze had zich een paar jaar met veertienurige werkdagen voorgesteld, reizen, nachten doorhalen, weekends werken, wat er maar nodig was om voet aan de grond te krijgen. Ze had zich natuurlijk haar bruiloft voorgesteld en dan een appartement precies zoals dat waar ze nu woonde, maar dan met meer meubels, een perfect ingerichte babykamer met een perfecte, stille baby die in het midden van een perfect wiegje lag. Ze had zichzelf voorgesteld achter een wandelwagen, met glanzend haar, gelakte nagels, in dezelfde maat spijkerbroek die ze op de middelbare school had gedragen, al de dingen doend waar ze geen tijd voor had toen ze werkte: rustig een latte drinken, lekker neuzen in boekwinkels en boetiekjes, met vriendinnen lunchen, wanneer de baby als een engeltje in zijn wandelwagen zou liggen of misschien bij haar op schoot zou zitten zodat haar vriendinnen hem konden bewonderen. Ze had zichzelf in de keuken zien staan, uitgebreide dineetjes voorbereidend terwijl de baby sliep. Ze had gedroomd over een slaapkamer met kaarslicht, een man met wie ze nog naar bed zou willen en heerlijke, creatieve seks. Ze had zich al de valkuilen van het moederschap voorgesteld, de stootkussens en lakentjes, de wandelwagen die ze zou duwen, maar ze had zich geen voorstelling van de realiteit gemaakt. Niet van de realiteit van een baby die in haar fantasie niet veel meer had geleken dan een chic accessoire, het hipste dat je dit seizoen moest hebben. Niet de realiteit van een echtgenoot die niet was wie ze dacht dat hij was toen ze hem eeuwige trouw beloofde.

'Kelly?'

Ik heb me vergist, dacht ze. Ik heb me vreselijk vergist. 'Het is veel moeilijker,' zei ze. Haar stem klonk toonloos. Amy Mayhew staarde haar aan. Kelly schraapte haar keel en trok nog een pluisje lavendelkleurige wol van haar trui. 'Het is vreselijk veel moeilijker dan ik ooit had gedacht.' Ze schraapte weer haar keel. 'Het probleem is dat zelfs als je parttime werkt, je bazin verwacht dat je het werk voor een hele week verricht, hoe begrijpend ze ook is. Zo gaat het gewoon in de zakelijke wereld: dingen moeten gebeuren, of je nou een kind hebt of niet. En als je zoals ik bent – als je een vrouw bent die het altijd goed op school heeft gedaan en die het altijd goed op haar werk heeft gedaan – dan wil je je baas niet teleurstellen. En dan wil je je kind goed opvoeden.' Ze rolde haar mouwen op. 'Het is niet zoals je denkt dat het zal zijn.'

Amy Mayhew keek professioneel meelevend. 'In wat voor opzicht is het anders?'

'Baby's hebben je nodig. Ze hebben je constant nodig, behalve wanneer ze liggen te slapen. Als je geluk hebt, doen ze af en toe maximaal een uur een dutje en dan moet je beslissen wat je met die tijd doet. Wil je werken? Telefoontjes beantwoorden? De afwasmachine uitruimen? Douchen? Borstvoeding kolven voor wanneer je niet thuis bent? Meestal doe je uiteindelijk vijf dingen tegelijk.'

'Multitasking,' zei Amy Mayhew en knikte.

'Ja. Multitasking,' zei ze. 'Dus bel je je klanten terug terwijl je aan de kolfmachine zit vastgekoppeld, maar dan kun je geen aantekeningen maken omdat je met één hand de telefoon vasthoudt en met je andere probeert beide cups op zijn plaats te houden. Of je zit met je baby op schoot en leest hem evenementenvoorstellen voor op dezelfde toon waarmee je eerder *One Fish, Two Fish, Red Fish, Blue Fish* hebt voorgelezen en dan hoop je maar dat hij het verschil niet merkt. En je eet vreselijk veel afhaaleten. En je slaapt nauwelijks.'

Kelly was even stil om adem te halen. Ze was niet blij met Amy Mayhews gezichtsuitdrukking, die op medelijden begon te lijken.

'En je man?' vroeg Amy Mayhew. 'Helpt die mee?'

Het woord 'man' zorgde dat Kelly ineens weer in de werkelijkheid was... of in ieder geval in de valse realiteit waar ze probeerde de niets vermoedende lezers van *Power* mee te overtuigen.

'Nou, die heeft het erg druk,' zei ze. 'Hij reist...'

'Mag ik deze hier even ophangen? Zodat we er geen last van hebben als we fotograferen?' De fotograaf hield zijn jas omhoog en gebaarde naar de kast waar Kelly alle rotzooi van de afgelopen zes maanden in had gepropt: kranten, tijdschriften, een halflege doos luiers die Oliver niet meer paste, Steves golfclubs, de sandalen die ze al maanden niet had aangehad, Lemons eten en kluifjes, een vuilniszak vol babykleertjes, een schoenendoos vol foto's die ze nog moest uitzoeken, bibliotheekboeken, een zielig uitziende, halfleeggelopen EEN JONGEN!-ballon...

'Wacht!' Kelly zag hem in slowmotion naar de deurklink reiken. Ze zette Oliver op de grond en stond op, maar ze was niet snel genoeg. Er klonk een laag gerommel terwijl de deur openging en toen stortte in een fractie van een seconde haar hele leven als een lawine op haar pas gestofzuigde vloer.

'Oeps,' zei de fotograaf terwijl de lawine verder raasde (een disk voor een halfjaar gratis AOL, een stapeltje onbetaalde rekeningen met een elastiekje erom, een kapotte zonnebril, een exemplaar van Ferbers *Solve Your Child's Sleep Problems*, van Sears' *The No-cry Sleep Solution* en Mindells *Sleeping Through the Night*). 'O man, dat spijt me,' zei David.

'Dat maakt niet uit! Geen probleem!' Kelly begon dingen in de kast terug te schuiven, maar hoe meer ze duwde, hoe meer er uit de kwast kwam tuimelen: twee exemplaren van dezelfde kindermusical, drie van *Where the Wild Things Are*, de onwaarschijnlijk lelijke zelfgebreide Afghaanse deken die ze van Mary had gekregen en maar niet weg kon gooien of geven, een doos zoogcompressen, een blik poedermelk. Ze boog voorover, moeizaam ademend, duwend met haar voeten en scheppend met haar armen. Het had geen enkele zin. Voor ieder ding dat ze terug op de plank kon zetten of op de vloer van de kast kon schuiven, lagen er nog drie te wachten die op dezelfde plek moesten. En ze beeldde zich een hard klikkend geluid in, alsof dit hele gebeuren – inclusief voorover gebogen kont, ingesnoerd, min of meer, in een rok met een open rits – werd vastgelegd voor het nageslacht. Uiteindelijk ging ze rechtop staan en blies strengen haar uit haar bezwete gezicht. 'Laat het allemaal maar zitten.'

Het maakt niet uit, zei ze tegen zichzelf toen ze wegliep van de puinhoop van de afgelopen zes maanden van haar leven. 'Het maakt niet uit,' zei ze hardop en dacht aan haar vriendinnen. Een dode baby, een zieke baby, een man die vreemdging, dat maakte allemaal uit. Een rommelige kast en een ongemotiveerde wederhelft? Dat maakte niet uit.

Toen begon Oliver weer te huilen, Lemon stond te blaffen en de voordeur ging open. Steve kwam binnen, gekleed in een T-shirt met lange mouwen, stoppels op zijn kin, haar dat over zijn kraagje hing, een vragende blik op zijn gezicht en zijn armen vol afgeprijsde luiers.

'Kelly?'

Nee. O nee.

'Dan ben jij zeker Steve!' zei Amy Mayhew opgewekt.

Hij knikte en staarde naar het tweetal. 'En waar is jullie kind?' vroeg hij.

Amy lachte afwijzend. 'O nee, nee, nee, voor mij geen baby!'

Steve keek Kelly met gefronste wenkbrauwen aan. 'Wat is er aan de hand?'

Leugen, leugen, bedenk een leugen. 'Jij bent snel terug!'

'Ja, Sam's Club had nog niet de helft van wat je nodig had, dus het leek me leuk om naar huis te komen en iedereen even dag te zeggen.'

'We dachten dat je de stad uit was!' zei Amy.

'Hè?' zei Steve. Hij keek naar zijn vrouw. Kelly slikte moeizaam.

'Dit zijn Amy Mayhew en David Winters. Ze zijn van *Power*.'

Steve staarde hen met een gefronst voorhoofd aan.

'Ze zijn hier om met me te praten,' zei Kelly.

'Waarover?' vroeg hij.

Ze zette haar beste lievemeisjesglimlach op en bad met heel haar hart. Dek me, dacht ze. Als je ooit van me hebt gehouden, dek me dan. 'Werk en gezin,' zei ze. 'Als je alles hebt.'

'O,' zei hij en herhaalde haar langzaam: 'Als je alles hebt.'

'Dat heb ik je toch verteld?' zei ze en voelde zich wanhopig. 'Ik weet zeker dat ik het heb verteld. Je bent het vast vergeten. Hij heeft het zo druk,' legde ze aan Amy en David uit.

'Dat zal best,' zei Amy Mayhew. 'Als consulent moet je hard werken.'

Steve staarde zijn vrouw aan. Consulent? hoorde ze hem bijna denken. Alsjeblieft, smeekte ze hem telepathisch. Ga alsjeblieft gewoon weg.

'Ik ben op kantoor,' zei hij. Hij draaide zich om, stapte over de rotzooi uit de kast alsof hij die niet eens zag en stampte de kamer uit.

'Steve, wacht!' Haar vingertoppen raakten net zijn mouw toen hij langs haar liep. 'Ogenblikje,' zei Kelly tegen David en Amy en toen rende ze de gang in, legde Oliver in zijn wieg en rende naar de slaapkamer. Steve stond voor de kast. Er lag al een open koffer op het bed.

'Wat doe je?'

'O, nou, ik heb geen idee. Volgens mij ben ik consulent. Als je dat tegenwoordig aan de mensen vertelt,' zei hij.

'Wat moest ik dan zeggen?' snauwde ze. 'Dat je werkloos bent? Hoe denk je dat dat er op papier zou hebben uitgezien?'

'Weet je wat? Dat kan me niet schelen. Jij bent degene die dat allemaal zo belangrijk vindt,' zei hij en pakte shirts en spijkerbroeken van waar hij die op de vloer had achtergelaten.

'Steve...'

Hij keek haar razend aan, liep toen naar de ladekast en greep er handen vol onderbroeken en shirts uit, die Kelly net van de vloer had opgeraapt of onder de lakens vandaan had gevist, die ze waste, droogde, vouwde en teruglegde in de laden. 'Wat denkt hij?' herinnerde ze zich dat Becky had gevraagd. 'Dat er iedere nacht een onderbroekenelfje komt dat zijn ondergoed opruimt?'

'Weet je wat? Ga dan maar weg,' zei ze. 'Bel me maar als je een nieuw nummer hebt. Of nog beter: bel me maar als je een nieuwe baan hebt. Ik zal tot die tijd maar niet mijn adem inhouden.'

'Ga jij maar gauw terug naar je interview,' zei hij en greep nog meer kleren van de vloer. 'Waarom vertel je niet gewoon dat je een alleenstaande moeder bent?'

'Dat zou ik net zo goed kunnen zijn!' schreeuwde ze en duwde zich tussen hem en het bed in. 'Met al die hulp die ik van jou krijg, zou ik net zo goed een alleenstaande moeder kunnen zijn! Denk je dat ik het leuk vond om twaalf weken na de bevalling weer aan het werk te gaan?'

'Voor de honderdste keer, Kelly, dat hoefde helemaal niet. Je ging weer aan het werk omdat je dat wilde. En als je me zou toestaan te helpen...'

'Als ik je laat helpen, laat je Oliver vallen!' schreeuwde ze. 'Als ik je laat helpen, zeg je tegen me dat hij een droge luier heeft terwijl die nat is en dan zeg je tegen me dat hij niet hoeft te boeren als dat wel zo is en ik moest trouwens wel werken!'

'Nee,' zei hij op een gekmakend zingend toontje, alsof hij het tegen een achterlijk kind had. 'Nee, dat hoefde je niet.'

'Dat heb ik gedaan omdat ik niet al ons spaargeld wilde opmaken!' schreeuwde ze. 'Omdat ik, in tegenstelling tot jou, moeite heb met de hele dag op mijn reet zitten! Weet je,' zei ze, 'was ik maar een alleenstaande moeder! Die hoeft tenminste niet iedere avond de vuile vaat en de lege bierblikjes van haar man op te ruimen. Die hoeft niet van iedereen de was te doen, of van iedereen de rommel op te ruimen, of steeds de wc-bril naar beneden te doen omdat haar echtgenoot niet de moeite doet daaraan te denken...'

'Niet zo schreeuwen,' snauwde hij.

'...omdat die het te druk heeft met televisiekijken!'

Hij trok wit weg alsof ze hem had geslagen.

'O ja, daar weet ik alles van. Denk je dat het me niet opvalt als ineens iedere aflevering van *As the World Turns* wordt opgenomen?'

'Dat doe ik niet!' schreeuwde hij. 'Ik heb het één keer gekeken en sindsdien neemt dat stomme apparaat iedere aflevering op!'

'Ja hoor,' zei Kelly. 'Ik zit te werken, ik doe alle boodschappen, ik doe de was, ik kook het eten, ik maak het huis schoon, ik doe alles...'

'Niet omdat dat moest.'

Ze negeerde hem. 'Ik voed onze zoon in mijn eentje op behalve die tien minuten per dag dat jij even niet zit te internetten en hem een boekje voorleest, en ik... IK... DOE... ALLES! En ik ben moe!' Ze trok hard aan de onderkant van haar truitje, dat omhoog kroop over haar middenrif. 'Ik ben zo moe.'

'Neem dan even pauze!' schreeuwde hij. 'Neem even pauze! Ga even slapen! Zeg je baan op! Of niet!' Hij gooide zijn handen in de lucht. 'Als je het allemaal wilt doen, ga je je gang maar.'

'Ik kan geen pauze nemen,' zei ze en begon te huilen. 'Je begrijpt het niet. Dat kan niet. Want wat dan? Wat als je nooit meer gaat werken? Wat gebeurt er als we geen geld meer hebben? Wat gebeurt er dan met ons?'

'Kelly...' Hij staarde haar aan, zijn gezichtsuitdrukking ergens tussen verward en... wat was dat voor blik? Ze wist het meteen. Het was diezelfde blik waarmee Scott Schiff, haar ex-vriendje, haar had aangekeken toen ze haar oprit in Ocean City in reden. Medelijden. 'Er gebeurt niets met ons.' Hij reikte naar haar, trok haar tegen zich aan en ze liet zichzelf tegen hem aan leunen, ze liet zichzelf haar ogen sluiten. 'Waar heb je het over? We hebben genoeg geld. Ik heb je al een miljoen keer gezegd...'

'Niet genoeg,' zei ze en veegde haar gezicht af. 'Het is nooit genoeg.'

'Jawel hoor.'

'Je begrijpt het niet.' Ze duwde hem weg en veegde haar gezicht af met een van de T-shirts die op het bed lagen. 'Je begrijpt niets van me.'

'Sta dat dan toe.' Hij reikte zijn armen naar haar uit, met zijn handen open. 'Vertel het me. Praat met me.'

Ze schudde haar hoofd. Op de middelbare school hadden alle acht de kinderen van O'Hara gratis uniformen en lunches gekregen. Maar om die gratis lunch te krijgen moest je de dame van de cafetaria een geel bonnetje geven in plaats van het rode dat de betalende kinderen kregen. Op haar eerste dag in de derde had Mary haar gele kaartje gepakt, had het verscheurd en had een blikje cola light in haar handen geduwd. 'Drink dit maar,' had Mary tegen haar gezegd. 'We hoeven geen liefdadigheid.' Ze had jaren volgens die code geleefd, had haar eigen leven geleid en voor haar eigen leven betaald. We hoeven geen liefdadigheid... En nu was ze getrouwd met een man die een werkloosheidsuitkering kreeg, die de hele dag op de bank hing en die voorstelde van hun spaargeld te leven.

'Ik heb me vergist,' fluisterde ze en veegde haar ogen weer af. 'Ik heb me vergist in jou.'

'Nee,' zei hij en schudde zijn hoofd. 'Nee, Kelly, je hebt je niet vergist...'

'Ik heb me vergist,' zei ze nog een keer. 'Ga alsjeblieft weg.' Ze veegde haar ogen weer af en liep de slaapkamer uit, terug naar haar perfecte woonkamer en de perfecte kinderkamer waar haar perfecte kind wachtte, terug naar het leven dat er bijna helemaal zo uitzag als ze het zich had voorgesteld maar dat helemaal niet voelde zoals ze zich had voorgesteld.

Ze liep met Oliver naar de woonkamer. Amy en David zaten op de bank, hun gezichten zo zorgvuldig uitdrukkingsloos dat ze niet kon zien – en het kon haar ook niet schelen – of ze ieder woord hadden gehoord of helemaal niets.

Februari

Lia

SAM HAD GEZEGD DAT IK HEM NIET VAN HET VLIEGVELD HOEFDE TE halen. 'Doe geen moeite. Ik neem wel een taxi.'

'Nee,' zei ik en voelde een snik in mijn keel toen ik zijn vertrouwde, enigszins Texaanse accent hoorde. Het enige wat ik wilde, was de telefoon tegen mijn oor duwen en voor altijd naar hem luisteren. Maar ik wilde een gebaar maken, hem een teken geven. Ik wilde er zijn als hij naar Philadelphia kwam. Ik liep naar het station op Thirteenth Street en nam een trein naar het vliegveld, een uur te vroeg. Ik liep heen en weer voor het bagageophaalpunt en dacht weemoedig terug aan de dagen voor elf september, toen je gewoon naar het hek kon lopen om iemand van wie je hield te begroeten.

De tijd kroop voorbij. Ik keek naar de mensen die voorbijliepen, oude vrouwen in rolstoelen, studenten met rugzakken, afgematte gezinnen met metalen karren die uitpuilden van de koffers. Er liep een gezin langs me heen met een tweeling in een wandelwagen en een baby, pasgeboren, tegen zijn vaders borst. Toen de moeder me zag staren, glimlachte ik naar haar. 'Goede reis,' zei ik. Ik zag de donkere kringen onder haar ogen, de manier waarop haar haar snel in een paardenstaart was getrokken, hoe ze bewoog alsof haar botten pijn deden. Dat weet ik nog, dacht ik.

'Ik zal mijn best doen,' zei ze. En toen waren ze weg; ik voelde een tikje op mijn schouder en daar stond Sam.

'Hé.' Toen ik zijn stem hoorde, voelden mijn bloed en huid warmer, alsof ik het koud had gehad en het me niet was opgevallen en er eindelijk iemand was die me een trui aanbood.

'Sam!'

'Ssh,' zei hij met een scheve glimlach. 'We willen geen rel ontketenen.' Hij fluisterde. Hij bekeek me op armlengte afstand. 'Dus daar ben je.'

'Daar ben ik.'

En daar was hij, langer dan ik me hem herinnerde, met brede schouders in zijn fleecejack, een gebreide muts laag over zijn voorhoofd, het stervormige litteken midden op zijn kin van toen hij op zijn vijfde van zijn fiets was gevallen. Ik keek naar zijn voorhoofd, waar de dakloze vrouw een appel tegenaan had gegooid, en keek toen naar zijn handen, die hadden geholpen onze zoon uit mijn lichaam te halen. 'Gefeliciteerd, pa,' hadden de verpleegsters gezegd en Sam had zich voorover gebogen om mijn voorhoofd te kussen; hij had zijn lippen tegen me aan geduwd zonder een woord te zeggen.

Ik voelde mijn benen trillen toen hij een lok van mijn haar pakte en die bestudeerde in het felle vliegveldlicht.

'Je haar zit anders.'

Ik haalde mijn schouders op. 'Ja, dat is min of meer vanzelf anders geworden. Dat gebeurt als je je highlights niet bijhoudt.'

'Bedoel je...' Hij legde zijn hand op zijn hart. 'Dat je niet van jezelf blond bent?'

Ik voelde dat ik bloosde. Bloosde over zoiets onbenulligs. En over alle andere dingen die ik tegen hem had gezegd en die niet waar waren. 'Sorry dat ik je teleurstel.'

'Ik kom er wel overheen. Uiteindelijk. Het staat je goed.' Hij haalde zijn schouders op en gooide zijn tas over zijn schouder. 'Er zijn in Hollywood al genoeg blondines.'

'Ik...' Mijn handen en knieën beefden. Ik wilde hem een miljoen dingen vragen. Hoe is het met je? Vergeef je me? Begrijp je waarom ik ben weggegaan, waarom dat moest? En natuurlijk: wil je me terug? Maar het enige wat ik kon zeggen, was: 'We kunnen met de trein naar het centrum.'

'Nee. We rijden in stijl. Ik heb een auto gereserveerd.'

'Echt?' Ik wilde mijn arm door de zijne haken, hem omhelzen of zijn hand vasthouden, maar ik twijfelde of ik het recht had om dat al te doen en of ik dat ooit weer zou kunnen doen. Ik zag er misschien anders uit, maar voor mij zag Sam eruit als altijd, gebruind, sterk en zelfverzekerd. 'Wat leuk.'

'Je hoeft mij niet te bedanken, bedank de zender maar. Ik heb gezegd dat ik even naar het plaatselijke kantoor ga om mijn gezicht te laten zien en toen wilden ze ineens heel graag de reis betalen. Vliegtuig, auto met chauffeur, hotelkamer in...' Hij was even stil om een mapje met kaartjes uit zijn achterzak te pakken en een papiertje te lezen dat erin zat. 'Het Rittenhouse Hotel. Weet je waar dat is?'

Ik haalde diep adem. 'Daar woon ik vlakbij.'

'Ah,' zei hij. Dat was alles wat hij zei. Ik keek naar zijn vertrouwde gezicht en probeerde ervan af te lezen hoe hij zich voelde. Boos, dacht ik, en ik voelde de moed me in de schoenen zinken. God, hij moest zo razend op me zijn. Om in minder dan een maand je zoon en je vrouw te verliezen...

'Het spijt me,' zei ik en ik realiseerde me precies hoe ontoereikend die woorden waren.

Hij haalde zijn schouders een beetje op. Zijn ogen stonden ondoorzichtig, onleesbaar.

'Wil je...' begon ik. Toen stopte ik met praten. Ik vroeg me af waar hij woonde, of hij was verhuisd of in het huis was blijven wonen waar Caleb had gewoond, aan dezelfde gang waar hij was gestorven. Ik voelde hoe mijn hart pijn deed voor hem. Voor mijn zoon. Voor ons allemaal.

De chauffeur, met een pet en een donkere jas, had een bord in zijn handen met de woorden JAMES KIRK. Sam hield het portier voor me open en gleed toen naast me. De chauffeur trok op.

'Leuk alias,' zei ik.

Hij knikte. 'Wat wilde je me vragen?'

Er waren heel veel dingen die ik wilde vragen – wil je bij me blijven stond bovenaan mijn lijstje – maar wat er uit mijn mond kwam, was: 'Hou je nog van me?'

'O,' zei hij. En toen nam hij me in zijn armen, dicht tegen zich aan en werd ik bevangen door de geur van zijn zeep en zijn huid, en kon ik zijn hart horen kloppen. 'O, Lia.' Ik reikte naar zijn handen, ik wilde ze vasthouden... en ik wilde een vraag beantwoorden. Hij droeg zijn trouwring nog. Ik voelde hem tegen mijn vingertoppen. Dat was tenminste iets. Dat was er tenminste.

'Je bent de moeder van Caleb,' zei hij. 'Daarom zal ik altijd van je houden.' Hij streelde over mijn hoofd. 'En dat nieuwe haar spreekt ook in je voordeel.'

Ik kuste zijn wangen, zijn lippen, zijn voorhoofd, zijn haar onder zijn muts. Hij hield me stevig vast.

'Dus je verdwijnt negen maanden, wijst dan met je vinger en zorgt dan dat ik naar je toe kom rennen?' mompelde hij in mijn haar. 'Is dit een radicale versie van een man laten werken om je te krijgen?'

Er kwamen woorden in mijn mond, maar die hield ik daar. Ik kroop bij hem op schoot en kuste hem.

Hij nam een beetje afstand van me om naar me te kijken. 'Dus je hebt me wel een beetje gemist?' Zijn stem klonk ademloos, hij hijgde bijna en ik voelde hoe hij beefde terwijl hij me vasthield. We hadden sinds de dood van Caleb niet meer gevreeën. We hadden het een keer geprobeerd, op een nacht toen we allebei niet konden slapen, maar we waren allebei in tranen uitgebarsten en waren onze goede bedoelingen kwijtgeraakt.

'Ik heb je vreselijk gemist,' zei ik voor ik mijn hoofd naar hem toe boog om hem weer te kussen. 'Heel erg veel.'

Hij drukte op een knopje en er schoof een geblindeerde glasplaat omhoog tussen ons en de chauffeur. 'We willen geen rel ontketenen,' zei hij en friemelde aan mijn jas, mijn trui, mijn sjaal. 'Wat een kleren. Jemig. Die jongens aan de oostkust moeten het vreselijk hebben.'

'Geen jongens aan de oostkust,' fluisterde ik. 'Alleen jij.' Ik leunde achterover en trok met één behendige beweging mijn jas en trui over mijn hoofd. Ik voelde hoe mijn hart tekeerging toen hij naar me keek.

'Heel behulpzaam,' zei hij. 'Wacht, laat mij...' Hij knoopte zijn eigen overhemd los. Zijn vingers beefden. Zijn huid gloeide. 'Kom eens hier,' zei hij en trok me tegen zich aan. 'Ik wil je voelen.'

Ik ging van zijn schoot en duwde mijn spijkerbroek en slipje naar mijn knieën. Ik snakte naar adem toen ik zijn vingers tegen me aan voelde. Ik wilde iets zeggen over hoe ik op hem had gewacht, hoe ik aan hem had gedacht, dat er niemand anders was geweest, maar toen trok hij me in zijn armen en hield me vast alsof ik niets woog tot we in elkaar pasten als de stukjes van een puzzel. We bewogen samen, eerst langzaam, toen sneller en sneller...

'Meneer?' klonk de stem van de chauffeur door de intercom. Ik keek uit het raam en zag de bomen, winkels en stoepen.

'We zijn er,' fluisterde ik.

'Rij maar door!' hijgde Sam. Ik kon me niet inhouden. Ik begon te lachen. 'Gewoon... doorrijden!'

De auto stopte. Toen klikte de richtingaanwijzer en reden we weer. Ik bewoog boven op hem op en neer, mijn handen grepen zijn schouders, ik keek in zijn ogen, we bewogen eerst langzaam, toen sneller, terwijl onze adem de ruiten deed beslaan. 'O,' zei Sam. Zijn oogleden trilden. 'O.'

Op het laatste moment, de laatste seconde dat we genoeg adem en controle hadden om het te vragen, hoorde ik hem de vraag in mijn oor fluisteren. 'Is het veilig?'

Ik kon tegen hem zeggen dat niets veilig was en dat hoe voorzichtig je ook was en hoe hard je ook je best deed, er toch ongelukken gebeurden, er toch verborgen valkuilen waren. Je kon omkomen tijdens een vliegtuigongeluk of als je de straat overstak. Je huwelijk kon instorten als je even niet keek; je man kon worden ontslagen; je baby kon ziek worden of doodgaan. Ik kon zeggen dat niets veilig is, dat de wereld er aan de oppervlakte mooi en gezond uitziet, maar dat er onder die oppervlakte alleen maar scheurlijnen en aardbevingen liggen te wachten. In plaats daarvan fluisterde ik alleen maar 'ja' in zijn oor. Een minuut later kreunde hij een woord dat ik niet verstond. En toen was het helemaal stil, op het geluid van onze ademhaling na.

Ayinde

DRIE WEKEN NADAT AYINDE EN RICHARD MET JULIAN WAREN THUISgekomen van de cardioloog, klopte Clara op Ayindes slaapkamerdeur. 'Er is bezoek voor je,' zei ze.

Ayinde keek haar nieuwsgierig aan. 'Wie?'

Clara haalde haar schouders op. Toen tekenden haar handen een buik in de lucht. '*Embarazo*,' zei ze.

Zwanger. Ayinde voelde hoe de haartjes in haar nek overeind gingen staan. Ze tilde Julian op en liep achter Clara aan de trap af.

De vrouw stond in de deuropening met een rozewitte wikkeljurk die veel te dun was voor de winter in Philadelphia. Haar bleke benen zaten vol dikke, blauwe aderen, ze droeg hoge hakken en er hing een duur roze tasje aan een pols. Blond haar uit het gezicht gekamd, dat Ayinde van de roddelbladen herkende. Geen winterjas, want die had je in Phoenix niet nodig.

Ayindes adem stroomde uit haar alsof ze een lekke band was. 'Clara, neem jij Julian even mee,' zei ze en gaf haar zoon aan haar terwijl de vrouw – het meisje, eigenlijk, zag Ayinde – trillend in de deuropening stond.

'Wat kom je doen?' vroeg Ayinde, die het meisje van top tot teen bestudeerde, zag hoe ongemakkelijk ze zich in de kou voelde en zich realiseerde dat het haar niets kon schelen. 'Richard is er niet.'

'Dat weet ik.' Tiffany's stem klonk zacht en beefde, ze sprak met langgerekte klinkers. Haar kleding, kapsel en make-up waren te oud voor haar, maar haar stem klonk alsof ze twaalf was. 'Ik kom voor u. Ayinde.' Ze sprak de naam zorgvuldig uit, alsof ze had ge-oe-fend.

'Waarom?'

Ze sloeg haar armen om zichzelf heen en duwde haar kin tegen haar borst. 'Ik kom zeggen dat ik spijt heb van wat ik heb gedaan.'

Ayinde knipperde met haar ogen. Waar ze zichzelf ook op had voorbereid – een of andere ranzige biecht, een smeekbede om meer geld – dit zat er niet bij.

'Het spijt me,' zei het meisje nogmaals.

'Hoe ben je hier gekomen?'

'Die avond dat ik Richard heb ontmoet...' Aardig gebracht, dacht Ayinde. 'Hij viel in slaap en toen heb ik zijn mobieltje gepakt. Ik heb zijn privé-nummer gevonden en daarmee zijn adres. Dat leek me handig voor als ik hem ooit zou moeten bereiken.'

'Nou, dat is je aardig gelukt,' zei Ayinde.

Het meisje slikte moeizaam. 'Dus ik had zijn adres en toen...' Ze haalde haar schouders op, friemelde aan de rits van haar chique tasje en trok er een printje uit. 'Routeplanner.'

'Wat ben jij slim, zeg,' zei Ayinde onderkoeld. 'Je ouders zijn vast trots op je.'

Het meisje rilde. 'Nee, mevrouw, dat zijn ze niet.' Ze stak haar kin omhoog. 'U zult me vast niet geloven, maar zo hebben ze me niet opgevoed...' Ze keek naar haar buik. 'Om zo te eindigen. Ze schamen zich voor me.' Ze liet haar hoofd weer zakken en haar woorden dreven bijna weg in de wind. 'En ik schaam me voor mezelf.'

Ayinde kon nauwelijks geloven wat ze deed toen ze de deur helemaal opende. 'Kom binnen.'

Tiffany liep alsof haar benen van iemand anders waren en ze ze een dagje had gehuurd. Haar buik zwaaide bij iedere stap heen en weer terwijl ze Ayinde de woonkamer in volgde en op het puntje in de hoek van de bank ging zitten. De kokkin kwam de kamer binnen met een dienblad met thee en koekjes en haastte zich toen met gebogen hoofd de kamer weer uit.

'Wat kom je echt doen?' vroeg Ayinde.

'Ik wilde alleen zeggen dat het me spijt,' zei ze. 'Dat ik u die ellende heb bezorgd.'

'Wat weet jij nou van mijn ellende?' vroeg Ayinde.

'Ik heb gelezen dat uw kindje ziek was,' zei het meisje.

Ayinde sloot haar ogen. 'Dreumes van Towne heeft hartklachten' was de kop in de roddelbladen en ze hadden een brief van het ziekenhuis gekregen waarin werd beloofd dat er tot op de bodem zou worden uitgezocht wie het nieuws had laten uitlekken. 'Dan verliest een of andere verpleeghulp zijn baan,' had Ayinde meewarig tegen Richard gezegd. De schade was al berokkend en er stonden tenminste geen foto's in de krant. En met Julian was alles goed.

'Ik wilde het gewoon tegen u zeggen,' zei het meisje. Ze boog haar hoofd over haar theekopje, zette toen haar schoteltje neer en wreef met haar handen over haar benen, waardoor ze roze strepen op haar huid kreeg. 'Ik weet dat het gek klinkt als ik het zeg, maar uw man is een goed mens.'

Voor het bedrag dat hij je betaalt, zou je met een groot bord over Fifth Avenue moeten lopen waar dat op staat, dacht Ayinde.

'Ik vroeg hem of hij nog eens naar me toe zou komen – als hij in de stad zou zijn voor een wedstrijd – en hij zei: "Nee, ik hou van mijn vrouw."' Ze schraapte haar keel en keek op naar Ayinde. 'Ik vond dat u dat moest weten. Ik denk dat ik wilde wat u hebt, begrijpt u dat? Hoe u er op alle foto's uitziet met hem. Zo gelukkig.'

Ayinde merkte dat ze niets kon zeggen.

'Maar hij houdt van u, en dat is de waarheid,' zei Tiffany.

'Dat weerhield hem er niet van met je te...' Neuken, wilde ze zeggen. 'Slapen,' zei ze.

'Volgens mij was hij het niet van plan,' zei Tiffany.

Ayinde voelde een hoge en wilde lachbui in zich opborrelen. 'Hoe bedoel je? Dat het hem zomaar is overkomen?'

'Min of meer,' zei het meisje zorgvuldig. 'En dat spijt me. En het spijt me ook dat ik met die journalisten heb gepraat. Dat was een vergissing. Ik was in de war.' Ze schudde haar hoofd en wreef weer over haar benen. 'Dat zegt mijn moeder.'

De mijne ook, dacht Ayinde.

'En het spijt me...' Tiffany sloeg haar armen om zichzelf heen en wiegde naar voren en achteren. Ayinde keek naar haar en vroeg zich af hoe ver ze was, of ze nog sliep of de hele nacht wakker lag, alleen, de baby schoppend. 'Ik weet dat het fout was, wat ik heb gedaan. Ik heb een heleboel fouten gemaakt en ik wil het beter doen. Voor de baby.'

'Voor de baby,' herhaalde Ayinde. Ze kon het niet geloven, maar ze voelde – kon dat? – medeleven voor de vrouw die haar zo veel ellende had bezorgd. Haar kindje zou het niet gemakkelijk krijgen: niet blank en niet zwart en dan ook nog met een alleenstaande moeder. De wereld was niet veel veranderd sinds Ayindes eigen ouders hadden gezegd dat ze een pionier was. De wereld was niet snel genoeg beter geworden.

Tiffany veegde haar ogen af. 'Ik ga weer naar school,' zei ze met een bevend stemmetje. 'Ik denk niet dat ik professioneel danseres kan worden tenzij ik naar New York of LA verhuis, en nu...' Ze duwde een geborduurd kussen in haar schoot. 'Misschien ga ik wel sociologie studeren?' Haar zinnen gingen aan het einde omhoog als ondiepe schalen en haar beweringen werden vragen. Eenentwintig, herinnerde Ayinde zich. Ze was pas eenentwintig.

'Dat lijkt me een uitstekende keuze,' zei ze.

'En misschien...' Haar woorden kwamen nu snel uit haar mond en vielen over elkaar heen. 'Ik weet niet wat u daarvan vindt, maar ik zou het fijn vinden als mijn kind zijn vader kent. En zijn broer. Zijn halfbroer. Ik wil graag dat mijn kind weet dat hij die heeft.'

Ayinde zoog haar adem naar binnen.

'Zou ik u af en toe eens mogen bellen? Als de baby er is? Ik wil u en uw man niet lastigvallen, maar ik...'

Ayinde sloot haar ogen voor het bevende roze visioen dat Tiffany was. Dit was te veel. Dit was te veel om van een vrouw te vragen, te veel om van haar te vragen. Wat zou Lolo zeggen? Die zou haar potloodstreepsmalle wenkbrauwen optrekken, haar hoofd een heel klein beetje opzij houden en dan iets mompelen wat oppervlakkig vriendelijk klonk maar daaronder vernietigend was.

Ayinde hoorde Tiffany ademen, ze hoorde de bank zachtjes kraken toen ze anders ging zitten. Ze dacht terug aan haar ouders die tegen haar praatten toen ze in haar bed met baldakijnen lag, hoe ze hun gezichten naar het hare bogen en dat ze tegen haar zeiden hoe ze het had getroffen dat ze zo'n goed leven had, dat ze naar zo'n goede school ging en over de hele wereld reisde en hoe het haar plicht was, als bevoorrecht meisje, om vriendelijk te zijn tegen anderen die niet zo veel geluk hadden als zij. Ze dacht terug aan hoe ze haar hadden geïnstrueerd altijd een paar dollar bij zich te hebben voor de daklozen die naast hun appartementencomplex sliepen, dat ze als ze haar eten niet opat, dat in een bakje moest doen en dat moest achterlaten bij een metrostation omdat er altijd iemand was die arm en hongerig was en die nodig zou hebben wat zij kon missen. Je moet dapper zijn omdat je zo'n geluk hebt, had Lolo haar verteld. Ze had nog steeds geluk... maar kon ze dapper zijn?

'Het spijt me,' zei Tiffany toen de stilte te lang werd. 'Ik had niet moeten komen. Ik ben alleen zo... Nou ja, ik ben denk ik een beetje bang om een baby te krijgen... Ik weet dat ik dat van tevoren had moeten bedenken...' Haar stem ebde weg. 'Mijn moeder praat niet meer tegen me,' zei ze zacht. 'Ze zegt dat ik mijn problemen aan mezelf heb te wijten en dat ik zelf maar een oplossing moet bedenken. Ze zegt dat het mijn eigen schuld is, wat er is... Wat er is gebeurd.'

Ayinde hoorde de snik in de keel van het meisje terwijl ze slikte. Ze hoorde Julian boven tegen Clara babbelen; hij maakte geluidjes die soms net echte woorden leken; soms leek het Chinees en soms een heel eigen taal. De artsen hadden tegen hen gezegd dat zijn hart uiteindelijk zou genezen. Ayinde had hen niet geloofd. Kun je zomaar leven met een gat in je hart? Dokter Myerson had scheef zijn schouders opgehaald. 'Je hebt geen idee waar mensen allemaal mee kunnen leven,' had hij gezegd.

'Tiffany.'

'Ja?' zei de andere vrouw gretig.

'Ik denk niet dat ik wil dat je hierheen komt.'

'Dat dacht ik al,' zei ze verdrietig. 'Dat zou ik vast ook zo voelen.'

'Maar geef me je nummer maar,' zei Ayinde. 'Dan kan ik je bellen.'

'Echt? Zou u dat doen?'

'Ik bel je wel,' zei ze. 'Zorg goed voor jezelf, oké? Zorg goed voor de baby.'

'Dank u!' zei het meisje. 'Ontzettend bedankt!'

'Dat is goed,' zei Ayinde. Toen Tiffany eenmaal weg was, liep ze langzaam naar boven. Clara zat met Julian in haar armen. Ze gaf hem zonder iets te zeggen terug aan Ayinde en die wiegde hem en kuste hem op zijn wangen. 'Je krijgt een halfbroertje of -zusje,' zei ze tegen hem. Hij gorgelde en greep naar haar oorbellen. Ze sloot haar ogen. 'Je hebt geluk,' hadden haar ouders tegen haar gezegd. Ze dacht dat ze misschien wel eens gelijk hadden kunnen hebben.

Becky

TIJDENS DE JAREN DAT BECKY EN ANDREW WAREN GETROUWD EN ouders waren, had Mimi Breslow Levy hun nog nooit een brief gestuurd.

Telefoontjes, ja. E-mails, de meeste als dringend aangekondigd en versierd met rode uitroeptekens, zeker. Honderden faxen en stapels pakjes voor A. Rabinowitz. Maar ze hadden nog nooit een echt pen-en-inktgeschrift ontvangen tot de donderdagmiddag dat Becky uit haar werk kwam en Andrew op de bank aantrof, die mistroostig naar een stel handgeschreven velletjes papier zat te staren.

'Wat is dat?' vroeg ze. Slecht nieuws, dacht ze, aan zijn gezicht te zien.

'Een brief van Mimi,' zei hij intonatieloos. 'Ze onterft ons. Ze zegt dat ze ons nooit meer wil zien.'

Door zich bovenmenselijk in te spannen was Becky in staat haar eerste impuls te onderdrukken en niet in een vrolijk geflap met haar armen uit te barsten en juichend te zingen: 'Happy Days are Here Again.'

'Hoe bedoel je?'

Hij nam zonder een woord te zeggen Ava uit Becky's armen en gaf haar de brief. Becky ging op de bank zitten en begon te lezen:

> Andrew,
> Ik weet niet of ik de woorden kan vinden om uit te drukken hoe je daden van de afgelopen maanden me hebben gekwetst. Jij en je vrouw hebben duidelijk besloten dat jullie niet willen dat ik deel uitmaak van jullie leven of dat ik een relatie met mijn kleindochter heb. Ik begrijp niet wat ik kan hebben gedaan dat je je zo voelt...

'O, doe me een lol, zeg,' mompelde Becky en keek zijdelings naar Andrew, die op de bank zat en eruitzag alsof hij een liter bloed was verloren.

> ...maar sinds je bent getrouwd, en in het bijzonder sinds mijn kleindochter is geboren, heb je niets anders gedaan dan me schandelijk respectloos behandelen. Ik heb altijd geprobeerd te doen wat het beste voor je is, zelfs als dat niet gemakkelijk was of ten koste van mezelf ging. Ik heb mijn eigen wensen opgeofferd zodat jij altijd kreeg wat je wilde en nodig had.

Wat heb je dan opgeofferd? vroeg Becky zich af. In hoe ze Mimi in actie had gezien, was geen enkele vorm van opoffering te zien en heel veel bewijs van dat ze precies deed wat ze wilde, gegarneerd met een bijgerecht van 'ik verdien respect' en met een flinke dosis opgelegd schuldgevoel als dessert.

Ze las verder. 'Je gedrag is niets minder dan schandelijk. Je stelt me als zoon zeer teleur.'

'Andrew, dit is belachelijk,' zei ze. Hij perste zijn lippen op elkaar en zei niets. 'Je bent een geweldige zoon! Je bent zo goed voor haar. Je bent geduldig, lief en gul. Je bent zoveel beter dan welke andere man dan ook zou zijn. Je bent vriendelijk tegen haar, je laat haar delen in...'

'Heb je de hele brief gelezen?' vroeg hij.

Becky las vluchtig de laatste paragrafen:

> Je onterven... advocaten nemen contact met je op... me weggeduwd... een wanvertoning van Kerstmis gemaakt, wat zoals je weet vreselijk belangrijk voor me is... Ik wil jullie allebei nooit meer zien.

Eén zin sprong van de pagina en sloeg haar bijna in haar gezicht:

> Je hebt je van mij afgewend ten gunste van je vrouw en haar gezin, die nergens vandaan komen en zich niet weten te gedragen in beleefd gezelschap...

Oei. Becky vouwde de bladzijden op. Andrew ging rechtop zitten.

'Weet je?' zei hij. 'Misschien moeten we het maar gewoon laten gebeuren.'

Ze keek hem met knipperende ogen aan. Haar mond viel open. 'Wat?'

Hij stond op, haalde zijn handen door zijn haar en liep de woonkamer door. 'Je hebt gelijk. Ze is vreselijk. Ze gedraagt zich vreselijk naar mij, naar jou en waarschijnlijk ook naar Ava als we niet in de buurt zijn.' Hij pakte de brief uit haar hand en schoof die zo ruw terug in de envelop dat die scheurde. 'Wil ze ons onterven? Prima. Opgeruimd staat netjes. We zijn beter af zonder haar.'

Becky sloot haar ogen. Dit was wat ze had gehoopt, waar ze over had gedroomd, om had gebeden en nu kreeg ze het op een zilveren dienblad aangeboden. Waarom voelde het dan als zo'n loze overwinning?

'Andrew,' zei ze.

'Wat?' vroeg hij, vouwde de envelop op en schoof die in zijn zak.

'Misschien moeten we er even over nadenken.'

'Waarover?' vroeg hij. 'Ze is manipulatief, ze is veeleisend en ze is behoeftig...'

'Maar ze is Ava's oma,' zei Becky, die nauwelijks geloofde dat die woorden uit haar mond kwamen. 'En die van de speler die nog geen naam heeft.' Ze klopte op haar buik. 'Ze is ook de grootmoeder van deze baby.'

Haar man staarde haar aan alsof ze ineens twee hoofden had. 'Kom je nou voor Mimi op?'

'Nee, natuurlijk niet. Je hebt gelijk. Ze heeft vreselijke dingen gedaan en dat ze zegt dat je een teleurstellende zoon bent, daar zijn geen woorden voor. Maar...' Goeie god, dacht ze, wat doe ik? 'Ik heb met haar te doen,' zei ze. 'Stel je eens voor hoe eenzaam ze is zonder ons om te pesten.'

Andrew kneep zijn oogleden samen. 'Ben je overgenomen door *aliens*?'

Ze gaf hem de telefoon. 'Bel haar even,' zei ze. 'We moeten dit oplossen.'

Mimi had zich verwaardigd hen op een zondagmiddag te ontmoeten. Drie dagen nadat haar brief was aangekomen, hadden Becky en Andrew Ava naar Lia gebracht en waren ze naar Merion gereden, de lange, kronkelende oprit op die naar een piepkleine Tara leidde. Mimi deed niet open en nadat Andrew de voordeur had geopend met zijn sleutel en hen naar binnen had geleid, vonden ze haar op een stakerige, vergulde stoel in een kasjmieren topje met haar hoofd omhoog.

'Ik ben niet van plan,' begon ze terwijl ze naar Becky wees en haar neus in de lucht stak alsof ze iets vreselijk smerigs rook, 'met haar te praten.'

'Mijn vrouw heeft een naam,' zei Andrew.

Mimi tuurde naar hem alsof ze iets onder een microscoop bestudeerde. 'Ik heb jullie allebei niets te zeggen.' Becky onderdrukte een giechel. Koningin Mimi, grande dame van een koninkrijk dat alleen in haar eigen verbeelding bestond. 'De enige reden waarom ik hiermee heb ingestemd, is dat ik mijn kleindochter wil zien.'

'Je kleindochter Ava,' zei Andrew. Becky kneep in zijn knie.

'Ik ben beledigd,' zei Mimi, die met een vinger in de lucht stak. 'Ik ben bedreigd. Ik ben voor schut gezet. Ik ben meer dan groothartig naar jullie geweest – meer dan groothartig,' herhaalde ze voor het geval ze haar de eerste keer niet hadden gehoord. 'En mijn groothartigheid heeft niets dan bot gevangen. Je stelt me als zoon vreselijk teleur,' rondde ze af. 'En jij,' zei ze en keek Becky fel aan, schijnbaar vergeten dat ze haar niets te zeggen had. 'De manier waarop jij tegen me hebt gesproken, is onvergeeflijk. Je bent mijn minachting onwaardig.' En met die woorden stond ze op.

'Ik had gewoon die godvergeten ham moeten maken,' mompelde Becky. Toen sprak ze harder. 'Mimi, kom terug. Ga zitten,' zei ze. Mimi ging niet langzamer lopen. 'Als je het niet voor mij of voor Andrew wilt doen, doe het dan voor Ava.' Becky slikte moeizaam en dwong zichzelf de woorden uit te spreken. 'Je kleindochter.'

De stilte leek oneindig lang te duren. Uiteindelijk draaide Mimi zich om. 'Wat,' zei ze ijzig kil.

Becky had geen speech voorbereid. Ze had zich erop voorbereid niets te doen behalve aan Andrews zijde zitten. 'Laat mij het woord maar voeren,' had haar echtgenoot gezegd en daarmee had ze ingestemd omdat áls er tijdens haar huwelijk één ding duidelijk was geworden, het wel was dat ze geen enkel idee had van wat er in Mimi's hoofd omging en dat Andrew tenminste wist hoe hij met haar moest omgaan, ook al bevatte zijn hele trukendoos maar één veelgebruikte strategie: geef haar wat ze wil. Maar Andrew kon niet of wilde niet praten. Waardoor het woord nu aan Becky was.

Ze keek naar Mimi, die weer was gaan zitten en hen beiden met vuur in haar ogen aanstaarde. De vrouw die haar bruiloft had verziekt, die haar en haar familie had beledigd, haar moeder afsnauwde, haar man een schuldgevoel aanpraatte en haar dochter aankleedde als 's werelds jongste straathoer. Ze ademde diep door haar neus in. Voel je verbinding met alles wat leeft en groeit, herinnerde ze zich dat Theresa tijdens yoga had gezegd toen zij en haar vriendinnen op het punt stonden moeder te worden. Ze dwong zichzelf langzaam te ademen en de vrouw die voor haar zat niet te zien, met haar vogelbotjes en broze zwarte haar, haar bedreigingen, eisen en pretenties. Ze dwong zichzelf in plaats daarvan zich Mimi voor te stellen als baby, een Mimi ter grootte van Ava, die huilend in haar ledikantje stond met haar handjes om de spijlen. Huilend en huilend en niemand die haar optilde, niemand die haar kwam helpen.

Het beeld werd zo helder dat Becky het bijna kon aanraken: de doorweekte luier en natte pyjama, de tranen op het kindergezichtje. En ze hoorde de baby huilen, op dezelfde verontwaardigde, starre toon die ze van Mimi was gewend... Maar door zich voor te stellen dat het van een baby kwam, maakte dat ze het geschreeuw anders hoorde. Ze stelde zich baby Mimi's natte gezichtje voor, haar trillende lippen, de manier waarop haar adem zich in een hik in haar keel zou samenballen voor ze weer begon te huilen. Huilen en huilen en niemand die haar kwam helpen.

'Het spijt me,' zei ze zacht. En ze had spijt voor het meisje in het plaatje. Waar waren haar ouders? Andrew had haar niet veel over Mimi's ouders verteld. Ze waren gestorven voor hij was geboren, toen Mimi een tiener was, een jaar voor ze aan haar eerste huwelijk was begonnen. Mimi's vader was kort vreselijk succesvol geweest en had alles toen verloren: slechte investeringen, een partner die hem bedroog, iets over verduistering. En gevangenis. Voor de grootvader of de partner? Andrew wist het niet zeker. Mimi's moeder was vreemd geweest. 'Op wat voor manier?' had Becky gevraagd en Andrew had zijn hoofd geschud, zijn schouders opgehaald en hij had tegen haar gezegd dat Mimi nou niet bepaald een betrouwbare vertelster was en dat hij er waarschijnlijk nooit achter zou komen hoe het verhaal echt in elkaar zat. Het enige wat ze hadden, was het bewijs vóór zich en dat bewijs suggereerde schade. Wat had Lia haar al die maanden geleden gezegd? Ze gedraagt zich zo omdat ze is gekwetst.

Becky keek op. 'Het spijt me,' zei ze nogmaals.

Mimi staarde haar razend aan, ze zag eruit alsof ze elk moment vuur kon gaan spugen. 'Wat zei je daar?' zei ze met een schrille stem.

Becky keek naar haar zonder haar te zien. Ze zag nog steeds dat kleine meisje, achtergelaten in haar ledikantje. Kom hier, kleintje, zou ze zeggen en haar in haar armen nemen, zoals ze dat al duizend keer met Ava had gedaan. Ze zou haar luier verschonen, haar andere kleertjes aantrekken, haar voeden, troosten en haar in slaap zingen. *Bye and bye, bye and bye, the moon is half a lemon pie.*

Andrew kneep zo hard in haar knie dat ze zeker wist dat ze een blauwe plek zou krijgen. Becky probeerde zich vogels met gebroken vleugeltjes voor te stellen, honden met verbrijzelde poten en de baby in het ledikantje, schreeuwend en huilend om ouders die niet kwamen. Ze dacht aan hoe het zou zijn om op te groeien zonder die ene zekerheid die iedere baby verdient: als ik pijn heb, of het koud heb of als ik bang ben, komt er iemand om voor me te zorgen, en hoe het gebrek aan die zekerheid je zo kon beschadigen dat je uithaalde naar iedereen van wie je hield, dat je ze allemaal wegjaagde terwijl je alleen maar bij hen wilde zijn. En op dat moment meende ze ieder woord van haar excuses.

'Het spijt me vreselijk als ik overgevoelig op Kerstmis heb gereageerd,' zei ze. 'Ik zie nu wat het voor je betekent.'

Mimi's lippen gingen open en dicht als die van een vis.

'Ik denk niet dat ik het prettig zou vinden om een boom in mijn huis te hebben, maar volgend jaar help ik je graag met een feestmaal hier,' zei Becky. 'Je hebt hier sowieso meer ruimte. En je hebt twee ovens.'

'Ik... je... we hebben mijn kleindochters eerste kerstfeest al gemist,' zei Mimi. Haar gemanicuurde handen grepen spastisch naar de leuningen van haar stoel. Ze zag er verward uit, klein, oud en wanhopig ongelukkig. 'Je bent wel naar je eigen moeder geweest!'

'Ja,' zei Becky rustig. 'Maar dat we bij mijn moeder op bezoek gaan, betekent niet dat we niet om jou geven. Ava kan volgend jaar ook haar eerste kerstfeest vieren,' zei ze. Ze krulde haar tenen in haar schoenen en probeerde wanhopig baby Mimi voor zich te blijven zien, probeerde zich te bedenken hoe Mimi moest hebben geleden, in plaats van zich te herinneren hoe Mimi hen had gekwetst. 'Andrew en ik weten hoeveel je van Ava houdt,' zei ze. 'Ze heeft geluk met zo'n grootmoeder als jij.'

Mimi boog haar hoofd. Becky keek toe hoe de andere vrouw de leuningen van haar stoel greep. En toen zag ze iets wat ze zich nooit had kunnen voorstellen. Mimi's oogleden trilden snel. Ze legde een knokige hand op haar gezicht en trok die toen terug, naar het vocht op haar vingers starend alsof ze spontaan was gaan lekken. Becky vroeg zich af wanneer Mimi voor het laatst iets anders dan krokodillentranen had gehuild.

'Ik moet wat aan mijn gezicht doen,' zei ze en rende weg.

'Oké,' riep Becky tegen haar rug. 'Gelukkig nieuwjaar!' En toen, ze wilde haar geluk niet op de proef stellen, trok ze Andrew overeind en werkte hem snel de deur uit.

Het was koud maar zonnig en de wind waaide hard tegen Becky's wangen terwijl ze over de ijzige veranda naar hun auto liepen. 'Wat was dat nou?' vroeg Andrew, die er zo verbijsterd uitzag als een man die vastgebonden en met een prop in zijn mond staat te wachten tot de beul met zijn machinegeweer begint te schieten om erachter te komen dat er alleen kauwgomballen uitkomen.

'Dat weet ik niet. De melk van menselijk mededogen?' Ze glimlachte. Dat was Sarahs grapje over de *tres leches*-cake die ze bij Mas serveerden. Als mensen vroegen wat die drie soorten melk waren, zei ze: 'verdampte, gecondenseerde en de melk van menselijk mededogen.'

'De melk van menselijk mededogen,' herhaalde Andrew.

'Je hoeft niet zo geschokt te kijken. Ik heb echt met haar te doen, hoor.' Ze greep Andrews arm terwijl ze om een plas bevroren water heen liep. 'Ze moet vreselijk eenzaam zijn. En ze heeft vast geen idee hoe kleine meisjes zijn, of wat ze willen, dus daarom trekt ze Ava waarschijnlijk al die slettenpakjes aan...'

'Al die wat?'

O jee. 'Nou ja, je weet wel, al die kleertjes waar SEXY en LEKKER DING en zo op staat.'

'Ze denkt waarschijnlijk gewoon dat dat modieus is.'

'Ik heb met haar te doen. Echt,' zei Becky. Andrew hield het portier voor haar open en hielp haar in de auto. 'En ik dacht aan mijn vriendinnen. Als Ayinde Richard kan vergeven en met dat meisje uit Phoenix kan praten. En als Lia...' Ze zuchtte en boog haar hoofd. 'We hebben het hartstikke goed, wist je dat?' Ze gaapte en rekte zich uit in haar stoel. 'Maar voel je vooral vrij om me hier de volgende keer dat ze iets schandaligs doet aan te helpen herinneren.' Maar zelfs terwijl ze het zei, vroeg ze zich af of die er zou komen. Ze vermoedde – of misschien hoopte ze het alleen – dat alle vechtlust uit haar schoonmoeder was geslagen.

Of misschien was dat iets te optimistisch. Misschien moest ze het maar per dag, per week, per feestdag bekijken, van de ene crisis naar de volgende ontploffing springen in een eindeloze cirkel van verwijten en razernij. Misschien zou Mimi zich afschuwelijk tegen hen blijven gedragen tot de dag dat ze stierf. Maar met zo veel geluk in haar leven, besloot Becky, mocht er ook best een beetje ellende zijn. Het was als de mierikswortel op het Paschabord: de bitterheid hielp je eraan herinneren hoe zoet het leven was.

Andrew reed de snelweg op. 'Dus je bereidt volgend jaar een kerstdiner?'

'Waarom niet?' zei Becky. 'Ik overleef het wel als ik een ham moet maken, als ze dat zo graag wil. En wat betreft de dingen die wij graag willen: waar we op vakantie gaan, waar we wonen, waar we ons geld aan uitgeven of hoe we onze kinderen noemen...'

'Wat doen we daarmee?' vroeg hij. 'Gaan we tegen haar liegen?'

'We vertellen haar alleen wat ze moet weten,' zei ze. 'En dan doen we gewoon wat we willen. Wat het beste voor ons en Ava is.' Ze klopte met zijn hand op haar buik. 'En voor het kaboutertje.'

'Ah. Het kaboutertje.' Hij keek Becky stralend aan. 'Wanneer vertellen we Mimi over de geplande aankomst?'

'Laten we er nog even mee wachten, goed?' Hoe warm en gezellig ze zich ook naar Mimi voelde, ze wist dat vijfenhalve maand ondervraagd worden over dieet en gewichtstoename en waarom ze nog steeds borstvoeding gaf omdat dat toch niet gezond kon zijn, meer zou zijn dan ze zou aankunnen.

'Ik vind je geweldig,' zei Andrew. Hij schraapte zijn keel. 'Op de dag dat Ava werd geboren, dacht ik dat ik nooit méér van je zou kunnen houden dan ik toen deed, maar dat is wel zo.' Hij leunde naar haar toe, raakte haar gezicht aan en kuste haar zacht. 'Je blijft me verbijsteren.'

'Ik hou ook van jou,' fluisterde ze. Ze deed haar stoel naar achteren en zette de ventilator zo dat de warme lucht tegen haar knieën blies. 'Wat ben ik toch moe,' gaapte ze.

'Doe dan even een dutje,' zei hij en schraapte zijn keel. 'En dankjewel. Als ik dat later vergeet te zeggen. Ontzettend bedankt.'

'Geen probleem,' zei Becky. Ze legde haar handen ineengestrengeld op haar buik en deed haar ogen dicht. Ze viel in slaap en toen ze wakker werd, was Andrew achteruit een parkeerplaats in aan het rijden.

'Andrew?'

'Hmm?' vroeg hij terwijl hij over zijn schouder keek om goed in te sturen.

'Denk je dat we goede ouders zullen worden?'

Hij draaide de sleutel van het contact om en wendde zich tot zijn vrouw. 'Ik denk dat we dat al zijn.'

Kelly

TOEN STEVE DRIEËNTWINTIG DAGEN WEG WAS, DEED KELLY DE BRIEvenbus open en vond twee enveloppen, een met een herinnering voor de bibliotheekboeken die te laat waren en een met een exemplaar van *Power* erin.

Kelly liep naar boven en zat een tijdje met de envelop op schoot terwijl Oliver over de vloer kroop met zijn piepende speelgoedaap tussen zijn benen gevangen. 'Bah!' schreeuwde hij, 'bah!' Toen draaide hij zich om om naar haar te kijken. Ze zwaaide aanmoedigend naar hem en probeerde te glimlachen. Hij riep nog een keer: 'Bah!' en kroop verder. Uiteindelijk maakte ze de envelop open. Het tijdschrift gleed op haar schoot. En daar stond ze, op het omslag, in die gruwelijke lavendelkleurige trui met een spuugdoekje over haar schouder, voor haar kast tot haar knieën in de ruïne van haar leven. De blik op haar gezicht, onder het geföhnde haar en de zorgvuldig aangebrachte make-up, kon alleen worden omschreven als verbijsterd. Verbijsterd en neergeslagen. 'Alles hebben?' vroeg het omslag. 'Waarom een werkende vrouw niet kan winnen.'

Ze sloot haar ogen en het tijdschrift gleed op de vloer. Oliver duwde zichzelf er op zijn billen heen en reikte ernaar met een vlezig handje. Ze pakte het, leidde het weg, trok de abonnementsbon uit Olivers mond en sloeg de pagina open die Amy Mayhew met een paperclip had gemarkeerd. Er zat een briefje bij: 'Beste Kelly, hartelijk dank voor je hulp met het artikel. Zoals je je wel kunt voorstellen, werd het niet het feest dat mijn redacteuren zich hadden voorgesteld, maar volgens mij is het uiteindelijk veel eerlijker geworden, en misschien biedt het zo meer hulp aan de generatie vrouwen hierna.'

'Hulp,' zei ze en lachte schor. Ze zette Oliver in zijn kinderstoel en opende een potje havermout met perziken voor zijn avondeten en een voor zichzelf. Toen keek ze naar het tijdschrift en las de eerste paar regels onder de vetgedrukte woorden met aanhalingstekens. Het duurde even tot het tot haar doordrong dat het haar eigen woorden waren: 'Het is veel moeilijker dan ik had gedacht.'

Kelly voelde hoe haar blik bijna zonder dat ze er invloed op had naar het derde kastdeurtje in de keuken ging, het kastje waar ze de whisky en de wodka bewaarde. Een lekker sapglas vol van één van de twee – met misschien een overgebleven percocetje van haar keizersnede erin – en dan zou dit allemaal veel minder pijn doen. Dat had ze de eerste avond dat Steve weg was, gedaan, toen ze Becky, Ayinde en Lia niet had kunnen bereiken en niet meer had kunnen stoppen met huilen. Maar het was maar één stap van wodka met pijnstillers op recept naar whisky met Tab. Ze was vastbesloten dat pad niet in te slaan, maar ze begon nu wel te begrijpen hoe haar moeder dat had kunnen doen. Als je leven op één grote teleurstelling uitdraait, een dolgedraaide tredmolen van werk en baby wordt en je niemand hebt die van je houdt of tegen je zegt dat je het goed doet, beginnen whisky en Tab toch een zekere aantrekkingskracht te krijgen.

Ze zuchtte en begon te lezen.

'Je zou toch denken dat Kelly O'Hara de wereld aan haar voeten heeft liggen.'

'Ja, inderdaad,' mompelde Kelly die een hap zoete smurrie in haar mond lepelde.

'Kie!' riep Oliver. Ze voerde hem een hapje uit zijn eigen potje en las verder.

> Magna cum laude afgestudeerd aan de universiteit van Pennsylvania. Een veelbelovende baan in het risicokapitaal, gevolgd door een succesvolle carrière bij een chic evenementenplanbureau. Getrouwd met een wonderkind van Wharton. Maar met de baby kwamen de problemen.

'Helemaal niet,' zei Kelly, die Oliver nog een lepel havermout met perzik gaf. 'Het was niet jouw schuld. Lees dit maar niet, liefje. De media liegen.'

O'Hara-Day ging weer aan het werk na een miezerige twaalf weken zwangerschapsverlof. In eerste instantie was iedereen blij: de bazin, de cliënten en Day zelf, die zou kunnen blijven werken terwijl ze haar zoon, Oliver, opvoedde.
Maar sinds de drie maanden dat O'Hara-Day weer aan het werk is, is er niets volgens plan gegaan. Collega's en cliënten klagen dat O'Hara-Day, die zevenentwintig is, verstrooid en leeghoofdig is, afgeleid en moeilijk te bereiken.

Au. Kelly kneep haar ogen dicht. Ze wist dat haar werk niet perfect was en dat ze te veel telefoonvergaderingen had gemist of ze thuis had gevoerd terwijl Oliver in zijn babybouncer zat (wat er vaak op uitdraaide dat Oliver bij haar op schoot zat, in haar oor zat te schreeuwen, aan de telefoonlijn zat te trekken, aan haar haar trok of dat allemaal tegelijk deed). En dan was er natuurlijk nog het ongelukkige feest van Dolores Wartz en Olivers niet zo feestelijke vieze luier. Maar toch was er niets wat zo voelde als de pijn als je zag wat je collega's echt van je dachten, en dat zwart op wit voor je neus.

Als mens is O'Hara-Day, een kleine, ondernemende blondine, vriendelijk en extrovert en binnen tien minuten zaten we als oude vriendinnen te kletsen. Maar van dichtbij ziet ze eruit als een vrouw die op het randje van instorten balanceert: te druk en afgemat, afhankelijk van een fragiel netwerk van een oppas en een echtgenoot die thuis werkt om het mogelijk te maken dat zij kan werken. 'Het is veel moeilijker dan ik had gedacht,' zegt ze in een woonkamer die er perfect uitziet, maar dat alleen omdat de puinhoop van de afgelopen maanden in een kast is gepropt. En als O'Hara-Day, met haar intelligentie, ervaring en haar diploma van een topuniversiteit, het niet voor elkaar krijgt succesvol een carrière met een gezinsleven te combineren, suggereert dat niet dat het leven anders is voor andere werkende vrouwen, of dat een jaar of dertig nadat de feministes hun zogenoemde revolutie hebben gehad, de werkplek een vriendelijkere, toegankelijkere plaats zal worden voor de vrouwen die na haar zullen komen.

Kelly veegde Olivers kin af. Ze merkte dat ze niet veel gaf om de vrouwen die na haar zouden komen. En het kon haar ook niet schelen dat ze voor schut stond in dat tijdschrift, hoe belachelijk ze er op die foto uitzag of welke onaardige dingen haar collega's in Amy Mayhews oor hadden gefluisterd. Ze was te afgeleefd, te overwerkt en te uitgeput om zich er nog iets van aan te trekken. 'Weet je waar de vrouwen die na mij komen zich zorgen om moeten maken?' vroeg ze aan Oliver. 'Dat hun mannen hun banen kwijtraken.' En wat was dat voor onzin over een 'kleine, ondernemende blondine'? Alsof er in de geschiedenis van het gedrukte woord ooit een man zo was beschreven. En 'kletsen als oude vriendinnen'? In je dromen, Amy Mayhew, dacht ze. Mijn vriendinnen steken me niet in de rug.

Ze leefde de daaropvolgende anderhalf uur in een waas: ze deed Oliver in bad, trok hem zijn pyjama aan, las hem een boekje voor terwijl hij op de bladzijden sloeg en het omslag probeerde op te eten, ze voedde hem, wiegde hem en legde hem in zijn bedje terwijl hij zijn rug overstrekte en zichzelf stijf als een plank maakte, wat de gebruikelijk geworden tien minuten duurde voor hij uiteindelijk in slaap viel. Toen liep ze terug naar de schommelstoel en zat daar met haar voeten op het Peter Konijn-kleed, de rood-wit geblokte lakentjes die zo mooi bij de rood-wit geblokte quilt pasten, de lampenkap en de wandlamp waar de naam van haar zoon op was geschilderd, zijn dekentjes en truitjes allemaal opgevouwen en opgeruimd. Het zag er allemaal perfect uit. Zoals ze het zich had voorgesteld toen ze zwanger was en in de schommelstoel had zitten dromen. Wat een grap.

Ze kon niet bij Evenewens blijven werken. Dat was wel duidelijk. Niet nadat ze haar – wat was het ook weer? – 'verstrooid en leeghoofdig' hadden genoemd. Anoniem natuurlijk. De lafaards hadden niet eens het lef hun naam bij hun beschuldigingen te laten zetten. Maar als ze niet bleef werken, zou ze van haar lang zal ze leven niet in dit appartement kunnen blijven wonen. Zelfs als Elizabeth haar een oprotpremie zou willen geven en haar zou betalen voor alle vakantiedagen die ze niet had opgenomen, zou ze met dat enorme bedrag aan ziektekostenverzekering en autobetalingen binnen een paar maanden de huur niet meer kunnen ophoesten.

Dus moesten ze verhuizen. Ze kon wel wat goedkopers vinden. En dan zou ze ander werk moeten zoeken. Waarschijnlijk fulltime omdat het wel duidelijk was dat ze niet geschikt was voor het balanceren dat je moest kunnen met een parttime baan. En als Oliver met haar als enige kostwinnaar moest leven, zou parttime niet genoeg geld opleveren.

Misschien wilde Becky haar wel aannemen, nu Lia terugging naar Los Angeles. Of misschien kon ze haar helpen iets te vinden. Misschien kon ze consulente voor restaurants worden, helpen met zakelijke strategieën, bedenken in welke buurten wat voor soort restaurants zouden gedijen. Kelly wilde uit haar schommelstoel opstaan, een aantekeningenblok pakken, een lijstje maken, maar ze bemerkte dat ze het niet kon. Geen energie. Geen motivatie. Ze voelde zich als een stuk speelgoed waar de batterijen uit waren gerukt.

Ze greep met gesloten ogen naar de telefoon en toetste uit haar hoofd de getallen in.

'Hallo?' zei Mary. 'Kelly, ben jij dat? Is er iets?'

Kelly wiegde naar voren en achteren. 'Ja.'

'Ik bel de meiden even,' zei Mary. Kelly hoorde een klik en werd in de wacht gezet. Een minuut later had ze Doreen in New Jersey, Maureen in San Diego en Terry in Vermont aan de lijn.

'Wat is er?' vroeg Terry.

'Steve,' zei Kelly. 'Nou ja, en eerlijk gezegd de rest van mijn leven.'

Haar zussen lachten haar eindelijk eens een keer niet uit. 'Wat is er dan?' vroeg Mary.

'Steve is weg.' Geschokte stilte. 'Hij is ontslagen.'

'Ik zei het toch!' gilde Terry.

'Terry, dat is niet erg behulpzaam,' zei Doreen.

'Wanneer?' vroeg Terry.

'Vóór de geboorte van Oliver,' zei Kelly.

De zussen snakten tegelijk naar adem.

'Het is zwaar,' zei Kelly. 'Ik werk en zorg voor Oliver, en Steve zit alleen maar... Nou ja, ik weet niet wat Steve doet.'

'Steve is een loser,' zei Mary.

'We vermoorden hem,' zei Terry.

'Terry, hou je bek,' zei Maureen.

'Hij is geen loser,' zei Kelly. Ze wiegde sneller naar voren en achteren; ze wist dat dit het moeilijke gedeelte was. 'Hij is gewoon niet geschikt om voor een groot bedrijf te werken, denk ik. Volgens mij wilde hij voor de klas, maar dat stond ik niet toe.' Ze voelde hoe haar keel samenkneep. 'En hij wilde met Oliver helpen en dat heb ik hem ook niet toegestaan. Ik dacht dat ik de enige was die het goed kon doen.'

'Dat meen je niet,' zei Mary sarcastisch. 'Zo ken ik je helemaal niet.'

'Lach me alsjeblieft niet uit,' zei Kelly en veegde haar ogen af. 'Alsjeblieft.'

'Sorry,' zei Mary en lachte haar rommelende lach. 'Sorry.'

Kelly omklemde de telefoon en zag haar zussen voor zich. 'Het was vreselijk. Ik was zo kwaad op Steve en ik ben zo moe en...' Ze sloot haar ogen. 'Ik dacht dat ik alles op een rijtje had.'

'Dat denk je altijd,' zei Mary, maar ze klonk niet veroordelend. Ze klonk verdrietig. 'Heb je geld nodig? Of onderdak, zodat je even pauze kunt nemen? We hebben een logeerkamer.'

'Waar is Steve?' vroeg Doreen.

'Die is vertrokken,' zei Kelly. 'Hij is weg.'

'Dan vinden we hem! En dan vermoorden we hem!' zei Terry.

'Je helpt niet, Terry. Oliver heeft een vader nodig,' zei Doreen.

Mary mompelde instemmend. 'Je moet hem bellen,' zei ze.

'Dat weet ik,' zei Kelly. Ze had het niet willen horen, maar het was waar. 'Hem bellen, en dan?'

'Je moet zeggen dat het je spijt,' zei Maureen. Kelly voelde dat ze razend werd: hoezo sorry? Dat zij het hele gezin had onderhouden? Dat zij alle rekeningen had betaald?

'Je moet mensen toestaan te zijn wie ze zijn,' zei Terry. 'Zelfs als dat niet is wie je wilt dat ze zijn.'

'Terry, wat ontzettend diepzinnig,' zei Kelly.

'Nou hè?' zei Terry, die uitermate tevreden over zichzelf klonk. 'Zoals in die zomer dat je wilde dat ik met je in Scoops kwam werken terwijl ik kampleidster wilde zijn, weet je nog? Zoiets is dit ook!'

'Nou ja, min of meer,' zei Mary.

'Als je ons nodig hebt, zijn we er voor je,' zei Maureen. 'En je hoeft voor ons niet perfect te zijn.' Ze was even stil. 'Het is allemaal niet lang en gelukkig, Kay-Kay. Alleen in sprookjes gaat het zo gemakkelijk.'

'Maar ik moet het wel proberen,' zei Kelly, die zich realiseerde dat ze het net zozeer tegen zichzelf had als tegen haar zussen. En het was Terry, de jongste van het stel, die voor hen allemaal antwoordde.

'Ja,' zei ze. 'Je moet het proberen.'

Mary beloofde die zaterdagmiddag voor Oliver te zorgen. Steve stond bij de deur van de koffiebar te wachten waar ze vroeger boven haar gammele laptop zat te zweten en schelden, en Kelly dacht ineens terug aan de eerste keer dat ze hem had gezien, in dat ongelooflijke pak met die stropdas, over haar heen gebogen aan een bar. Vandaag geen pak, viel haar op. Steve droeg een blauwe trui die ze niet herkende, een broek en laarzen met sneeuw aan de zolen.

'Hoi,' zei ze.

Hij keek op. Aan zijn gezicht viel niets af te lezen. 'Hoi, Kelly.' Hij schraapte zijn keel. 'Je ziet er goed uit.'

Niet waar, wilde ze zeggen. Het gaat helemaal niet goed. Hij was nu vijf weken weg en ze had hem zo vreselijk gemist dat het leek alsof ze ieder moment dat ze wakker was, hoofdpijn had. Ze had maanden en maanden gewenst dat hij weg was, als ze er niet over dagdroomde hem te vermoorden en dan te zorgen dat het een scheerongeluk zou lijken. Geen vuile vaat meer om op te ruimen, geen schoenen meer die van de vloer moesten gepakt en in de kast moesten gezet, geen rommel meer opruimen die niet door Lemon of Oliver was veroorzaakt. Ze had niet aan de stilte gedacht, aan de manier, nadat Oliver in slaap was gevallen, waarop het in het appartement zo stil was dat ze het geruis kon horen van de bladzijden die ze omsloeg van de bijbel die haar moeder haar had nagelaten.

'Je moet het proberen,' herinnerde ze zich dat haar zussen hadden gezegd. 'Je moet het proberen.'

'Kom binnen. Het is koud,' zei hij en hield de deur open.

Ze stond op de stoep. Steve keek haar met opgetrokken wenkbrauwen aan.

'Nee,' zei ze. 'Ik wil je eerst iets laten zien.'

'Me iets laten zien...'

'We moeten een stukje rijden.'

Steve had haar hele gezin voor hun huwelijk maar één keer ontmoet, op de dag dat Kelly afstudeerde. Ze had de dag tot in de kleinste details geregeld, had al maanden van tevoren bij Hikaru gereserveerd, had haar vader voor kerst een nieuw jasje met stropdas gegeven en was met Terry en Doreen sushi gaan eten toen ze die lente bij haar op de campus op bezoek waren geweest. Ze had in de week dat ze afstudeerde een stuk of tien telefoontjes gepleegd, had haar zussen en broers geïnstrueerd wat ze aan moesten trekken, had Terry en Doreen eraan helpen herinneren dat ze moesten oefenen met het met stokjes eten. Ze had gedacht dat ze met Scott Schiff haar lesje wel had geleerd en had er dus voor gezorgd dat haar familie zich nu gedroeg als keurige middenklasseburgers en niet als banale kettingrokers uit een of ander vunzig zeestadje in New Jersey.

De dag was natuurlijk rampzalig verlopen. Haar vader had met één eetstokje in zijn sashimi geprikt en had de stukjes paling en bot opgetild alsof ze bewijs op een plaats van delict waren. Haar zussen hadden giechelend boven hun bakjes teriyakikip met elkaar zitten fluisteren en waren toen naar buiten geglipt om te roken, en haar broer Charlie was dronken geworden van de saké die ze voor de hele tafel had besteld en had de toiletten niet helemaal gehaald toen hij moest overgeven. Steves ouders hadden hen aangekeken alsof ze een nest ratten waren terwijl Kelly aan het hoofd van de tafel zat met het parelcollier om dat Steve voor haar afstuderen had gekocht, glimlachend en knikkend tot ze zich een knikpop voelde. 'En wat doet u?' had Kenneth Day aan haar vader gevraagd en Kelly hield haar adem in tot haar vader oplepelde wat ze hem had geadviseerd te zeggen. 'Ik werk voor de regering.'

'Hij is postbode,' zei Kelly terwijl ze naar de tolweg reed.

'Wat?'

'Mijn vader,' zei ze. Haar handen klemden het stuur vast. Ze had Steve niet veel over haar familie verteld en ze had hem al helemaal niet meegenomen naar het huis waarin ze was opgegroeid, maar als ze als man en vrouw zouden verdergaan, moest hij het begrijpen. De waarheid, de hele waarheid en niets dan de waarheid.

'Kelly? Waar gaan we heen?'

'Naar huis,' zei ze en trapte het gas in. 'We gaan naar huis.'

Vijf kwartier later parkeerde ze de auto voor het smoezelige Cape Cod-huis aan het einde van een doodlopende straat in Cape Cod. Ze liet Steve het door het autoraam in zich opnemen: het hobbelige grasveld, de afbladderende verf, de half in elkaar gezette pick-up truck op de oprit en de vervaagde zwartgouden stickers die de naam O'Hara op de brievenbus spelden.

Ze keek recht voor zich uit met haar handen aan het stuur. 'Ik heb nooit bij de padvinderij gezeten,' zei ze. 'Weet je waarom? Omdat je daar een uniform voor nodig had en mijn ouders hadden niet genoeg geld om er één te kopen en ze wilden geen liefdadigheid aannemen.'

'O.' Zijn stem klonk zacht in hun te grote auto.

'Als we naar een verjaarspartijtje gingen, namen we een cadeautje mee uit de dollarwinkel, dat was ingepakt in de stripverhalen uit de zondagkrant, dus dan bedachten we uiteindelijk een excuus om er niet heen te hoeven. En iedere kerst...' haar stem bleef in haar keel steken, 'kwamen de vrouwen uit de kerk kalkoen brengen en het speelgoed waar we om hadden gevraagd. Ze namen mee wat we maar wilden en ze hadden het nog ingepakt ook. En op de kaartjes stond: VAN

DE KERSTMAN, maar we waren er al snel achter van wie de cadeaus echt kwamen en toen vroegen we geen cadeautjes meer want liefdadigheid aannemen, was nog erger dan arm zijn.'

Haar stem klonk vlak. Haar handen zagen er vreselijk uit; de nagels tot bloedens toe afgebeten en de nagelriemen gekloofd en bloederig. 'Ik haatte dit huis. Ik haatte alles hier. Ik haatte het dat ik de oude kleren van mijn zus aan moest. Ik haatte het dat alles naar sigarettenrook stonk en dat er nooit iets leuks of nieuws was en...' Ze veegde haar ogen af. 'Toen wij trouwden, heb ik mezelf beloofd dat als we ooit een kind zouden krijgen, ik zou zorgen dat ik alles voor hem zou kunnen kopen wat hij nodig had. Dat hij zich altijd veilig zou voelen. Dat hij nooit het gevoel zou hoeven hebben dat hij opgroeide in een huis als een lekke boot waar de bodem op ieder moment uit zou kunnen zakken.' Ze draaide zich om en keek haar man aan. 'Daarom wilde ik dat je een baan zocht. Daarom vond ik dat zo belangrijk. Ik werd gek bij de gedachte dat ons spaargeld op zou gaan, omdat...' Ze stak haar handen in de lucht. 'Wat dan?' Ze keek langs hem heen, door het raam naar het huis. 'Dit?'

'Kelly.' Hij pakte haar handen. 'Dat wist ik helemaal niet. Als je het me had verteld...'

'Maar dat kon ik niet.' Ze beet een snik weg. 'Ik wilde niet dat je het wist, ik wilde niet dat je het zag...' Ze veegde haar ogen af en keek hem weer aan. 'Ik dacht dat je dan niet meer van me zou houden.'

'Hé.' Hij reikte naar haar en trok haar hoofd tegen zijn schouder. 'Ik zal altijd van je houden. Ik zal voor je zorgen. En voor Oliver. Ik dacht alleen...' Hij ademde uit. 'Ik dacht dat we geld hadden en dat ik geen haast had, dat ik kon thuisblijven en voor Oliver kon zorgen.' Hij schudde verdrietig zijn hoofd. 'Ik begreep maar niet waarom je je zo druk maakte.' Hij wreef met een hand over zijn wang. 'Maar nu begrijp ik het. En ondanks wat je dacht, was het nooit mijn bedoeling altijd op de bank te blijven liggen.'

'Maar dat deed je wel.'

'Zes maanden, ja,' zei Steve. Hij begon met een been te wiebelen. 'Ik ben niet zo goed met dat ontslag omgegaan. Ik was echt uit het lood geslagen. Ik dacht dat ik even pauze zou nemen, wat tijd voor mezelf, wat tijd met Oliver, en dat ik dan wel weer iets zou bedenken.' Hij was even stil en keek uit het raam. 'Mijn vader was er nooit,' zei Steve. 'Ik wilde een ander soort vader zijn.' Hij glimlachte scheef. 'Als ik dit had geweten – als je het me had verteld – zou ik weer zijn gaan werken. Zelfs als dat had betekend dat ik Oliver niet zou zien.' Zijn stem werd zachter. 'Als dat nodig was geweest om je te houden.'

Ze leunde met haar wang tegen hem aan. Ze hoorde het tikken van de motor die afkoelde en ergens, vlakbij, riep een moeder haar kind binnen. 'Ik dacht dat ik het je had verteld. Ik weet dat ik het heb geprobeerd. Ik...' Maar zelfs terwijl ze sprak, vroeg een deel van haar het zich af. Wat had ze precies gezegd? Wat had ze hardop gezegd en wat had ze alleen maar gedacht?

Hij sloeg zijn arm om haar heen. 'We hebben fouten gemaakt,' zei hij. 'We hebben allebei fouten gemaakt. Maar we hebben nu een zoontje, Kelly. We moeten er uitkomen.'

Ze snotterde. 'Had ik het maar geweten,' zei ze. 'Had ik maar geweten hoe het zou lopen. Had ik maar geweten wat er zou gebeuren...'

'Hé,' zei hij. 'We hebben geen kristallen bol gekregen. Maar dit weet ik wel. Ik ben geen Scott Schiff en ik ben ook je vader niet.' Hij gebaarde naar zichzelf en grijnsde zijn scheve grijns. Ze herinnerde zich hoe ze naar hem had opgekeken, halfdronken in een berg bladeren. Hij had patat voor haar gehaald. Hij had tegen haar gezegd dat ze mooi was. En ze had hem geloofd.

'Zie je nou wel?' zei hij en wees. 'Geen postzak. Gulp dicht...' Hij was even stil om dat te controleren. 'Het grootste deel van de tijd. Of ik nou ga lesgeven of wat dan ook, ik zal altijd voor jou en Oliver zorgen.'

'Beloof je dat?' vroeg ze. Haar stem klonk onvast. Hij boog zijn hoofd naar haar toe en raakte met zijn lippen haar wang aan.

'Geloof je me als ik zeg dat ik dat doe?'

Ze knikte. 'Ik wil dat er dingen veranderen,' fluisterde ze half tegen zichzelf.

'Dingen kunnen zijn zoals je ze wilt,' zei Steve. Ze leunde met gesloten ogen tegen hem aan, liet hem haar gewicht dragen, liet hem haar haar strelen, liet zich door hem vasthouden.

Maart

Lia

IK ZAT IN HET PARK MET DE BLAUWE KOFFER VAN MIJN MOEDER EN de lunch die Sarah voor me had klaargemaakt bij mijn voeten. Mijn vriendinnen zaten om me heen: Kelly, die met Oliver in een nieuwe rode wagen was gekomen; Becky met Ava in een rugdrager en Ayinde, lang, streng en mooi, alsof ze was gebeeldhouwd, haar gezicht een kleimasker dat in de hitte van een oven was afgebakken, met Julian in haar armen. De hemel was leisteengrijs, de temperatuur iets boven nul, maar de wind droeg iets zachts in zich en ik zag de knoppen in de kornoelje en kersenbomen, strakke knopjes rood en roze, het teken dat de lente er aankwam. Sam was twee weken daarvoor teruggevlogen naar Californië om het huis dat hij had uitgezocht in te gaan richten en ik was in Philadelphia gebleven om in te pakken, mijn flatje op te zeggen en afscheid te nemen. Sam zou me die middag komen halen.

'Je realiseert je toch wel dat je het hart van Dash de afwasser breekt, hè?' vroeg Becky.

'Daar komt hij wel overheen,' zei ik.

'We zullen je missen,' zei Kelly, die klein en verloren klonk. 'Moet je echt terug?'

'Sam is daar,' zei ik. 'En mijn werk, als ik ooit nog werk vind. En...' Ik wist niet zeker of ik mijn stem kon vertrouwen. 'En Caleb ligt er begraven. Ik denk dat ik altijd in de buurt wil wonen om ernaartoe te kunnen gaan.'

Ze knikten alledrie. Becky schraapte haar keel. 'Ik heb nieuws.'

'Goed nieuws?' vroeg Kelly.

'Ik denk het wel. Ik hoop het.' Ze tilde Ava op, die een roze fleecejasje en een roze trainingsbroek aanhad, en ging rechtop staan. 'Ik, eh, eh, ben een beetje zwanger.'

'O mijn god, meen je dat?' gilde Kelly. 'Je hebt zeker seks gehad, hè?'

'Ik kan voor jou ook niets verborgen houden,' zei Becky met een glimlach.

'Je hebt seks gehad en nu ben je zwanger!'

'En wie ben jij, de biologielerares uit de tweede?' gromde Becky, maar ze glimlachte. Ze straalde zelfs. 'Het is een beetje overweldigend, maar we zijn er blij mee. Het grootste deel van de tijd.' Ze keek naar Ava, die haar neus optrok en giechelde. 'Ik weet niet wat zij ervan zal vinden.'

'Wat zei Mimi?' vroeg Kelly.

Becky rolde met haar ogen. 'We hebben het haar nog niet verteld. En de wapenstilstand houdt nog stand, hoewel ik tot nu toe zo vaak op mijn tong heb moeten bijten dat het me verbaast dat die er nog aan zit.' Ze haalde haar schouders op. 'Maar dat zal wel moeten, als ik wil dat mijn huwelijk werkt.'

We wendden ons allemaal onbewust naar Kelly en we wendden ons alledrie net zo snel weer van haar af. Maar ze had het gezien. 'Ik denk,' zei ze met een iel stemmetje en haar hoofd over de wandelwagen gebogen, 'dat het wel goed komt met ons.' Ze zat op het bankje en duwde Oliver naar voren en achteren in zijn rode wagentje. 'Ik denk dat Steve en ik allebei een bepaald plaatje in ons hoofd hadden toen we trouwden, een plaatje van hoe het eruit zou zien.'

'Dat hebben we allemaal,' zei Ayinde zacht.

'Maar dat gaat er dus anders uitzien. We gaan kleiner wonen,' zei ze met een glimlach. 'Ergens met echte meubels. Steve gaat als invaldocent werken en hij gaat solliciteren naar een vaste baan voor in de herfst en...' Ze schraapte haar keel. 'Ik ga weer studeren. Binnenhuisarchitectuur aan Drexel. Ze hebben een geweldig programma.' Ze keek ons verlegen aan. 'Jullie vonden Olivers kinderkamer toch leuk, hè?'

'O, die is echt geweldig,' zei Becky. 'Wat een perfecte keuze!'

Kelly nam Oliver in haar armen en kuste hem bovenop zijn hoofd. 'Perfect kan me niet meer schelen. Ik ga voor goed genoeg.'

'O, Kelly,' zei ik. Ik legde mijn hand op haar arm en kneep erin. En toen, niet in staat mezelf in te houden, greep ik een dijbeen van Oliver. 'Hé, Oliver.' Ik zag de rollen waaraan ik gewend was – sinds ik hem kende, had Oliver beentjes als platte broden – maar het leek nu alsof er een paar waren verdwenen. Ik inspecteerde hem nauwkeurig.

Hij was langer geworden en zijn gezicht was smaller. En hij had meer haar gekregen. En toen drong het ineens tot me door: hij ontgroeide zijn baby-zijn en werd een jongetje.

Ik knipperde met mijn ogen om niet te gaan huilen. Ze waren allemaal zo veranderd. Ava had zes tandjes en tot Mimi's grote opluchting eindelijk wat haar. Julian was met zijn tien maanden lang en oplettend, met een serieuze blik over zich, als een bankier die nadenkt of hij een hypotheekaanvraag zal goedkeuren. Ik kon niet voorkomen dat ik me bedacht dat ik dit met Caleb zou missen: het opgroeien, het invullen, het veranderen, de groei van flesje naar babyvoeding naar echt eten, van rollen naar kruipen naar lopen naar rennen.

'Kijk nou eens,' zei Kelly met een mengeling van trots en spijt in haar stem. 'Hij wordt dunner.'

'Hij wordt groot.'

'Het is zo ongelooflijk,' zei Kelly. 'Ik denk dat toen het echt slecht ging – je weet wel, toen Steve de hele dag thuis was en ik het nauwelijks volhield – dat ik toen dacht dat het altijd zo zou blijven. Dat hij altijd een klein jongetje zou blijven. Nou ja, een grote kleine jongen, dan. Maar hij verandert,' zei ze en drukte Oliver tegen haar borst. 'En ik ook.'

'Wij allemaal,' zei Becky. 'Dat is het wonder van het moederschap.' Ze rolde met haar ogen.

Kelly keek me aan. 'Je komt in juli toch wel terug, hè? Voor de verjaardagen van Oliver en Ava?'

'En dan zul je in de herfst weer moeten komen,' zei Becky. 'Voor mijn verjaardag.'

'Natuurlijk,' zei ik.

Ayinde schraapte haar keel. 'Lia,' zei ze. 'Volgens mij is je moeder er.'

Ik zag Sam en mijn moeder die arm in arm door Walnut Street aan kwamen lopen. Er zullen altijd wonderen zijn, dacht ik en stond op. 'Ik ben ontzettend slecht in afscheid nemen,' begon ik.

'Onzin,' zei Becky, die me omhelsde. 'We zullen je missen.'

'Ik zal jullie ook missen,' zei ik en nu deed ik niet eens meer mijn best te doen alsof ik niet huilde. 'Meiden... jullie weten het niet eens, maar jullie hebben mijn leven gered.'

'Volgens mij hebben we allemaal elkaars leven gered,' zei Becky.

Ik omhelsde hen allemaal even – Becky, Kelly, Ayinde, Oliver, Julian en Ava. 'Dag, dag, dag mammies,' zong ik.

'Hou op met dat kloteliedje,' zei Becky, die met een mouw haar ogen afveegde.

'Dag, dag, dag, kindjes,' zei ik.

Ava staarde me aan. Oliver kauwde aandachtig op zijn duim. 'Da!' zei Julian, die zijn vuistje opende en weer dichtdeed. 'Da da da da da.'

'O mijn god,' zei Kelly met grote ogen. 'Hoorden jullie dat?'

'Zijn eerste woordje!' zei Becky. 'Snel, Ayinde, heb je je *Succes met Baby's!*-succesverhalenboekje bij je om dat op te schrijven?'

'Nee, dat ligt thuis, ik... o, laat ook maar.'

Dames,' zei Sam mijn vriendinnen begroetend. 'En heren, natuurlijk,' zei hij tegen Oliver en Julian.

'Da da da da da,' babbelde Julian en zwaaide met zijn vuistje door de lucht.

'Kom,' zei ik, 'voor ik instort.' En ik pakte de arm van mijn man.

'Lia?'

'Hmm,' zei ik. Sam had me de stoel aan het raam gegeven en ik zat tegen hem aan met een deken over mijn benen en mijn wang tegen het koele glas. We vlogen ergens boven Midden-Amerika. De hemel was donker van wolken en ik sliep bijna.

'Wil je iets drinken?'

Ik schudde mijn hoofd, sloot mijn ogen en kreeg, bijna meteen, de oude droom, de droom die ik al had sinds ik naar Philadelphia was gekomen. Ik stond in de kinderkamer die van mijn zoon was geweest, wit tapijt en crèmekleurige muren met een ragfijn gordijn dat voor een open raam wapperde. Ik liep op blote voeten door de kamer en ik voelde hoe de wind het gordijn tegen mijn wang blies: warm en zacht, als de belofte aan iets moois, het soort wind dat alleen 's nachts in Californië voorkomt.

Maar deze keer was de droom anders. Deze keer kwam er geen geluid uit de wieg. Geen gehuil, wat waarheidsgetrouw zou zijn, maar zacht gekir, gebrabbel dat bijna als woorden klonk, 'la la la' en 'ba ba ba'. Geluidjes die ik Ava, Oliver en Julian had horen maken sinds ik hen kende.

'Ssh, kleintje,' zei ik en ging sneller lopen. 'Ssh, ik ben er al.' Nu kijk ik in de wieg en dan is hij leeg, dacht ik, terwijl ik over de spijlen boog zoals ik dat al honderd keer in honderd dromen had gedaan. Nu kijk ik en dan is hij weg.

Maar de wieg was niet leeg. Ik leunde voorover en keek erin en daar was Caleb, in zijn blauwe pyjama met de eend erop, Caleb zoals die op deze leeftijd zou zijn geweest, met heldere ogen, zijn huid roze en stralend, wangen en benen en armen bol en stevig, roodbruin haar op zijn hoofd en er niet langer uitziend als een kwade, ondervoede oude man maar als een kind. Mijn kind.

'Caleb,' fluisterde ik en nam hem in mijn armen, waarin hij paste als een sleutel in een geolied slot. Hij voelde bekend, zoals Ava, zoals Oliver, zoals Julian, maar toch heel anders. Als een eigen identiteit. Mijn eigen identiteit. Mijn kind. Mijn zoon.

Op dat moment was ik tegelijkertijd binnen en buiten de droom; in de kinderkamer en in het vliegtuig, en ik zag alles, ik voelde alles: mijn man naast me, zijn hand warm op mijn knie, het raampje tegen mijn wang koel van de lucht die ertegenaan blies, vol regendruppels, het gewicht van het kind in mijn armen.

Bye and bye, bye and bye,
My darling baby, don't you cry.
The moon is still above the hill.
The soft clouds gather in the sky.

'Caleb,' zei ik. Het land spreidde zich onder me uit als een lappendeken, stukken bruin en groen aan elkaar genaaid met vergevingsgezindheid, hoop en liefde. Ik hoorde de wind door het open kinderkamerraam blazen. Naast me voelde ik hoe mijn man zijn lichaam naar me toe draaide, ik voelde zijn zachte adem tegen mijn wang en zijn warme hand over de mijne. In mijn droom, in mijn armen, opende mijn baby zijn ogen en glimlachte.

Woord van dank

LICHTE AARDSCHOKKEN IS FICTIE, MAAR NET ALS BECKY, KELLY EN Ayinde had ik het geluk naar zwangerschapsyoga te gaan met een groep geweldige vrouwen die mijn vriendinnen en reddingslijn zijn geweest tijdens de zwangerschap en sinds mijn eigen dochter negen maanden geleden werd geboren. Ze waren zo groothartig om hun eigen verhalen over hun bevalling, huwelijk en moederschap met me te delen en me te steunen in de reis die ik zelf maakte. Bedankt, Gail Silver, Debbie Bilder en baby Max, Alexa Hymowitz en Zach, Carrie Coleman en James Rufus, Jeanette Andersson en Filippa, Kate Mackey, Jackson, Andrea Cipriani-Mecchi, Anthony en Lucia.

Ik ben verbijsterd en voel me nederig door het harde werk van Joanna Pulcini, wier pogingen ten bate van dit boek zo ver gingen dat ze het manuscript in koffiebars en hotelkamers van Los Angeles tot New York bestudeerde. Haar ijverige, nadenkende en rigoureuze redactievaardigheden en het feit dat ze af en toe wilde oppassen, waren van onschatbare waarde. Ik heb geluk dat ze mijn agente is en ben nog gelukkiger dat ze mijn vriendin is.

Mijn redactrice Greer Kessel-Hendricks is haar gewicht in robijnen meer dan waard voor haar vakkundige en meelevende lezen en honderd vriendelijkheden, groot en klein. Ik ben haar assistente Suzanne O'Neill en iedereen bij Atria, met name Seale Ballenger, Ben Bruton, Tommy Semosh, Holly Bemiss, Shannon McKenna, Karen Mender en Judith Curr, de beste uitgever die een schrijver zich maar kan wensen, ook zeer dankbaar.

Kyra Ryan gaf me een inzichtelijke lezing en geweldige redactionele opmerkingen bij een vroege versie en Alison Kolani hielp de plooien in de laatste versie gladstrijken. Ik ben hun beiden zeer dankbaar, net als Ann Marie Mendlow, die om haar gulheid jegens Planned Parenthood in Zuidoost-Pennsylvania door het nageslacht zal worden herinnerd (voorzover dit boek het nageslacht vertegenwoordigt).

Ik ben vrienden in de buurt en ver weg dankbaar: Susan Abrams-Krevsky en Ben Krevsky, Alan Promer en Sharon Fenick, Charlie en Abby Glassenberg, Eric en Becky Spratford, Clare Epstein en Phil DiGennaro, Kim en Paul Niehaus, Steve en Andrea Hasegawa, Ginny Durham, Lisa Maslankowski en Robert DiCicco, Craig, Elizabeth, Alice en Arthur LaBan en vooral Melinda McKibben-Pedersen, een van de geweldigste en dapperste vrouwen die ik ken.

De moeders van de Hall Mercer-speelgroep deelden hun verhalen met me en luisterden naar het mijne. Ik ben zo blij dat Lucy en ik Linda Derbyshire, Jamie Cohen en Mia kennen; Amy Schildt en Natalie, Shane Siegel en Carly, en Emily Birknes en Madeline.

Bedankt, lactatiedeskundigen in Pennsylvania Hospital dat jullie mijn gedrukte en echte baby's hebben geholpen, en bedankt, personeel van Society Hill Cosi voor de gratis koffie en dat ik altijd met mijn laptop aan een tafeltje aan het raam mocht zitten en de stroom mocht gebruiken.

Mijn speciale van het dak geschreeuwde dank gaat uit naar Jamie Seibert, die als een gift uit de hemel in mijn leven kwam en geweldig voor Lucy zorgt als ik schrijf.

Dit zou allemaal niet mogelijk zijn geweest zonder mijn familie: mijn man Adam, mijn moeder Fran Frumin en mijn oma Faye Frumin, Jake, April, Olivia, Molly en Joe Weiner, Warren Bonin, Ebbie Bonin en Todd Bonin gaven me hun liefde, hulp en materiële steun (en in het geval van Olivia, tweedehandsjes). Mijn dochter Lucy Jane heeft dit boek mogelijk gemaakt en heeft mijn leven geweldig gemaakt.

En ik zal altijd dankbaar zijn voor de steun en liefde van een van mijn eerste redacteuren, mijn vriendin Liza Nelligan, die afgelopen voorjaar is overleden.

Ik denk dat ik nooit zal kunnen uitdrukken hoe Liza's vertrouwen in mij mijn leven als schrijfster mogelijk heeft gemaakt, maar ik geloof dat haar geest en haar liefde voor lachen en goede verhalen voortleven in dit verhaal en in ieder ander verhaal dat ik zal vertellen. Het slaapliedje dat Lia zingt, komt uit *The Rainbabies*, een van de boeken die Liza een paar dagen na de geboorte van Lucy heeft gestuurd. Ik heb het in dit boek geciteerd als eerbetoon aan Liza.